MÚSICA   CULTURA POP   ESTILO DE VIDA   COMIDA
CRIATIVIDADE & IMPACTO SOCIAL

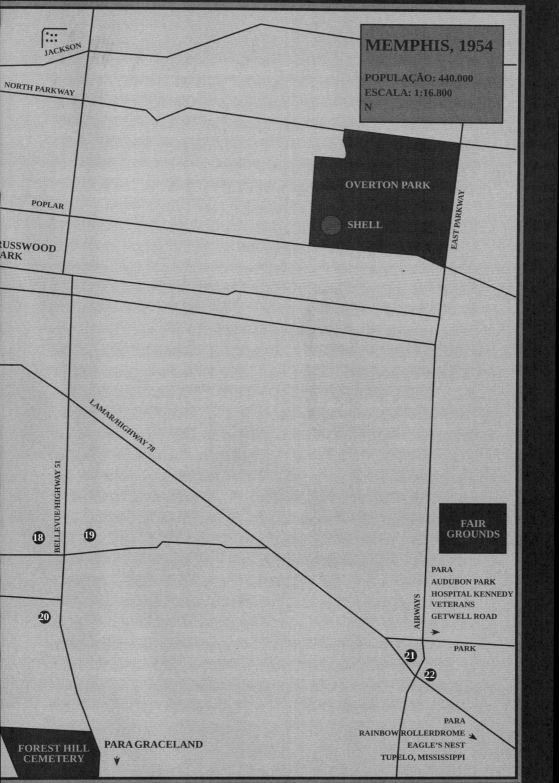

PETER GURALNICK

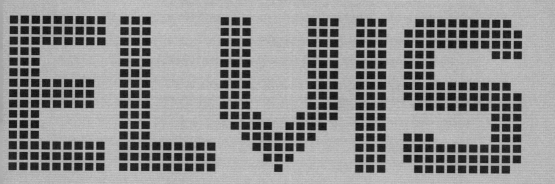

ÚLTIMO TREM PARA MEMPHIS

Tradução
Henrique Guerra

2ª reimpressão/2023

Título original: Last Train to Memphis: The Rise of Elvis Presley
Copyright © 1994, 2015 by Peter Guralnick

Nenhuma parte desta publicação pode ser reproduzida, armazenada ou transmitida para fins comerciais sem a permissão do editor. Você não precisa pedir nenhuma autorização, no entanto, para compartilhar pequenos trechos ou reproduções das páginas nas suas redes sociais, para divulgar a capa, nem para contar para seus amigos como este livro é incrível (*e como somos modestos*).

Este livro é o resultado de um trabalho feito com muito amor, diversão e gente finice pelas seguintes pessoas:

Gustavo Guertler (*publisher*), Fernanda Fedrizzi (coordenação editorial), Henrique Guerra (tradução), Germano Weirich (preparação), Vivian Matsushita (revisão), Celso Orlandin Jr. (capa e projeto gráfico) e Juliana Rech (diagramação)
Obrigado, amigas e amigos.

Foto de capa: PictureLux / The Hollywood Archive / Alamy Stock Photo

2023
Todos os direitos desta edição reservados à
Editora Belas Letras Ltda.
Rua Antônio Corsetti, 221 – Bairro Cinquentenário
CEP 95012-080 – Caxias do Sul – RS
www.belasletras.com.br

Dados Internacionais de Catalogação na Fonte (CIP)
Biblioteca Pública Municipal Dr. Demetrio Niederauer
Caxias do Sul, RS

G978e	Guralnick, Peter
	Elvis: último trem para Memphis / Peter Guralnick ; tradutor: Henrique Guerra. - Caxias do Sul, RS : Belas Letras, 2022
	640 p.
	Título original: Last Train to Memphis: The Rise of Elvis Presley
	ISBN: 978-65-5537-121-5
	ISBN: 978-65-5537-120-8
	ISBN: 978-65-5537-122-2
	1. Presley, Elvis, 1935-1977. 2. Biografia. 3. Rock (Música). I. Guerra, Henrique. II. Título.
21/133	CDU 929Presley

Catalogação elaborada por Vanessa Pinent, CRB-10/1297

Para minha mãe e meu pai e para Alexandra

Sumário

NOTA DO AUTOR... 13

PRÓLOGO: MEMPHIS, 1950... 19

TUPELO: LOGO ACIMA DA RODOVIA... 29
Janeiro de 1935 a novembro 1948

MEMPHIS: EM LAUDERDALE COURTS... 55
Novembro de 1948 a junho de 1953

"MY HAPPINESS"... 87
Julho de 1953 a janeiro de 1954

"WITHOUT YOU"... 99
Janeiro a julho de 1954

"THAT'S ALL RIGHT"... 127
Julho a setembro de 1954

"GOOD ROCKIN' TONIGHT"... 173
Outubro a dezembro de 1954

FRUTO PROIBIDO... 213
Janeiro a maio de 1955

"MYSTERY TRAIN"... 255
Junho a agosto de 1955

OS FLAUTISTAS... 277
Setembro a novembro de 1955

STAGE SHOW... 305
Dezembro de 1955 a fevereiro de 1956

O MUNDO DE PERNAS PARA O AR... 331
Março a maio de 1956

**"AQUELE PESSOAL DE NOVA YORK
NÃO VAI ME MUDAR EM NADA"... 355**
Maio a julho de 1956

ELVIS E JUNE... 391
Julho a agosto de 1956

LOVE ME TENDER... 413
Agosto a outubro de 1956

THE TOAST OF THE TOWN... 443
Outubro a novembro de 1956

O FIM DE ALGUMA COISA... 461
Dezembro de 1956 a janeiro de 1957

A MULHER QUE EU AMO... 481
Janeiro a abril de 1957

O PRISIONEIRO DO ROCK... 507
Abril a setembro de 1957

ANDANDO NUM SONHO... 545
Outubro de 1957 a março de 1958

"PRECIOUS MEMORIES"... 571
Março a setembro de 1958

Bibliografia... 609

Breve nota discográfica... 629

Agradecimentos... 633

Permissões... 638

Notas...

Inauguração da farmácia Katz, 8 de setembro de 1954
(Opal Walker)

NOTA DO AUTOR

"Biografia" significa um livro sobre a vida de alguém. Mas, para mim, tornou-se uma espécie de busca, um rastrear o percurso de uma trajetória, um voltar no tempo para seguir os passos de alguém. Você nunca os alcança; não, nunca os alcança de verdade. Com sorte, porém, escreve sobre a busca desse vulto fugaz de modo a lhe insuflar vida no presente.
Richard Holmes, *Footsteps: Adventures of a Romantic Biographer*

Escrevi pela primeira vez sobre Elvis Presley em 1967. Fiz isso porque amava as suas músicas e sentia que seu trabalho era injustamente ridicularizado e desdenhado. Não escrevi sobre filmes, imagem ou popularidade. Escrevi sobre alguém que eu considerava um grande cantor de blues (hoje eu poderia usar o termo "que canta com o coração", no sentido de que ele cantava todas as músicas de que ele gostava – blues, gospel e até mesmo baladas – sem barreiras ou afetação) e, até onde eu imaginava, tinha a mesma percepção sobre si mesmo. Nesse espírito sem barreiras remeti uma cópia da resenha ao endereço de Elvis, na 3764 Highway 51 South (mais tarde rebatizada Elvis Presley Boulevard), em Memphis, e como resposta recebi um cartão de Natal impresso.

Escrevi sobre ele algumas vezes ao longo dos anos, buscando de uma forma ou de outra salvá-lo tanto de seus detratores quanto de seus admiradores. Meus textos baseavam-se em audições apaixonadas, pesquisas, entrevistas e, é claro, no tipo de especulação que inevitavelmente aplicamos a algo, ou a alguém, por quem nutrimos admiração a uma certa distância. Não me arrependo de nada do que escrevi, mas, olhando para trás, talvez eu pudesse colocar as coisas em melhor perspectiva. Mas não sei se alguma vez pensei no verdadeiro Elvis Presley até o dia em que, ao volante do meu carro, passei pelo velho estúdio Stax, na McLemore Avenue, em South Memphis. Foi em 1983, e eu estava acompanhado de minha amiga Rose Clayton. Natural de Memphis, Rose apontou uma farmácia onde o primo de Elvis trabalhava. Elvis sempre aparecia ali, contou ela. Sentava-se na fonte dos refrigerantes, tamborilava com os dedos no balcão. "Pobrezinho", murmurou Rose, e algo se ativou em minha cabeça. Não falávamos de "Elvis Presley", e sim de um garoto sentado junto a uma fonte de refrigerante em South Memphis, alguém que podia ser observado, como você ou eu, sonhando acordado, ouvindo o jukebox, bebendo milk-shake, esperando o primo sair do trabalho. "Pobrezinho."

Só comecei a me dedicar realmente ao livro vários anos depois, mas foi essa a visão que o sustentou. Quando enfim resolvi escrever o livro, meu objetivo era simples – ao menos me parecia simples no início: manter a história dentro do tempo "real", permitir que os personagens respirassem livremente seu próprio ar, evitar impor o julgamento de outra época, ou até mesmo os alarmes inevitavelmente acionados quando se olha algo em retrospectiva. Era isso que eu queria fazer. Ao mesmo tempo, permanecer fiel aos meus "personagens" – pessoas que eu tinha conhecido e gostado na vida real em minhas viagens e pesquisas – e sugerir as dimensões de um mundo, o mundo em que Elvis Presley cresceu, o mundo que o moldou e que ele, por sua vez, despercebidamente, havia moldado, com toda a graça e a singeleza da vida cotidiana.

Descobrir a realidade daquele mundo foi algo como dar um passo além dos meus próprios limites. O historiador britânico Richard Holmes descreve o biógrafo como "uma espécie de vagabundo sempre batendo na janela da cozinha na ânsia secreta de ser convidado para o jantar". Supostamente, Holmes faz uma alusão à tentativa do pesquisador de penetrar nos recessos da história, mas poderia muito bem estar descrevendo uma verdade literal. Se eu não conseguisse reconhecer minha condição de forasteiro, se eu não fosse capaz de rir dos contratempos hilários em que me envolvi muitas vezes ao longo desses anos, então me faltaria a humildade necessária para a tarefa. Por outro lado, se eu não fosse ousado o suficiente para pensar que é possível dar sentido ao volume de detalhes aleatórios que compõem uma vida, se eu não me imaginasse capaz de empreender as mais diversas explorações, divagações e saltos transcendentais, eu nem teria começado a contar a história. "Quando se começa a investigar a verdade dos fatos mais simples e aceitos como verdadeiros", escreveu Leonard Woolf em sua autobiografia, "é o mesmo que sair do chão firme de uma trilha estreita e se embrenhar em um brejo de areia movediça – cada passo é um passo mais fundo no pântano da incerteza." E é essa incerteza que deve ser tomada como um fato inevitável e o único ponto de partida real.

Para este livro, entrevistei centenas de pessoas que conheceram Elvis em primeira mão. Para meu grande prazer e distração nada casual, descobri mundos dentro dos mundos: o mundo dos quartetos vocais; o espírito pioneiro do rádio pós-Segunda Guerra Mundial; os múltiplos mundos de Memphis (que eu poderia achar que já conhecia); o mundo dos parques de diversões itinerantes, de autoinvenção e autopromoção de onde emergiu o Coronel Thomas A. Parker; os sonhos amadores de uma indústria musical que ainda não tinha se definido; os sonhos grandiosos de uma forma de arte ainda não explorada. Tentei sugerir esses mundos e os homens e mulheres que os povoavam, respeitando os aspectos intricados, complexos e holísticos de sua composição. Mas, claro: apenas sugerir. Quanto ao protagonista, também procurei transmitir a sua complexidade e irredutibilidade. Este é um relato heroico e, em última análise, trágico talvez. Porém – como toda e qualquer vida e personalidade – não é feito de uma só faceta, não se presta a uma única interpretação, nem todos os seus prismas refletem algo que pareça um todo indistinguível. Dizer isso, espero, não é jogar a toalha diante da impossibilidade da tarefa; é apenas abraçar a experiência humana no que ela tem de singular e diversa.

Eu quis contar uma história verdadeira. Quis resgatar Elvis Presley da medonha escravidão do mito, da onda de choque da significação cultural. Se obtive sucesso, imagino, apenas abri o assunto a novos abalos secundários, a novas formas de encapsulamento. Como qualquer biógrafo, eu me detive em certas cenas, imaginei e reimaginei o modo como tudo aconteceu, tudo sempre muito consciente de minhas próprias limitações de perspectiva e das lentes que distorcem a história. Tentei conciliar relatos inconciliáveis e me engajei no tipo de diálogo com meu tema que, nas palavras de Richard Holmes, conduz a "uma relação de confiança" entre biógrafo e biografado. Como Holmes salienta, o que buscamos alcançar, implicitamente, é a confiança. Entretanto, sempre existe a possibilidade de que a confiança seja mal depositada: "A possibilidade de erro", insiste ele, "é constante em todas as biografias".

Por isso eu gostaria de sugerir que este trabalho, como qualquer outro, é um começo, não um fim, um convite à investigação, não uma tentativa de esgotar o assunto. Muito do que se torna história, seja formal ou no simples relato de um episódio à mesa de jantar, baseia-se em abreviação verbal, saltos metafóricos de fé, *interpretação* dos fatos à mão. Uma coisa deve ficar clara: fatos podem mudar e novas interpretações podem, a qualquer momento, alterar a nossa interpretação. Esta é a *minha* história de Elvis Presley: não pode ser *a* história de Elvis Presley. Isso não existe; até mesmo uma autobiografia, ou talvez principalmente uma autobiografia, acima de tudo, representa uma edição dos fatos, uma escolha dos detalhes, uma tentativa de dar sentido aos diversos e arbitrários acontecimentos da vida real. Em suma, nada há de chocante na existência humana, porque, afinal, seja lá o que tenha ocorrido, é simplesmente humano. Se eu tiver sucesso em meu intento, terei dado a leitoras e leitores as ferramentas para criar o seu próprio retrato de um jovem Elvis Presley, a oportunidade de reinventar e reinterpretar, no vasto contexto de um certo tempo e lugar, a juventude de um insólito e notável americano.

QUIS CONTAR UMA HISTÓRIA VERDADEIRA. QUIS RESGATAR ELVIS PRESLEY DA MEDONHA ESCRAVIDÃO DO MITO, DA ONDA DE CHOQUE DA SIGNIFICAÇÃO CULTURAL.

Com Dewey Phillips, Beale Street, 1956
(Robert Williams)

PRÓLOGO: MEMPHIS, 1950

É FINZINHO DE MAIO ou comecinho de junho, está quente, fumegante. A fétida brisa que sopra do rio atravessa o elegante lobby do Hotel Peabody, onde, dizem, começa o Delta do Mississippi. Há um burburinho no salão – bem-educado, discreto, cortês, mas incessante: o ambiente fervilha com a sugestão de negócios sendo fechados em estilo grandiloquente, em meio a anéis de fumaça de charuto subindo ao teto alto florentino, na expectativa de uma noitada social. Quando está na cidade, o romancista William Faulkner sempre fica no Peabody; talvez esteja observando essa exata cena.

Na rua, homens circulam a passos largos. Usam chapéu-panamá ou chapéu de palha. Alguns estão em mangas de camisa, com suspensórios erguendo a calça bem alto na cintura. A maioria é mais formal em seus trajes de anarruga, para afastar o calor. Em geral, o *look* cool e elegante das damas é composto de chapéus de aba larga e vestidinhos leves de verão. Todos os negros que você enxerga cumprem uma função: são domésticas, engraxates, barbeiros, mensageiros, e cada qual exerce um papel familiar e silencioso. Mas se você quisesse ter outra percepção da vida desses dóceis, solícitos, quase invisíveis empregados e pajens despersonalizados da riqueza e do poder brancos, bastava dobrar a esquina e andar pela Beale Street, uma metrópole bem diferente: multicolorida, florescente e pulsante.

Na farmácia Peabody, esquina da Union com a Second, está sentado um jovem elegante e bem-vestido de vinte e sete anos, batucando, nervoso, com os dedos no balcão. O nó da gravata, impecável. Os cabelos castanhos, exuberantes. Cuidadosamente esculpidos, passam a ideia de que talvez seja essa a característica da qual ele tem mais orgulho. Fuma um Chesterfield num requintado porta-cigarros e usa uma corrente de bolso dourada. Sob todos os aspectos, é um jovem que atrai os olhares, mas o que realmente nos magnetiza são seus olhos. Incrustados sob as proeminentes sobrancelhas, não chegam a ser pequenos nem especialmente próximos. Em fotografias, dão a impressão de que estão semicerrados e, na vida real, que o dono dos olhos está desnudando a nossa própria alma. Neste exato instante, seu olhar percorre o ambiente, distraído, sem se concentrar em nada específico, até por fim avistar a pessoa que procura. Irrompe porta adentro um ruivo alto, magruço e desengonçado, evidentemente do interior e com orgulho disso. Um sorrisinho nos lábios insinua a desnecessidade de fazer ou mesmo de sugerir um pedido de desculpas; sua camisa estampada contrasta com a elegância do outro que o esperava, o qual ele evidentemente não conhecia, mas saúda com uma onda expansiva de contagiante afabilidade, com direito a um tapinha nas costas e um zurro estrondoso: "*Dee-gaw!*".

O recém-chegado, Dewey Phillips, tem vinte e quatro anos e já é uma celebridade do rádio, com programa próprio na WHBQ, transmitido diretamente do Gayoso Hotel, ali perto, subindo a rua. Está no ar das 22h à meia-noite todos os dias da semana, e até à uma da madrugada nas noites de sábado, mantendo seu emprego na seção de discos da W. T. Grant's, na South Main. A música que ele toca é uma das melhores músicas vernáculas americanas já gravadas: em um bloco de quinze minutos, você escuta o último sucesso de Muddy Waters, uma canção gospel do Soul Stirrers (com seu grande vocalista R. H. Harris), "For You, My Love", de Larry Darnell, e "Good Rockin' Tonight", de Wynonie Harris – "boogies, blues e louvores", como relata um artigo do jornal *Memphis Commercial Appeal*. Ele mutila os nomes de seus anunciantes, toca os discos de 78 rpm na velocidade errada e acrescenta a cada mensagem comercial o gracioso lembrete: "Eu não me importo para onde você vai ou como você vai, apenas diga que foi o Phillips quem enviou você". Dias antes, um de seus ouvintes foi levado à ala de emergência do hospital e anunciou a uma perplexa equipe médica que Phillips o tinha enviado. Ele comanda talvez o programa de rádio mais popular de Memphis ligado ao sistema de radiodifusão da Mutual. Gosto não se discute, e nesse mundo tão imprevisível e aberto de forma não convencional do pós-guerra, só uma coisa é mesmo surpreendente em seu sucesso: a música que ele toca e os ouvintes que ele alcança são quase exclusivamente negros.

É por isso que Sam Phillips queria tanto conhecê-lo. Além do mesmo sobrenome, outra coincidência une esses dois jovens muito díspares: têm os mesmos objetivos. Apenas seis meses antes, Sam Phillips, com a ajuda de Marion Keisker, uma personalidade do rádio de Memphis mais conhecida por seu programa "Kitty Kelly" na WREC, tinha criado seu próprio estúdio, o Memphis Recording Service, na 706 Union Avenue, com o objetivo declarado de gravar "artistas negros sulistas que queriam gravar um disco [e] simplesmente não tinham para onde ir... Montei um estúdio só para fazer discos com alguns desses grandes artistas negros". Phillips, engenheiro e disc jockey na WREC, a afiliada da CBS cujos escritórios ficavam no Peabody, havia chegado à cidade em 1945. Começou a trabalhar no rádio ainda adolescente, em sua região natal de Muscle Shoals, Alabama, e aos vinte e dois atuava como engenheiro nas transmissões da rede, todas as noites, a partir do Peabody Skyway. Mas, apesar de seu amor permanente pela música das big bands – pelos irmãos Dorsey e Glenn Miller, Freddy Martin e Ted Weems –, ele passou a sentir que tudo era muito programadinho, que "a cantora só se sentava lá em cima, toda bonitinha, e os músicos podiam ter tocado a maldita música umas quatro mil vezes, mas ainda olhavam as partituras!".

Ao mesmo tempo, Sam acreditava do fundo do coração na música com que tinha crescido na infância, nas gloriosas oferendas espirituais da igreja dos negros, nos contos e cantigas do tio Silas Payne, que trabalhava na fazenda de seu pai e contava ao menininho histórias da Beale Street em Memphis, viagens ao rio Molasses, e as árvores farináceas que cresciam ao lado das árvores de salsicha na África. "Eu escutava aquela linda canção à capela... As janelas da igreja metodista dos negros, a meio quarteirão da Highland Baptist, ficavam todas abertas, e eu me deslumbrava com os ritmos. Mesmo quando faziam as evocações, eles seguiam um ritmo, talvez mais de um, e havia aquele lindo silêncio rítmico das lavouras de algodão, como uma enxada que de vez em quando batia numa pedra ao cortar o solo, e então o canto, especialmente se o vento soprava da direção certa... Acredite em mim, tudo aquilo significava muito para mim."

Muitas crianças ficavam encantadas com esses encontros, mas cresciam e deixavam de lado as coisas infantis; nas palavras de Sam Phillips, elas se conformavam. Sam Phillips acreditava em outra coisa. Acreditava (inteiramente e sem reservas) na diferença, na independência, na individuação, acreditava em si mesmo e acreditava (até mesmo ao ponto de verbalizar isso em declarações públicas e privadas desde jovem adulto) no alcance e na beleza da cultura afro-americana. Ele queria, avisou, música "genuinamente negra, sem tutelas". Garimpava "negros com lama do campo nas botas e remendos no macacão... instrumentos quebrados e técnicas libertárias". A música que ele estava tentando gravar era a música que Dewey Phillips colocava no ar.

A razão ostensiva para seu encontro com Dewey era a seguinte. O cunhado dele, Jimmy Connolly, gerente-geral da estação de 250 watts da WJLD em Bessemer, Alabama, onde ele havia ido trabalhar após primeiro contratar Sam em Muscle Shoals, acabava de lançar o programa chamado *The Atomic Boogie Hour*. Era um programa vespertino, parecido com o tipo de programa que Dewey tinha começado em Memphis, que espocava aqui e ali em todo o Sul: música negra numa estação de rádio branca, com um público negro forte e um núcleo crescente, embora ainda não reconhecido, de jovens ouvintes brancos com um crescente, embora ainda menosprezado, poder de compra. O dono da estação de rádio, um tal de sr. Johnson, queria cancelar o programa de Connolly, porque não era "intelectual", e Sam contou ao cunhado sobre "um cara que está no ar e que você nem vai acreditar". Jimmy sugeriu que ele convidasse Dewey para trabalhar em Bessemer, e Sam concordou, mas no fundo não queria isso. "Eu simplesmente não queria que Dewey saísse de Memphis. Até recuei um pouco na minha recomendação depois. Falei a meu cunhado Jimmy: 'Bem, a sua *Atomic Boogie Hour* é fantástica, mas não tenho certeza se Dewey se encaixaria. É um cara que de uma forma ou outra cria uma atmosfera noturna... O que precisamos em Memphis é exatamente o que Dewey Phillips está fazendo'. Eu poderia ter arranjado um emprego fácil para Dewey, mas disse a ele assim: 'Dewey, vou tentar fazer alguma coisa no ramo da gravação de discos'."

Sabe-se lá o que os dois fizeram logo após essa primeira reunião. Talvez tenham vagado até a Beale Street, onde Dewey, que era descrito como "transracial" por mais de um admirador, circulava por onde bem entendesse, onde Dewey, conforme Sam percebeu com alguma ambivalência, era "um herói, amado por todos". Talvez tenham dado uma passadinha no novo Palace Theatre, onde Roy Brown ou Larry Darnell ou Wynonie Harris poderiam estar tocando naquela mesma noite. Podem ter topado com o dono do clube noturno, o empresário Andrew "Sunbeam" Mitchell, ou o próprio Blues Boy da Beale Street, B. B. King, que Sam começaria a gravar para o selo RPM (Modern), sediado na Califórnia, por volta dessa mesma época. Joe Hill Louis, a banda de um homem só, provavelmente estava tocando no Handy Park. Ou talvez tenham resolvido degustar um sanduíche de peixe no Johnny Mills' Barbecue, na esquina da Fourth com a Beale.

Seja lá onde fossem, Dewey recebia as boas-vindas com interjeições de alegre reconhecimento e respondia a essas saudações com sincera boa vontade, ilimitado entusiasmo e uma alegre exclamação toda sua. Por sua vez, Sam, mais quieto, mais reservado e, de algum modo, mais formal, permanecia na retaguarda, absorvendo um cenário que por muito tempo reverberou nele também. Ele tinha sonhado com a Beale Street muito antes de conhecê-la, a partir das histórias narradas pelo tio Silas, e quando, aos dezesseis anos, pisou nela pela primeira vez, suas expectativas foram satisfeitas. Estava a caminho de Dallas com seu irmão mais velho Jud e alguns amigos para ouvir a pregação do reverendo George W. Truett, mas foi atraído, ao que parece, quase inexoravelmente à Beale, porque "para mim a Beale Street era o lugar mais famoso do sul. Chegamos nela às cinco ou seis da manhã e estava chovendo, mas só a percorremos para cima e para baixo. Ela era muito mais do que eu havia imaginado. Até hoje não consigo explicar isso direito... Meus olhos deviam ser muito grandes, porque vi tudo, desde bêbados até gente com roupas de arrasar, jovens, velhos, malandros urbanos e pessoas saídas diretamente dos campos de algodão, e de uma forma ou outra você poderia dizer: cada um deles estava feliz por estar ali. A Beale Street representou para mim algo que eu esperava um dia ver para todas as pessoas, algo de que elas podiam dizer, faço parte disso de alguma forma". Essa era a visão de Sam Phillips, e ele a manteve quando se mudou para Memphis com a esposa e o neném, seis anos mais tarde. Foi atraído a Memphis como a um ímã, mas não para os elegantes compromissos do Hotel Peabody ou as transmissões das big bands da Skyway. Foi a Beale Street que o atraiu de um modo que ele nunca seria capaz de explicar plenamente, e a Beale Street com a qual, por assim dizer, ele nunca conseguiu se sentir totalmente à vontade.

 Sam e Dewey Phillips se tornaram mais íntimos do que dois irmãos; um erguia o outro em tempos ruins e, sem dúvida, também arrastava o outro para baixo em certas ocasiões. Tornaram-se parceiros de negócios por um curtíssimo período, um mês ou dois após esse primeiro encontro, quando Sam criou uma gravadora chamada The Phillips, que lançou um single oficial ("Boogie in the Park", de Joe Hill Louis, com trezentas cópias prensadas), e depois a dissolveu por motivos nunca plenamente elucidados. Entretanto, apesar de todos os seus valores compartilhados,

SAM E DEWEY PHILLIPS SE TORNARAM MAIS ÍNTIMOS DO QUE DOIS IRMÃOS; UM ERGUIA O OUTRO EM TEMPOS RUINS E, SEM DÚVIDA, TAMBÉM ARRASTAVA O OUTRO PARA BAIXO EM CERTAS OCASIÕES.

apesar de todos os seus sonhos e planos compartilhados e o fato de estarem trabalhando no mesmo ramo (Sam continuou a gravar cantores de blues como Howlin' Wolf e B. B. King por algum tempo para vários selos e logo fundou uma gravadora própria; Daddy-O-Dewey ficou cada vez mais famoso no rádio), eles só voltariam a aparecer juntos, no mundo dos negócios e nos livros de história, quatro anos depois, um ano após a chegada não anunciada e completamente imprevista de um garoto de dezoito anos na Sun, a gravadora de Sam Phillips. O nome do garoto era Elvis Presley.

Em 1950, a família Presley também era relativamente recém-chegada na cidade. No outono de 1948, resolveram deixar a vizinha Tupelo, Mississippi, rumo a Memphis. O filho único tinha apenas treze anos de idade, e no começo foi dura a adaptação à vida na cidade grande. O marido, Vernon, havia trabalhado em uma fábrica de munições em Memphis durante boa parte da guerra. Mas, no pós-guerra, não era nada fácil encontrar um emprego bom e estável, e a família de três pessoas morava amontoada em um quarto de pensão durante os primeiros meses após a sua chegada. Desconfiado, arisco e tímido quase ao ponto da reclusão, o menino ficou naturalmente assustado com o seu novo ambiente, e em seu primeiro dia na escola Humes High (que tinha seiscentos alunos do 7º ao 12º ano) voltou à pensão praticamente antes de seu pai terminar de deixá-lo na escola. Vernon achou que o filho "estava com o olhar esbugalhado de tão nervoso. Quando indaguei qual era o problema, falou que não sabia onde era a secretaria, e as aulas já tinham começado e havia tantas crianças. Estava com medo que rissem dele". O pai dele, homem taciturno e cabreiro, entendeu: de certa forma, os Presley davam a impressão a parentes e vizinhos de que viviam em seu próprio mundo privado. "Pensei um minuto", conta Vernon, "e percebi o que ele queria dizer. Então falei: 'Filho, por hoje, tudo bem, mas amanhã você vai estar lá, às nove horas, sem falta!'."

Em fevereiro de 1949, Vernon enfim conseguiu um emprego fixo, na United Paint Company, a poucos quarteirões da casa que alugaram na Poplar e para onde tinham se mudado. Em 17 de junho, solicitou uma moradia em Lauderdale Courts, o projeto habitacional de assistência pública organizado pela Autoridade Habitacional de Memphis. Em setembro, a solicitação dele enfim foi aprovada, e a família se mudou para 185 Winchester, apartamento 328, dobrando a esquina de onde moravam. O aluguel custava trinta e cinco dólares por mês para um apartamento de dois quartos no piso térreo em um bem conservado e hospitaleiro condomínio. Todo mundo que morava em Lauderdale Courts sentia que estava a caminho de algum lugar. Pelo menos em termos de aspirações, foi um grande passo para a família Presley.

Tupelo por volta de 1942
(Cortesia do espólio de Elvis Presley)

TUPELO: LOGO ACIMA DA RODOVIA

Janeiro de 1935 a novembro de 1948

VERNON PRESLEY nunca foi especialmente bem-conceituado em Tupelo. De poucas palavras e aparentemente pouca ambição, até mesmo em East Tupelo, na época um município separado, onde morava com a família "logo acima da rodovia", num conjunto de casas apinhadas em cinco ruas não pavimentadas perto da Old Saltillo Road, ele era considerado um espírito um tanto vazio, embora trabalhador, de boa aparência, talvez bonito, mas improvável de, um dia, chegar a algum lugar. A própria East Tupelo separava-se da cidade-mãe por algo mais do que apenas a barreira geográfica de dois riachos, lavouras de milho e algodão, e os trilhos das ferrovias Mobile & Ohio e St. Louis & San Francisco. Tupelo era saudada no *Guia WPA* de 1938 como "talvez o melhor exemplo no Mississippi do que os comentaristas contemporâneos chamam de 'Novo Sul'". Por sua vez, East Tupelo era uma parte do Novo Sul que tendia a ser encoberta, o lar de muitos dos "brancos pobres", trabalhadores das fábricas e meeiros, que alimentavam uma visão da "indústria crescendo em meio à agricultura e aos costumes agrícolas", contanto que os detalhes sociais dessa visão não fossem examinados de perto. "Ao longo dos anos de sua existência e mesmo após a fusão com Tupelo [em 1946]", escreveu um historiador local, "East Tupelo tinha a reputação de ser uma cidade extremamente rústica. Alguns cidadãos duvidam de que ela fosse pior do que outras cidadezinhas, mas outros a rotulam como a cidade mais rústica do Norte do Mississippi. A cidade tinha seu bairro da luz vermelha, chamado 'Toca do ganso'. (...) Em 1940, a pequena comunidade de East Tupelo era conhecida por ter no mínimo nove fabricantes clandestinos e contrabandistas de bebidas alcoólicas".

Em 1936, o prefeito de East Tupelo era o tio de Vernon Presley, Noah, que morava na Kelly Street, perto da rodovia, tinha uma pequena mercearia e era motorista do ônibus escolar. O irmão de Noah, Jessie, pai de Vernon, também tinha uma vida relativamente confortável, embora não fosse um membro tão respeitável da comunidade. Tinha casa própria na Old Saltillo Road, nas imediações da Kelly Street, e trabalhava com bastante frequência, apesar da reputação de beberrão e "vadio". Vernon, para fazer o contraponto, mostrava pouco ímpeto ou ambição. Trabalhou arduamente para manter uma sucessão de empregos limitados pela Depressão (leiteiro, meeiro, faz-tudo, operário da WPA – a agência de obras públicas criada no governo Roosevelt), mas nunca pareceu deslanchar e nunca pareceu se importar particularmente em deslanchar. Calado, antissocial, quase taciturno às vezes, "seco" na descrição dos amigos, Vernon só parecia mesmo se importar profundamente com sua pequena família: a esposa, Gladys Smith, com quem se casou em 1933; o filho, Elvis Aron Presley, nascido em 8 de janeiro de 1935; e o gêmeo, Jesse Garon, cuja perda tinham pranteado. Nos preparativos para o nascimento, construiu um barraco de dois quartos ao lado do "casarão" de quatro quartos de seus pais, com a ajuda do pai e do irmão mais velho, Vester (que em setembro de 1935 se casaria com Clettes, irmã de Gladys). Obteve uma hipoteca de 180 dólares de Orville Bean, em cuja fazenda de laticínios ele e seu pai ocasionalmente trabalhavam, com a propriedade permanecendo de Bean até que o empréstimo fosse pago. Nos fundos, havia um banheirinho externo e uma bomba de água manual, e embora East Tupelo tenha sido uma das primeiras beneficiárias do programa de eletrificação rural da TVA, a nova casa era iluminada com lâmpadas a óleo quando ele e Gladys se mudaram, em dezembro de 1934.

Gladys Presley, todos concordavam, era a fagulha desse casamento. Se Vernon era taciturno ao ponto de ser mal-humorado, ela era extrovertida, animada, cheia de pose. Ambos tinham abandonado a escola em tenra idade, mas Gladys – que havia crescido com sete irmãos e irmãs numa série de fazendas na região – não dava o braço a torcer para ninguém. Ao completar vinte anos, ela ficou órfã de pai e ouviu falar de um trabalho na Tupelo Garment Plant, a fábrica de vestuário que pagava dois dólares por dia por uma jornada de doze horas. Um ônibus buscava as moças que moravam no campo, mas pouco tempo depois de começar no trabalho ela decidiu se mudar para a cidade, onde se instalou com a família na Kelly Street, na pequena comunidade acima da rodovia, em East Tupelo, onde seus tios Sims e Gains Mansell já moravam. Gains era pastor adjunto na diminuta e nova Igreja da Primeira Assembleia de Deus que havia surgido numa tenda em um terreno baldio. Foi onde ela conheceu Vernon Presley. Ela o avistou na rua e depois se encontraram num dos carismáticos cultos para seguidores entusiasmados, do tipo "Holy Roller". Em junho de 1933, escapuliram com outro casal e se casaram em Pontotoc, Mississippi, onde Vernon, ainda menor de idade, acrescentou cinco anos à sua idade, alegando ter vinte e dois, e Gladys baixou a idade em dois anos, para dezenove anos. Para pagar a licença, pediram emprestados os três dólares aos amigos Marshall e Vona Mae Brown, com quem foram morar por um breve período após o casamento.

Gladys teve uma gravidez difícil e no final precisou abandonar o emprego na Garment Plant. No dia do parto, Minnie (a mãe de Vernon), uma parteira chamada Edna Martin e outra mulher a atenderam, até que a parteira foi chamar o médico, William Robert Hunt, na época com sessenta e oito anos. Às quatro da manhã do dia 8 de janeiro, ele fez o parto de um bebê natimorto, e trinta e cinco minutos depois, de outro menino. Os gêmeos foram chamados de Jesse Garon e Elvis Aron, na intenção de rimar os nomes do meio. Aron (pronunciado com um "a" longo e a primeira sílaba tônica) era uma homenagem ao amigo de Vernon, Aaron Kennedy; Elvis era o nome do meio de Vernon, e Jesse, claro, era uma homenagem ao pai dele. O gêmeo morto foi enterrado num túmulo desconhecido no Cemitério de Priceville, logo abaixo da Old Saltillo Road, e nunca foi esquecido, seja na lenda que acompanhou seu célebre irmão, seja na memória da família. Quando criança, contam que Elvis visitava com frequência o túmulo de seu irmão. Quando adulto, volta e meia citava o gêmeo, reforçado pela crença de Gladys de que "quando um gêmeo morre, o que sobrevive adquire a força dos dois". Pouco depois do nascimento, mãe e filho foram levados ao hospital, e Gladys nunca mais pôde ter outro filho. A taxa de quinze dólares do médico foi paga pela assistência social.

Elvis cresceu como uma criança preciosa e amada. Todos concordavam que ele era chegado à mãe de forma pouco comum. Vernon falou sobre isso depois que o filho ficou famoso, quase como se fosse motivo de espanto que mãe e filho pudessem ser tão próximos. Ao longo da vida dela, o filho a chamava por nomes carinhosos, e os dois se comunicavam com falas infantis. Nas palavras de um vizinho: "Ela o idolatrou desde o dia em que ele nasceu". Ele também era apegado ao pai. "Quando íamos nadar, Elvis dava um chilique se me visse mergulhar", recordou Vernon. "Ele tinha muito medo de que algo acontecesse comigo." E Gladys contou sobre um incêndio em East Tupelo, quando Vernon entrou e saiu do prédio em chamas para salvar os pertences de um vizinho. "Elvis teve convicção de que o pai dele ia se machucar, e começou a gritar e a chorar. Tive de segurá-lo para impedi-lo de correr atrás do Vernon. Falei com a voz firme: 'Elvis, pare com isso. O seu pai sabe o que está fazendo'." A visão do próprio Elvis sobre a sua infância era mais prosaica: "A minha mãe nunca me deixava ficar fora de suas vistas. Eu não podia ir ao riacho com as outras crianças. Às vezes, quando eu era pequeno, eu fugia. Mamãe me batia, e eu pensava que ela não me amava mais".

A respeito disso, e de todo o resto, nada havia de tão fora do comum em relação à jovem família Presley. Eram um pouco peculiares, talvez, por conta da falta de contato com os outros, mas eram ativos na igreja e na comunidade, e tinham esperanças e expectativas realistas para o filho único. Vernon era, em suas próprias palavras, um "trabalhador comum", mas Gladys estava determinada a ver o filho dela graduado no Ensino Médio.

Em 1937, o tio de Gladys, Gains, tornou-se o pregador titular na Igreja da Assembleia de Deus, agora alojada em uma modesta estrutura de madeira na Adams Street, construída principalmente por Gains. Muitos na pequena congregação mais tarde recordaram-se de um jovem Elvis Presley cantando os hinos com abandono, e Gladys gostava de lembrar "quando Elvis era apenas um garotinho de não mais de dois anos de idade, ele deslizava de meu colo, disparava pelo corredor e subia na plataforma. Lá ele ficava olhando o coro e tentando cantar com eles. Era muito pequenino para saber a letra... mas entoava a melodia, olhava os rostos e tentava imitar o que eles faziam".

Pouco tempo depois, houve uma guinada na vida da família Presley, ou pelo menos uma mudança em seu curso mais previsível. Em 16 de novembro de 1937, Vernon, Travis (irmão de Gladys) e um sujeito chamado Lether Gable foram acusados de "falsificação de cheque", por alterar, e depois descontar, um cheque de originalmente quatro dólares, feito por Orville Bean e entregue a Vernon para quitar a compra de um porco. Em 25 de maio de 1938, Vernon e seus dois cúmplices foram condenados a três anos de trabalhos forçados na Parchman Farm.

Na verdade, ele ficou preso apenas oito meses, mas esse foi um evento transformador na vida da jovem família. Anos mais tarde, Elvis dizia muitas vezes sobre seu pai: "Meu pai parece durão, mas você não sabe tudo por que ele passou" – e, embora isso nunca tenha sido segredo, sempre foi fonte de vergonha. "Não chegou a ser uma desgraça", avaliou Corene Randle Smith, vizinha de infância. "Todos perceberam que o sr. Bean queria fazer dele um exemplo, e que ele sempre andou na linha, à exceção talvez daquela única oportunidade." Mas o episódio pareceu marcar, de modo mais permanente, a visão de Vernon sobre si mesmo; reforçou a sua desconfiança no mundo. Continuou a se dedicar a seu pequeno núcleo familiar, mas procurou se resguardar ainda mais.

No curto período em que o marido esteve na prisão, Gladys perdeu a casa e ficou um tempo morando com os sogros, na casa ao lado. No entanto, Gladys e Jessie não se entendiam, e logo mãe e filho se mudaram para Tupelo, onde Gladys foi morar com os primos Frank e Leona Richards na Maple Street e conseguiu um emprego na lavanderia Mid-South. A filha dos Richards, Corinne, guardou vívidas lembranças da mãe e do filho desamparados. Quando Elvis jogava bola com as outras crianças na rua, contou Corinne, Gladys ficava "com medo de que ele fosse atropelado. Ela não o deixava sair de perto da barra da saia dela. Sempre foi animada, mas depois da prisão [de Vernon] ela andava muito nervosa". Em entrevista à autora Elaine Dundy, Leona lembrou-se de Elvis sentado na varanda "aos prantos, porque o pai estava longe". Aos fins de semana, Gladys e seu filho costumavam viajar cinco horas de ônibus para visitar Vernon na Parchman.

Vernon, Travis e Lether Gable foram soltos em 6 de fevereiro de 1939, em resposta a uma petição comunitária e a uma carta de Orville Bean solicitando a suspensão da sentença. Os Presley continuaram a viver com os primos de Gladys por um tempo, e todos os três experimentaram o que Leona Richards chamou de "pesadelos ativos", episódios de sonambulismo dos quais ninguém se lembrava pela manhã. Logo se mudaram de volta a East Tupelo, indo de uma casinha alugada a outra.

Em 1940, Vernon comprou, por 50 dólares, um caminhão Chevrolet ano 1930, de seis cilindros e 50 HP, e no outono de 1941 Elvis entrou na escola East Tupelo Consolidated (que oferecia desde o 1º ano do Ensino Fundamental até o fim do Ensino Médio), na Lake Street, do outro lado da Highway 78, a cerca de 1 km do povoado de Old Saltillo Road. Todos os dias, Gladys levava orgulhosamente Elvis à escola, um loirinho acompanhado pela mãe de cabelos escuros e olhos faiscantes. Antes de atravessar a rodovia, ela segurava a mão do filho com firmeza, imagem de cuidadosa devoção.

"Embora tivéssemos amigos e parentes, incluindo meus pais", lembrou Vernon, "nós três formávamos o nosso próprio mundinho particular." O menino era tão insular em sua índole como os pais dele. Além da família, seus poucos amigos daquele período o pintaram como isolado de qualquer multidão – não há lembranças de uma "patota", apenas recordações esparsas de fazer carrinhos com caixas de maçã, brincar nos fundos da casa de alguém, ir pescar de vez em quando com James Ausborn, que morava perto da escola. "A senhora Presley o mandava estar de volta às duas, e ele ficava preocupado, a todo instante olhando para o sol e dizendo: 'Acho que já devem ser duas horas. É melhor irmos andando'." Ele era um menino delicado, contou seu pai: "[uma vez] o convidei para ir caçar comigo, mas quando ele me respondeu: 'Papai, não quero matar passarinhos', não tentei convencê-lo a contrariar os sentimentos dele". Assim que aprendeu a ler, se apaixonou pelos gibis; eles capturavam sua imaginação – amava as páginas coloridas e as poderosas imagens de força e sucesso. "Elvis ouvia as nossas conversas sobre as preocupações com as nossas dívidas, desemprego e doenças", sua mãe se lembra orgulhosamente, "e ele dizia: 'Não se preocupe, baby. Quando eu crescer, vou te comprar uma bela casa, pagar tudo o que você deve no supermercado e comprar dois Cadillacs, um para você e papai, e o outro para mim". Vernon complementou: "Eu só não queria que ele tivesse de roubar um".

Na maior parte do tempo, ele não conseguia se destacar por aspecto nenhum. Na escola, foi "um estudante mediano", "querido, mas mediano", de acordo com suas professoras e professores. Ele próprio raramente falava de seus anos de infância, exceto para observar que não tinham sido fáceis e, de vez em quando, recordar momentos de rejeição. Com o pai dele, mais para o final de sua vida, ele se lembrou da vez em que Vernon o levou ao cinema pela primeira vez, "e não podíamos deixar a igreja saber de nada". A foto em que ele aparece com a turma do 3º ano do Ensino Fundamental mostra um menino em pé, um pouco afastado, braços cruzados, cabelo bem penteado, a boca invertida naquele beicinho familiar. Todos os outros – os Farrar, os Harris, Odell Clark – parecem conectados de alguma forma, agrupados, sorrindo, os braços em volta dos ombros uns dos outros. Elvis fica afastado – não alijado, só afastado. A imagem mostra isso, embora não seja assim que os colegas recordam dele.

Há uma infinidade de histórias semiapócrifas desse período, a maioria baseada no tipo de lembranças caseiras da infância que qualquer um de nós tem a tendência de cultivar. Mas quem focaliza o colega de aula que está fora da foto se pergunta: por que alguém teria notado Elvis Presley em particular ou guardado na memória cada frase por ele pronunciada, anotado suas opiniões sobre as questões cotidianas, ou sequer imaginado que ele tinha pela frente um futuro brilhante? A guerra estava em andamento, mas parece nunca ter afetado as memórias da infância em East Tupelo, exceto, talvez, ao proporcionar oportunidades de emprego. No final de 1942, após trabalhar por um curto período de tempo em Ozark, Alabama, a uns quinhentos quilômetros de casa, Vernon conseguiu um emprego na construção de um campo para Prisioneiros de Guerra em Como, Mississippi. Um tempinho depois, ele foi trabalhar na Dunn Construction Company, em Millington, Tennessee, a uns trinta quilômetros de Memphis, morando nos alojamentos da empresa e voltando para casa nos fins de semana, pois não conseguiu encontrar habitação para a família. "Andei por toda a cidade à procura de um só quarto que fosse. Eu encontrava um, e a primeira coisa que me perguntavam era: 'Você tem filhos?'. E eu respondia que tinha um menino. Então fechavam a porta na minha cara."

Em maio de 1943, toda a família mudou-se para uma breve temporada em Pascagoula, Mississippi, perto de Biloxi, na Costa do Golfo, junto com o primo de Vernon, Sales, a esposa dele, Annie, e a filharada. Vernon e Sales tinham sido contratados para trabalhar num projeto da WPA para expandir os estaleiros de Pascagoula, mas as duas famílias ficaram juntas pouco mais de um mês, quando Sales e Annie anunciaram que estavam voltando para casa. Vernon bravamente declarou que achava que ele e a família iriam ficar, mas alcançou Sales na estrada antes que ele e Annie tivessem ido muito longe, e as duas famílias voltaram juntas a Tupelo. Após o retorno, Vernon conseguiu um emprego fixo como motorista da L. P. McCarty & Sons, mercearia atacadista, e a família Presley entrou num período de relativa prosperidade, com a Igreja da Primeira Assembleia servindo como seu foco social e moral. Em 18 de agosto de 1945, com o fim da guerra, Vernon usou as economias que havia acumulado para dar a entrada de duzentos dólares em uma nova casa na Berry Street, de novo uma propriedade de Orville Bean, e nessa mesma época, com o apoio de seu primo Sales, tornou-se diácono na igreja. Esse foi, sem dúvida, o ponto alto da vida dos Presley em East Tupelo.

Claro, este não é um panorama completo, mas, na ausência de viagens no tempo, qual coleção de instantâneos aleatórios poderia fornecer um panorama completo? Uma das histórias mais comuns que nos chegou até hoje é que a família Presley formava um trio gospel nos hinos da igreja (e que o trio fazia sucesso entre os fiéis), viajava a vários encontros de renascimento cristão na região e geralmente ficava impressa na memória das pessoas como um prenúncio do que acenava no horizonte. Não é difícil entender de onde vem essa história: os Presley, como quaisquer outros membros da pequena congregação, realmente entoavam hinos na igreja; realmente compareciam a encontros de renascimento cristão; Vernon e Gladys provavelmente cantavam no "estilo quarteto" com Sales e Annie na igreja e em casa. Mas a história de que formavam qualquer tipo de trio viajante provavelmente não é verdadeira. Como o próprio Elvis disse numa entrevista de 1965: "Cantei algumas vezes com meus pais no coro da igreja da Assembleia de Deus, [mas] era uma igrejinha, então ninguém podia cantar muito alto". E Elvis declarou ao repórter de Hollywood, Army Archerd, que ele "cantou como um trio" com a mãe e o pai – mas só como parte dessa mesma congregação. Não há nenhuma menção de Elvis sobre algo parecido com experiência "profissional". Algumas testemunhas contemporâneas confiáveis não confirmaram isso e acharam a ideia altamente implausível, entre elas, parentes (Corinne Richards), amigos de infância e vizinhos (Corene Randle Smith, cuja mãe era professora da escola dominical de Elvis) e inclusive o pastor que o ensinou a tocar violão (Frank Smith, marido de Corene).

O que não é apenas plausível, mas a pura verdade, é que o próprio Elvis, por conta própria e sem referência a sonhos, planos ou fantasias de qualquer outra pessoa, sentia-se atraído pela música de uma forma que era incapaz de expressar completamente. Encontrava um tipo de paz na música, era capaz de imaginar algo que só conseguia expressar para a mãe dele. Ainda assim, deve ter sido uma surpresa até para Gladys quando Elvis Presley, seu filhinho tímido, sonhador, estranhamente brincalhão, levantou e cantou na frente de uma plateia de várias centenas de pessoas aos dez anos de idade na anual Feira de Gado Leiteiro de Mississippi-Alabama, no Fairgrounds, o parque situado no coração de Tupelo.

Tudo aconteceu, claro (embora aqui, também, a história seja inevitavelmente confusa), após ele cantar "Old Shep", a lacrimosa canção de Red Foley sobre um menino e seu cão, no programa de orações matinais da escola. A professora Oleta Grimes, que havia se mudado para a segunda casa depois da dos Presley, na Old Saltillo Road, em 1936, e era, não por mera coincidência, a filha de Orville Bean, ficou tão impressionada com sua habilidade para cantar que o levou ao diretor, sr. Cole, que por sua vez inscreveu o aluno do 5º ano no concurso de talentos da rádio patrocinado pela estação local WELO, no Dia das Crianças (quarta-feira, 3 de outubro de 1945) na feira. Todas as escolas locais foram liberadas, professores e crianças foram transportados à cidade de ônibus escolar, atravessaram o gramado do tribunal colina abaixo até o parque de exposições, onde todos eram convidados da feira. Um prêmio foi dado à escola com a maior representação proporcional, e havia prêmios individuais no concurso de talentos, desde um bônus de guerra de US$ 25 até US$ 2,50 para passeios. A feira de cinco dias incluía uma exposição de animais, leilões de gado bovino, concursos de tração para mulas e cavalos e um concurso de aves, mas atrações como Duke of Paducah e um grupo do Grand Ole Opry, que incluía Minnie Pearl e Pee Wee King, também foram anunciadas. Annie Presley, esposa de Sales, recordou-se da feira como o destaque do ano social para as duas famílias Presley. Na última noite, os dois casais deixaram os filhos com uma babá e foram juntos à feira.

O jornal não fez a cobertura do concurso infantil nem sequer listou o vencedor. Ao longo dos anos, apareceram vários reclamantes ao trono, mas para Elvis Presley pouco importava quem realmente ganhou. "Fui inscrito num show de talentos", disse ele em uma entrevista de 1972. "Usei óculos, sem acompanhamento, e acho que ganhei o quinto lugar nesse concurso estadual de talentos. Levei um corretivo de minha mãe nesse mesmo dia, não me lembro direito, [por ter ido] em um dos passeios. Destruiu meu ego completamente." Gladys deu um relato mais vívido em 1956, sem mencionar a sova. "Nunca vou me esquecer, o homem no portão achou que eu era a irmã mais velha de Elvis e me vendeu um bilhete de estudante igual ao dele. Elvis não sabia tocar violão, e ninguém tocou para ele. Apenas subiu numa cadeira para alcançar o microfone e cantou 'Old Shep'." Provavelmente tiraram uma foto dele na cabine western, assim como faria dois anos depois, completo com chapéu de caubói, perneiras e pano de fundo do velho oeste. O triunfo de Elvis não foi muito comentado entre seus amigos e colegas de classe, e evidentemente ele não voltou a cantar na feira. Entretanto, Elvis sempre falou do evento, sem firulas, como a primeira vez que cantou em público, e a surra é um detalhe mais convincente do que a história convencional, de que Vernon teria escutado o concurso pelo rádio de seu caminhão de entregas.

Não muito tempo depois do concurso, Elvis ganhou o seu primeiro violão. Há controvérsias sobre essa cronologia, mas parece provável que ele tenha recebido o violão em seu décimo primeiro aniversário, pois, conforme todos os relatos de Elvis – e também na maioria dos primeiros relatos de publicidade –, ele só cantou desacompanhado na feira porque não tinha violão. Em muitos desses mesmos relatos, o violão supostamente foi um presente de aniversário. Por sua vez, a biografia da *TV Radio Mirror* de 1956 conta que Elvis ganhou o primeiro violão no dia seguinte a uma tempestade que assustou Gladys e ele (o tornado de 1936 havia sido traumático: literalmente arrasou Tupelo, matando 201 pessoas e ferindo mais de mil). De fato, há registros de um leve tornado em 7 de janeiro de 1946, um dia antes do décimo primeiro aniversário de Elvis. Seja como for, Elvis conta que queria uma bicicleta. Por que acabou ganhando o violão? Só por um motivo. A mãe dele estava preocupada que ele poderia ser atropelado, sem falar que o violãozinho era bem mais barato (e pouco tempo depois ganhou a bicicleta de qualquer maneira). "Filho, você não prefere um violão?", sugeriu Gladys. "Ajudaria você a cantar suas músicas, e todo mundo gosta de ouvir você cantar."

O tio dele, Vester, que costumava tocar em botecos e em bailes country e era fã de música country, e o irmão de Gladys, Johnny Smith, ensinaram-lhe alguns acordes. Mas quem deu o maior apoio foi o novo pastor, Frank Smith, de vinte e um anos. Smith veio a Tupelo oriundo de Meridian, no Mississippi, para um encontro de renascimento cristão no início de 1944. No fim daquele ano, voltou para ficar: casou-se com a vizinha dos Presley, Corene Randle, de apenas quinze anos. Ele se recordou nitidamente da imagem do garotinho com o violão recém-adquirido. "Sempre toquei violão, e acho que ele pegou um pouco disso, porque dois anos depois [da chegada de Smith] ele ganhou um violão e se dedicou pra valer. Comprou um livro que mostrava como posicionar os dedos, e fui até a casa dele uma ou duas vezes, ou ele vinha aonde eu estava, e eu mostrava a ele umas sequências de notas e uns acordes diferentes dos que ele aprendia no livro. Isso foi tudo: não o suficiente para dizer que eu o ensinei a tocar, mas dei um empurrãozinho." Com base em seus conhecimentos recém-descobertos, Elvis começou a fazer o acompanhamento para o "coro especial" do culto, a convite de Smith. "Eu precisava insistir [para ele tocar], ele não se animava. Nos coros especiais, pessoas da comunidade faziam um quarteto ao estilo dos Blackwood Brothers, fiéis avulsos mostravam seus talentos ou talvez um visitante cantava, mas naquela época não havia outras crianças para cantar com ele. Cantou várias vezes, e o pessoal gostou."

Para Smith, a missão especial da música era uma só, glorificar o Senhor. Por isso, achava penoso ensinar um garoto de onze anos a tocar violão. Isso não era algo relevante para o trabalho de sua vida. Porém, até mesmo para ele, o comprometimento de Elvis com a música ficou evidente, não só por cantar na igreja, mas pelas viagens que ele, os Smith e outros moradores de East Tupelo faziam à cidade, aos sábados à tarde, para assistir ao WELO Jamboree, espécie de festival de calouros transmitido direto do fórum. "Uma multidão aparecia, adultos e crianças. Você entrava na fila para se apresentar, era só algo para fazer no sábado. E ele ia à estação de rádio para tocar e cantar – ele não se destacava no meio dos outros, na verdade, era só uma das crianças."

A WELO COMEÇOU SUAS TRANSMISSÕES na South Spring Street, acima da loja Black & White, especializada em produtos têxteis, em 15 de maio de 1941. Vários talentos locais se envolveram na criação da rádio, incluindo Charlie Boren, seu vivaz locutor, e Archie Mackey, líder de uma banda local e técnico de rádio, cuja atuação foi essencial para fundar a primeira estação de Tupelo, a WDIX, alguns anos antes. Mas a estrela hillbilly da estação em 1946 era um moço de vinte e três anos de idade, natural de Smithville, uns trinta e dois quilômetros a sudeste, Carvel Lee Ausborn, vulgo Mississippi Slim. Ausborn aprendeu a tocar violão aos treze anos para seguir uma carreira musical, inspirado por Jimmie Rodgers; outras influências fortes incluem Hank Williams e Ernest Tubb nos anos 1940. A maior influência de todas, porém, foi o primo dele, Rod Brasfield, famoso comediante country, também de Smithville, que ingressou no Opry em 1944 e fez turnê com Hank Williams, enquanto o irmão dele, Uncle Cyp Brasfield, tornou-se uma atração fixa no Ozark Jubilee e escreveu material para Rod e sua parceira de comédia, Minnie Pearl. Embora Mississippi Slim nunca tenha alcançado essas alturas, viajou por todo o país com Goober and His Kentuckians e o show de lona dos Bisbee's Comedians, e até tocou no Opry uma ou duas vezes, principalmente em razão das conexões de seu primo. Quase todos os músicos proeminentes que passavam por Tupelo mais cedo ou mais tarde tocaram com Slim, desde Merle "Red" Taylor (que tocou violino em "Uncle Pen", de Bill Monroe) até jovens universitários como Bill Mitchell (que, mais tarde, após uma carreira na política, ganharia muitos concursos nacionais de violinos antigos), passando por artistas de fim de semana, como Clinton, o tio de Slim. "Ele era um bom animador", lembrou Bill Mitchell, "fazia um show ótimo, mistura de canções de amor com comédia (pertencia a uma família de comediantes). Era um show muito divertido. O público adorava." Além de um programa fixo de manhãzinha durante a semana, Slim tinha um show ao meio-dia, todos os sábados, chamado "Singin' and Pickin' Hillbilly", que servia como aquecimento para o Jamboree, no qual ele também aparecia. Foi assim que Elvis descobriu pela primeira vez o mundo do entretenimento.

Archie Mackey se lembra de um menino acompanhado pelo pai. "Vernon disse que o filho só sabia tocar duas músicas", disse Mackey, outra figura habitual do Jamboree, que alegou ter feito Elvis cantar as duas, com Slim o acompanhando no violão. Alguns têm sugerido que Slim relutou em tocar atrás de um "amador" e que o locutor Charlie Boren praticamente teve de obrigá-lo, enquanto outros reivindicam o crédito de ser o primeiro a levar Elvis à estação. É tudo um pouco acadêmico. Como todo mundo, ele se sentia atraído pela música e pelo programa de rádio. Não foi a única criança a se apresentar, mas, de acordo com Bill Mitchell, as outras eram, na maioria, meninas. E, parecia, nenhum dos outros se importava tanto quanto Elvis.

"Ele era doido por música", contou James Ausborn, irmão mais novo de Slim e colega de Elvis na escola East Tupelo Consolidated. "Ele só falava nisso. Muita gente não gostava do meu irmão, achava que ele era meio brega, mas, sabe, o pessoal tinha de arranjar um furgão do correio para trazer todos os cartões e as cartas para ele. Elvis sempre dizia: 'Vamos ao programa do seu irmão hoje... Pode ir comigo? Quero que ele me mostre mais uns acordes no violão'. A gente caminhava até a cidade no sábado, descíamos para a estação na Spring Street [essa era a transmissão antes do Jamboree], muitas vezes o estúdio estava cheio, mas o meu irmão sempre lhe mostrava alguns acordes. Às vezes falava: 'Não tenho tempo para brincar com você hoje', mas sempre vinha se sentar e dar umas dicas a ele. Outras vezes, cantava umas músicas para ele, e Elvis tentava cantá-las sozinho. Acho que a música gospel o inspirou a entrar na música, mas o meu irmão o ajudou a continuar."

A música tornou-se sua paixão arrebatadora. À exceção de um ou dois amigos que compartilhavam de seus interesses, como James, ou que pudessem admirá-lo por isso, ninguém deu bola. O tio dele, Vester, declarou que a família da mãe dele, os Hood, eram "músicos de outro mundo", mas nunca notou a transformação. Frank Smith o enxergava como mais um na multidão, não muito "ávido" por música – "ele só gostava". Essa evolução pode ter passado despercebida até mesmo para os pais dele, que vigiavam tão de perto o filho: "Ele sempre soube", disse Vernon, como se ele e Gladys tivessem duvidado, "que ia ser alguém na vida. Quando não tínhamos um centavo, ele costumava sentar-se no degrau da porta e falar: 'Um dia, vai ser diferente'".

Se você quiser imaginá-lo, imagine alguém que você talvez nem notasse: um garotinho de olhos arregalados, calado, pés inquietos, usando macacão. Em pé, na fila no tribunal, esperando a vez de subir na ponta dos pés para alcançar o microfone. Sua voz infantil denota um quê de ansiedade – outras crianças se levantam e recitam letras de cor e salteado, grandalhões dedilham seus surrados violões, mas Elvis segura o seu como se o instrumento musical fosse um frágil passarinho. No fim da transmissão, a multidão se dissipa, devagarinho, e o menino fica para trás, observando Mississippi Slim e os outros músicos guardarem o material. Caminha atrás deles até a praça do fórum, em que a estátua do soldado confederado encara o Lyric Theatre, o cinema que ele e os amigos nunca frequentam, porque custa quinze centavos, um níquel a mais que o Strand. Fica à beira da multidão, pulando nervoso de um pé para o outro, esquivando-se desesperadamente de todas as ofertas de carona para voltar a East Tupelo. Espera um convite e, na sua determinação de esperar, mostra o tipo de perseverança vigilante que é a marca do seu estilo solitário. Talvez seu amigo James diga algo ao irmão dele, sugerindo que fossem tomar juntos uma garrafa de Nehi. Enquanto isso, ele capta cada palavra falada, cada olhar trocado: papo sobre a música, papo sobre o Opry, o que o primo Rod Brasfield falou na última vez que esteve na cidade.

Ele absorve tudo. Enquanto os outros se distraem, ele nunca desvia sua nervosa atenção; os dedos tamborilam sem cessar na perna da calça, mas o olhar se fixa no cantor e na cena. Ele perambula com o Slim? Difícil imaginar onde. Sonha em ser o Slim. Sonha em usar uma camisa western com bolsos sofisticados e brilhos e um lenço em volta do pescoço. Slim conhece todos os astros do Opry. Conhece Tex Ritter – o garoto já ouviu a história uma dúzia de vezes, mas não se importa de ouvir James contá-la mais uma vez: como Tex Ritter estava em Nettleton divulgando um de seus filmes, e Slim disse ao irmão mais novo: "Quer ir? Você vive falando no Tex Ritter, vou te mostrar que ele e eu somos amigos". Então foram a Nettleton, onde Tex tocou algumas músicas antes de rodarem o filme e depois deu alguns autógrafos. Ele portava seus revólveres de seis tiros. Então, de repente, relanceou o olhar e falou: "Quero ser fulminado se não é o meu velho Mississippi Slim sentado ali na primeira fila" – e parou tudo o que estava fazendo e foi apertar sua mão. Então disse: "Venha cá, cante uma música para nós". James pensou que a mão dele ia se quebrar, tão forte era o aperto de mão do velho Tex Ritter. Foi exatamente assim que aconteceu.

"Eu pegava o violão e ficava assistindo ao pessoal", recordou Elvis, "e aprendi a tocar um pouco. Mas eu nunca cantava em público. Eu era muito tímido para isso, sabe." Todos os sábados à noite ele escutava o Opry. Ele, Gladys e Vernon, o primo Harold (a mãe de Harold, Rhetha, tinha morrido, e o menino morava com os Presley parte do tempo), talvez a vovó Minnie, também, agora que o vovô havia falecido, e ela estava morando com eles a maior parte do tempo – e era melhor não acabar a pilha antes da transmissão de sábado à noite. Os adultos dão risada, trocam olhares com algumas das piadas e relembram histórias sobre os artistas: Roy Acuff e Ernest Tubb, os Willis Brothers e Bill Monroe, e ninguém menos que Red Foley entoando "Old Shep", que Elvis cantou na feira. A música os leva a lugares distantes. Mas ninguém sabe ao certo. O papai o ama. A mamãe vai cuidar dele. Sabem de tudo que acontece em sua vida, menos isso. É sua paixão secreta.

No verão de 1946, os Presley se mudaram de East Tupelo para a cidade. Vernon não conseguiu manter os pagamentos na casa da Berry Street e a vendeu – ou transferiu os pagamentos – a seu amigo Aaron Kennedy. Primeiro se instalaram na Commerce Street, e depois em Mulberry Alley, praticamente ao lado do Fairgrounds, onde ficava o parque de exposições, e em frente ao fervilhante bairro negro de Tupelo, Shake Rag, que fazia limite com a Madeireira Leake & Goodlett, na East Main Street. A casa não passava de um barraco, um dos três naquele beco, mas a verdadeira derrocada tinha sido ir morar na cidade. Em East Tupelo, os Presley tinham alcançado um nível de respeitabilidade nunca esperado. Estavam à vontade entre familiares e amigos com quem compartilhavam as mesmas origens e experiências. Em Tupelo, eram brancos pobres, um lixo, como praticamente todos acima da rodovia. Ernest Bowen (cujo pai tinha uma marcenaria do outro lado do beco) trabalhava como representante comercial na L. P. McCarty & Sons, onde Vernon foi trabalhar. Para ele, os Presley pareciam o tipo de família que se mudava cada vez que o aluguel atrasava. Na opinião de Bowen: "Vernon não tinha qualquer ambição. Não ligava se o despejassem da casinha dele. Ele sabia que conseguiria outra. Muitas vezes os vendedores se reuniam e davam amostras, comida enlatada, para Vernon. Ele era um sujeito que inspirava pena, um autêntico 'nada dá certo em minha vida'". Bill Mitchell, por outro lado, conseguiu seu primeiro emprego real nessa época, também como motorista da L. P. McCarty, e, como Bowen, também tinha conexões musicais tangenciais com Elvis (Bowen acabou se tornando o gerente-geral de longa data na WELO, poucos anos após a partida dos Presley para Memphis, enquanto Mitchell recordava ter tocado violino atrás do menino na banda de Mississippi Slim, no Jamboree). Ele se lembrava da bondade e da natureza taciturna de Vernon, bem como de sua evidente falta de ambição.

É duvidoso que algum dos dois tenha alguma vez conhecido Vernon ou sua família: certamente não tinham como imaginar suas esperanças e sonhos, e, apesar de todas essas imagens que temos de Vernon ser um preguiçoso improvidente, parece que nunca houve um tempo em que ele não esteve trabalhando ou ativamente à procura de emprego. Afinal de contas, ele deu suporte à mãe dele e acolheu o filho da irmã de Gladys. Quando foi visitar o primo dele, Willie Wileman (a avó de Willie era irmã de Minnie, e mais tarde ele se tornaria um músico versátil e bem conhecido na região de Tupelo), Elvis era o primo sofisticado da cidade. Do ponto de vista de Willie: "Todos nós éramos crianças do interior. Usávamos macacão, e ele usava calça e camisa. Andávamos de bicicleta juntos... Ele sempre saía, se misturava e socializava. Mas ele era um cara urbano!".

No outono de 1946, Elvis entrou em uma nova escola, a Milam, que oferecia aulas do 5º ao 9º anos e ficava a uns oitocentos metros de Mulberry Alley. Não causou grande impressão em qualquer um de seus colegas do 6º ano, mas isso não foi surpresa, independentemente do status social, levando em conta a própria natureza sestrosa e vigilante de Elvis. Apesar do testemunho de Willie Wileman, na foto da turma do 6º ano, Elvis é a única criança de macacão, a única visivelmente se esforçando para estampar um rostinho feliz de pós-guerra, a única cuja expressão transmite algum prenúncio de um futuro diferente. Parece curioso, otimista, à vontade consigo mesmo – mas tão separado dos outros quanto na foto da escola anterior. Seu colega de turma no 7º ano, Roland Tindall, havia chegado a Tupelo vindo de Dorsey, Mississippi, no ano anterior, e também se sentia deslocado.

NÃO CAUSOU GRANDE IMPRESSÃO EM QUALQUER UM DE SEUS COLEGAS DO 6º ANO, MAS ISSO NÃO FOI SURPRESA, INDEPENDENTEMENTE DO STATUS SOCIAL, LEVANDO EM CONTA A PRÓPRIA NATUREZA SESTROSA E VIGILANTE DE ELVIS.

"Foi inacreditável a mudança, deixar todos os meus amigos, as pessoas com quem cresci e a quem conhecia... bem, a gente conhecia todo mundo. De repente, eu estava em Tupelo, com três turmas no mesmo ano, quer dizer, na época eu nem entendia isso direito. Eu queria voltar para o interior." Para Elvis, isso foi muito desconcertante e, ao mesmo tempo, não mais desconcertante do que qualquer outra coisa que acontecia em sua vida. Ele observava, esperava – mas não sabia o quê.

No ano seguinte, os Presley se mudaram algumas vezes, ali nas redondezas, e Gladys voltou a trabalhar na lavanderia Mid-South. Quando Elvis começou o 7º ano, a família estava morando na North Green Street, mais perto da escola e num bairro respeitável, mas um bairro respeitável de maioria negra. Ao contrário do Shake Rag, que aparentava ser uma espécie de Catfish Row e estava destinado a ser obliterado no primeiro projeto de renovação urbana realizado no estado do Mississippi, em 1968, a North Green Street desembocava num dos "melhores" e mais exclusivos bairros brancos da cidade e consistia, principalmente, em casas bem cuidadas para uma ou duas famílias. Embora a casa que os Presley alugavam fosse designada como uma das duas ou três casas "brancas" na área, a família estava cercada por famílias negras, igrejas negras, clubes sociais negros e escolas negras (a Lee County Training School, onde Ben Branch lecionou música por vários anos antes de se mudar para Memphis e ingressar na seção dos metais da banda Stax, ficava pertinho, descendo a colina). Para amigos e parentes, esse fato era digno de nota – não era South Tupelo, por exemplo, onde moravam todos os operários dos moinhos e das fábricas – e nem todos os velhos amigos vieram visitar os Presley em sua nova morada. Mas não era nada tão chocante ou diferente a ponto de impedir a irmã de Gladys, Lillian, e a família dela, de ocupar a mesma casa de aluguel quando Gladys e Vernon partiram.

Foi cursando o 7º ano que Elvis começou a levar seu violão à escola todos os dias. Embora os professores dos últimos anos se lembrassem das primeiras manifestações de uma criança prodígio, muitos alunos encaravam sua habilidade musical com mais ceticismo, rejeitando-a com o mesmo leve franzir de desagrado que demonstravam diante de qualquer tipo de produto *déclassé* (sob esse prisma, a música hillbilly, ou "caipira", e a música "de raça" provavelmente caíam na mesma categoria). Outros, como Roland Tindall, o admiravam pelo que consideravam quase uma declaração de fé. "Elvis levava o violão à escola, até onde me lembro, desde o comecinho do ano letivo. Naquela época, o porão da Milam era uma área de recreio, a gente ia lá na hora do almoço... Lá embaixo ficava tudo aberto para que as crianças pudessem se abrigar em dias úmidos. Muitas vezes Elvis e um garoto chamado Billy Welch tocavam e cantavam lá embaixo, e ficávamos lá dentro só para ouvi-los. De vez em quando, Elvis se apresentava em sala de aula, mas só uma vez ou outra, pois aquelas crianças não acreditavam em música country e era isso que ele cantava. Ele nos falou que iria ao Grand Ole Opry. Não ficou se gabando: só fez a declaração." "Trazia o violão à escola quando não estava chovendo", testemunhou James Ausborn, irmão de Mississippi Slim, que recentemente havia se mudado para a cidade. "Vinha com o violão balançando nas costas e o guardava no armário até a hora do almoço. Então todo mundo o cercava, e ele tocava violão e cantava. Ele só falava em música... Nem tanto no Opry, mas principalmente em música gospel. Era o que ele mais cantava."

Uma colega de turma, Shirley Lumpkin, contou a Elaine Dundy, a autora de *Elvis and Gladys*: "A coisa mais legal que posso dizer sobre ele é que ele era um solitário". E outro colega, Kenneth Holditch, disse a Dundy que recordava dele como "um rapaz triste, tímido, não especialmente atraente", cuja habilidade no violão dificilmente lhe renderia prêmios. Muitas das outras crianças tiravam sarro dele como um tipo de menino "cafona" tocando música cafona "caipira", mas Elvis não arredou o pé. Sem nunca desafiar seus detratores ou os seus críticos, continuou a fazer a única coisa que lhe era importante: a música.

Nem Roland, nem James visitaram Elvis em sua casa na North Green Street, embora James continuasse indo à estação de rádio com ele e, às vezes, ao cinema. Roland, de acordo com ele próprio, não era muito sociável. "Eu socializava apenas na escola, onde éramos amigos muito chegados. Na época de Natal, no 7º ano, ele me deu um caminhãozinho e deu a Billy algo parecido... era um de seus próprios brinquedos. Eu me lembro que isso me deixou impressionado. Estava tão decidido a nos presentear que nos deu um de seus próprios brinquedos, já que não podia pagar outra coisa."

Frank e Corene Smith os visitaram pouco antes de os Presley deixarem Tupelo para sempre, mas, a essa altura, eles também já tinham perdido um pouco o contato com seus antigos paroquianos, e Vernon e Gladys também não frequentavam mais a igreja tão habitualmente. A casa que eles alugavam claramente era reservada para os brancos; por isso, para os Smith, os Presley "não moravam na comunidade negra", distinção que os próprios Vernon e Gladys certamente teriam feito, mas uma distinção cujo significado real talvez se perdesse em seu filho de doze anos de idade. Morando perto da Main Street, onde a confusão de vielas tortas e barracos periclitantes formava o Shake Rag, ele deve ter captado algo dessa vida, sem perder as tempestuosas explosões musicais, os gritos animados dos vendedores de rua. Observou tudo com intensa curiosidade, e talvez um pingo de inveja pelos fortes lampejos de emoção, os salpicos de cores vivas, os sentimentos tão corajosamente aflorados. Mas ficava eternamente sentado no portão; não havia ponto de entrada para um forasteiro, não havia como entrar.

Na North Green Street, "Elvis aron Presley" (como ele assinou em seu cartão da biblioteca naquele ano) era uma espécie de "Homem Invisível" – o menino que morava na casa do doutor Green, lugar ao qual pertencia e onde cuidava de seus afazeres. Pela primeira vez, Elvis estava realmente inserido no meio de outro mundo, um mundo tão diferente que ele parecia estar em um filme, e ainda assim era uma presença invisível, insuspeita, como o Super-Homem ou o Capitão Marvel, disfarçado discretamente em sua rotina, mas capaz de realizar coisas inimagináveis: ele só esperava a oportunidade de cumprir seu destino.

Você andava pelo Elks Club perto da Green, onde uma bandinha inspirada em Louis Jordan poderia estar tocando "Ain't Nobody Here But Us Chickens", ou onde Jimmy Lunceford ou Earl "Fatha" Hines talvez marcassem presença após tocar em um baile no Armory, no Fairgrounds, no centro da cidade. Você passava por um bar e mal ouvia o entoar do jukebox em meio ao burburinho de homens e mulheres bebendo, jogando e significando os sons do amor. Nos fins de semana, as igrejas pulsavam, de um modo não diferente de quando a congregação da Assembleia de Deus começava a falar em outras línguas, mas com alegria e senso de celebração, uma expansão emocional que era até constrangedora para um jovem recatado ver de perto – parecia, às vezes, que estavam no auge de um tipo de paixão que não deveria ser revelado em público.

Várias vezes por ano, no clima quente, uma tenda ligeiramente comida pelas traças, rusticamente costurada, erguia-se num terreno baldio ao lado leste da Green para um renascimento: sexta-feira à noite, sábado à noite e domingo, o dia inteiro, as pessoas vinham de todos os lugares, em seus melhores trajes, as mulheres de cor-de-rosa, amarelo e fúcsia quente, com fantásticos chapéus de palha enfeitados e exibindo seu peso sem culpa, os pregadores pregando sem nada para contê-los, imergindo na Bíblia, cantando, respirando, bufando ritmicamente, guturalmente, esbaforidamente, até suas vozes alçarem voo no canto dos hinos. Você não precisava entrar para experimentar as sensações – o som, o sentido, o fascínio pulsavam ao seu redor. Você só tinha que andar na rua para sentir que a rua tremia. Universitários brancos riquinhos e suas namoradas compareciam ao show do sábado à noite – não havia nada parecido, você tinha que dar o braço a torcer às pessoas de cor, elas realmente sabiam como viver. Mas os universitários eram meros turistas. Se você morasse na North Green Street, você respirava aquilo, tão natural quanto o ar – um tempo depois você se acostumava, e aquilo se tornava algo seu, também, quase como estar na igreja.

No outono de 1948, Elvis começou novo ano letivo na escola. A certa altura, no primeiro ou segundo mês, alguns rapazes do tipo "valentão" pegaram o violão dele e cortaram as cordas, mas alguns de seus colegas do 8º ano fizeram uma vaquinha e compraram outro kit para ele. Quando anunciou na primeira semana de novembro que ele e a família estavam indo para Memphis, os colegas ficaram surpresos, mas não chocados. Gente como os Presley se mudava o tempo todo. Em seu último dia na escola, uma sexta-feira, 5 de novembro, um colega chamado Leroy Green recontou ao escritor Vince Staten que Elvis deu um breve show. A última música que cantou foi "A Leaf on a Tree" e, de acordo com Green: "A maioria das pessoas não acredita nisso, mas fui até ele e disse: 'Elvis, um dia você vai ficar famoso'. E ele sorriu para mim e disse: 'Tomara'".

A mudança foi num sábado, explicou Vernon, para que Elvis não perdesse um dia de aula. "Cara, a gente estava falido", declarou Elvis já maduro, "e saímos de Tupelo à noitinha. Papai encaixotou todos os nossos pertences e os carregou no porta-malas e no bagageiro superior de um Plymouth 1939 [na verdade um '37]. E partimos rumo a Memphis, em busca de dias melhores." De acordo com Gladys: "Há um bom tempo falávamos em nos mudar para Memphis. Um dia, decidimos. Vendemos nossa mobília, carregamos nossas coisas e roupas nesse carro velho que tínhamos e lá fomos nós". Elaine Dundy afirmou em *Elvis and Gladys* que Vernon Presley foi demitido pela L. P. McCarty por ter usado o caminhão da empresa para entregar uísque clandestino, mas Corinne Richards, prima de Gladys, lembrou-se de conversas anteriores sobre a mudança e a viu como parte de uma migração familiar, que em breve seria acompanhada por outros Presley e outros Smith. Seja como for, Tupelo era um beco sem saída. Pode ser difícil de articular o que eles buscavam em Memphis, mas do que buscavam fugir saltava aos olhos. "Eu disse ao Elvis", contou Vernon, "que eu ia trabalhar para ele e comprar tudo o que pudesse pagar. Se ele tivesse problemas, poderia se abrir comigo que eu tentaria entender. E também disse: 'Mas, filho, se você presenciar algo de errado acontecendo, me prometa que não vai fazer parte disso. Não deixe que lhe aconteça nada que me obrigue a falar com você do outro lado das grades. Essa é a única coisa que partiria meu coração'."

    Vernon recordou um ano e meio antes de morrer: "Em certas épocas não tínhamos nada para comer além de pão de milho e água, mas sempre tivemos compaixão pelas pessoas. Éramos pobres, isso eu nunca vou negar. Mas não éramos lixo... Nunca tivemos preconceito algum. Nunca menosprezamos ninguém. E Elvis também não".

Memphis por volta de 1950
(Cortesia de Jimmy Denson)

MEMPHIS: EM LAUDERDALE COURTS

Novembro de 1948 a junho de 1953

UM LOIRINHO de quatorze anos está sentado nos degraus frontais do prédio de três andares, feito de tijolos à vista. É crepúsculo, e você nem o notaria se não soubesse que ele estava ali. Dos transeuntes habituais, quase ninguém o cumprimenta: homens voltando do trabalho, meninos jogando minibeisebol, menininhas em seus melhores trajes dominicais visitando alguma vizinha com as mães delas. Um marinheiro da base de Millington, ali perto, passa pela Third, enquanto um adolescente estiloso, vestindo uma moderna jaqueta Eisenhower e calça larga e ondulante dobra a esquina do Market Mall, a alameda arborizada e relvada que divide Lauderdale Courts, um bem-organizado conjunto habitacional, com prédios de apartamentos e jardins, construído com subsídio governamental, no coração de Memphis. A dois quarteirões fica o Ellis Auditorium, que recebe eventos de boxe e shows musicais e, na primavera, as formaturas de todas as escolas de Ensino Médio. O Ellis fica na esquina da Main, a qual, é claro, em 1949 é o centro da vida urbana de Memphis. Os cinemas se enfileiram na Main Street: o Malco, o Loew's State, o Strand, todos no "centro" da South Main, e a sala mais popular, o Suzore 2, com filmes de segunda mão, na North Main, subindo a rua, onde você pagava a entrada com uma moedinha. O vaivém dos ônibus é constante, mas, se você estiver sem grana, tudo o que tem a fazer é andar. O Hotel Peabody fica a apenas um quilômetro de distância. A enorme loja de departamentos Goldsmith's, com o que há de mais moderno em roupa e mobília, ideal para quem deseja só sonhar ou fazer compras, fica no lado oeste da Main, na esquina com a Beale, e o início da seção dos negros, logo depois. Ali pertinho de Lauderdale Courts existe um mundo, mas os próprios Courts também são um mundo à parte.

Em silêncio, o garoto assiste e observa: crianças negras brincam na frente de dois casebres do outro lado da rua dos bem conservados prédios de apartamentos de tijolos vermelhos; enfermeiras trocam de turno no St. Joseph's; os bondes na Jackson Avenue; adolescentes voltam após jogar futebol americano no Triangle, campo a nordeste de Courts. Enfim, ele avista o pai voltando do trabalho, a apenas dois quarteirões de distância. Vernon Presley traz a sua lancheira. Sai da Third e envereda pelo caminho, sem se apressar, mas também sem se demorar. O loirinho se ergue nos degraus da entrada do edifício, como se fosse uma coincidência ele estar ali fora sentado. Os dois abrem um sorrisinho fugaz um ao outro, o menino e o homem; então se viram, entram pela porta da 185 Winchester, sobem os degraus até o primeiro andar e adentram o apartamento 328, onde o jantar os espera. Gladys olha para os dois. Talvez ela diga algo como: "Já estava começando a ficar preocupada". Será que ela dá um selinho no marido? Talvez. A imagem está desfocada. Mas ela abraça o garoto como se não o visse há anos.

QUANDO OS PRESLEY chegaram a Memphis, em 6 de novembro de 1948, foram morar numa casa de pensão no centro da cidade, na 370 Washington Street e, seis meses depois, em outra ali perto, na 572 Poplar, dobrando a esquina do complexo habitacional Lauderdale Courts. Talvez tenham descoberto esse último por meio de uma vizinha de Tupelo, a senhora Tressie Miller, que morava no andar de cima; talvez Vernon tivesse até mesmo se hospedado numa das pensões durante a guerra. A casa na avenida Poplar, como muitas outras na área, era um casarão de estilo vitoriano dividido em dezesseis apartamentos individuais, três ou quatro por andar, com banheiro compartilhado no final do corredor. Os Presley pagavam US$ 9,50 por semana de aluguel e cozinhavam suas refeições numa chapa quente. À noite, toda a família atravessava a rua para assistir aos cultos do reverendo J. J. Denson, na "missão da rua Poplar" (Poplar Street Mission, situada na verdade na Poplar Avenue). O reverendo Denson tinha uma voz bonita. Sabia tocar violão e sempre havia muita cantoria, alarido e empolgação, sem falar na ceia comunitária compartilhada. Algumas noites, a família jantava com a senhora Miller e lembrava de Tupelo. Gladys conseguiu um emprego como operadora de máquinas de costura na Fashion Curtains. A irmã dela, Lorraine, veio morar em Memphis com o marido Travis, semanas após a chegada dos Presley. Então, Vernon e Travis conseguiram emprego na Precision Tool, fábrica de munições – talvez Vernon já tivesse trabalhado lá durante a guerra. Ficava na esquina da Kansas com a McLemore, a uns três quilômetros de distância; com tempo bom, Vernon e Travis iam caminhando, em dias de mau tempo iam de carro ou pegavam o ônibus que subia a Third. A Poplar Avenue era uma via comercial movimentada, mas também um tanto isoladora. Era difícil conhecer as pessoas da cidade, e Gladys tentou persuadir os outros irmãos e irmãs dela, bem como os cunhados, a se juntarem a eles. "Os locais para onde se mudaram em Memphis não pareciam muito melhores do que os que eles tinham aqui", comentou a prima dela Corinne Richards Tate, mas no fim a maior parte da família se mudou, formando um pequeno enclave nas proximidades da Third e da Poplar.

    O novo endereço ficava pertinho da United Paint, onde Vernon conseguiu emprego como carregador em fevereiro, mas moraram ali por menos de um mês e já entraram com um pedido para habitação pública em junho. Vernon ganhava 85 centavos por hora, US$ 40,38 por semana com as horas extras, quando Jane Richardson, a consultora da Autoridade Habitacional de Memphis, entrevistou Gladys Presley no quarto alugado da Poplar Avenue, em 17 de junho de 1949. Ela observou as más condições em que eles estavam vivendo, um pré-requisito para a avaliação. A senhorita Richardson escreveu: "Cozinham, comem e dormem num quarto só. Dividem o banheiro. Sem privacidade... Precisam de habitação. Pessoas entrevistadas: senhora Presley e o filho. Bom menino. Parecem muito agradáveis e merecedores. Lauderdale, se possível, perto do trabalho do marido".

Enfim foram admitidos em Lauderdale Courts, em 20 de setembro, no início do primeiro ano de Elvis no Ensino Médio na Escola Humes. O aluguel era de 35 dólares por mês, quase o mesmo que pagavam na Poplar, mas em vez de um quarto individual agora tinham dois quartos, sala de estar, cozinha e banheiro próprio. Havia um limite de 2.500 dólares na renda familiar anual como qualificação para locação continuada, e foi registrado que os Presley não tinham telefone e o carro deles mal funcionava, e que Vernon enviava 10 dólares todos os meses para a mãe dele em West Point, Mississippi. Os reparos de que o apartamento precisava foram detalhados num formulário da Autoridade Habitacional no dia em que se mudaram: "A parede ao redor da banheira precisa de reparo... apartamento precisando de pintura... veneziana do quarto não fecha... a luz no hall não fica acesa... a porta do forno não fecha direito... perna do armário quebrada... pia do banheiro entupida... a torneira na pia da cozinha precisa de reparos". Mas isso marcou o verdadeiro início da chegada dos Presley a Memphis.

Não acho que alguém visitando Courts nos dias recentes possa ter uma ideia de como o lugar era naquela época: um núcleo habitacional movimentado e agitado, cheio de crianças e ambição. Quarenta anos mais tarde, graduados oriundos de Courts incluem médicos, advogados, juízes e empresários bem-sucedidos, e muitos alcançaram o objetivo da Autoridade Habitacional ("Das favelas à habitação pública, e daí à propriedade privada") em uma única geração. As unidades residenciais, 433 no total, eram inspecionadas em intervalos frequentes, mas não especificados ("Sempre achamos a senhora Presley uma excelente dona de casa", Jane Richardson contou ao biógrafo de Elvis, Jerry Hopkins, "e uma pessoa muito simpática... Ela mantinha [o assoalho de carvalho] encerado o tempo todo"), e as áreas comuns imaculadas. Para muitos dos residentes, era "como tirar a sorte grande". Para alguns, era a primeira vez que tinham água encanada ou tomavam um banho de verdade.

Seria fácil romantizar a sensação de esperança e esforço que dominava Courts, porque ainda era um mundo difícil, árduo, em que muitas das crianças vinham de lares desfeitos, a maneira mais rápida de resolver um problema era com os punhos, e você preferiria morrer (se fosse homem, pelo menos) a articular suas esperanças e sonhos mais íntimos. Mas seria errado ignorar a sensação de aspiração social, e também de orgulho, porque esse era o tom dominante em Courts. A atitude prevalecente não era de ficar falando, você ia lá e fazia. No entanto, era um mundo idílico, também. Uma criança crescendo ali tinha certo grau de conforto, um senso de pertencimento e uma sensação tranquilizadora de que todos estavam indo na mesma direção, todos mirando um novo e luminoso dia. Em muitos aspectos, o bairro espelhava o confortável ambiente interiorano de Tupelo. Era o tipo de coisa que um rapaz do interior, de olhos esbugalhados, muito indeciso para saber o que realmente sentia, muito receoso de o expressar mesmo que soubesse, precisava. Era um lar.

OS PRESLEY não chegavam a ser moradores atípicos de Lauderdale: o senhor Presley, visto de fora, casmurro e sério, um homem decente, bom provedor, um sujeito cujo silêncio não raramente transmitia um ar de desconfiança, de leve desaprovação; a senhora Presley trabalhando meio turno na Fashion Curtains, frequentando os encontros da Stanley Products (semelhante à Tupperware) com as outras senhoras, risonha, sociável, compartilhando receitas e segredinhos, mas, às vezes, também trazendo junto o filho adolescente – ele nunca falava nada, só ficava quietinho ao lado dela –, o que dava pano para manga para algumas das mulheres. A senhora Presley era muito mais popular que o senhor

Presley. Todo mundo falava de sua simpatia, vivacidade e expressões espontâneas de emoção, mas também havia a sensação de uma família isolada, um mundo fechado em que poucos forasteiros penetravam. Não costumavam frequentar nenhuma igreja e no dia a dia não socializavam muito. O que mais dava aos outros a sensação de seu isolamento, porém, vinha do modo como eram grudados ao filho. "Eles o tratavam como se ele tivesse dois anos de idade", disse a senhora Ruby Black, que criou a maioria de seus dez filhos em Courts. Mas até mesmo para Lillian, a irmã de Gladys – que, ao também se mudar para Memphis com sua família, poderia olhar pela porta dos fundos e praticamente ver a janela da sala da irmã –, algo no foco de Vernon e Gladys no filho único transformava até a própria família em forasteiros. "Ele era meticuloso em relação a seus gibis, o Elvis... Não deixava ninguém mexer neles. A vovó Presley dizia aos meus meninos: 'Não, vocês não podem dar uma folheada. Elvis vai ficar uma fera comigo'. Ele comia em seus próprios pratos. Faca, garfo e colher. A senhora Presley dizia: 'Vou pôr a mesa' – e sempre enxaguava as coisas dele e as deixava ali. Prato, colher e tigela, seja lá o que fosse. Ela dizia: 'Não use isto'. Eu perguntava: 'Por quê?'. Ela respondia: 'É do Elvis'. Ele não comia nada se soubesse que alguém tinha usado as coisas dele." "Ele nunca passou uma noite longe de casa até completar dezessete anos", contou Vernon em uma entrevista em 1978, com apenas um leve exagero.

Ele ia à escola todos os dias, percorrendo a pé dez quarteirões pela Jackson até chegar à Manassas, onde a Humes se erguia imponente e monolítica. Os corredores reverberavam com o barulho de vozes, portas de vestiários batendo, estudantes aparentemente confiantes em seus destinos, sejam lá quais fossem. No começo, ele ficou assustado – nessa escola, o diretor não relutava em enunciar ou agir de acordo com sua filosofia. Podia escrever no anuário da formatura a seguinte mensagem: "Se alguém não tiver escrúpulos em relação a causar constrangimentos a este educandário, é melhor pedir transferência, pois daqui em diante vamos nos opor à readmissão de alguém que difamou conscientemente o bom nome da escola". Isso era algo em que pensar – provavelmente todos os dias –, mas, depois que se acostumou, era um mundo totalmente novo para estudar e cada vez mais foi se sentindo em casa.

No começo, Gladys o levava até a esquina, até ele fazer amigos no bairro. Fora de Courts, não havia ninguém que realmente tivesse notado muita coisa sobre ele em seus dois primeiros anos na Humes. "Um moço gentil e obediente, sempre se esforçava para fazer o que pedíamos", contou Susie Johnson, a professora regente do 9º ano. "O inglês dele era atroz... mas ele tinha uma qualidade terna e radiante que cativava as pessoas. Nos primeiros anos em nossa escola ele foi um garoto tímido... Às vezes, parecia se sentir mais à vontade conosco [os professores] do que com seus colegas", redigiu Mildred Scrivener, professora de História e regente do 12º ano, em 1957. "Em retrospectiva, eu me pergunto se ele não se preocupava demais com o fato de que ele e seus pais tinham acabado de se mudar de Tupelo, que os outros alunos estavam familiarizados com o lugar e estavam enturmados. Se fosse isso, era um caso típico de miopia adolescente."

As notas dele eram suficientes. No 8º ano, tirou A em Linguagem e C em Música. Num raro momento de autoafirmação, ele desafiou a argumentação da professora de Música, a senhorita Marmann, de que não sabia cantar. Sabia, sim, respondeu ele, só que ela não apreciava seu estilo de cantar. Trouxe o violão à aula no dia seguinte e cantou o hit de 1947 do grupo Fairley Holden and His Six Ice Cold Papas, "Keep Them Cold Icy Fingers Off Of Me". De acordo com uma colega de turma, Katie Mae Shook, a senhorita Marmann "concordou que Elvis estava certo ao dizer que ela não apreciava seu estilo de cantar". No 9º ano, ele tirou vários Bs em Inglês, Ciências e Matemática. "Meu irmão mais velho foi colega dele", lembrou a cantora Barbara Pittman. "Meu irmão e outros meninos se escondiam atrás dos prédios e jogavam coisas nele... frutas podres e outras coisas... porque ele era diferente, quieto, gaguejava... e era um filhinho da mamãe." No 2º ano do Ensino Médio, entrou no programa escolar júnior do ROTC (Reserve Officers' Training Corps, corpo de treinamento de oficiais da reserva), tornou-se voluntário na biblioteca e fez uma oficina para aprendiz de marceneiro, onde desenvolveu projetos para a mãe dele. A avó de Elvis morava com eles parte do tempo, e Gladys trabalhava na Britling's Cafeteria, no centro.

Nas fotos da escola, ele não aparenta ser diferente dos colegas, nem mais humilde, nem mais pobre, nem mais extravagante. A única diferença que se pode detectar é que ele parece mais acanhado do que seus colegas de turma. Ninguém mais demonstra alguma reserva em participar – os estudantes retratados são modelos de comportamento e postura. Mas certamente isso também não é justo. O que é tão comovente nesse retrato do sonho americano, por volta de 1950, é o esforço consciente no rosto de todos, inclusive o do jovem cadete, Elvis Aron Presley, orgulhoso de trajar seu uniforme do ROTC por todos os lugares, o rosto severo, a postura ereta e o comportamento, era possível sentir, ilimitadamente otimista. Analisando em retrospectiva, ele claramente sentia o mesmo orgulho na Humes que a maioria de seus colegas de turma sentia: a vida era árdua, muito árdua, mas boa, e uma das conquistas que mais o orgulharia na vida seria simplesmente superar as dificuldades.

Nesse meio-tempo, em Courts, seu mundo expandia-se rápido. Havia três meninos no prédio – Buzzy Forbess, Paul Dougher e Farley Guy –, e um dia Buzzy topou com ele a caminho de fazer uma visitinha a Paul. "Paul morava no terceiro andar (Farley morava no segundo, no apartamento em cima do de Elvis), e Elvis estava numa das pequenas escadarias em frente ao prédio, conversando com outras pessoas. Passei por eles com uns gibis enrolados na mão. Era a primeira vez que eu o via, e falei: 'E aí, tudo bem?' e dei uma batidinha na nuca dele com os gibis, e ele me deu um tapa no cocuruto enquanto eu passava. A gente gostava desse tipo de provocação. Mas, assim que olhei para ele, e ele olhou para mim, abrimos um sorriso, apertamos as mãos, e subi para me encontrar com o Paul. Foi assim que ficamos amigos." Logo os quatro se tornaram praticamente inseparáveis. Juntos, criaram um time de futebol americano e iam jogar em outros bairros, andavam de bicicleta, iam ao cinema, quando fazia muito calor passeavam em Malone Pool, a poucos quarteirões de distância, onde encaravam as moças e faziam estranhas tentativas de natação. Não era motivo para se gabar, contou Buzzy: "Apenas crianças crescendo juntas. Se alguém se mudasse para Courts, acabava se envolvendo com todo mundo, de uma forma ou de outra. Se você dava uma festa, convidava todo mundo. Fazíamos tudo que qualquer um faz. Morávamos a duas ou três quadras da Main Street. Estávamos bem no meio de tudo. Só uma coisa a gente não fazia: ficar em cima dos livros e se esfalfar de tanto estudar. Tínhamos um vínculo. Éramos bons amigos."

Uma vez Buzzy se machucou num de seus jogos de futebol americano contra um time de outro bairro. "Eu estava sangrando e muito machucado, e a senhora Presley começou a chorar. Era uma dama de coração mole. Mas o senhor Presley também era uma boa pessoa. Frequentei a casa o suficiente para notar que muitas das habilidades e da inteligência de Elvis vieram do pai dele. Eu gostava muito da senhora Presley, mas, quanto ao humor, o humor cáustico, esse é do senhor Presley. A maioria das pessoas sorri com os lábios, mas ele ria com os olhos. A inteligência cáustica, o sorriso cáustico... isso o Elvis herdou muito do pai dele."

Elvis, Buzzy, Farley e Paul vagavam por todo o centro da cidade. Percorriam todos os lugares juntos num grupo alegre, passavam por açougues *kosher* e barracas de frutas italianas, exploravam a área das docas abaixo da Front Street, observavam a agitada prosperidade das pessoas fazendo compras no centro, conferiam o guitarrista de blues e o contrabaixista com seu baixo de balde que costumavam tocar na frente do Green Owl, na esquina da Market, em dias de tempo bom. Às vezes, os quatro iam mais longe e chegavam até a esquina da Beale com a Main, ou se aventuravam a descer uma quadra na Beale para tirar fotos no Blue Light Studio, quatro por 25 centavos, mas era desnecessário andar muito longe. Tanta coisa acontecia ao redor deles, um tumulto de sons, cores, agito e excitação, até mesmo para uma criança urbana. No verão após o 1º ano de Elvis no Ensino Médio, Vernon comprou um cortador de grama manual para o filho, e os quatro saíam com o cortador e um par de foices de mão oferecendo trabalhos de jardinagem a quatro dólares por gramado. "À noitinha ele voltou", contou Vernon, "sentou-se com a testa franzida e largou cinquenta centavos na mesa. Então deu uma risada, tirou um punhado de trocados do bolso... e ele tinha uns sete dólares."

O interesse de Elvis pela música permaneceu em segredo nos primeiros anos na Humes. Ele não levava o violão à escola, e raramente o carregava em Courts. "Para nós três ele tocava", contou Buzzy. "Não ficava tímido, mas não era o tipo de garoto que você dá um empurrãozinho e ele já sobe no palco. Ele foi se acostumando justamente ali conosco." Uma vez, a mãe de Farley reclamou que ele estava fazendo muito barulho, e a Autoridade Habitacional recebeu outras queixas de inquilinos mais idosos, mas a senhorita Richardson só "pedia para ele modular um pouco a voz", e ele sempre obedecia. Ele e Buzzy eram colegas nas aulas de biologia do 10º ano; na festa natalina da turma, ele combinou que ia levar o violão à escola. "Inclusive ensaiou", disse Buzzy, "duas ou três canções natalinas, mas se acovardou... deixou o violão em casa." Parece que nem contou aos novos amigos sobre a Feira Mississippi-Alabama; nunca tocou no nome de Mississippi Slim.

E, entretanto, temos a impressão de que nem por um instante ele perdeu de vista a música. Na verdade, mesmo se nunca saísse do apartamento e apenas ouvisse o rádio, já teria dado um grande passo para completar sua educação musical. A rádio de Memphis em 1950 era uma lâmpada de Aladim de estilos e panoramas musicais. Tarde da noite, Elvis poderia ter escutado – com a maioria das outras crianças em Courts e a metade de Memphis, ao que parecia – o programa de Daddy-O-Dewey, Dewey Phillips, transmitindo direto do Gayoso na WHBQ. Num típico bloco musical de 1951, ele teria ouvido "Booted", de Rosco Gordon (gravada em Memphis, no estúdio de Sam Phillips); Muddy Waters, em "She Moves Me"; "Lonesome Christmas", de Lowell Fulson; e a novíssima "Dust My Broom", de Elmore James, todos os sucessos atuais e futuros clássicos de décadas posteriores. "Rocket 88", muitas vezes rotulado como o primeiro disco de rock'n'roll, saiu do estúdio Sam Phillips, em 1951, também, e mereceu uma resenha no jornal com uma insinuação um tanto maliciosa: "Se você tiver uma música que ninguém queira gravar, procure Sam Phillips". "Vamos lá, meu povo", agitava Dewey, pedindo aos ouvintes que comprassem roupa na Lansky Brothers, na Beale Street. "Faça como eu e pague em suaves prestações! Mas pague direitinho, senão... dee-gawwwww! E não se esqueça de dizer que foi o Phillips que mandou você!" Desde o amanhecer, começava o programa matinal de Bob Neal na WMPS: música hillbilly e humor sulista apresentados ao estilo descontraído de Arthur Godfrey e, ao meio-dia e meia, Neal tocava trinta minutos de música gospel com os Blackwood Brothers, que havia pouco tinham se mudado para Memphis e entrado na Igreja da Primeira Assembleia de Deus, na McLemore Avenue. A primeira metade do *High Noon Round-Up* trazia o cantor country Eddie Hill, que, com os Louvin Brothers, o grupo country favorito de Gladys Presley (os Blackwood eram o quarteto favorito dela, embora Vernon e Elvis preferissem os Statesmen, um pouco mais animados), estava entre as maiores estrelas do hillbilly de Memphis.

Se você girasse o dial e sintonizasse a WDIA, que desde a sua transição em 1949 para uma política de programação totalmente negra tinha se anunciado como "A Estação Mãe dos Negros", você escutava não só a estrela do blues local, B. B. King, atuando como DJ e tocando suas próprias músicas ao vivo, mas também personalidades genuínas como o professor Nat D. Williams, mestre de História na Booker T. Washington High School, colunista do jornal dos negros de Memphis, o *World*, e mestre de cerimônias de longa data no festival de calouros do Palace Theatre; o gênio da comédia A. C. "Moohah" Williams; e o cosmopolita Maurice "Hot Rod" Hulbert, sem falar no quarteto Spirit of Memphis, que tinha seu próprio programa de quinze minutos e fazia até mesmo o jingle do Carnation Milk reverberar de sentimento. Na noite dominical, na WHBQ, os sermões do reverendo W. Herbert Brewster, autor de clássicos da música espiritual negra, como "Move On Up a Little Higher", de Mahalia Jackson, e "How I Got Over", de Clara Ward, eram transmitidos ao vivo da Igreja Batista East Trigg, com sua famosa solista, Queen C. Anderson, entoando os interlúdios musicais.

Impossível alguém se manter em dia com tudo isso a não ser o mais empolgado aluno – e isso porque deixamos de citar as transmissões de Howlin' Wolf e Sonny Boy Williamson de West Memphis, Arkansas, do outro lado do rio, a parada de sucessos hillbilly de Sleepy Eyed John na WHHM, todas as vitrines habituais das canções populares do momento, as transmissões de big bands do Peabody Skyway e, é claro, as transmissões do Opry aos sábados à noite. Uma educação e tanto, de uma qualidade hoje praticamente inimaginável, numa época e num lugar de rígida segregação em todos os aspectos, uma educação que não se importava com a cor da pele. "Em um aspecto da vida cultural dos Estados Unidos", escreveu o pioneiro editor musical da *Billboard*, Paul Ackerman, analisando em 1958 o impacto da música que havia chegado pela primeira vez em tamanha profusão após a guerra, "a integração racial já aconteceu." Isso era tão verdadeiro em 1950 quanto em 1958, mas apenas na privacidade dos lares, e somente onde a música estava verdadeiramente no ar.

Talvez tenha sido numa das festas femininas da Stanley Products que Gladys aproveitou para perguntar à senhora Mattie Denson, esposa do reverendo J. J. Denson, se o marido dela podia dar umas aulas de violão ao seu filho. A senhora Denson disse que o marido ficaria feliz em ajudar ("Ele tem uma voz tão doce", disse a senhora Presley), mas o verdadeiro talento da família era Jesse Lee, o filho dela. Jesse Lee não se empolgou com a ideia. Aos dezoito anos, era dois anos e meio mais velho que o filho da senhora Presley em 1950 e possuía a merecida reputação de gazeteiro escolar e uma espécie de delinquente juvenil. Fugiu de casa pela primeira vez aos nove anos de idade, começou a tocar profissionalmente pouco depois e desde então estava sempre entrando ou saindo de um centro de detenção juvenil. Atleta excelente, protagonizou um dos mais lendários embates pugilísticos do Golden Gloves na história de Memphis, em 1952, quando perdeu o campeonato da categoria peso-galo para o colega residente de Courts, George Blancet, e também ganhou as manchetes dos jornais por tocar "Golden Rocket", de Hank Snow, e a quase clássica "Blue Prelude", entre uma luta e outra.

Ele não queria ensinar Elvis, explicou ele para a sua mãe, porque o menino "é muito tímido, e meio estranho. 'Tem medo dos outros rapazes com quem ando', expliquei. 'São uns valentões, e tenho medo que me provoquem. Vou ter que me defender e acabar com as mãos quebradas... Acho melhor ficar fora disso!'. Bem, ela se virou e foi embora, não sem antes dizer: 'Jesse Lee, lembre-se: *Em verdade vos digo que quando o fizestes a um destes meus pequeninos irmãos, a mim o fizestes*'. E eu respondi: 'Diga a ele que pode vir, mamãe'.

"Ele apareceu com o seu violãozinho ao estilo Gene Autry, e não sabia tocar direito. Não conseguia pressionar as cordas... elas estavam ajustadas tão altas que eu o deixei praticar no meu... eu tinha um pequeno Martin. Só tentei mostrar pra ele uns acordes básicos. Posicionei os dedos dele e disse: 'Está apertando as cordas erradas com os dedos errados', e tentava endireitá-lo. Antes ele não conseguia tocar uma música até o fim, não mexia os dedos e não seguia o fluxo da música, mas, depois que eu o orientei, começou a fazer direito."

Todo sábado e domingo, Elvis aparecia com seu violão. A senhora Denson era uma entusiasta da convivência cristã, mas não a ponto de deixar os meninos treinarem em sua casa; então se refugiavam na lavanderia que ficava embaixo do apartamento dos Presley. Os amigos de Lee – Dorsey Burnette e seu irmão mais novo, Johnny, cuja família morou defronte aos Denson por treze anos na Pontotoc Street – também compareciam e, como Lee tinha previsto, não facilitavam as coisas para Elvis. Dorsey também era um conhecido boxeador dos Golden Gloves, mas, como muitos de seus amigos comentavam, ele e Johnny só gostavam de lutar, e o pacífico Elvis os chamava com certa tristeza de "os Dalton", a famosa gangue de foras da lei.

Lee deslumbrava os outros meninos com suas virtuosas performances de "Wildwood Flower" e "Under the Double Eagle", sem mencionar suas técnicas vocais de falsete. Com outro residente de Courts, Johnny Black, cujo irmão mais velho Bill era músico profissional nas horas vagas, os cinco meninos ficaram bem conhecidos por seus shows no Market Mall, a bonita e frondosa alameda que cruzava Courts. Muitas vezes, à noite, os meninos cantavam, harmonizando em "Cool Water" e "Riders in the Sky", mostrando o violão de Lee e seus vocais, também, em canções como "I'm Movin' On", "Tennessee Waltz" ou qualquer música de Eddy Arnold à sua escolha. No verão aconteciam bailes informais no gramado, enquanto os moradores mais velhos sentavam-se nas varandas batendo palmas, o som se espalhando em Courts. O irmão mais velho de Lee Denson, Jimmy, lembra-se deles como um grupo centrado em torno de seu irmão mais novo. "Andavam em fila indiana, quatro ou cinco adolescentes carregando seus violões para cima e para baixo, aonde quer que fossem." Para Johnny Black era mais um grupo meio solto: "Tocávamos debaixo das árvores, sob as copas daquelas grandes magnólias... tenho fotos de todos nós. A participação era livre. A galera se reunia, um bandolim, talvez três, quatro violões. Não estávamos tentando impressionar o mundo, só estávamos tocando para nos divertir".

Ninguém nunca se lembrou de ter visto Elvis Presley no primeiro plano de nenhuma dessas fotos, mas ele claramente aparecia ao fundo, pairando nas bordas do enquadramento, tentando criar seus acordes, às vezes, fazendo os vocais de apoio. Quando errava uma nota, jogava as mãos para o alto e, em seguida, encolhia os ombros num sorriso tímido e autodepreciativo que fazia o público rir. Para os moços mais velhos, ele era um garotinho do interior, um filhinho da mamãe que já merecia certo respeito apenas por não se deixar ser enxotado. Para Buzzy, Farley e Paul ele era uma espécie de herói – suas lembranças se centram no amigo. Como os meninos mais novos de todas as gerações, eles não pensam muito nos meninos mais velhos, eles os enxergam como valentões e chatos, se um dia chegarem naquela posição, dizem uns aos outros, jamais vão agir daquela maneira.

QUANDO ERRAVA UMA NOTA, JOGAVA AS MÃOS PARA O ALTO E, EM SEGUIDA, ENCOLHIA OS OMBROS NUM SORRISO TÍMIDO E AUTODEPRECIATIVO QUE FAZIA O PÚBLICO RIR.

Todos reagem da forma mais previsível, menos o menino sonhador no canto da imagem. Para Elvis é como se ele estivesse em outro mundo. A música o emociona e o mantém em sua *vibe* hipnótica. A música o transporta para outro lugar, o faz experimentar uma doce sensação de sonho, um sentimento de libertação quase aconchegante, mas ao mesmo tempo tão árduo e concreto quanto o desejo. Os garotos mais velhos ficavam surpresos ao ver que ele sabia a letra de cada música que eles cantavam (Lee Denson, por exemplo, nem imagina que não foi ele quem ensinou "Old Shep" a seu atrapalhado aluno). Elvis decorava a letra de qualquer música que eles quisessem cantar — os versos ficavam impressos em sua memória, ele só tinha que ouvi-los uma ou duas vezes, e os acordes, também. Só os dedos resistem teimosos. Em sua cabeça, ele escuta a canção de forma diferente; é menos floreada às vezes, menos como o tenor irlandês John McCormack nas baladas, mais dramática nas hillbilly. As únicas canções em que ele não mudava o tom eram as gospel — essas ele entoava exatamente conforme os Statesmen, os Blackwood Brothers, os Sunshine Boys as entoavam. Seria um sacrilégio mexer nessas músicas.

À noitinha, sentado sozinho nos degraus do prédio, dedilha suaves acordes no escuro. A voz dele mais parece um murmúrio, mas quer atrair atenção, principalmente das moças, de Betty McMahan, seu "primeiro amor", e de Billie Wardlaw, que mora ao lado de Betty no terceiro andar e roubou o lugar dela quando ela começou a sair com um garoto do Arkansas. Betty conheceu Gladys antes de conhecer Elvis. "Ela costumava sair e tínhamos cadeiras reclináveis, ou sentávamos nos degraus. A minha mãe e a mãe dele puxaram conversa. Uma noite, enfim, acho que ela simplesmente o forçou a descer, sentar-se lá fora e bater um papo com a gente. Em 1950, quando tinha quatorze anos, Billie Wardlaw foi morar em Courts com a mãe — e, mesmo antes de Betty romper o namoro com Elvis, ele começou a dar em cima de Billie. "Elvis beijava muito bem, e como sempre brincávamos de girar a garrafa no escuro, a timidez não chegava a atrapalhar... Muitas vezes, quando minha mãe e eu voltávamos para casa, lá estava Elvis tocando o seu violão no escuro. A mãe e o pai dele ficavam ali, sentados numa colcha, ouvindo. Elvis fazia qualquer coisa no escuro... Uma vez minha mãe disse a ele: 'Elvis, você canta tão bem que deveria estar cantando no rádio'. Ele ficou vermelho e respondeu: 'Dona Rooker, eu não sei cantar'."

Ele gosta da companhia das mulheres, gosta de estar perto das mulheres, mulheres de todas as idades, ele se sente mais à vontade com elas – não é algo que gostaria de admitir para seus amigos, nem para si mesmo. A tia dele, Lillian, percebe isso: "Ele saía lá fora à noite com as meninas e cantava até não poder mais. Ele era outro com as meninas. Fico até constrangida de falar, mas ele preferia ter um monte de garotas ao redor dele do que os meninos. Ele não se importava com os meninos". As mulheres parecem captar algo saindo dele, algo que nem ele talvez saiba que possui: uma pungente vulnerabilidade, um anseio indefinido. Quando Sam Phillips o encontra apenas dois ou três anos depois, em 1953, ele capta essa mesma qualidade, mas a chama de insegurança. "Ele bem que tentava não mostrar, mas se sentia muito inferior. Nesse sentido, ele me fazia lembrar um negro; a insegurança dele era tão acentuada quanto a de um negro." Banhado pelo suave brilho da luz da rua, ele quase aparenta ser bonito – as acnes que tanto o envergonham não parecem tão feias, e as feições de adolescente, que talvez pareçam rústicas à fria luz do dia, assumem uma espécie de delicadeza quase bela.

Ele canta "Molly Darling", de Eddy Arnold; uma canção de Kay Starr, "Harbor Lights"; e "Moonlight Bay", de Bing e Gary Crosby, todas baladas suaves e doces, com a voz suave e ligeiramente trêmula. Então, satisfeito, puxa o pente do bolso traseiro e passa no cabelo num gesto seguro, claramente em desacordo com seu jeitinho hesitante. Com as mulheres, porém, ele fazia tudo certo: mocinhas ou senhorinhas parecem atraídas por seu ar quieto e vacilante, sua humildade decorosa, seu respeitoso escrutínio. Os homens podem ter lá suas dúvidas, mas para as mulheres ele é um bom menino, um menino gentil, alguém atencioso e querido, alguém que realmente se importa.

No verão anterior ao seu 1º ano no Ensino Médio, Elvis foi trabalhar na Precision Tool, onde seu pai havia trabalhado quando eles se mudaram para Memphis, e onde seus tios Johnny e Travis Smith e Vester Presley continuavam trabalhando. Ganhava vinte e sete dólares por semana, mas não durou muito, porque um inspetor de seguros descobriu que ele era menor de idade, então voltou ao seu negócio de jardinagem com Buzzy, Farley e Paul. No 2º ano do Ensino Médio, ele trabalhou como porteiro no Loew's State durante boa parte do outono. Assim, a família Presley ganhou três salários por um tempo, o que lhes permitiu comprar um televisor e hospedar a mãe de Vernon, Minnie, em tempo integral.

O 3º ano do Ensino Médio foi um divisor de águas, até mesmo seus professores comentaram sobre a mudança. O cabelo dele estava diferente – usava mais tônico capilar Rose Oil e vaselina para baixá-lo, e deixou crescer costeletas para parecer mais velho e imitar o estilo dos motoristas de caminhão de longa distância que de vez em quando ele comentava que almejava ser ("Aparência rebelde, muitas cicatrizes. Eu me deitava à beira da rodovia e ficava olhando [os caminhoneiros em] suas grandes carretas a diesel"). Parecia ter ganhado autoconfiança, e sua aparência era mais singular; sem chamar a atenção para si mesmo com palavras, fazia isso pelo modo de vestir e pela atitude ("Era só algo que eu queria fazer, eu não estava tentando ser melhor do que ninguém"). Tentou até a sorte no futebol americano, ambição que acalentou por um tempo, mas que provou ser o único e dramático passo em falso em seu quase sempre cuidadoso percurso no Ensino Médio. Na tentativa de entrar no time, tornou-se vulnerável justamente às forças que mais o desprezavam. Na história que talvez seja a mais conhecida de seus anos de juventude, alguns jogadores o cercaram no vestiário e ameaçaram cortar seu cabelo, e o treinador acabou o expulsando da equipe quando ele se recusou. Se tudo aconteceu assim ou não, uma coisa é certa: ele teve seu orgulho ferido, e frequentemente costumava se referir ao incidente com certa mágoa e raiva.

Voltou a trabalhar no Loew's State, na South Main, mas não por muito tempo. Desconfiou que o outro porteiro era um dedo-duro e foi às vias de fato com ele. Resultado: foi demitido pelo gerente. Em novembro de 1951, Gladys conseguiu um emprego no St. Joseph's Hospital como auxiliar de enfermagem, recebendo quatro dólares por dia, seis dias por semana. O St. Joseph's ficava a poucas quadras da casa deles, e ela se orgulhava muito do emprego, mas precisou sair em fevereiro, quando a Autoridade Habitacional de Memphis ameaçou despejá-los porque sua renda familiar combinada excedia o máximo permitido. "Doença na família", justificou Vernon perante a Autoridade Habitacional. Tinha machucado as costas e ficado sem trabalho por um tempo. "A esposa não está trabalhando [agora]. Tentando pagar as dívidas. Contas estão atrasadas e não queremos ser processados." Em fevereiro, conseguiram um novo contrato de aluguel reduzido de US$ 43 por mês e um teto de renda anual familiar de US$ 3.000. Em junho, tinham se recuperado financeiramente o bastante para comprar um Lincoln Coupe ano 1941, que Elvis foi encorajado a considerar o carro "dele". "Meu pai era maravilhoso comigo", disse Elvis em uma entrevista, em 1956. Uma vez, recordou Vernon, Elvis trouxe o carro para casa e "veio correndo gritando 'Ei, pai! Coloquei quinze centavos de gasolina no carro'. Todo mundo deu risada e ele quase morreu de vergonha".

Ele não precisava do carro, contudo, para a maioria de suas atividades corriqueiras. Já tinha visto as luzes da Main Street e, como escreveu o repórter Bob Johnson do jornal *Memphis Press-Scimitar* na primeira biografia oficial para fãs, em 1956: "Elvis foi ver a rua tarde da noite, com os painéis luminosos, e até hoje isso exerce um feitiço sobre ele... Às vezes com os amigos, às vezes sozinho, Elvis ia até a Main Street, onde as vitrines, a agitação do trânsito, a multidão apressada lhe dava algo para observar e ficar imaginando".

Começou a frequentar o Charlie's, uma lojinha de discos, inicialmente situada ao lado do Suzore 2 na North Main, defronte ao beco do corpo de bombeiros e, depois, do outro lado da rua. Tinha um jukebox e uma pequena fonte de refrigerante e inclusive vendia sorrateiramente discos de "piadas sujas" do comediante Redd Foxx. Não demorou para Elvis se tornar um assíduo frequentador. Às vezes aparecia sozinho, como Bob Johnson sugeriu, às vezes com amigos. Talvez fosse ao cinema, onde ainda era possível pegar uma sessão dupla por dez centavos, parasse no corpo de bombeiros, onde os bombeiros, que aceitavam de bom grado qualquer distração, sempre se alegravam de ouvi-lo entoar uma canção, depois passasse no Charlie's, sem necessariamente comprar algo, apenas ouvir e manusear os preciosos discos de 78 rpm e de vez em quando colocar um níquel no jukebox. O proprietário, Charlie Hazelgrove, nunca expulsava ninguém; a loja era um ponto de encontro para adolescentes apaixonados por música, e era por isso que Buzzy Forbess, por exemplo, nunca entrou lá. Pois embora ele e Elvis fossem grandes amigos, essa parte da vida de Elvis não influenciava a vida dele. "Uma vez estávamos passeando ali perto do Charlie's", lembrou Johnny Black, conhecido casual e musicista, "e Elvis me disse: 'Johnny, um dia ainda vou dirigir um Cadillac'. É tão estranho pensar nisso... Estamos falando de uma época em que provavelmente não tínhamos dinheiro nem pra rachar uma Coca-Cola."

Ele vagueava pela rua, passava na frente do Loew's, chegava à esquina da Beale com a Main e depois descia a Beale até a Lansky's, a loja de roupas. Muitas crianças gostavam de ir até a Beale só para observar o inusitado humor dos negros. Uma loja pertinho da Lansky's fazia os clientes se deitarem no chão para serem medidos, com o vendedor desenhando o contorno com giz para um novo terno com o mais grave dos semblantes; outra exibia, com os furos de bala intactos, o smoking supostamente usado pelo mafioso local Machine Gun Kelly no dia em que teria sido abatido (na verdade, ele passou os últimos vinte e um anos da vida numa penitenciária federal). A máquina política de Boss E. H. Crump adotava uma postura benevolente em relação à sua população negra – qualquer coisa podia acontecer na Beale Street, a menos que ameaçasse a segurança dos brancos –, mas o censor da cidade Lloyd Binford sistematicamente censurava os filmes de Lena Horne e inclusive baniu a comédia hollywoodiana *Chutando milhões* (*Brewster's Millions*, 1945) porque o coadjuvante Eddie "Rochester" Anderson tinha "uma atitude muito familiar, e o filme apresenta muita mistura racial". No finzinho da década de 1940, ele baniu a turnê teatral do musical *Annie Get Your Gun,* porque nele havia um negro que era condutor ferroviário e "não temos nenhum maquinista negro no sul. Claro que isso não pode entrar em cartaz aqui. É a igualdade social em ação".

O que atraía Elvis, porém, eram as roupas, os estilos, as modas ousadas, que admirava ávido nas vitrines da Lansky's. Causou uma impressão definitiva em Guy e Bernard Lansky, os irmãos que eram os proprietários e gerentes da loja. "Ele ficava olhando as vitrines antes de ter qualquer grana... Nós o conhecíamos de vista", recordou Guy. "Na época ele trabalhava de porteiro no cinema, tinha furos nos sapatos e nas meias, vestia-se maltrapilho, mas chamava a atenção, pelo cabelo, é claro, mas era o seu... o que estou tentando dizer, era o jeito dele, sabe. Ele simplesmente era uma pessoa muito legal."

Ao meio-dia – sábado, feriado ou talvez um dia em que matou aula na escola – ele rumava ao estúdio da WMPS na esquina da Union com a Main para o *High Noon Round-Up*, em que os Blackwood Brothers entravam ao vivo com o DJ da WMPS, Bob Neal, atuando como mestre de cerimônias. "Suponho que foi aí que eu o vi pela primeira vez", disse Bob Neal, que vários anos depois se tornaria seu primeiro empresário e que, como Guy Lansky, ficou mais impressionado com seu jeito de ser do que com sua aparência. Até mesmo James Blackwood, líder do quarteto vocal Blackwood Brothers, que em 1951 fez sucesso nacional com "The Man Upstairs", pela RCA, lembrava-se do jovem ansioso, bem como o seu equivalente nos Statesmen, o vocalista Jake Hess, que declarou ter conhecido Elvis nesse período, mas não em Memphis, e sim em Tupelo, quando a família Presley, presume-se, fazia uma visita. Indagaram a Jake Hess: como é que se lembrava do menino? Os outros fãs não eram igualmente entusiasmados? Para Hess, um cantor espetacular com a voz do tipo tenor e vibrato controlado, que Elvis explicitamente aspirava ter, não foi a presciência que o fez notar, mas sim algo no feroz e ardente desejo do jovem. "Quero dizer, Elvis Presley era apenas um garoto legal, bonzinho, de olhos brilhantes, que fazia toda sorte de perguntas, e perguntava de um jeitinho que dava gosto de responder. Queria saber sobre os aspectos espirituais da música... Você tinha que fazer isso ou aquilo? Queria saber se teria desvantagem por não ler partituras. Era um garoto de olhos brilhantes, sabe, e simplesmente parecia importante, mesmo quando criança."

Ele se tornou um *habitué* do All-Night Gospel Singings, que havia começado no Ellis Auditorium, rua acima, e por todo o Sul nos últimos dois ou três anos. Não ia junto com seus amigos de Courts nem mesmo com outros amigos músicos, como Lee Denson e os irmãos Burnette, que tinham começado a tocar em bares perto da estrada. Ele ia sozinho, com a mãe e o pai, talvez com os primos Junior ou Gene, seja lá com quem fosse, mas raramente perdia um show. Uma vez por mês, o Ellis lotava para uma espécie de maratona de canto que ia até a madrugada, com os principais quartetos gospel brancos do momento. Ficava lá hipnotizado pelo que mais tarde descreveu como "a forte batida do ritmo pesado" de algumas das canções de louvor e a delicada beleza de outras. Provavelmente não havia um tipo de música que ele não amasse, mas a música de quarteto era o centro de seu universo musical. A música gospel mesclava a força espiritual que ele sentia na música em geral com o senso de libertação física e exaltação que ele aparentemente almejava. E os shows – os shows em si eram as mais amplas panóplias, abrangendo toda a gama de estilos gospel. O canto de grupos mais antigos, influenciado pelo honroso método da "nota de forma" (ou *shape note*, método que dispõe as notas em formatos diferentes), como Speer Family e Chuck Wagon Gang. O espetáculo chamativo dos Sunshine Boys. As harmonias imponentes dos Blackwood, que adaptaram muitos de seus sucessos a partir do novo estilo espiritual dos quartetos negros, como Soul Stirrers, do Texas, e Original Gospel Harmonettes, de Birmingham,

Alabama. Havia palhinhas dos Ink Spots e do Golden Gate Quartet, e até mesmo de cantores contemporâneos de rhythm & blues, como Clyde McPhatter e Roy Hamilton, a seu estilo de belos arranjos e articulações precisas. Apesar de tanto admirar o trabalho dos Blackwood, quem mais capturava a imaginação de Elvis eram os Statesmen.

Os Statesmen eram uma mistura eletrizante, ancorada pela inabalável simpatia e o desconcertante apego à tradição de seu líder, fundador e pianista, Hovie Lister. A banda tinha um dos vocais mais emotivos e palpitantes e um dos shows mais ousados e singulares do mundo do entretenimento. Vestidos com trajes que poderiam ter saído da vitrine da Lansky's, entremeavam o tenor com o contratenor, e sobrepunham o falsete, tudo contribuindo para o vocal virtuoso de Jake Hess. Enquanto isso, o baixo-profundo, Jim Wetherington, conhecido universalmente como Big Chief, sustentava o ritmo com firmeza, balançando sem cessar primeiro a perna esquerda, depois a direita, com o tecido da calça inflando e reluzindo. "Em se tratando de música gospel, ele foi o mais longe possível", afirmou Jake Hess. "As mulheres pulavam, assim como fazem nos shows de música pop." Pregadores frequentemente se opunham aos movimentos lascivos; fundamentalistas raciais criticavam a dívida com a música gospel negra (particularmente na franca emotividade da elocução), mas o público reagia com gritos e desmaios. Era um tipo diferente de espiritualidade. O grupo subia correndo, não caminhando, ao palco. Os cantores jogavam o microfone para a frente e para trás, e Jake Hess seduzia a plateia repetindo sem parar o eletrizante clímax de sua última canção, enquanto Chief sustentava seu incansável ritmo.

A música, cada vez mais, tornou-se o foco da vida de Elvis. Nas festas em Lauderdale Courts, Elvis sempre cantava, às vezes ao ponto de seus amigos gemerem: "Ai, não, de novo não!". Continuava muito tímido, não sabia dançar, e às vezes só tocava com as luzes apagadas, mesmo em um ambiente tão íntimo como a festa de aniversário de sua priminha Bobbie, contou sua tia Lillian. "Tirei os móveis da sala, e Elvis entrou com seu violão, mas tivemos de apagar as luzes antes de ele cantar. O fogo crepitava na lareira, mas na penumbra ninguém enxergou o rosto dele. Ficou bem no cantinho... Isso dá uma ideia do quanto ele era tímido." Ele cantava várias músicas de Kay Starr, e seu repertório incluía Teresa Brewer, Joni James, Bing Crosby, Eddie Fisher e Perry Como, além de Hank Williams e Eddy Arnold. Em algumas noites, Vernon e Gladys iam ao cinema para que ele, Buzzy, Paul e Farley fizessem uma reunião dançante no apartamento. Elvis nunca tocava música lenta, contou Buzzy, quando Buzzy estivesse dançando com a namorada de Elvis, Billie Wardlaw. Pouco depois, porém, Billie terminou com ele quando começou a sair com um marinheiro que ela conheceu na USO (*United Service Organizations*, organização não governamental que apoia militares), na Third Street. Quando viu a foto do marujo na carteira dela, Elvis reagiu de um modo que a deixou estarrecida. "Arrancou a foto da minha bolsa, começou a pisar em cima dela até amassá-la." Ela terminou o namoro pouco depois. E de novo a reação dele a surpreendeu. "Começou a chorar. Até aquela noite eu nunca tinha visto um homem, ou garoto, chorar."

De vez em quando, Buzzy e os outros moços combinavam com a senhorita Richmond, a supervisora do conjunto habitacional, para usar o porão sob o escritório principal em Lauderdale Courts. Ela dava a chave para eles, e o grupo arrumava mesas e distribuía convites a vinte e cinco centavos por casal. Regada a Coca-Cola, a festinha também oferecia pipoca e som de vitrola. No decorrer da noite, Elvis sempre dava uma palhinha. Buzzy e Paul se tornaram membros da Junior Order of the Oddfellows e faziam visitas mensais aos hospitais da região como parte de um projeto cívico. Uma vez, Elvis os acompanhou na ida ao Lar dos Incuráveis, na McLemore, em South Memphis. Em geral, só distribuíam sorvetes e biscoitos e conversavam com os pacientes. Dessa vez, porém, para surpresa de Buzzy, Elvis, que havia trazido o violão, ergueu-se e cantou. Na visão de Buzzy, foi a primeira vez que Elvis fez uma apresentação em Memphis fora de Courts.

No último ano do Ensino Médio, Elvis foi trabalhar na MARL Metal Products, fábrica moveleira na Georgia Avenue, perto da Memphis e

Arkansas Bridge, onde ele trabalhava das 15h às 23h30 todos os dias, mas o trabalho teve seu preço. De acordo com a professora Mildred Scrivener: "Elvis estava trabalhando demais. Eu era sua professora regente, e ele também era meu aluno de História. Numa coisa sempre fui muito rigorosa: a questão de dormir na aula. Nada contagia tanto quanto bocejos e tédio. Eis que chegou o dia em que Elvis cochilou em plena sala de aula... Naquele dia, quando tocou o sinal, Elvis, como um menininho, ergueu a cabeça, ficou em pé e saiu como um sonâmbulo". A mãe dele comentou o caso: "Ficou complicado para ele. Sempre estava tão exausto que o fizemos desistir. E voltei a trabalhar no Hospital St. Joseph's".

Claro que isso teve uma consequência: a família seria expulsa de Courts. Apesar dos problemas nas costas de Vernon, em novembro de 1952 foi constatado que a renda anual projetada da família Presley havia subido para US$ 4.133, bem acima dos limites da Autoridade Habitacional, e em 17 de novembro a família Presley recebeu um aviso de despejo, exigindo sua saída até 28 de fevereiro. Em certo sentido, o despejo deles poderia ser visto como evidência de ascensão social. É improvável, porém, que Vernon tenha encarado dessa maneira na época.

Enquanto isso, Elvis estava cada vez mais determinado a atrair a atenção dos colegas da escola. Parecia que estava decidido a fazer uma declaração, focado em se destacar, sem nunca levantar a voz ou deixar de ser o menino educado e polido que ele sabia que sempre seria. Mas com a roupa, o cabelo, o comportamento, fazia uma estrondosa declaração de independência. Cada vez mais, perante seus colegas de escola, ele era um "esquisitão", um desajustado, uma aberração, como mais tarde ele se autodescreveria, mas não uma aberração para si mesmo. As fotografias mostram uma autoconfiança crescente, uma autoimagem cada vez mais estudada, mesmo quando estava sendo cada vez mais rejeitado pelos outros. Inscreveu-se num concurso de segurança automobilística de âmbito municipal, patrocinado pela Câmara Júnior de Comércio. Saiu uma foto dele no jornal trocando um pneu, a expressão pensativa, a roupa imaculada. Onde os outros usavam camisas de manga curta, calça de trabalho e botas, Elvis estava espetacularmente vestido numa jaqueta drapê cor-de-rosa e preta, calça social, camisa preta e mocassins.

Red West, que jogava futebol americano no All-Memphis, ganhou a reputação de ter resgatado Elvis no incidente do time de futebol. Esse fato lançou as bases para uma amizade duradoura. Ele admirava a coragem de Elvis de ser diferente, com um senão: "Eu realmente sentia pena dele. Parecia muito solitário e não tinha amigos de verdade. Simplesmente não parecia ser capaz de se encaixar". Para Ronny Trout, que compartilhou uma bancada de trabalho com ele em uma oficina de marcenaria, embora tivessem alguns anos de diferença na escola, era como se ele estivesse se reinventando. "Ele usava calça social na escola todos os dias... Todos os outros usavam jeans, mas ele usava calça social. E ele usava casaco e dobrava o lenço de pescoço como se fosse uma gravata de seda, como se ele fosse um astro do cinema. Claro que muita gente pegava no pé dele por isso, porque ele parecia um peixe fora d'água. As pessoas pensavam: 'Isso é muito bizarro'. Era como se ele já estivesse mostrando algo que ele queria ser. Uma coisa que notei e nunca entendi realmente: quando ele andava, a maneira como ele gingava, dava quase a impressão de que ele estava prestes a sacar uma arma, que ia dar meia-volta, como um pistoleiro. Era bizarro.

"Eu não sabia que ele tocava violão, não me lembro de tê-lo visto com um na escola. Mas na marcenaria um dos projetos que tínhamos era trazer um artigo de casa que precisasse de reparos, e nosso instrutor da oficina de marcenaria, o senhor Widdop, analisava o objeto e dizia o que precisava ser feito, e esse seria o nosso projeto em um período de seis semanas. Enfim, eu trouxe algo de casa, e Elvis trouxe um violão. E ele ficou lá mexendo nele, lixou, usou cola de resina e consertou uma rachadura, pintou, envernizou, então pegou a esponja de lã de aço para eliminar todas as bolhas da laca, dar um acabamento brilhoso e ficar impecável. Aí colocou as cordas de volta no violão e começou a afiná-lo pouco antes do período terminar. Então, naturalmente, alguém se aproximou dele e falou: 'E aí, cara, você sabe tocar esse negócio?'.

E ele respondeu: 'Não, na verdade não. Só sei uns acordes. Meu tio só me ensinou uns acordes'. Então disseram: 'Por que não toca algo para nós?'. E ele respondeu: 'Não, eu não posso fazer isso'. E continuou afinando. Bem, alguém o agarrou por trás e trancou os braços dele nas costas, e outro cara tirou as chaves do carro do bolso dele, e disseram: 'Se você tocar algo, vai ter as chaves do carro de volta'. Ele disse: 'Certo, vou tentar, mas realmente estou aprendendo'. E começou a dedilhar a melodia de uma canção que a maioria das pessoas hoje provavelmente não conhece: 'Under the Double Eagle', e fez isso muito habilmente. E fiquei boquiaberto. Eu nem sonhava que ele sabia tocar aquele violão... só pensei que estava consertando para outra pessoa."

Cada vez mais crescia a sua determinação de ser ele mesmo – a determinação de ser um eu diferente. Começou a usar uma jaqueta bolero preta comprada na Lansky's e calça social com risca na lateral que o deixava parecido com um garçom, diziam as más línguas. Estava sempre preocupado com o cabelo: penteando, deixando-o revolto, ajeitando, escovando os lados para trás, aparentemente alheio à atenção que recebia de professores e colegas ("Ficamos acostumados com aquelas costeletas", registrou a senhorita Scrivener no resplendor nostálgico do sucesso). Uma vez, ele fez um permanente em casa e foi à escola no dia seguinte perguntando se não estava parecido com o Tony Curtis.

Ele abastecia o Lincoln com dez litros de gasolina e percorria a cidade, sozinho ou com o primo Gene ou a prima Bobbie – até o Leonard's Barbecue, ou até a farmácia onde Gene trabalhava como atendente na fonte de refrigerantes. Todas as tardes, ele passava no St. Joseph's para visitar sua mãe no trabalho, e uma ou duas vezes ele e Gene foram até Tupelo visitar velhos amigos. Talvez tenha comparecido aos Midnight Rambles, as sessões musicais à meia-noite no Handy Theater, na esquina da Park Avenue com o Airways Boulevard. Todos os outros comparecia. Uma galera se reunia no domingo à noite e saía para o bairro afro em Orange Mound para o show tarde da noite, que era apenas para brancos. Lá você podia assistir a Eddie "Cleanhead" Vinson, Ivory Joe Hunter, Wynonie Harris, até Dizzy Gillespie, e grupos locais como Bobby "Blue" Bland, Little Junior Parker e o time de comediantes de Rufus (Thomas) e Bones. Elvis estaria lá – ou estaria simplesmente em casa, deitado na cama, ouvindo Dewey Phillips e sonhando com um mundo para onde só a música poderia transportá-lo? Sozinho ele se aventurava rumo ao oeste, até o Overton Park, a área de 134 hectares que abrigava o zoológico. A primeira vez que foi lá, ele era pequeno e estava com a turma da escola (o tio dele, Noah, era o motorista do ônibus escolar que levou a turma). Mais tarde, Elvis recordaria: "É o mesmo lugar em que fiz meu primeiro show. Eu costumava ir lá para ouvir os concertos que eles promoviam com as grandes orquestras. Eu observava o maestro, escutava a música horas a fio, sozinho... Eu ficava maravilhado. Esse pessoal tocava horas sem parar, sabe, e na maior parte do tempo o maestro nem olhava a partitura... Eu tinha discos de Mario Lanza quando eu tinha dezessete, dezoito anos, eu ouvia a Metropolitan Opera. Eu adorava música. Música clássica".

OS PRESLEY saíram de Courts em 7 de janeiro de 1953. Primeiro, mudaram-se para uma pensão na 698 Saffarans, a apenas algumas quadras da Humes, mas no início de abril voltaram ao antigo bairro na 462 Alabama, em frente à casa dos Black, no extremo nordeste de Courts. Johnny, como seu irmão mais velho Bill, já tocava baixo, tinha casado e saído da casa da mãe, mas, como todos os seus irmãos e irmãs crescidos, ele a visitava com frequência e, de tempos em tempos, voltava para tocar música com seus amigos de Courts. "Só achávamos ele bonitinho", disse a esposa de Bill, Evelyn, sobre a reação feminina a Elvis. "A gente sentava debaixo da árvore na frente da casa da senhora Black com ele tocando violão: a mãe do Bill falou que ele era o namorado dela! Sabíamos que ele tocava, mas não achávamos que fosse algo fora do comum."

A residência na Alabama Street era um casarão vitoriano num terreno elevado, dividido em dois apartamentos de bom tamanho. O aluguel era de cinquenta dólares por mês, pago a uma tal de senhora Dubrovner, que morava na mesma rua com o marido, um ex-açougueiro *kosher*. A senhora Dubrovner e os vizinhos de cima dos Presley, o rabino Alfred Fruchter e a esposa dele, Jeannette, mostraram uma boa dose de amabilidade e consideração financeira para com os novos inquilinos. A senhora Presley visitava a senhora Fruchter quase todas as tardes depois do trabalho, e os Fruchter gostavam muito do moço, que ligava a luz ou acendia o gás para eles no sábado, quando era proibido que judeus ortodoxos o fizessem por si mesmos. "Eles nunca tinham muito dinheiro", disse a senhora Fruchter. Mas um ritual sempre se repetia nos sábados de manhã. "Vernon e Elvis ficavam horas polindo aquele velho Lincoln como se ele fosse um Cadillac."

Em 9 de abril de 1953, a Humes High Band promoveu seu show "Menestrel do Ano" no auditório da escola, às 20h. Foi numa quinta-feira, e a comunidade escolar em peso veio prestigiar dançarinas, balizadoras, o trio de xilofone, quartetos vocais masculinos, bandinhas e apresentações cômicas. O programa impresso listava vinte e dois números, e o décimo sexto capturou a atenção de várias pessoas. Lia-se: "Voz e violão... Elvis Prestly". Ele só tinha avisado um ou dois de seus amigos, e mesmo eles não estavam muito convencidos de que ele levaria isso a cabo. Para o show, ele trajou uma camisa de flanela vermelha que pegou emprestada de Buzzy, e não aparentou estar nem nervoso demais, nem à vontade demais. Ao contrário de outros alunos, que estavam acostumados com os holofotes do palco (Gloria Trout, a irmã de Ronny, estrelava praticamente todos os shows na Humes e era admirada por sua técnica de dança), ele parecia não saber o que estava fazendo ao subir ao palco, meio aos tropeços. Ficou lá parado por um tempo que pareceu um minuto inteiro, fitou o público de esguelha com os olhos velados e, enfim, como se um clique interno tivesse sido acionado, começou a cantar.

"Eu não era popular na escola, eu não estava namorando ninguém [lá]. Música foi a única matéria em que quase fui reprovado. E então me inscreveram neste show de talentos, e fui lá cantar [meu primeiro número] 'Till I Waltz Again with You', de Teresa Brewer, e quando cheguei ao palco notei o pessoal cochichando, porque ninguém sabia que eu sequer cantava. Foi incrível como me tornei popular depois disso. Então terminei o Ensino Médio e me formei."

Ele cantou no piquenique da turma no Overton Park. "Enquanto outros alunos ficaram correndo pra lá e pra cá jogando e brincando", redigiu a senhorita Scrivener, "Elvis ficou lá sentado, sozinho, dedilhando o violão suavemente. Os outros alunos começaram a se reunir em volta dele. Havia algo em seu canto quieto e plangente que os atraiu como um ímã. Não era o rock'n'roll pelo qual ele mais tarde se tornou famoso... era mais como [a balada] 'Love Me Tender'. (...) Ele ficou um tempão ali cantando com o pulsar de seu coração juvenil."

No fim do ano letivo, em companhia de Regis Vaughan, caloura de quatorze anos da Holy Name School, foi ao baile de formatura, que aconteceu no Salão Continental do Hotel Peabody. Conheceu a menina em Courts, no ano anterior, onde ela morava com a mãe. Começou a sair com ela em fevereiro e namoraram durante toda a primavera. Geralmente eles saíam a quatro com o primo de Elvis, Gene, e a namorada dele na época. Pegavam um cineminha ou iam até a "Teen Canteen", com vista para o McKellar Lake no Riverside Park, local de recreação muito popular em South Memphis. Elvis sempre gostava de cantar para Regis uma música: "My Happiness". Quando foram ao show gospel do All-Night Singings, no Ellis, ela ficou um pouco constrangida, pois ele ficou cantando junto com todos os grupos, tentando alcançar as notas mais graves do baixo lírico e as notas mais agudas do tenor principal. Para o baile, ele pegou um carro emprestado e usou um traje azul brilhante, mas não dançaram uma única vez ao longo da noite toda, porque Elvis falou que não sabia dançar. Depois, combinaram de se encontrar com uma turma de Elvis no Leonard's Barbecue e ir a uma festa, mas os amigos não apareceram. Nunca contou a Regis sobre o show de talentos na escola, nunca falou sobre se tornar um cantor. "Elvis só falava em conseguir um emprego para comprar uma casa para a mãe dele."

Formou-se em 3 de junho de 1953, numa cerimônia iniciada às 20h no salão sul do Ellis Auditorium. O Senior Glee Club cantou uma seleção de Rachmaninoff e "Nocturne" do compositor tcheco Zdenek Fibich. Elvis não escondia o orgulho por ter conseguido, e Vernon e Gladys também estavam felicíssimos. Mandaram emoldurar o diploma, que ganhou um lugar de honra na casa. O anuário de 1953, o Herald, anunciou em sua "Profecia da turma": "Queremos convidar todos vocês a comparecer ao 'Silver Horse' na Onion [Union] Avenue para prestigiar nossos músicos hillbillies itinerantes. Elvis Presley, Albert Teague, Doris Wilburn e Mary Ann Propst vão dar uma palhinha". Nesse meio-tempo, desde março, Elvis passava com frequência no escritório da agência de empregos Tennessee Employment Security, em busca de um trabalho, de preferência como operador de máquinas, para "ajudar [a família] nas obrigações financeiras". Por fim, em 1º de julho, foi encaminhado à M. B. Parker Machinists, que havia aberto uma vaga temporária com o salário de trinta e seis dólares por semana. Havia conquistado o mundo.

Sam Phillips na 706 Union Avenue
(Cortesia de Gary Hardy, Sun Studio)

"MY HAPPINESS"

Julho de 1953 a janeiro de 1954

EM 15 DE JULHO DE 1953, saiu um artigo no *Memphis Press-Scimitar* sobre um novo grupo, que estava lançando discos em uma nova gravadora local. O grupo: The Prisonaires. Começaram a carreira intramuros da Penitenciária Estadual do Tennessee, em Nashville, chamando a atenção de Red Wortham, dono de uma pequena editora musical na cidade. Wortham entrou em contato com Jim Bulleit, que uns anos antes havia criado a sua própria gravadora em Nashville (o selo Bullet chegou ao topo da parada de sucessos com "Near You", de Francis Craig, em 1947, e lançou os primeiros singles de B. B. King, em 1949) e recente investidor na nova gravadora de Memphis. Bulleit ligou para o seu sócio, Sam Phillips, citou a reportagem do *Press-Scimitar* "e disse que tinha algo sensacional... Phillips, que operava [o estúdio dele, o Memphis Recording Service] desde [janeiro de] 1950, com a reputação de ser um especialista em gravar talentos negros, mostrou-se cético – até ouvir a fita. Então veio o problema de como trazer os detentos para uma sessão de gravação". Por sorte, o recém-nomeado diretor da penitenciária, James Edwards, era um fervoroso adepto do princípio da reabilitação dos prisioneiros, bem como o governador Frank Clement, amigo próximo e conterrâneo de Edwards. Assim, em 1º de junho, "Bulleit conduziu os cinco rouxinóis engaiolados a Memphis, e o compositor teve de ficar na prisão. Um guarda armado e um condenado de bom comportamento foram junto, com todas as despesas por conta da gravadora".

The Prisonaires chegaram ao endereço da Sun, 706 Union Avenue, para fazer o seu primeiro disco na emergente gravadora, que, apesar da considerável experiência de Sam Phillips no ramo musical (havia três anos fazia gravações para os selos de r&b, Chess e RPM; e tentou, sem sucesso, lançar um selo próprio um ano antes), havia lançado menos de doze discos até aquela data. "Trabalharam das 10h30 às 20h30", observou o artigo, "até as gravações estarem editadas exatamente de acordo com o detalhista senhor Phillips."

"Just Walkin' in the Rain" foi lançada quase na mesma época que saiu essa reportagem local. Acabou se tornando um sucesso, como o repórter Clark Porteous tinha previsto, embora longe do grande sucesso alcançado por Johnnie Ray ao gravar o single três anos depois, em 1956. Mas essa foi a música que colocou no mapa a Sun Records e, muito provavelmente, o item que chamou a atenção de Elvis Presley ao ler sobre o estúdio, a gravadora, o "detalhista" Sam Phillips, que apostou sua reputação para gravar um grupo vocal desconhecido e uma canção cujas notas plangentes ecoavam no ar e no cérebro de Elvis.

Por que a essa altura todos os outros não foram correndo até a 706 Union Avenue? Por que Lee Denson, Johnny Black, Johnny e Dorsey Burnette e as dezenas de outros jovens aspirantes a cantores e instrumentistas da cidade não se aglomeraram na porta da Memphis Recording Service, bem ali, pertinho do jornal e a menos de um quilômetro e meio do centro da cidade? Não sei. Talvez porque no começo a Sun focava no blues e na música de "raça". Talvez simplesmente nenhum dos outros fosse tão inocente, ou tão aberto, quanto o jovem Elvis Presley, que sonhava com o sucesso além do escopo de seu conhecimento ou experiência. Fiz essa pergunta a quase todos os músicos de Memphis que entrevistei no processo de compor este livro. O mais perto que cheguei da resposta foi que eles simplesmente não pensaram nisso: estavam muito envolvidos com outras coisas, boxe ou moças, tocando em botecos de beira de estrada. Alguns fizeram gravações de suas próprias vozes numa cabine da loja de variedades por vinte e cinco centavos. Outros até acalentavam o sonho de tocar no rádio e se tornarem astros, como Slim Rhodes ou Eddie Hill – mas parece que nunca sequer lhes ocorreu a ideia de que era possível gravar um disco, pelo menos não ali em Memphis. Essa ideia ocorreu a Elvis Presley? Talvez. Como tantas coisas na vida dele, talvez fosse apenas um desejo rudimentar, uma visão que ele mal conseguia distinguir, palavras que permaneciam disformes. Mas era uma visão que ele perseguia.

Ele apareceu no escritório da Memphis Recording Service em meados do verão de 1953, dois ou três meses após a formatura. A Sun Records e a Memphis Recording Service eram operadas por duas pessoas numa loja ao lado do restaurante da senhora Dell, com aluguel de setenta e cinco ou oitenta dólares por mês. As venezianas tornavam impossível ver através da vidraça, mas, quando você entrava na singela recepção, separada do estúdio por uma divisória, deparava-se com uma loira de trinta e cinco, trinta e seis anos, atrás da mesinha no canto esquerdo da sala. Marion Keisker era uma voz familiar para praticamente todo mundo que ouvia rádio em Memphis nos últimos vinte e cinco anos. Natural de Memphis, ela fez sua estreia na rádio na hora semanal das crianças, *Wynken, Blynken, and Nod*, na WREC, em 1929, aos doze anos de idade. Desde então, sempre aparecia em um programa ou outro. Graduada em 1938 no Southwestern College de Memphis, onde se formou em Inglês e Francês Medieval, ela apresentava o popularíssimo *Meet Kitty Kelly* desde 1946. Nesse *talk show*, no papel da apresentadora homônima, ela entrevistava celebridades convidadas ou simplesmente abordava assuntos de sua própria escolha se um visitante não estivesse disponível. Além de *Kitty Kelly*, que ia ao ar cinco dias por semana, de um programa promocional, *Pleasure Hunting*, e do *Treasury Bandstand*, um show em rede que vendia títulos de poupança do governo, ela escrevia, produzia e dirigia até outros quatorze programas simultâneos na WREC. Marion era uma laboriosa personalidade dentro e fora do ar. Foi na WREC, cuja sede ficava no porão do Hotel Peabody, que ela conheceu Sam Phillips.

Phillips, natural de Florence, no Alabama, havia chegado à cidade aos vinte e dois anos, com o trunfo de quatro anos de experiência em transmissões de rádio. Caçula de oito filhos, primeiro queria se tornar advogado de defesa criminal e ajudar os oprimidos, como Clarence Darrow. Com a morte do pai, foi obrigado a desistir dessa ambição. Abandonou o Ensino Médio em seu último ano para ajudar a cuidar de sua mãe e da tia surda-muda. Na condição de chefe, percussionista ocasional e tocador de tuba na banda marcial de setenta e duas peças da Coffee High, talvez fosse natural para ele pensar numa carreira envolvendo música. Mas, na visão dele, não possuía nenhum talento musical apreciável, nada que chegasse aos pés da extravagante personalidade de seu irmão mais velho, Jud. "Eu era o caqui mais verde do pé. Se você me provasse, não gostaria muito de mim." Jud era o cara "com a personalidade esmagadora, era impossível não gostar de Jud Phillips", mas Sam se valorizava por sua capacidade de perceber, e permitir aflorar, o melhor dos outros; ele acreditava na comunicação. E ele acreditava inabalavelmente nas possibilidades comunicativas que o rádio tinha a oferecer.

Seu primeiro trabalho foi na WLAY, na cidade de Muscle Shoals, onde Jud agenciava, e às vezes também cantava em vários quartetos gospel, e onde Jake Hess (que mais tarde entraria nos Statesmen) começou a carreira. De lá, mudou-se para Decatur, no Alabama, e depois, muito brevemente, para a WLAC de Nashville, até chegar na WREC no verão de 1945 com a esposa e o bebê. Foi trabalhar como locutor e engenheiro de manutenção e difusão, supervisionando as transmissões das big bands do "alto do Hotel Peabody Skyway" todas as noites com Marion Keisker. Duas coisas o inspiravam igualmente: a elegância educada e o "fanatismo por som" do proprietário da estação Hoyt Wooten, que tinha fundado a estação em sua cidade natal, Coldwater, Mississippi, em 1920; e o próprio Phillips causava certa impressão, com um estilo bem-apessoado, meio galã de matinês. Mas continuava quieto e reservado, um legítimo abstêmio sempre ofuscado pelo mais sociável irmão mais velho (Jud agora tinha um programa na WREC com o Jolly Boys Quartet).

Phillips adorava música, dignificava o rádio como instrumento de comunicação, mas estava insatisfeito. Achava as performances das big bands soturnamente previsíveis – por mais nobre que fosse a inspiração para a música, os músicos, ele sentia, apenas repetiam movimentos. De espírito ferozmente independente, Phillips queria fazer algo inovador: "Eu mirava aquela maldita verga que não tinha sido arada". Ele também cultivava uma visão que ninguém mais na WREC, evidentemente, compartilhava: Sam Phillips possuía uma crença quase whitmanesca, não apenas na nobreza do sonho americano, mas na nobreza desse sonho filtrada até seu cidadão mais oprimido, o negro. "Eu vi (não me lembro quando, mas vi quando era criança) e pensei comigo mesmo: e se eu tivesse nascido negro? Vamos supor que eu tivesse nascido num degrau um pouquinho mais baixo na escada econômica. Acho que senti desde cedo a total iniquidade da desumanidade para com nossos irmãos. E essa ideia não me instigava a subir ao púlpito e pregar. Em vez disso, adquiria o contorno de um dia agir de acordo com meus sentimentos, e os mostraria cara a cara, de um modo individual."

Foi assim que ele abriu seu estúdio em janeiro de 1950, no intuito de oferecer um serviço, e uma oportunidade, para "alguns [dos] grandes artistas negros" do Centro-Sul, serviços que simplesmente não existiam antes. "A notícia se espalhou", escreveu Bob Johnson, do *Press-Scimitar*, em 1955, "e o estúdio de Sam começou a receber estranhos visitantes", e Sam insistiu em canalizar essa estranheza, não importa quão sofisticado fosse o verniz que eles pudessem apresentar a ele no início. Ele gravava blues dos campos de algodão e rhythm & blues ligeiramente mais sofisticados, fazia gravações para o selo Chess de Chicago e para a RPM Records na Costa Oeste. Fazia de tudo, desde a gravação de *bar mitzvah* e discursos políticos até obter a concessão para o sistema de amplificação sonora no Peabody e no Russwood Park, o estádio de beisebol em Madison. Normalmente trabalhava dezoito horas por dia, cumprindo horário integral na estação, chegando ao estúdio no fim da tarde, retornando ao Peabody à noite para as transmissões do Skyway, depois de volta ao estúdio, onde poderia ter deixado Howlin' Wolf ou "Doctor" Isaiah Ross, o descobridor da cura para a "Boogie Disease", no meio de uma sessão. Não raro chegava para trabalhar e era recebido com observações como "Ora, ora, está cheirando bem, hoje. Acho que não andou perto daqueles negros". A tensão de manter esse tipo de cronograma acabou levando-o a um colapso nervoso, e ele foi hospitalizado duas vezes no Hospital Gartly-Ramsay, onde foi tratado com terapia de eletrochoque. Ele conta que essa foi a única vez em sua vida que sentiu medo – aos vinte e oito anos, casado, dois filhos pequenos, sem dinheiro, sem perspectivas reais, nada para sustentá-lo além de sua própria fé em si mesmo e sua visão. Abandonou a estação de rádio sem hesitar, quando Hoyt Wooten fez uma observação sarcástica sobre suas ausências. "Senhor Wooten", disse ele, "o senhor é um homem cruel" – e, em junho de 1951, deixou para sempre o emprego na WREC. O seu cartão de visita afirmava: "Gravamos qualquer coisa – em qualquer lugar – a qualquer hora. Um serviço completo para satisfazer todas as suas necessidades de gravação". Desde o início, sua parceira nesse empreendimento foi Marion Keisker, seis anos mais velha que Sam, bem-conceituada em Memphis. A celebridade do rádio, culta, divorciada, mãe de um garoto de nove anos, conheceu Sam – e foi amor à primeira vista.

"Ele era lindo. Lindo de morrer, mas tinha aquele ar interiorano, aquela rusticidade do campo. Era magro e tinha aqueles olhos incríveis. Ao contrário de algumas imagens que lhe foram impingidas, ele cuidava muito de sua aparência, com retoques de verdadeira elegância, muitíssimo bem-arrumado, preocupadíssimo com o cabelo. Falava sobre essa ideia que ele tinha, esse sonho, imagino, de ter uma gravadora aonde os negros pudessem vir e tocar sua própria música, um lugar onde se sentissem livres e descontraídos para fazê-lo. Um dia passeávamos juntos, ele viu aquele lugar na Union e disse: 'Este é o lugar que eu quero'. Com muitas dificuldades, conseguimos o lugar, levantamos o dinheiro e entre nós fizemos tudo. Colocamos todos os azulejos, pintamos as placas acústicas, decorei o banheiro; Sam, a sala de controle – todo equipamento, por menor que fosse, sempre precisava ser o melhor. Eu não sabia nada sobre música e não me importava nem um pouco. Minha sociedade, minha contribuição, minha participação baseavam-se totalmente na minha relação pessoal com Sam, de um modo que hoje me parece totalmente inacreditável. Eu só queria dar condições para que ele realizasse sua visão... Eu só queria fazer algo que o deixasse feliz."

No verão de 1953, a nova gravadora já tinha no currículo um grande sucesso ("Bear Cat", de Rufus Thomas), com dois outros bem encaminhados ("Feelin' Good", de Little Junior Parker, e "Just Walkin' in the Rain", do The Prisonaires, estouraram nas paradas outonais). Porém, a sociedade com Jim Bulleit, aparentemente tão essencial para Sam, pelas conexões e pela *expertise* de Bulleit no lançamento da gravadora apenas seis meses antes, já mostrava sinais de cansaço. Seja como for, Sam Phillips nunca foi lá muito adepto de sociedades ("Sou competitivo demais. Meu maior erro é ser incapaz de delegar autoridade"), e com Jim Bulleit na estrada, gastando dinheiro de uma maneira que Sam considerava dissoluta, respondendo às preocupações de Sam com telegramas que declaravam "Palavras frias num papel não podem explicar isso direito", Sam estava prestes a tentar se desvencilhar do trato. Chamou o irmão dele Jud para pegar a estrada com Bulleit, mas Jud e Bulleit não se deram melhor do que Sam e Jim, e em agosto de 1953 a coisa chegou a um impasse frustrante.

Pelo menos essa foi a recordação de Marion quando ela tentou, dolorosamente, reconstruir o momento em que um Elvis Presley de dezoito anos, tímido, um pouco desolado, embalando o surrado violão infantil, entrou pela primeira vez no estúdio de gravação. Marion se lembrava de que havia discutido – estava chorando porque Sam tinha falado duro com ela. As lembranças de Marion desse momento variam. Às vezes, em sua memória, Jud está na sala dos fundos discutindo com Sam por dinheiro. Às vezes, Sam e Jim Bulleit estão no restaurante da senhorita Taylor ao lado (na "terceira mesa perto da janela" fica o "escritório" da Sun Records na ausência de espaço extra nas acanhadas instalações da gravadora). Às vezes, a recepção está abarrotada de gente esperando para gravar um disco, às vezes, não. Mas sempre o menino de cabelo comprido, gorduroso, de um loiro sujo, encosta a cabeça na porta, tímido, tateante, como se estivesse pronto para fugir num átimo se você dissesse "bu" para ele, com aquele olhar insidioso, determinado a se tornar conhecido de algum modo.

Elvis já tinha passado pela 706 Union muitas vezes, caminhando, dirigindo – talvez tivesse hesitado uma ou duas vezes na frente da porta, simplesmente querendo ter certeza do endereço. Quando enfim entrou, há pouca dúvida de que passou pela porta com a ideia, se não de estrelato – pois quem poderia imaginar o estrelato? O que isso poderia significar? –, no mínimo, de ser descoberto. Nos anos maduros ele sempre contava que queria gravar um disco pessoal para "fazer uma surpresa pra minha mãe". Ou: "Eu só queria escutar como soava a minha voz". Mas, é claro, se apenas quisesse gravar a voz dele, poderia ter pago 25 centavos na W. T. Grant's, na Main Street, onde Lee Denson tinha feito dezenas de gravações que guardava em casa e tocava para os amigos. Em vez disso, Elvis procurou uma gravadora profissional e cantou para um homem cujo nome apareceu nos jornais.

Foi num sábado. Elvis trabalhava cinco dias por semana na fábrica M. B. Parker Machinists, embora logo fosse migrar para a Precision Tool, onde ele e seu primo Gene trabalhariam na linha de montagem de pás carregadeiras. Estava quente, não havia ar-condicionado na sala de espera, mas a mulher atrás da mesa parecia elegante em seu vestidinho de algodão, os cabelos loiros moldados em uma onda permanente, no rosto a imagem da compostura gentil e da respeitabilidade bondosa. Marion olhou por cima de sua máquina de escrever e viu o garoto se aproximar, meio de lado, o chapéu figurativo na mão. "Pois não?", disse ela.

Ela mal pôde ouvir a resposta balbuciada – mas, claro, ela sabia por que ele estava ali. Por que alguém ia aparecer ali com o violão e aquele olhar desesperado de ansiedade? Ela o informou quanto custaria para fazer um acetato de dois lados: US$ 3,98 mais impostos. Um dólar a mais, e você também levava uma cópia em fita, mas ele escolheu a opção menos cara. E ficou lá, esperando. Marion contou a Jerry Hopkins em uma entrevista de 1970: "Batemos um papo do qual tive motivos para lembrar por muitos e muitos anos depois, após relembrar tudo com todos os editores com quem tentei falar na época em que comecei a divulgar o Elvis para a gravadora Sun".

> Ele disse:
> – Se a senhora souber de alguém que precisa de um cantor...
> Respondi:
> – Que tipo de música você canta?
> E ele:
> – Tudo que é tipo.
> Eu disse:
> – A sua voz lembra a voz de alguém?
> – A minha voz não lembra a voz de ninguém.
> Pensei: "Ah, sim, sei como é...".
> – Que estilo você canta? Hillbilly?
> – Eu canto hillbilly.
> – Bem, e a sua voz lembra a voz de quem no hillbilly?
> – A minha voz não lembra a voz de ninguém.

A verdade, Marion acabou descobrindo, não se distanciava muito da improvável autodescrição do garoto. Desde as primeiras e titubeantes notas da primeira música que ele cantou, tornou-se óbvio que nele havia algo diferente, algo único – você podia detectar suas influências, mas a voz dele não se parecia com a de ninguém mais. Há um quê de indizível melancolia no jeito como Elvis canta "My Happiness", hit pop de 1948, de Jon e Sandra Steele, que ele tocava sempre em Courts, uma balada sentimental anos-luz distante da ideia que alguém teria de rock'n'roll, passado ou presente. Sem qualquer indicação de influência negra, exceto a do nítido tenor de Bill Kenny, dos Ink Spots. Apenas uma voz solo pura, ansiosa, quase desesperadamente suplicante em busca de efeito, uma nota de lamento alternada com uma suave plenitude de tom que, por sua vez, produz uma cortante nasalidade que acaba traindo as intenções do seu dono. Segundo Elvis, o violão dele "soou como alguém batendo na tampa de um balde", e o disco representa quase exatamente o que os meninos e as meninas em Courts devem ter ouvido ao longo dos últimos anos, com o fator adicional do nervosismo que Elvis certamente deve ter sentido. Mas mesmo isso não é fácil de detectar – há uma estranha sensação de calma, uma quietude quase intrigante no meio de um grande drama, o tipo de equilíbrio que surge ao mesmo tempo como surpresa e revelação. Quando terminou a primeira música, emendou em "That's When Your Heartaches Begin", suave balada pop que os Ink Spots tinham gravado primeiro em 1941, com um trecho em que se destacava a voz grave de Hoppy Jones, o barítono do quarteto. Aqui ele não foi tão bem-sucedido em sua interpretação, o tempo acabou, ou a inspiração, e ele apenas declara: "Esse é o fim", para fechar a canção. O garoto fitou o homem na cabine de controle. O senhor Phillips balançou afirmativamente a cabeça e falou com polidez que ele era um cantor "interessante". "Qualquer coisa, entramos em contato." Inclusive fez a senhorita Keisker tomar nota do nome do garoto, que ela escreveu errado e depois rabiscou ao lado: "Bom cantor de baladas. Guardar".

Quando tudo acabou, ele sentou-se no saguão enquanto a senhorita Keisker datilografava a etiqueta no verso de um rótulo dos Prisonaires ("Softly and Tenderly", Sun 189). O nome do cantor foi datilografado abaixo do título de cada faixa. Em momento algum o senhor Phillips saiu do estúdio, e o garoto ficou por ali conversando com a mulher. Ficou triste por não ter a chance de se despedir. Mas saiu do estúdio com seu acetato e com a convicção de que algo iria acontecer.

Nada aconteceu. Por muito tempo, nada aconteceu. Ao longo do outono, ele passava pelo estúdio, estacionava o velho Lincoln rente à calçada, erguia o colarinho, ajeitava o cabelo e entrava virilmente pela porta. A senhorita Keisker era a simpatia em pessoa, a senhorita Keisker sempre o recebia bem. Ele puxava conversa, indagava se, por acaso, ela não sabia de uma banda que estivesse precisando de um vocalista – transmitia uma sensação de ansiedade, de carência, que sempre a impregnava. Às vezes, o senhor Phillips estava presente, mas ele não tinha tempo para conversa fiada, estava sempre ocupado, gravando discos. Era isso que Elvis queria fazer – era isso que ele queria fazer mais do que qualquer outra coisa no mundo, mas não sabia como fazer isso, além de se infiltrar no único lugar em que essas coisas aconteciam. Cada vez que entrava na sala de espera, ele fazia isso com passos um pouco mais pesados e com expectativas um pouco menores, mas ele meio que forçava a si mesmo, pois não vislumbrava outra alternativa. Aos poucos, começou a duvidar de que aconteceria algo, e as visitas foram rareando. Tentou mostrar-se indiferente, mas seu anseio apareceu. Em janeiro de 1954, voltou e fez uma nova gravação: "I'll Never Stand in Your Way", de Joni James, e uma antiga canção de Jimmy Wakely, "It Wouldn't Be the Same Without You", mas sua falta de confiança o traiu, e ele soou mais brusco, mais inseguro dessa vez do que na primeira. Estava num impasse – diferentemente do herói das histórias em quadrinhos e dos contos de fadas, não havia sido descoberto em sua aparência verdadeira, que as roupas disfarçavam. Contudo, Marion, de um modo quase maternal, sentia que aquele moço estava claramente talhado a algum tipo de sucesso. "Ele era", afirmou ela, "tão ingênuo que não havia como dar errado."

Com Dixie Locke, baile de formatura da South Side, 1955
(Arquivos de Michael Ochs)

"WITHOUT YOU"
Janeiro a julho de 1954

EM JANEIRO DE 1954, Elvis começou a frequentar a igreja habitualmente pela primeira vez desde que a família tinha deixado Tupelo. De vez em quando, Vernon e Gladys iam aos cultos em uma das igrejas ou capelas próximas, mas em geral gostavam de ficar em casa, vivenciando a sua fé, mesmo sem ir à igreja todas as semanas. Cada vez mais, Vernon ficava períodos sem trabalhar em decorrência das dores nas costas. Por sua vez, Gladys, aos quarenta e dois anos (embora só admitisse ter trinta e oito), havia engordado bastante, e Elvis dizia aos patrões e colegas que tudo o que ele queria fazer era ganhar dinheiro suficiente para comprar uma casa para os pais. De sua parte, Gladys só queria ver seu filho casado, ela queria netos, ela queria vê-lo feliz e encaminhado antes que ela morresse.

Ela ficou satisfeita, então, quando ele começou a frequentar a Igreja da Assembleia de Deus na 1084 McLemore, em South Memphis. A Assembleia de Deus em Memphis começou em uma tenda, mais tarde se mudou para um salão frontal na South Third e enfim a uma igreja na McLemore, em 1948. Em 1954, o pastor James Hamill já atuava havia dez anos em sua igreja. Pregador estudioso, subia ao púlpito e despejava sermões de fogo e enxofre, condenando filmes e danças, incentivando enlevadas demonstrações de fé (como falar em outras línguas). Ao longo desse tempo, a congregação tinha crescido para perto de dois mil membros, três ônibus eram enviados todos os domingos para pegar os fiéis que não tinham condução própria (uma das paradas era na esquina da Winchester com a Third, defronte à casa dos Presley). Além disso, desde 1950, o famoso quarteto Blackwood Brothers e suas famílias eram membros proeminentes da congregação. Quando estavam na cidade, os Blackwood participavam de cultos famosos por sua música (o coro da igreja de cem vozes era bem conhecido em Memphis). Na época, Cecil Blackwood, recém-casado residente de Lauderdale Courts e sobrinho do líder e membro-fundador James Blackwood, tinha começado uma espécie de quarteto júnior, os Songfellows, com o filho do pastor Hamill, Jimmy, estudante da Memphis State. Também participavam da turma de estudos bíblicos que se reunia todos os domingos às 9h30 da manhã, com um grupo de jovens cristãos mais abrangente, o Christ Ambassadors.

Foi lá que Dixie Locke avistou Elvis Presley pela primeira vez. Ela nunca o tinha visto antes, embora ela e sua família fossem membros fiéis da igreja desde a época da South Third, não muito longe de onde moravam. Dixie tinha quinze anos e estava no 2º ano do Ensino Médio na South Side High. O pai dela trabalhava na Railway Express, e ela e suas três irmãs dividiam um quarto, enquanto os pais dormiam na sala de estar. Se o pai dela ia dormir às 20h porque tinha de trabalhar cedo, era a deixa para todo mundo ir para a cama.

Na época, Dixie tinha um namoradinho, mas não era nada especial. Ela era esfuziante, atraente, e com duas irmãs mais velhas (uma das quais tinha fugido aos quatorze anos e agora estava de volta), vislumbrava o mundo com um olhar alerta – um mundo que ela mal conhecia. Na meia hora antes de moços e meninas se separarem em suas respectivas turmas, ela notou o novo rapaz, com a bizarra combinação de cor-de-rosa e preto nas roupas, vasta cabeleira oleosa e modos inquietos de alguém que buscava desesperadamente tornar-se parte do grupo. A turma achava graça e tirava sarro dele, mas apenas por sua aparência – ele parecia levar a sério os seus estudos bíblicos. As outras moças o achavam peculiar: "Era tão diferente, todos os outros caras eram réplicas de seus pais". E entretanto, para Dixie, Elvis era diferente por outro motivo. "À primeira vista, você achava que ele era muito tímido. É estranho. Ele fazia de tudo para ser notado, mas na verdade eu acho que ele estava tentando provar algo, mais para si mesmo do que para os outros ao seu redor. No fundo, acho que Elvis sabia que era diferente. Soube assim que o conheci que ele não era como as outras pessoas."

Dixie e suas amigas saíam quase todos os fins de semana para ir ao Rainbow Rollerdrome, na avenida Lamar leste (Highway 78, rumo a Tupelo), logo além dos limites da cidade. Pegavam o ônibus em suas saias de patinação; Dixie tinha uma de veludo preto com forro de cetim branco, e usava meias-calças brancas por baixo. O Rainbow era um grande ponto de encontro adolescente, com um snack-bar e um jukebox, um organista que tocava a "Grand March" para os patinadores e uma piscina coberta ao lado. Havia concursos de dança na pista e, em geral, nas noites de fim de semana, até seiscentos ou setecentos jovens se aglomeravam sem medo de problemas ou qualquer preocupação de que pudessem estar no meio de uma multidão perigosa. Um domingo na igreja, no finzinho de janeiro, Dixie falou com as amigas sobre os planos para o fim de semana. Falou alto o suficiente para que os rapazes nos grupos ao lado delas pudessem ouvir. Em especial, para que caísse nos ouvidos do novo garoto, que fingia não prestar atenção. Não tinha certeza de que ele fosse aparecer, pensou que era quase descaramento estar fazendo isso, mas ela queria muito vê-lo. Quando chegou ao rinque no sábado à noite com as amigas, ela notou com um pequeno sobressalto que ele estava lá, mas ela o ignorou, fingindo que não o tinha visto, até que uma de suas amigas indagou: "Você viu que aquele garoto, Elvis Presley, está aqui?". Ela disse: "Sim, eu o vi", meio casualmente, e depois esperou um tempo para ver o que ele ia fazer. Elvis estava de patins, parado, rente ao corrimão. Usava uma roupa estilo bolero, jaqueta toureiro preta, camisa com babados, calça pregada com risca cor-de-rosa nas laterais. Apoiado no corrimão, na dele, tentando parecer desligado, olhando com ar despreocupado a pista rodopiante de atividade. Foi então que Dixie percebeu que ele não sabia patinar. Enfim, teve pena dele, subiu no rinque e se apresentou. Ele disse: "É, eu sei", e, deixando pender a cabeça, jogou o cabelo para trás. Por fim indagou à Dixie se ela queria uma Coca-Cola. "Eu disse que sim, e fomos à área dos lanches, e acho que não voltamos à pista a noite toda." Conversaram, conversaram e conversaram; era quase como se ele estivesse esperando para desabafar por toda a sua vida. Ele contou que desejava entrar no quarteto Songfellows, que tinha falado com Cecil e Jimmy Hamill sobre isso e talvez fizessem um teste com ele. Nas palavras de Dixie, era como se "ele tivesse um plano, soubesse que tinha talento, que havia algo que deveria fazer em sua vida. Foi como se a partir daquele momento não houvesse mais ninguém lá".

A primeira sessão terminou às 22h, e Dixie devia ir para casa com as amigas, mas ela pediu que fossem sem ela. Elvis perguntou se ela poderia ficar para a segunda sessão. Ela o deixou ali parado, esperando, e fingiu ligar para a mãe do telefone público, mas discou um número aleatório. (Não queria admitir que não tinham telefone.) Seja como for, depois teve que ligar para a casa dos tios, que eram vizinhos. Explicou que havia topado por acaso com o garoto simpático da igreja. Os dois iam ficar para a segunda sessão, e ela chegaria em casa logo após a meia-noite. Ela nunca havia feito algo parecido, mas nem pensou duas vezes. No fim das contas, nem sequer ficaram ali. Quando ela terminou o telefonema, ele fez uma sugestão: por que não iam ao K's, o drive-in no Crump Boulevard? Podiam comer um hambúrguer e tomar um milk-shake. Continuaram o bate-papo enquanto enfim tiraram os patins. Ele abriu a porta do Lincoln para ela e teve o cuidado de explicar que não era dele. (Mais tarde Elvis explicou o porquê: ele queria ter a certeza de que ela voltaria a sair com ele mesmo se ele não tivesse um carro.) Enveredaram na Lamar até o cruzamento com a Crump, sempre conversando animadamente.

Ela se sentou pertinho dele no banco da frente, mais perto do que você normalmente faria num primeiro encontro. No estacionamento do K's, ela deu um selinho nele. Foi um beijo casto, um beijo afetuoso – Dixie não planejava fazer segredo por muito tempo, nem mesmo de sua mãe.

TENTOU PREPARAR TODO MUNDO, MAS DESCOBRIU, AO ABRIR A PORTA, QUE NEM ELA ESTAVA BEM PREPARADA. TINHA SE ESQUECIDO DE COMO O VISUAL DELE ERA DIFERENTE, TINHA SE ESQUECIDO DO CABELO E DAS ROUPAS DELE, NÃO TINHA PENSADO NO EFEITO QUE ISSO PODERIA EXERCER SOBRE OS OUTROS.

Ela estava tão arrebatada, e ele também, era algo diferente de tudo que já havia acontecido a qualquer um dos dois. Quando ele a deixou na porta da casa dela, sussurrou que ia ligar para ela na próxima semana, na quarta ou na quinta-feira, provavelmente, para saírem juntos no fim de semana – nunca houve qualquer dúvida de que se veriam de novo, e de novo. Ela entrou na ponta dos pés, sabendo que era tarde, mesmo para a última sessão. Estava prestes a acordar os pais, seu pai ia matá-la, mas ela não se importava, não mesmo: estava profundamente apaixonada.

ELE LIGOU NO DIA SEGUINTE. A tia dela a chamou da casa ao lado, bem na hora em que a família começava a saborear o frango frito do jantar dominical. Naquela manhã, Elvis não foi à igreja, e ela ficou um pouco triste, mas nunca duvidou de que voltaria a procurá-la. E ele não esperou nem um dia.

Saíram naquela noite para ir ao cinema, e de novo na quarta à noite. Por enquanto ela não o apresentaria a seus pais, sempre inventando uma desculpa ou outra. Mas, no sábado, apenas uma semana após terem se conhecido, Elvis veio buscá-la em casa e ela o convidou para entrar e conhecer sua família, porque ele queria e porque ela sabia que tinha de fazê-lo. Tentou preparar todo mundo, mas descobriu, ao abrir a porta, que nem ela estava bem preparada. Tinha se esquecido de como o visual dele era diferente, tinha se esquecido do cabelo e das roupas dele, não havia pensado no efeito que isso poderia exercer sobre os outros. À noite, na cama, sussurrou com as irmãs sobre ele e confidenciou ao seu diário que enfim havia encontrado seu único e genuíno amor. Inclusive contou à mãe o que havia feito após telefonar do rinque de patinação, mas assegurou que Elvis era de uma boa família (coisa que ela na verdade não tinha como saber – ele agia como se ela pertencesse à realeza por ser de South Memphis, embora a família dela não tivesse onde cair morta) e que o havia conhecido na igreja.

Agora, enquanto o pai dela se dirigia a ele com ar sério, e Elvis murmurava suas respostas, jogando a cabeça para trás sempre que dizia, "Sim, senhor" e "Não, senhor", na mais séria e respeitosa postura, ela não tinha tanta certeza, ela sabia que o amava, mas viu pela primeira vez como o pai dela devia enxergá-lo. Não podia adivinhar o que se passou na cabeça do pai, e ele nunca deixou transparecer – foi atencioso sem falar muita coisa. Todos os moços que ela e as irmãs traziam para casa ficavam com medo do senhor Locke, grandalhão (1,88 metro), impassível, mas quando resolvia uma coisa não hesitava em externar isso a você ou a quem quer que fosse, e a pessoa obedecia, de um jeito ou de outro. A mãe a chamou na cozinha – ela não queria deixar Elvis sozinho com o pai, mas percebeu que não tinha escolha. Na cozinha, "minha mãe desfiou o sermão: 'Como é que você foi sair com um menino desses?'. Esse tipo de coisa. Tentei explicar. 'Mãe, não se engane pelas aparências... Só porque o cabelo dele é comprido, ou ele não se veste como todo mundo...' Eu o defendi com unhas e dentes, garantindo que ele era um bom rapaz – afinal de contas, eu o havia conhecido na igreja. Tive medo de que nesse meio-tempo alguém falasse algo que ferisse os sentimentos dele e ele simplesmente fosse embora".

Por fim, escapuliram – a irmã dela o viu de relance, foi muito simpática com ele na hora, mas pelas costas ergueu as sobrancelhas para que Dixie entendesse o que ela realmente pensava. No dia seguinte, o tio dela ofereceu dois dólares a Dixie para que o rapaz cortasse o cabelo. Isso não importava, nada disso importava; naquela noite, ele deu um anel para ela, um símbolo de que o namoro era firme, nenhum dos dois sairia com mais ninguém – nunca.

Duas semanas depois, ela foi conhecer os pais dele. Foi no meio da semana, numa noite fria para fevereiro, quando Elvis a buscou em casa e a levou para a Alabama Street. Ela se espantou ao descobrir que, embora nenhum dos pais estivesse trabalhando (o senhor Presley no momento estava desempregado devido ao problema na lombar e a senhora Presley evidentemente havia interrompido suas funções no St. Joseph) e o salário de Elvis na Precision dificilmente ultrapassasse os cinquenta dólares por semana, eles tinham um piano! Um piano e um televisor, e ele a chamava de "classe alta"! Ela queria muito gostar da mãe dele, mas a senhora Presley pareceu desconfiada no início, parecia nervosa e apreensiva, fez uma centena de perguntas a Dixie – onde o pai dela trabalhava, se a família dela era grande, onde ela e Elvis se conheceram, havia quanto tempo estavam saindo juntos, que escola ela frequentava. O senhor Presley foi educado, atencioso, mas não tinha muito a dizer, "era quase como se ele fosse um estranho, não fizesse parte do grupo". Chegou ao ponto em que a senhora Presley afastou Elvis e o pai dele para um lado e seguiu o interrogatório sozinha. Elvis andava para lá e para cá, entrava e saía da sala e tocava no ombro dela, como se dissesse que estava tudo bem, e depois sumia de novo. Ele estava claramente preocupado, mal esperando a hora de sair dali, mas nunca terminava. Após uma ou duas horas, chegou mais visita. A parentada. O primo dele, Gene, a quem Dixie já havia sido apresentada, um monte de outros primos (parecia que os únicos amigos dele eram os membros da família), e todos se sentaram para jogar Monopoly. Ela ficou envergonhada e constrangida, consciente de que Elvis ficaria bravo com ela se agisse de forma "decorosa e apropriada", se ela não fosse apenas ela mesma. Enfim conseguiram sair: "Ele ficou tão aliviado, acho que não podia esperar para me levar para casa, para poder voltar e perguntar: 'O que você achou dela?' para a mãe dele. Sabe, eles tinham um amor muito forte, um respeito um pelo outro, ela era completamente dedicada a Elvis, era uma espécie de admiração mútua. Um dia ou dois depois, comentei algo como 'Fico me perguntando o que a sua mãe achou de mim...' ou 'Espero que...' ou algo assim, e ele falou: 'Ah, você não precisa se preocupar com isso, ela achou você legal'. Então fiquei sabendo que tinha recebido o selo de aprovação".

Saíam quase todas as noites, até mesmo durante a semana. Quando não se encontravam, falavam ao telefone, longas e apaixonadas conversas, até o tio e a tia ficarem zangados por ela monopolizar a linha. Um dia o pai de Dixie deu uma cortada nesse ritmo, mas logo a família dela passou "a amá-lo quase tanto quanto eu o amava. Viram que eu estava falando sério, e ele sempre foi tão educado, e eles sabiam que era uma relação muito honesta, confiavam em nós, em nossa conduta. Em pouco tempo, ele fazia parte da família."

A senhora Presley, para Dixie, era quase uma segunda mãe, e a casa dos Presley na Alabama tornou-se uma segunda casa para ela. Conforme o dia, o senhor Presley vinha buscá-la em sua casa na Lucy Street depois da escola para que ela pudesse esperar Elvis chegar do trabalho. Às vezes, se o senhor Presley não estivesse disposto a dirigir, ela vinha de ônibus. "Na época isso era muito incomum (e essa era uma das coisas que minha mãe e meu pai não aprovavam muito), mas eu não via nada de errado naquilo." Não raro ela visitava a senhora Presley sozinha – uma vez elas foram juntas a um encontro da Stanley Products, muitas vezes apenas sentavam e conversavam. As duas tinham uma curiosidade inesgotável por uma pessoa, mas também tinham outros interesses em comum. A senhora Presley mostrava as receitas dela a Dixie e, de vez em quando, faziam compras juntas, talvez até escolhessem uma surpresa para Elvis. Dixie considerava a senhora Presley uma das pessoas mais afáveis, maravilhosas e autênticas que ela já conhecera. "Em pouco tempo éramos grandes amigas. A gente se telefonava para bater um papo e se curtia, com ou sem Elvis por perto. Dávamos boas risadas e nos divertíamos juntas." Mas mesmo aos quinze anos Dixie logo notou que os Presley eram diferentes de sua própria família em pelo menos dois aspectos significativos. Um era o papel desempenhado por Vernon. Talvez porque houvesse um contraste tão nítido com o papel e o comportamento de seu próprio pai ("Meu pai ia trabalhar com uma cinta nas costas, eu o via fazer isso havia muitos anos, o trabalho dele era muito exigente fisicamente"), a passividade de Vernon a surpreendeu de um modo contundente. "Nunca o vi ser indelicado. Eu nunca o vi bebendo ou sendo desregrado, tenho certeza de que era um marido amoroso e dedicado à família, e provavelmente tinha a ver com sua autoestima, mas era como se ele fosse um forasteiro, verdade, ele não fazia mesmo parte do grupo de Elvis e a senhora Presley. Quer dizer, parece estranho, mas os dois tinham um forte amor e respeito um pelo outro, e não acho que esse respeito se estendia a Vernon nessa época. Era quase como se Elvis fosse o pai e o pai dele fosse apenas o garotinho."

A outra diferença marcante era a respeito da visão deles sobre o mundo exterior. Os Locke olhavam o mundo lá fora com bons olhos, um lugar amigável, na maioria das vezes, não ameaçador. Oriunda de uma família numerosa, tendo uma família estendida ainda maior por conta da igreja e de todas as atividades de que participava lá, Dixie estava acostumada a um grande círculo de conhecidos, um turbilhão constante de atividade social e uma política de portas abertas em casa, a qual amigos e familiares podiam visitar sem aviso prévio (e precisavam fazê-lo – afinal, eles não tinham telefone!). Os Presley, ao contrário, ela sentia, encaravam o mundo com suspeita. Tinham poucos amigos próximos fora da família; além dos primos, Dixie nunca conheceu nenhum dos amigos de Elvis.

Na verdade, "ele se enturmou conosco plenamente, nessa época em especial ele não ia com ninguém para a escola, não tinha amigos no bairro. A senhora Presley era muito humilde, e era quase como se ela se sentisse inferior perto de gente com quem não parecia combinar direito – talvez ela não tivesse o penteado certo ou o vestido adequado para usar. Ela mantinha algumas amizades com senhoras de Lauderdale Courts, e uma dessas amigas tinha uma filha que encasquetou que Elvis era o cara certo para ela. Uma noite estávamos todos sentados na varanda, e essa moça apareceu – pelo que me lembro, ela era muito atraente – e quando ela entrou, era como se fosse de casa, como se estivesse muito à vontade ali, com Elvis. Fiquei até sem jeito. Então me recostei na cadeira e fiquei calada, na minha. A senhora Presley disse: 'Vamos tomar um copo de chá gelado' ou algo assim. Normalmente eu mesma teria me levantado e ido pegar, mas, antes de eu falar algo, a outra moça se antecipou: 'Ah, deixa que eu busco'. Quando ela saiu, nunca vou me esquecer, a senhora Presley me deu um pito. Falou: 'Eu queria te dar um beliscão. Por que ficou aí parada e a deixou assumir?'. E emendou: 'Nunca mais faça isso.

Sabe que esta casa também é sua, como é de Elvis. Levante-se e faça algo da próxima vez, como se estivesse em sua própria casa'.

"Éramos muito íntimas. Às vezes, Elvis falava comigo de um jeito que normalmente só reservava para a mãe dele, com apelidos e gestos carinhosos, quase encostava o rosto no meu e falava como os dois falavam, como você parece doce hoje, esse tipo de coisa, da mesma forma que costumava falar com a mãe dele. E eu pensava: 'Ah, não faça isso na frente dela'. Porque isso era só com ela."

Não se desgrudavam. Quando o clima ficou mais ameno, os dois se sentavam na varanda, na casa de Dixie ou no alpendre com pilares de tijolos da casa da Alabama Street, onde havia um balanço. Às vezes, Elvis cantava para ela baladas ternas e doces, como "Tomorrow Night" e "My Happiness". Um pouco acanhado, ele cantava baixinho quando havia alguém da família dela por perto. Muitas vezes desciam até a esquina para tomar uma vaca roxa (sorvete de baunilha com refrigerante de uva) ou um milk-shake no Dairy Queen, depois passeavam até o Gaston Park, escolhiam um banco e se sentavam, a poucas quadras da casa de Dixie. Um grande passeio era ir ao cinema, na sala do Suzore 2, na North Main, ao custo de cinquenta centavos de gasolina, cinquenta centavos para o cinema e depois um dólar para comer no K's ou no Leonard's. Eles se amavam, estavam comprometidos a permanecerem "puros" até o casamento, compartilhavam tudo um com o outro, não havia segredos. Uma vez houve uma crise no trabalho; disseram a Elvis que, se não cortasse o cabelo, seria demitido. Ficou tão envergonhado com o corte de cabelo que não queria que ninguém o visse, e não ajudou nada quando o tio de Dixie, que já batia na tecla o tempo todo, pegou no pé dele sobre isso. Ele era tão sensível – Dixie nunca conheceu alguém tão sensível quanto ele. Uma vez, no início do namoro, ele ficou chateado com ela em um drive-in, sobre algo que ela disse na frente de seu primo, e ele saiu do carro e ameaçou pegar carona para casa. Outra vez teve uma briga feia com a mãe dele e avisou que estava indo embora – para sempre. Foi até a casa de Dixie para se despedir. Choraram nos braços um do outro; ela o viu sair, e na mesma hora fez o retorno, antes de ela deixar a varanda. Ninguém podia separá-los – nunca. Falavam em se casar, mas tinham de esperar. Quando se casassem, queriam que suas famílias compartilhassem o momento.

Eles iam à igreja juntos, embora com pouca frequência para o gosto de Dixie. Elvis gostava dos estudos bíblicos, mas nem sempre ia ao culto e costumava só ir buscá-la depois. Às vezes, quando compareciam, chegavam com um grupo de jovens pouco antes do culto e sentavam no fundão, mas fazendo questão de que os mais velhos notassem a presença deles. Nisso o culto começava e todos os olhares se fixavam no reverendo Hamill. Daí eles escapuliam porta afora e iam para outra igreja frequentada pelos negros, situada na East Trigg Avenue, a menos de 1,6 quilômetro de distância, onde o reverendo Brewster fazia seus agitados sermões e Queen C. Anderson e o grupo Brewsteraires eram as atrações principais. Eles se divertiam com a atmosfera exótica, com a música que parecia de outro mundo – mas só ficavam uns minutinhos, pois tinham que voltar à Primeira Assembleia antes que percebessem a sua falta. Às vezes, à noite, voltavam para a transmissão da WHBQ do programa Camp Meeting of the Air. Muitas vezes, James Blackwood estava presente, e o filho do pastor Hamill, Jimmy, e os outros Songfellows compareciam; havia mesmo todo um contingente de brancos que achavam a música inspiradora e admiravam a eloquência e a probidade do dr. Brewster. O dr. Brewster pregava constantemente sobre dias melhores, tempos em que todos os homens andariam como irmãos, enquanto em Memphis Sam Phillips o escutava em seu rádio todos os domingos, sem falta, e o futuro produtor da Sun, Jack Clement, muitas vezes comparecia com seu pai, um diácono batista e diretor de coral, "porque era um acontecimento, era sincero e era o que estava acontecendo em Memphis".

Eles iam ao cinema – sessões com dois filmes em sequência –, duas vezes por semana. Algumas vezes Elvis levou Dixie à Humes. Uma vez cantou uma música no mesmo show de talentos em que havia cantado no ano anterior. Desfilou orgulhosamente na frente dos antigos colegas de escola, o braço em volta dela, conversou com um pessoal de Lauderdale Courts, todo o tempo de mãos dadas – não queria tanto apresentá-la ao seu mundo, mas sim mostrar que estava com ela. Foi mais ou menos assim quando visitaram Tupelo. Uma vez foram com o senhor e a senhora Presley visitar parentes; outra vez foram com a tia Clettes e o tio Vester, e mais uma vez Elvis foi muito respeitoso com tios, tias e primos do interior, mas definitivamente pareceu uma coisa do tipo "olhe só para mim". Tinha orgulho de si mesmo, orgulho de suas roupas, orgulho da namorada, orgulho do que havia aprendido na cidade grande – e por que não? Para Dixie, ele tinha todos os motivos para ter orgulho de si mesmo.

Mas quase sempre ficavam perto de casa, não faziam nada tão exótico – era quase como brincar de casinha. Às vezes, ficavam de babás dos primos de Dixie e apenas permaneciam lá sentados, assistindo à TV. Noutras, o senhor e a senhora Presley saíam, e os dois tinham a casa só para eles. A maior parte do tempo os dois ficavam no mesmo bairro de North Memphis onde os Presley moravam havia cinco anos e meio. O Suzore 2 ficava logo dobrando a esquina e era o mais barato de todos os cinemas da parte alta da cidade – embora no acender das luzes você corresse o sério risco de encontrar ratos debaixo dos sapatos. A loja de discos Charlie's mudou-se para o outro lado da rua naquela primavera; o ônibus parava bem na frente dela, e às vezes Dixie se encontrava com Elvis lá. Claro, o proprietário e a mulher dele, Helen, já conheciam Elvis havia algum tempo. Após algumas visitas, ele a apresentou para eles, e depois disso os donos sempre a cumprimentavam de forma amigável, mesmo se Elvis ainda não tivesse chegado. O tempo todo o jukebox tocava, e na pequena fonte de refrigerantes você podia comprar uma Coca-Cola ou um refrigerante NuGrape – sem falar nas centenas de discos de 78 rpm, não apenas os últimos sucessos, mas também hits de r&b de anos atrás. Nas duas ou três cabines de escuta, você poderia ficar horas ouvindo música se a loja não estivesse cheia. Foi a primeira vez que

Elvis mostrou para ela a versão original de uma canção que ele cantava o tempo todo, "Tomorrow Night", de Lonnie Johnson. Era boa, mas não como a de Elvis. Foi ali que ela conheceu pela primeira vez as versões originais de muitas das músicas que ele cantava e, às vezes, se ele quisesse arriscar uma nova, pedia a letra para Dixie, porque ela sempre teve boa memória para música.

Ele parecia conhecer vários rapazes que andavam por lá, mas nunca a apresentou. Contou a Dixie sobre um disco que ele tinha feito alguns meses antes numa pequena gravadora na Union, mas nunca tocou para ela, e nunca lhe falou que Charlie tinha colocado o disco no jukebox por um tempo na loja, com o nome dele escrito na lista de seleção do jukebox. De vez em quando um dos dois realmente comprava um disco – os dois tinham toca-discos em casa, e Elvis tinha uma pequena coleção que considerava um tesouro. Às vezes ele levava uns de seus discos favoritos para a casa dela, e os dois apenas sentavam lá e escutavam.

Cada vez mais, ela percebeu o quanto ele amava música. A primavera deu lugar ao verão, e ele ficava horas cantando para ela, às vezes, liberto da autoconsciência que o atormentava no começo, especialmente quanto à família dela. Dixie não sabia se Elvis estava cantando para ela ou apenas cantando por cantar, mas o rosto dele adquiria uma luz, uma expressão especial, momentaneamente descontraída. Na casa dos Presley, ele sempre tocava piano, escolhia uma música que tinham ouvido no rádio – depois de ouvir uma ou duas vezes, Elvis podia tocar qualquer coisa, nada sofisticado, só seguindo a melodia. Às vezes, sentava-se ao piano e entoava hinos religiosos. De vez em quando, Gladys cantava junto, mas nunca Vernon, e Dixie tinha vergonha da própria voz, mas todos faziam uma rodinha em volta do piano, participando com sua presença e aprovação. "A gente compartilhava tudo, comentava tudo... Ele falava comigo sobre coisas que tenho certeza de que nunca revelou a mais ninguém. Mas nunca falávamos sobre o que ele queria fazer. Talvez Elvis não gostasse de falar de suas ambições mais profundas, porque na cabeça dele era algo totalmente alheio, mas não pensava em ser músico à noite ou algo do tipo. Eu só achava que ele era um cara que gostava de tocar violão e adorava música."

Elvis contou a ela sobre o desejo de entrar nos Songfellows, mas aquele era só um quarteto amador da igreja. Em algum ponto naquela primavera, ele confessou a Dixie que tinha feito um teste para o grupo e foi reprovado – ficou muito decepcionado. Disseram que só não o aceitaram porque o cantor que ia sair decidiu ficar, mas obviamente Elvis não acreditou nisso. "Eles me disseram que eu não sabia cantar", confidenciou ele ao pai. Jimmy Hamill, o filho do pastor, disparou: "Elvis, por que você não desiste?". Ele ficou magoado, contou Dixie, "mas foi algo como: 'Bem, isso não deu certo, vamos em frente'".

Sem falta, eles participavam todos os meses do "All-Night Singings" no Ellis Auditorium, patrocinado pelos Blackwood Brothers. Cada um já tinha ido por conta própria antes de se conhecerem e felizmente descobriram que essa era mais uma coisa que tinham em comum. Adoravam a Speer Family e os LeFevres de Atlanta, Wally Fowler nunca deixava de agitar a plateia com "Gospel Boogie", e os dois ficavam entusiasmados com os Sunshine Boys, cujo baixo lírico era J. D. Sumner, ex-Stamps' Sunny South Quartet. Os Statesmen e os Blackwood tinham contratos com a RCA Victor, e na primavera de 1954 os Blackwood Brothers foram a Nova York e venceram o concurso de talentos de Arthur Godfrey, e parecia que todo mundo em Memphis tinha assistido. Elvis e Dixie não frequentavam os camarins do Ellis – jamais ousariam, e não tinham razão para isso –, mas nos intervalos se juntavam aos outros fãs que se agrupavam em torno das mesas que cada grupo montava para vender seus discos e *songbooks* e escutavam cada palavra pronunciada por eles. Conheciam James Blackwood, é claro; eles o viam na igreja o tempo todo e tinham grande respeito pela aparência digna e pelo profissionalismo do grupo, os ternos escuros, a dicção precisa e as harmonias cuidadosamente elaboradas. Mas o grupo predileto deles continuava sendo os Statesmen – escuta só o Jake, Elvis cochichava para Dixie quando ele atingia uma nota mais aguda e emocionante com aquele vibrato controlado e a multidão alucinada pedia para ele repetir aquilo. Quanto ao Big Chief, ele ia o mais longe possível, ao que parece: a massa simplesmente o amava, não tirava os olhos de cima dele desde o instante em que ele pisava no palco, e quando começava a sacudir a perna e dançar, o teto vinha abaixo. O pastor Hamill não aprovaria, ele não tinha muita consideração pelos quartetos vocais, muito embora o filho dele participasse e a igreja dele tivesse ficado célebre pela presença dos irmãos Blackwood. Bons cristãos não buscavam esse tipo de adulação, bons cristãos não precisavam balançar a perna e dançar o *hootchy-koo* no palco, bons cristãos foram salvos pela fé, não pelo estrelato – mas Elvis e Dixie não se importavam. "Ficávamos tão impressionados com eles que praticamente adorávamos Jake Hess, éramos fãs, eu acho, os quartetos faziam parte da nossa família."

Eles até iam à WMPS de vez em quando só para ver as transmissões do meio-dia que Bob Neal apresentava. Dixie nunca tinha ido a uma estação de rádio antes, mas Elvis se sentia em casa, encontrava um lugar para eles na primeira fila, fazia um discreto cumprimento com a cabeça para James Blackwood e depois desviava o olhar casualmente – nunca houve mais contato do que isso. Elvis não parava quieto, ele se mexia o tempo inteiro, tamborilando os dedos na lateral da poltrona, batendo o pé sem parar. Isso deixava a mãe de Dixie ensandecida, perguntava a ela se havia algo de errado com ele, até mesmo chamava a atenção de Elvis, e Dixie sempre o defendia, mas isso também a envergonhava. Ela se perguntava qual era o problema; imaginava que ele ia se livrar do tique e torcia para que Elvis não fizesse isso em público. Eles curtiam muito as transmissões. Às vezes, enquanto Bob estava fazendo os comerciais, James ou outro membro dos Blackwood se esgueirava atrás dele e penteava o cabelo dele para a frente dos olhos, e o público ria a não poder mais.

De abril em diante, começaram a visitar o Riverside Park toda semana, duas ou três vezes por semana, sempre que estava calor o suficiente. Às vezes, nos fins de semana, faziam um piquenique com frango frito; o McKellar Lake fervilhava de velejadores, esquiadores aquáticos e jovens casais se divertindo. Quase sempre, passeavam a quatro: o primo de Elvis, Gene, tinha um namoro vaivém com Juanita, a irmã de Dixie. Juntos, Elvis e Gene eram como palhaços – agiam como se houvesse algum tipo de piada acontecendo entre eles o tempo todo, falando num tipo de linguagem privada que ninguém mais conseguia entender, rindo de coisas das quais só eles achavam graça. Isso deixava Dixie momentaneamente desconfortável, como se de alguma forma estivesse sendo excluída, como se – apesar de todas as intimidades que tinham compartilhado e da facilidade com que ela o deixava encabulado (ela nunca conheceu um garoto que se encabulasse tão fácil quanto Elvis) – como se fosse ela a forasteira. Mas então Dixie se lembrava da doçura inata da natureza dele, dos sonhos e das confidências que compartilhavam: "Ele não era fingido, não era metido, não era exibido. Se você ficasse perto dele o tempo suficiente para ver como ele era mesmo, não apenas sendo palhaço, qualquer um enxergava o seu verdadeiro eu, enxergava a doçura dele, enxergava a humildade e a ânsia de agradar." Ele e Gene só faziam umas palhaçadas juntos às vezes.

Tantas noites acabaram no parque, com ou sem Gene, num grupo ou sozinhos, mas sozinhos ou acompanhados parecia que sempre se conectavam com a multidão. Andavam na área do pavilhão com vista para o lago, compravam uma Coca-Cola, ouviam o jukebox e dançavam na barraca de refrescos do Rocky's Lakeside, uma área coberta especial para adolescentes. Em geral, uns dez ou doze casais estavam no estacionamento e, sem insistir muito, Elvis sempre era convencido a pegar o violão no banco de trás e, encostado no carro, começava a tocar. "Ele não era tímido, só esperava alguém pedir... Acho que ele não queria forçar nada. Ninguém mais fazia isso, ninguém mais tinha coragem. Ele cantava músicas populares e uma porção de canções antigas de blues; também tocava algumas velhas músicas gospel. Era engraçado, sabe. Desde o início, era como se ele exercesse um poder sobre as pessoas, era como se elas se transformassem. Não era como se ele estivesse exigindo a atenção de ninguém, mas o pessoal certamente reagia assim – não importa se eram rudes ou se fingiam desinteresse, tudo mudava quando ele começava a cantar. Tipo quando o pastor Hamill subia ao púlpito e chamava a atenção de todos: com Elvis era a mesma coisa, sempre foi assim." Às vezes, ele atraía os olhares com uma linda canção de amor, mas mudava a letra, fazia uma paródia e sempre mantinha a atenção deles. "As pessoas ficavam hipnotizadas, e ele adorava ser o centro das atenções. Acho que Elvis poderia cantar na frente da cidade inteira de Memphis com a mesma desenvoltura."

Às vezes, só paravam o carro no estacionamento com vista para o lago e ficavam ouvindo música, olhando o espelho d'água. Ouviam o DJ Dewey Phillips tocar os hits de rhythm & blues no programa *Red Hot and Blue*, nunca ouviam música country. Eles se divertiam com as impressões de Dewey sobre Dizzy Dean, seus constantes apelos ao público para sair e comprar uma "ratoeira forrada de pele" e seus anúncios da cerveja Falstaff, fabricada localmente ("Se não puder beber, congele e coma. Se não puder fazer isso, abra uma maldita costela e DERRAME em cima dela"). "Ligue ao Sam!", Dewey repetia em intervalos frequentes, quase como um bordão de seu programa – mas, por sua vez, Elvis nunca falou a Dixie sobre Sam; ela praticamente nem lembrava mais do disco que ele falou que tinha gravado. Para ela, os dois bem que poderiam continuar indo ao Riverside Park para sempre, Elvis sempre cantando para ela e os amigos, um dia eles se casariam, e a vida continuaria, exatamente como deveria ser. De vez em quando, passava uma viatura policial, patrulhando o estacionamento com o feixe intenso de seus holofotes, para ver se algum moço tomava liberdades indesejadas ou alguma moça estava em apuros. Mas no caso deles não havia esse perigo. Eram dois adolescentes com a cabeça no lugar, ouvindo Dewey Phillips no rádio, e sabiam a hora de ir para casa.

No finzinho de abril, Elvis conseguiu um emprego novo. Não estava feliz com o antigo desde que o obrigaram a cortar o cabelo, e o novo ficava na Poplar, dobrando a esquina de Courts. Ao volante do caminhão da Crown Electric, empreiteira do ramo elétrico, Elvis transportaria suprimentos aos canteiros de obras industriais. Se quisesse, teria oportunidade de aprender o ofício de eletricista; seria um longo aprendizado e envolveria aulas noturnas, mas a oportunidade estava lá. Os proprietários, senhor e senhora Tipler, pareciam muito legais – eram simpáticos e atenciosos e pareciam aceitar o novo funcionário como ele era.

Na verdade, Gladys Tipler foi avisada pela moça da agência de empregos que talvez pudesse achar a aparência do novo candidato um pouco estranha. Mas, disse a mulher, ele era um bom moço, apesar da aparência, e os Tipler foram conquistados por sua maneira educada e por sua clara devoção à mãe. Ele só queria ajudá-la, contou Elvis na entrevista de emprego numa segunda-feira, e eles o contrataram na mesma hora e nunca se arrependeram. A senhora Tipler, porém, se divertia ao ver o tempo que ele perdia arrumando o cabelo ao chegar de manhã e toda vez que voltava de uma entrega. Ela enfim o enviou ao cabeleireiro dela, Blake Johnson, da Blake's Coiffures, na Poplar, esquina com a Lauderdale, mas ele só ia após o salão fechar, pois tinha vergonha. De vez em quando, no trabalho, ele falava com Paul Burlison, que estava prestes a se tornar um eletricista mestre e que Elvis conhecia do tempo em que ele tocava em Courts e de tocar junto com Dorsey Burnette, por sinal, também funcionário da Crown. Paul e Dorsey contaram a ele sobre alguns dos lugares em que costumavam tocar perto da base naval em Millington. Dorsey contou sobre uma noite em que ele tocou no Shadow Lawn em Oakland com Bill, o irmão de Johnny Black, e um guitarrista chamado Scotty Moore, de Gadsden, Tennessee, que após sair da Marinha veio morar em Memphis. Houve uma briga generalizada naquela noite, e Dorsey foi esfaqueado no cóccix. Ele, o pai e o irmão Johnny saíram à procura dos culpados, mas nunca os encontraram. Dorsey e Paul convidaram Elvis para sair e tocar com eles uma noite dessas, se ele quisesse, mas ele respondeu que não, estava meio envolvido com outras coisas agora, talvez fosse tocar no Lar dos Incuráveis de novo, e tinha um lance no Girl's Club ali na Alabama – e a voz dele se esvaiu num murmúrio.

O salário chegava a quarenta dólares por semana, e todas as sextas-feiras ele vinha para casa e entregava o dinheiro ao pai. Era quase, Dixie observou com algum espanto, como se fosse responsabilidade de Elvis cuidar do pai dele. "Ele só pegava o suficiente para gastar na semana, cinquenta centavos para gasolina, um dólar e cinquenta para irmos ao Suzore três vezes, talvez um pouco mais para lanches, e o resto era para a mãe e o pai." Não pensava duas vezes em relação a isso, era apenas como as coisas eram; os pais dele estavam ficando velhos, contou ele a Dixie, e Elvis queria cuidar deles. E os pais tinham muito orgulho dele, também – a senhora Presley o elogiava sempre que podia, e parecia que Elvis se sentia igualmente orgulhoso dos progressos que tinha feito, para si e para a sua família. Uma vez ele veio buscar Dixie na casa dela depois do trabalho, e Elvis devia ter feito um trabalho pesado, porque estava imundo, usando um macacão engraxado e furado. A mãe de Dixie queria tirar uma foto dos dois, mas ele se escondeu atrás de um varal para que ninguém visse sua roupa.

Um sábado, em meados de maio, Elvis desconcertou Dixie. Ele havia topado com um amigo em comum, Ronnie Smith, no Festival do Algodão. Dixie conhecia Ronald do bairro e da South Side High, mas Elvis o conhecia de uma festa de aniversário e descobriu a paixão mútua pela música, bem como por carros e moças. Com Ronnie ele tinha feito alguns shows (o destaque foi o banquete de uma fraternidade no Columbia Mutual Towers na Main), mas aos dezesseis anos Ronald já era membro de uma banda profissional liderada por Eddie Bond, e ele deu a dica: Eddie estava atrás de um cantor. Por que Elvis não dava uma passadinha por lá? Ele tinha um teste naquela noite, Elvis contou a Dixie na maior empolgação, em um clube chamado Hi-Hat, na South Third, não muito longe da casa dela. Ficou imaginando se Dixie não queria ir junto – ele precisava que ela fosse junto, os dois ficariam um pouco e depois iriam ao cinema ou ao McKellar Lake, uma coisa assim.

Dixie ficou sem saber o que dizer, claro que iria, mas era uma coisa inédita para ela. Se ele a tivesse convidado para ir vê-lo cantar com um quarteto profissional, já teria sido um choque, mas ao menos estaria de acordo com algo que ela poderia ter previsto, de acordo com o que ambos encaravam como uma espécie de dom espiritual. E se alguém os visse, e se um amigo dos pais dela a visse entrar no clube? E se um colega de seu pai, um colega de trabalho na Railway Express, estivesse lá dentro? Isso não a impediu, é claro. Nem questionou as ideias de Elvis. "Ele estava tão nervoso, eu também estava nervosa. Quando chegamos lá, não tinha muita gente, mas havia uma pista de dança e gente tomando bebida alcoólica. Ao entrarmos, o homem nos disse algo sobre sermos muito novos para estarmos lá. Tomei uma Coca-Cola. Sentamos à mesa e bebemos refrigerante."

O destaque da noite, Eddie Bond, era um "veterano" de vinte e um anos que tocava nos bares da cidade desde os quinze e tinha acabado de sair da Marinha. Animador confiante e pretenso empresário que vinte anos depois concorreria ao cargo de xerife de Memphis (em 1969, compôs "The Ballad of Buford Pusser", inspiração para o popular filme *Fibra de valente*, de 1973), Bond veio até a mesa para dizer oi. Perguntou a Elvis em que ele trabalhava, e Elvis respondeu que dirigia um caminhão para a Crown Electric, mas Dixie ficou envergonhada porque ele não conseguia parar de tamborilar os dedos na mesa. Elvis mandou cortar o cabelo especialmente para essa performance e vestiu jaqueta de toureiro com camisa rosa. Logo chegou sua vez de subir ao palco. Cantou duas músicas só com voz e violão. Dixie o achou maravilhoso, mas, antes que ela percebesse, tinha acabado. "Foi uma coisa meio ainda-bem-que-já-acabou-vamos-nos-apressar-e-dar-o-fora-daqui." Antes de sair, trocou uma ideia rapidamente com Eddie Bond, mas Dixie estava longe e nunca ficou sabendo o teor da conversa. No futuro, Bond se vangloriaria jocosamente de ser "a única pessoa que já dispensou [Elvis Presley] do coreto" e explicou que os donos do clube o forçaram a recusar o artista novato. Ronnie Smith ficou com a impressão de que Eddie queria agendá-lo em outro lugar mais chinfrim do outro lado da rua, para que Eddie tivesse duas bandas trabalhando ao mesmo tempo. Elvis, por sua vez, considerou aquilo uma rejeição amarga. O que Bond falou para ele? Elvis confidenciou isso a seu amigo George Klein em 1957. Bond teria dito a Elvis que era melhor ele continuar dirigindo um caminhão "'porque você nunca vai ser um cantor profissional'. Estávamos a bordo de um trem rumo a Hollywood para filmar *Jailhouse Rock* (*O prisioneiro do rock*), e Elvis comentou: 'Imagino o que passa na cabeça de Eddie Bond hoje. Cara, aquele filho da mãe partiu meu coração'".

O tempo foi passando. Cada vez mais, contou Dixie, o casamento entrou em pauta. "Chegamos muito perto de entrar no carro e rodar até Hernando, Mississippi – qualquer um poderia se casar em Hernando. Falamos sério várias vezes no assunto, sobre o que faríamos após nos casarmos e onde iríamos morar. O papo era sério, mas não sei como, um de nós sempre tinha o bom senso de dizer: 'Mas e se...?'. Eu ainda estava na escola, e isso teria partido o coração da minha mãe e do meu pai." Em pouco tempo, Dixie ia começar em seu emprego temporário de verão no departamento de cosméticos da Goldsmith's. Mas, antes disso, ela e a família iam passar as férias com parentes na Flórida, na primeira quinzena de julho. Estava preocupada – seria a primeira separação deles, e Elvis andava tão ciumento, odiava que ela socializasse com outras pessoas, ainda mais com outros garotos. Dixie gostava de interagir com as pessoas, "mas ele não suportava que eu fizesse algo que não o envolvesse, ele era meio possessivo nesse aspecto". Às vezes, Dixie pensava que toda a família Presley era muito encaramujada, ou talvez fosse assim apenas nos sonhos deles para Elvis; era tão difícil entrar naquele pequeno e restrito círculo. Mas, enfim, ela sabia como o pessoal do interior era às vezes.

Uma vez, fizeram um piquenique no Overton Park, e foram pescar juntos, embora Elvis não fosse muito um "garoto da natureza". Passeou com ela no caminhão da Crown Electric e foi repreendido pelo senhor Tipler por sair da rota e chegar atrasado. Sempre carregava o violão na boleia, e quando podia tocava para seus colegas de trabalho. A senhora Tipler o aconselhou a "abandonar este maldito violão, ele vai ser a sua ruína", mas com um sorrisinho bondoso. Ele já não tinha tanta certeza de que dispunha dos recursos necessários a um bom eletricista, porque, como disse numa entrevista de 1956, não sabia se era atento o suficiente. "Eu tinha dúvida se seria capaz, porque você tem que se concentrar no que está fazendo. Se você se distrai por um minuto pode até mandar pelos ares a casa de alguém. Eu achava que não tinha o perfil para isso, mas resolvi tentar."

Também continuou tentando gravar discos. Marion Keisker via o caminhão dele passar pelo estúdio muitas vezes, e de vez em quando ele parava na 706 Union em seu uniforme de trabalho e puxava uma conversa casual, sem esconder o nervosismo. Sempre perguntava a ela se não sabia de uma banda, tentando adotar uma postura tranquila e uma familiaridade que ele claramente não tinha, e isso a comoveu. Dixie também sentia que o teste com Eddie Bond não era um mero incidente isolado, mas nesse tópico, é claro, ele não se abria completamente para ela. Dixie não tinha dúvidas de que, se Elvis quisesse gravar um disco, ele gravaria um disco, mas não tinha ideia do que significava realmente gravar um disco – a menos que isso significasse tocar no rádio. Ela sabia que Elvis não conseguiria ganhar a vida tocando em botecos como o Hi Hat, mas não tinha certeza de quais eram as alternativas, ou como é que você podia chegar ao *High Noon Round-Up* de Bob Neal, com os Blackwood Brothers e Eddie Hill.

No sábado, 26 de junho, uma semana antes de Dixie ir à Flórida, Elvis enfim ganhou a chance que esperava. A senhorita Keisker ligou por volta do meio-dia. "Ela disse: 'Pode estar aqui às três da tarde?'", contou ele anos depois, sempre que solicitado a contar a história. "Ela mal tinha desligado e eu já estava lá."

Eis o que aconteceu. Em sua última viagem a Nashville, em maio, para gravar os Prisonaires, Sam havia trazido um acetato de Red Wortham, o editor musical que originalmente havia encaminhado os Prisonaires à gravadora Sun. Phillips ouviu a música um montão de vezes, a plangente balada "Without You", entoada numa voz trêmula que soava como uma mistura dos Ink Spots com um sentimental tenor irlandês. Inegavelmente amadora, mas havia algo nela, um quê de anseio ardente, e Phillips imaginou que com a voz certa talvez fosse um sucesso. A pureza, a simplicidade, acima de tudo o amadorismo da performance, o fizeram lembrar do garoto que sempre passava na gravadora – ele não era exatamente uma praga, mas sempre voltava – nos últimos nove ou dez meses. Qual era mesmo o nome dele? Marion, que parecia meio cativada pelo jovem, um menino tímido e inseguro ("Tímido é apelido", pensou Sam) que claramente nunca havia cantado em lugar nenhum em sua vida, respondeu: "Elvis Presley". E fez a ligação.

Trabalharam a tarde inteira na canção. Até que se tornou óbvio: por qualquer motivo, o menino não ia conseguir acertar. Talvez "Without You" não fosse a música certa para ele, talvez estivesse apenas intimidado pelo maldito estúdio – Phillips fez ele cantar quase todas as músicas que conhecia. O violão não era o seu forte, mas o mundo não precisava de mais virtuoses. O que o mundo precisava, Sam Phillips estava convencido, era de comunicação, e era isso que ele sentia, em algum lugar, inerente a tudo, na voz daquele garoto. "Acho que fiquei lá sentado umas três horas, pelo menos", contou Elvis ao repórter do jornal *Memphis Press-Scimitar*, Bob Johnson, em 1956. "Cantei tudo o que eu sabia... Coisas pop, gospel, só uns versos [de tudo] que eu me lembrava." Sam o observou atentamente do outro lado do vidro da sala de controle – não estava mais gravando e, sob quase todos os prismas, essa sessão podia ser considerada um fracasso sombrio, mas ainda assim havia algo... De vez em quando o menino erguia os olhos, como ansioso por aprovação: ele estava indo bem? Sam acenava positivamente com a cabeça e falava com sua voz suave e reconfortante: "Está indo muito bem. Agora relaxe. Cante uma música que realmente signifique algo para você agora". Para tranquilizar, para estimular, olhava direto nos olhos do garoto através da janela de vidro plano construída para que seus olhos ficassem nivelados com os dos artistas quando ele estivesse sentado no console da sala de controle. Não tinha ideia se chegariam a algum lugar ou não, era tão difícil dizer quando você lidava com um bando de amadores – mas só com amadores, ele acreditava firmemente, você conseguia algum frescor de sentimento.

Quando acabou, Elvis estava exausto, sentia uma moleza no corpo, mas também uma estranha exultação. "O meu sucesso foi imediato", ele sempre brincava com os entrevistadores, já maduro. "Um ano depois de me ouvirem a primeira vez, me chamaram de volta!" Todo mundo enxergava a modéstia juvenil, sem perceber talvez o compreensível orgulho. O senhor Phillips o havia chamado de volta – valeu a pena perseverar. O que ia acontecer dali em diante? Nada foi comentado sobre isso. Na mente de Elvis, porém, havia poucas dúvidas de que algo aconteceria. Enfim, tinha conseguido a sua oportunidade. Guiou o carro até a casa de Dixie num estranho transe de desapego – foram ao cinema naquela noite, e ele comentou que tinha gravado um disco.

NA NOITE DE QUARTA-FEIRA, 30 DE JUNHO, uma tragédia ocorreu. Ao voltar para casa, Dixie se deparou com a mãe na porta, a tristeza estampada no semblante. Ela fez Dixie se sentar na cozinha e contou que havia ocorrido um acidente hediondo – o avião dos Blackwood Brothers tinha caído na noite anterior em algum lugar no Alabama, não estavam todos a bordo, apenas R. W. e o baixo-profundo, Bill Lyles, mas os dois tinham morrido. Dixie encarou a mãe sem acreditar, até que seus olhos se encheram de lágrimas. Bill? R. W.? A esposa de Bill, Ruth, era professora dela nas aulas dominicais. Dixie ficou inconsolável. Ligou para algumas de suas amigas. Ninguém conseguia acreditar. Os Blackwood Brothers eram prata da casa; o mais progressista e empresarial de todos os grupos gospel, tinham avião próprio desde o outono de 1952. De acordo com as notícias, eles tinham se apresentado ao meio-dia com os Statesmen no Festival do Pêssego do Condado de Chilton, em Clanton, Alabama. Evidentemente, os patrocinadores pediram que eles ficassem para as festividades da tarde e, quando chegou a hora de partir, ainda havia uma grande multidão, com automóveis estacionados ao redor do campo. R. W., que era o piloto, quis fazer um teste de decolagem antes de escurecer, para saber o espaço na hora da decolagem noturna. Ao fazer a aproximação de pouso, todos pensaram que ele só estava mostrando sua perícia, mas súbito o avião não se endireitou, ricocheteou na pista e explodiu em chamas, e era possível ver as pessoas no meio do fogo. Esbelto e esguio, James Blackwood gritou que ia entrar no avião e saiu correndo, mas foi contido por um abraço de urso. Era Jake Hess, e o abraço não afrouxou até James enfim se acalmar. No retorno a Memphis naquela noite, James disse a Jake que nunca voltaria a cantar, mas Jake falou que a missão deles era continuar. O povo merecia.

Elvis saiu do trabalho e foi direto à casa de Dixie – nem se preocupou em trocar de roupa. O rosto marcado pelo choro deixava claro: ele sabia sobre o acidente. Não disseram uma palavra, apenas se jogaram nos braços um do outro, mesmo na presença da mãe dela. Foram ao Gaston Park naquela noite, tomaram milk-shakes e choraram muito. O que seria dos Blackwood Brothers? Ficaram se perguntando. O quarteto se dissolveria. E as famílias? Parecia o fim do mundo.

O funeral no dia seguinte foi um dos mais grandiosos da história de Memphis – a primeira vez que um funeral foi realizado no Ellis Auditorium. Os Statesmen cantaram, assim como os Speers e outros cinco quartetos. O governador Frank Clement, que havia marcado presença na última apresentação dos Blackwood em Memphis, no dia 18 de junho, fez um elogio sincero e emotivo. Afinal de contas, Clement não era um mero amigo dos quartetos, ele ajudou a coordenar o crescimento da indústria fonográfica de Nashville e foi crucial para que os Prisonaires conseguissem seu interlúdio para a gravação. Quase cinco mil pessoas (abriram o Salão Norte quando o Salão Sul encheu) mostraram o quanto amavam os Blackwood. Jornais relataram que "alguns negros ligaram ao auditório perguntando se poderiam comparecer ao funeral, e as galerias foram reservadas aos negros, informou Chauncey Barbour, o gerente do auditório". O reverendo Hamill fez o sermão, e o dr. Robert G. Lee, da Bellevue Baptist Church, fez a prece. Elvis e Dixie sentaram-

-se com o senhor e a senhora Presley e ficaram de mãos dadas. Dixie não acreditava que iria à Flórida no dia seguinte. Ela não podia ir – não queria ir –, ela não podia deixá-lo, não agora. Ficaram juntinhos a maior parte da noite, e de manhã Elvis apareceu quando os Locke faziam as malas. Ele se despediu por volta do meio-dia, depois de uma troca de juras de fidelidade. Os dois iam se escrever, prometeram, ele tentaria ligar – anotou todos os números e endereços de onde ela ficaria hospedada. Mal puderam se soltar um do outro. Os pais dela, discretamente, os deixaram sozinhos. A emoção pulsou naquele instante. Quando ela voltasse, Dixie o tranquilizou – e tranquilizou a si mesma, com olhos inchados de lágrimas –, nada teria mudado, tudo continuaria igual como antes, e ainda teriam o resto do verão pela frente, e ainda teriam uma vida inteira pela frente.

28 de julho de 1954
(Memphis Brooks Museum / Arquivos de Michael Ochs)

"THAT'S ALL RIGHT"
Julho a setembro de 1954

NAQUELA TARDE, um jovem guitarrista chamado Scotty Moore parou na 706 Union, aparentemente para conferir como estava vendendo o disco de sua banda. Ele vinha ao estúdio havia vários meses, tentando chegar a algum lugar com seu grupo, os Starlite Wranglers, tentando engrenar no ramo. O grupo, com várias formações, existia desde a saída de Scotty da Marinha no início de 1952. A formação atual incluía Clyde Rush no violão, Millard Yow na *steel guitar* (guitarra tocada horizontalmente) e Bill Black no contrabaixo acústico; os três trabalhavam na Firestone, e os vocalistas da banda eram intercambiáveis. Scotty, especializado em limpeza de chapéus na lavanderia a seco dos irmãos na 613 North McLean, convidou o padeiro Doug Poindexter, que apreciava as músicas de Hank Williams, para ser o vocalista permanente. Eles tinham uma grande estrela piscante, formada com luzes de Natal, para anunciar o nome da banda no coreto. Fizeram alguns shows na primavera – continuavam tocando na mesma e simples casa noturna na saída para Somerville, onde Scotty e Bill acompanharam Dorsey Burnette – e se apresentaram em outros clubes da cidade. Conseguiram um horário na KWEM, estação de rádio de West Memphis, e Scotty marcava datas frequentes para a banda no clube Bon Air, especializado em música pop. O próximo passo, obviamente, era gravar um disco.

Foi isso que levou os Starlite Wranglers ao Memphis Recording Service. Doug Poindexter indagou a Bill Fitzgerald, da Music Sales, distribuidor de discos independente local, como é que eles "poderiam chegar à MGM como Hank Williams", e Fitzgerald, que distribuía os discos da Sun, entre outras, sugeriu que tentassem Sam Phillips. Quem fez isso foi Scotty, líder da banda e principal incentivador de sua mobilidade profissional ascendente. Saiu do trabalho uma tarde e, com o coração na mão, foi à gravadora.

Entre ele e Sam houve uma sintonia quase instantânea. Sam via em Scotty um jovem ambicioso de vinte e dois anos, insatisfeito com o limitado panorama de seu entorno – não sabia direito o que queria, mas desejava algo mais do que uma vida inteira limpando e remodelando chapéus ou tocando em clubes e, por fim, acabar desistindo para se contentar com um pequeno negócio de varejo. Scotty buscava algo diferente, pressentiu Sam, e além do mais era um bom ouvinte. Logo, os dois criaram o hábito de se encontrar vários dias por semana às 14h, quando Scotty saía do trabalho – Scotty passava lá, e os dois iam ao restaurante de senhorita Taylor, ali ao lado, para tomar um café e trocar ideias sobre o futuro. Para Sam, que aos trinta e um anos de idade já havia passado por muitos altos e baixos, era uma oportunidade de expor suas ideias a ouvidos não apenas solidários: Scotty claramente gostava de idealizar, planejar e sonhar com as mudanças que pintavam logo ali adiante. Para Scotty, que cresceu numa fazenda em Gadsden com a sensação de que o mundo o deixou para trás (o pai e os três irmãos mais velhos formaram uma banda, mas quando o temporão Scotty nasceu, quinze anos depois do outro irmão mais novo, eles já tinham desistido) e aos dezesseis anos entrou na Marinha, era como estar no paraíso. Estava no segundo casamento, tinha dois filhos morando em Washington com a primeira esposa e aspirava a tocar jazz, como Barney Kessel, Tal Farlow, ou os virtuoses do country, Merle Travis e Chet Atkins. Sério, autodidata, abandonou o Ensino Médio no meio do 2º ano, e agora alguém em Memphis afirmava a ele, com convicção desconcertante: havia uma chance. Algo podia acontecer. A mudança estava a caminho. "Sam tinha o misterioso dom de fazer aflorar em nós coisas que nem sabíamos que tínhamos. Vislumbrou que haveria uma mescla de gêneros. Profetizou isso. Acho que a gravação de todos aqueles artistas negros serviu para ampliar sua percepção; só não sabia aonde essa percepção o levaria. Sam tinha as mesmas origens que nós, basicamente. Só estávamos em busca de algo, não sabíamos bem o que era, sentávamos ali no café e dizíamos um ao outro: 'O que será isso? O que devemos fazer? Como podemos fazer?'."

Por fim, Scotty persuadiu Sam a gravar os Wranglers, e no início de abril gravaram duas faixas, com músicas de Scotty (deu metade do crédito de uma das músicas a Doug Poindexter, por ser o vocalista, e um terço da outra a seu irmão, por escrever a partitura cifrada). Semanas depois o disco foi lançado e nunca foi um sucesso – no fim do verão tinha vendido umas trezentas cópias –, mas Scotty continuava a passar no estúdio, sabendo que o disco não era seu passaporte para o futuro, os Starlite Wranglers eram apenas uma banda de hillbilly, mas pressentindo que, se ficasse perto de Sam Phillips, ele descobriria qual seria o futuro.

Em meados de maio, chegou aos ouvidos dele que havia na cidade um promissor cantor de baladas. Havia algo diferente na voz dele, falou Sam; estava interessado em experimentá-lo com essa nova música selecionada na última viagem a Nashville para gravar os Prisonaires. A certa altura, Marion falou o nome dele: Elvis Presley. Soou "um nome de ficção científica" para Scotty. Mas Sam não parava de falar nele, então Scotty pediu o telefone e o endereço do rapaz. Talvez pudessem conversar, talvez o garoto realmente tivesse algum talento. Para variar, Sam nunca tinha as informações à mão, sempre falava que ia mandar Marion procurar no dia seguinte, e Scotty ficou muito decepcionado naquele sábado à tarde: descobriu que o rapaz tinha ido ao estúdio uma semana antes e que tinham trabalhado sem sucesso na música de Nashville. "Nesse dia em particular", contou Scotty, "eram umas cinco da tarde...

Marion estava tomando um café conosco, e Sam disse: 'Pegue o nome e o telefone dele no fichário'. Então ele se virou para mim e disparou: 'Por que não liga para ele e o convida para ir a sua casa e ver o que acha dele?'. Bill Black morava três casas depois da minha na Belz, a caminho da Firestone (na verdade, eu tinha me mudado para ficar perto de Bill), e Sam falou: 'Você e o Bill podem fazer um teste com ele, para sentir se ele tem jeito para a coisa'."

Scotty ligou para Elvis naquela noite, logo após o jantar. A mãe dele atendeu e disse que Elvis estava no cinema, no Suzore 2. Scotty disse que "representava a Sun Records", e a senhora Presley disse que o chamaria lá no cinema. Uma hora depois, Elvis ligou de volta. Scotty explicou quem ele era e o que gostaria de fazer. O menino pareceu encarar tudo aquilo com naturalidade – sua voz parecia confiante, mas cautelosa. "Contei a ele que eu trabalhava com Sam Phillips e talvez quisesse fazer um teste com ele, caso tivesse interesse, e ele falou que achava que sim. Então marcamos um horário no dia seguinte em minha casa."

No domingo, 4 de julho, Elvis apareceu na casa de Scotty na Belz, a bordo de seu velho Lincoln. Usava camisa preta, calça rosa com listra preta, sapatos brancos e um oleoso penteado "rabo de pato". Quando a esposa de Scotty, Bobbie, abriu a porta, ele perguntou: "Estou no lugar certo?". Bobbie fez o recém-chegado sentar-se no sofá da sala e foi chamar Scotty. "Falei: 'Aquele menino está aqui'. Ele respondeu: 'Que menino?'. Eu disse: 'Não me lembro do nome dele, é aquele com quem você marcou hoje'. Scotty me pediu para ir até a casa de Bill e ver se Bill queria tocar com eles. O contrabaixo de Bill já ficava em nosso apartamento, porque Bill e Evelyn tinham dois filhos, e nós tínhamos mais espaço."

Alguns minutos de um papo meio travado, até que Bill apareceu e eles colocaram a mão na massa. Elvis se curvou sobre o violão e murmurou que não sabia exatamente o que tocar, então arriscou uns fragmentos desconexos, ao que parece, de todas as músicas que conhecia. Scotty e Bill "fizeram a cozinha" para ele em canções como "I Apologize", de Billy Eckstine; "If I Didn't Care", dos Ink Spots; a clássica "Tomorrow Night"; o mais novo sucesso de Eddy Arnold, "I Really Don't Want to Know"; "I Don't Hurt Anymore", de Hank Snow, sem falar em "You Belong to Me", de Jo Stafford, que ele cantou meio a Dean Martin. Todas eram baladas, todas cantadas numa trêmula e ansiosa voz de tenor, que não parecia pronta para sossegar tão cedo, acompanhada pelo mais tosco dedilhar de violão. Em algum momento, Bill deixou-se cair no sofá, e a conversa recaiu na rua em que Elvis morava, a Alabama, na frente da casa da mãe de Bill, e como Elvis conhecia o irmão de Bill, Johnny. Bill, o homem mais afável do mundo e o palhaço dos Starlite Wranglers ("Ele nunca conheceu um estranho", era como Scotty tentava descrevê-lo), respondeu que tinha notícias de Johnny, foi morar em Corpus Christi após ser demitido da Firestone. Falaram um pouco sobre os jogos de futebol americano no Triangle, e Bill comentou que era engraçado nunca terem se conhecido formalmente antes, mas, claro, ele tinha saído de casa antes dos Presley se mudarem para Courts, havia entrado no exército aos dezoito anos e ao sair, em 1946, já estava casado. Havia muitos músicos em Memphis, e era impossível conhecer todo mundo – Elvis não conhecia um guitarrista chamado Luther Perkins que morava logo ali dobrando a esquina, conhecia? Elvis respondeu a todas as tentativas de Bill de puxar conversa com ligeiros acenos de cabeça e breves apartes tartamudeados que mal se podia entender – era polido, parecia ansioso para dizer algo, mas não conseguia se expressar e não conseguia parar quieto. "Ele estava muito verde ainda", brincou Scotty sobre sua reação na época.

Quando Bobbie voltou com Evelyn e a irmã de Bill, Mary Ann, eles ainda estavam tocando, mas "de repente havia uma galera e acho que Elvis ficou um pouco assustado", disse Bobbie. "O repertório era quase só de baladinhas. 'I Love You Because' é uma das que eu me lembro." Por fim, Elvis foi embora, deixando uma nuvem de óleo queimado atrás do velho Lincoln modelo "corcunda". "O que você acha?", indagou Scotty. Talvez Bill tivesse visto algo no moço que ele não viu. "Bem, não me impressionou muito", disse Bill. "Pirralho insolente, vir aqui com aquele visual maluco e tudo mais." Mas sabia cantar? Scotty estava ansioso pela resposta. Queria que o garoto fosse bom, por razões que nem se importava em examinar. "Bem, a voz é boa, não tem nada de extraordinário... quero dizer, o moleque sabe cantar..."

Essa também era a opinião de Scotty. Cantava bem, mas nada de especial – não achou que o novato havia acrescentado muito às músicas que tinha cantado; Scotty não achou que ele ia fazer o mundo se esquecer de Eddy Arnold ou de Hank Snow. Mas ligou para Sam mesmo assim, o que mais ele faria após tanto espalhafato sobre conhecer o menino? O que você achou? Foi a pergunta de Sam.

"Respondi: 'Não fiquei maravilhado'. E continuei: 'O moleque tem uma voz boa'. Enumerei algumas das músicas que ele cantou. Sam disse: 'Bem, acho que vou ligar para ele, chamá-lo ao estúdio amanhã, vamos marcar uma audição e ver como fica a voz dele saindo da fita'. Falei: 'Levo toda a banda?'. E ele: 'Não, só você e o Bill, apenas algo para dar um pouco de ritmo. Sem muito alvoroço'."

Na noite seguinte, todos apareceram por volta das 19h. Entabulou-se uma conversa aleatória, Bill e Scotty fizeram umas piadinhas nervosas, e Sam tentou deixar o menino à vontade, observando atentamente o modo como ele ao mesmo tempo se resguardava e tentava se meter na conversa. Sam pensou que o jeito dele lembrava bastante o de uns cantores de blues que ele tinha gravado, simultaneamente orgulhosos e carentes. Por fim, após uns minutos de conversa fiada para que todos se acostumassem com o estúdio, Sam se virou para o moço e disse: "Bem, o que você quer cantar?". Isso ocasionou um caos de inibição ainda maior, com os três músicos tentando vislumbrar algo que todos conhecessem e soubessem executar – do começo ao fim. Após várias tentativas em falso, por fim se decidiram: "Harbor Lights", grande sucesso de Bing Crosby em 1950, e a tocaram até o fim. Em seguida, experimentaram "I Love You Because", de Leon Payne, emotiva balada que alcançou o topo da parada country em 1949 e o segundo lugar na parada hillbilly do mesmo ano, na voz de Ernest Tubb. Repetiram-na uma dúzia de vezes, passando e repassando a canção – às vezes, o novato fazia vários compassos assobiando, às vezes, começava direto com a letra. A cada *take*, a recitação alterava ligeiramente, mas ele sempre se deixava levar pela canção, tentando algo inovador. Às vezes, meramente jorrava a letra, noutras sua voz adotava um tom tênue, quase anasalado, para depois voltar ao tenor forte e agudo com que cantava o resto da canção – era como se, pensou, quisesse colocar numa só canção tudo o que conhecia ou ouvia. E a sonoridade da guitarra de Scotty era bastante complexa, tentando muito soar como Chet Atkins, mas a voz pulsava com aquela estranha sensação de incontrolável desejo. A voz transmitia emoção.

Sentado na sala de controle, Sam tamborilava distraidamente com os dedos no console. Estava inteiramente focado no estúdio, na interação dos músicos, no som que retornava a eles, nos sentimentos por trás da sonoridade. De vez em quando, saía e mudava a posição de um microfone, conversava um pouco com o novato, não para fazer média, mas para fazê-lo sentir-se em casa, para tentar fazê-lo sentir-se realmente em casa. Tudo era uma questão de tempo. De quanto tempo era possível continuar assim. Familiarizar o artista com o estúdio era o desafio, mas estar no estúdio meio que nos entorpece, nos corta as arestas, nos induz a nos refugiarmos no limitado espaço que criamos para nós mesmos e a banir o exato toque de espontaneidade que se procura alcançar.

Elvis teve a impressão de que estavam ali havia muitas horas e teve a sensação de que nada iria acontecer. Quando o senhor Phillips ligou, ele encarou a novidade com calma, tentou banir todos os pensamentos sobre resultados ou consequências, mas agora parecia que não conseguia pensar em mais nada. Estava ficando cada vez mais frustrado, lançava-se desesperadamente em outra versão de "I Love You Because", tentando insuflar vida, originalidade, mas via suas chances se esvaindo sempre que voltavam ao início da música com uma entorpecida familiaridade...

Finalmente decidiram fazer um intervalo – já era tarde, e todos tinham de trabalhar no dia seguinte. Talvez fosse melhor desistir por aquela noite, voltar na terça e recomeçar. Scotty e Bill tomavam Coca-Cola, sem dizer quase nada, o senhor Phillips fazia algo na sala de controle e, como Elvis explicou depois, "veio essa música em minha cabeça, uma que eu tinha ouvido anos atrás, e comecei a brincar [com ela]". Quando a cantava em Lauderdale Courts, dizia a Johnny Black que havia composto a música, e Johnny acreditou nele. A canção chamava-se "That's All Right [Mama]", um velho blues de Arthur "Big Boy" Crudup.

"Súbito", disse Scotty, "Elvis começou a cantar essa música, pulando e dançando, e então Bill pegou seu contrabaixo e entrou na brincadeira e comecei a tocar com eles. Sam, eu acho, abriu a porta da cabine de controle – não sei, ele estava editando uma fita, ou fazendo algo – e colocou a cabeça para fora e disse: 'O que vocês estão fazendo?'. Respondemos: 'Não temos a mínima ideia'. 'Bem, recomecem', orientou ele, 'encontrem um ponto inicial e façam de novo'."

SAM RECONHECEU A MÚSICA de imediato. Ficou surpreso de que o pirralho sequer conhecesse Arthur "Big Boy" Crudup – nada em nenhuma das músicas que ele havia experimentado até então indicava que esse tipo de música o atraía. Mas era esse tipo de música que Sam havia abraçado incondicionalmente havia muito tempo, era desse tipo de música que ele falava: "É aqui onde a alma do homem nunca morre". E o jeito que o menino cantava transparecia um frescor, uma exuberância, o tipo de originalidade despudorada e perceptiva que Sam buscava em todas as gravações que fazia – era "diferente", era *sui generis*.

Trabalharam nela. Trabalharam duro nela, mas sem o esforço despendido para editar "I Love You Because". Sam pediu para Scotty amenizar os floreios instrumentais: "Simplifique, simplifique!" era a palavra de ordem. "Se eu quisesse o Chet Atkins", falou Sam com bom humor, "eu o teria trazido de Nashville e ele estaria aqui neste maldito estúdio!" Ficou encantado com a propulsão rítmica que Bill Black trouxe ao som. Uma batida forte de slap e uma batida tonal ao mesmo tempo. Talvez não fosse um baixista tão bom quanto seu irmão Johnny; na verdade, Sam falou: "Do ponto de vista técnico, Bill era um dos piores baixistas do mundo, mas, cara, ele sabia dar um ritmo naquela coisa!". Mas não era só isso: era a química. Lá estava Scotty, lá estava Bill e lá estava Elvis no meio dos dois, morrendo de medo, mas soando tão novo, porque tudo era novo para ele.

Repetiram a música várias vezes, aprimorando-a, mas o cerne não mudava. Sempre abria com o embalo rítmico do violão de Elvis, então quase uma desvantagem a ser superada. Logo entra o vocal de Elvis, solto, livre e confiante, unindo tudo. Nisso, Scotty e Bill se juntam num balanço alegre e simples, a quintessência do que Sam sempre sonhou, mas nunca imaginou plenamente. A primeira vez que Sam tocou a gravação para eles, "não conseguíamos acreditar que éramos nós", disse Bill. "Parecia meio tosco e rústico", disse Scotty. "Achamos que era empolgante, mas o que era? Era só totalmente diferente. Mas isso realmente virou a cabeça de Sam. Sentiu mesmo que ali havia algo. A gente se limitou a balançar a cabeça e comentar: 'Tudo bem, mas, puxa vida, vamos ser expulsos da cidade!'." E Elvis? Elvis parecia outro no processo de gravação. Era só ouvir a fita para sentir a confiança crescer. No último *take* (com apenas dois começos em falso e um *take* alternativo completo), havia no estúdio um cantor diferente daquele que começou a noite – nada se falou, nada se articulou, mas tudo mudou.

Sam Phillips ficou lá sentado no estúdio após a sessão acabar e todo mundo ir para casa. Não raro ele ficava na gravadora até as 2h ou 3h da manhã. Às vezes, gravando; às vezes, só pensando no que ia ser de seu negócio e de sua família nesses tempos arriscados; às vezes, meditando em sua visão do futuro. Sabia que havia algo soprando no vento. Sabia por sua experiência na gravação de blues, e por seu fascínio pela cultura negra, que havia algo intrínseco àquele estilo musical que podia ser transformador, realmente transformador. "Era tão envolvente que um disco de rhythm & blues podia vender meio milhão de cópias", falou Sam a um repórter de Memphis em 1959, relembrando seu sucesso relâmpago. "Esses discos fascinavam jovens brancos assim como as músicas e histórias do tio Silas [Payne] costumavam me fascinar... Mas alguma coisa nesses jovens fazia-os resistir a comprar esse tipo de música. Em especial, os sulistas sentiam uma resistência que até mesmo eles provavelmente não entendiam muito bem. Gostavam da música, mas não tinham certeza se deveriam gostar ou não. Então comecei a pensar: Quantos discos seriam vendidos se eu conseguisse encontrar artistas brancos capazes de tocar e cantar desse mesmo modo vivo e emocionante?"

Na noite seguinte, todos vieram ao estúdio, mas nada aconteceu. Tentaram várias canções diferentes – inclusive se arriscaram a reinventar "Blue Moon", de Rodgers e Hart (hit de 1949 na voz de Billy Eckstine) –, mas nada realmente funcionou. Nessa noite e na seguinte, aproveitaram para se conhecerem uns aos outros musicalmente. Entretanto, Sam tinha poucas dúvidas sobre o que havia acontecido no estúdio naquela primeira noite. Restava uma pergunta. Foi um golpe de sorte, fogo de palha? Isso só o tempo diria. Mas Sam Phillips nunca ficava com o pé atrás: quando acreditava em algo, simplesmente mergulhava de cabeça. E assim, na quarta-feira à noite, encerrou as gravações mais cedo e ligou a Dewey Phillips, no novo estúdio da WHBQ, no Hotel Chisca. É bem provável que, naquele exato instante em que Sam fez a ligação, Dewey estivesse falando um de seus bordões: "Encha um carrinho de mão com pó de vodu, empurre até a porta [de qualquer patrocinador que Dewey estivesse anunciando] e diga que o Phillips te enviou lá. E ligue para Sam!".

Em 1954, Dewey Phillips estava quase no auge de sua fama e glória. De um espaço de quinze minutos não remunerado obtido por meio de sua lábia enquanto gerenciava o departamento de discos da W. T. Grant's, agora tinha sido coroado com um programa das 21h à meia-noite, seis noites por semana. Conforme os jornais de Memphis, ele recebia até três mil cartas por semana e quarenta a cinquenta telegramas por noite, o que dava uma dimensão não só de sua audiência, mas do quanto essa audiência era fervorosa. Quando, um ou dois anos depois, pediu aos ouvintes que tocassem as buzinas às 22h, toda a cidade irrompeu em uníssono. O chefe da polícia, que também estava na escuta, ligou para a rádio, lembrou Dewey do código antirruído de Memphis e implorou para que ele não fizesse isso de novo. Então Dewey anunciou no ar: "Bem, gente boa, o chefe MacDonald acabou de me ligar e disse que não podemos mais fazer isso. Eu ia justamente pedir que vocês repetissem a dose às onze horas, mas o chefe me disse que não poderíamos fazer isso, então façam o que quiserem às onze horas, só não toquem suas buzinas". O resultado foi previsível.

Uma noite, um assistente ateou fogo numa cesta de lixo e convenceu Dewey de que o hotel estava pegando fogo, mas Dewey, herói da Batalha da Floresta Hurtgen, continuou a transmissão, chamando o corpo de bombeiros para a estação e ficando no ar até que a farsa viesse à tona. Ele transmitia em estéreo antes da invenção do estéreo, tocando o mesmo disco em dois pratos que nunca começavam ou terminavam juntos, criando um efeito faseado de eco que agradava a Dewey. Às vezes, se não funcionava, ele tirava a agulha dos dois discos com um arranhão e anunciava que ia recomeçar tudo e tentava de novo.

Rufus Thomas, DJ da WDIA e cantor de r&b, referia-se a Dewey como "um sujeito branco por acaso", e ele nunca perdeu seu público negro, mesmo depois que o público adolescente branco prenunciado por Sam começou a se revelar. Ele circulava por todos os lugares em Memphis, desfilava orgulhosamente pela Beale Street, saudava o mesmo povo que, conforme relatou o jornal *Commercial Appeal* em 1950, lotou a Grant's "só para ver o homem do bordão 'não pisem na bola'". Teve várias chances de se tornar nacional, mas as ignorou – ou permitiu que fossem ignoradas –, permanecendo fiel a si mesmo. Em Memphis, havia dois tipos de gente, afirmou o jornal *Press-Scimitar* em 1956, "quem se diverte e se fascina com Dewey, e quem, ao sintonizá-lo por acaso, reage como ferroado por uma vespa e logo troca para algo cultural e agradável, como Guy Lombardo". "Ele era um gênio", disse Sam Phillips, "e olha que eu não chamo muita gente de gênio."

Dewey passou na gravadora após seu programa. Era bem depois da meia-noite, mas para Dewey uma hora tão boa quanto qualquer outra. "Dewey era completamente imprevisível", escreveu Bob Johnson, repórter do *Press-Scimitar*, amigo dele (e de Sam), em várias celebrações de seu espírito ao longo dos anos. "Ligava às três ou quatro da manhã e insistia que eu escutasse algo pelo telefone. Eu tentava argumentar que não era hora de telefonar a ninguém, mas Dewey não tinha noção de horários. Às vezes me pergunto se existe um verdadeiro Dewey, ou se ele é apenas algo que ele vai criando no caminho." Essa personalidade sempre renovada refletia uma coisa: ele amava o que fazia. Tudo o que Dewey fazia, todos concordavam, era do fundo do coração. Em geral, quando ele passava na gravadora, a princípio o assunto era um só: o programa dele. "Meu Deus, como ele adorava aquele programa", contou Sam Phillips. "Escolher os discos, fazer as transições. Não era só isso. Ele curtia tudo o que falava, cada disco que ele tocava no ar, cada resposta que recebia dos ouvintes. Nunca vi alguém mais empolgado do que Dewey." E adorava discordar de Sam. Para Marion Keisker, Sam e Dewey eram tão próximos que ela não suportava ficar na mesma sala com os dois – e não era só porque ela achava Dewey uma má influência (embora ela o achasse). Ela admitiu que também sentia ciúmes; via Dewey como uma ameaça. "Dewey adorava discordar de Sam, só para não perder o hábito de discordar", lembrou-se o cantor Dickey Lee. "Sam podia ser intimidante. Uma noite, Sam embarcou numa de suas tiradas, e bem no meio Dewey pegou um elástico, esticou e largou bem na cabeça de Sam. Achou a coisa mais engraçada do mundo. Sam ficava fulo de raiva com Dewey, mas o amava. Dewey sempre se referiu a Sam como seu meio-irmão, mesmo que não fossem parentes."

Mas nessa noite em particular não houve discussão alguma. Sam queria mostrar um som para Dewey, avisou logo, e parecia estranhamente nervoso em relação a isso. Sam Phillips não gostava de pedir favor a ninguém – e realmente não achava que estava pedindo um favor agora –, mas pediu para Dewey escutar algo, avaliar uma coisa que nunca antes havia existido neste planeta. Não era apenas uma questão de sentar e falar abobrinhas e deixar Dewey absorver o que viesse pela frente. "Mas, sabe, foi uma coisa engraçada", disse Sam. "Havia um elemento em Dewey que também era conservador. Quando ele escolhia um maldito disco, ele não queria pisar na bola. Porque ele tinha este bordão: 'Quanta besteira você tem dentro de você, cara, e quando você vai entregar?'. Aconteceu, por Deus, que o pessoal acreditou em Dewey, e ele entregou. Porque, quando ele entrava no ar [não tinha um método científico], ele só tagarelava: 'Vai ser um sucesso, vai ser um sucesso, é a melhor coisa que você já ouviu. Vou te contar, amigo, você vai cair para trás'. E, sabe, por mais que ele me respeitasse e me amasse, Dewey era meio cabreiro sobre as possibilidades locais – como se alguém gravasse o disco a quinhentos, mil quilômetros de distância, e o disco faria mais sucesso. Então foi um longo processo educativo, na verdade, ele queria que você provasse isso para ele de modo inequívoco. E focava tanto no produto acabado que não se importava com a maneira como surgiu. Era só: o que você lhe entregava para tornar o programa dele sensacional? Acho que ele estava começando a sentir que, por Deus, havia uma legítima cruzada musical nesta cidade."

Dewey abriu uma Falstaff, salpicou uma pitada de sal nela, recostou-se na cadeira e ouviu atentamente enquanto Sam tocava a fita do single, e de novo, e de novo. Dewey conhecia a música, é claro; tocou muitas vezes a versão de Arthur "Big Boy" Crudup em seu próprio programa. Foi o som que o intrigou. Pela primeira vez, não houve muita conversa enquanto os dois homens ouviam, cada um ficou se perguntando o que exatamente o outro pensava. "Ele ficou reticente, e fiquei feliz por ele estar", disse Sam. "Se não tivesse ficado reticente, se ele tivesse dito: 'Ei, cara, isso é um sucesso, é um sucesso', eu teria me assustado mortalmente. Eu teria pensado que Dewey só estava tentando me agradar. O que eu estava pensando era, aonde íamos chegar com aquilo? Não é preto, não é branco, não é pop, não é country, e acho que Dewey ficou tão intrigado quanto eu. Ficou fascinado com aquilo (quanto a isso não havia dúvida) – quero dizer, ele adorou a maldita gravação, mas a questão era: Para onde vamos a partir daqui?"

Ficaram acordados ouvindo e conversando em tom relativamente brando, até as 2h ou 3h da madrugada, quando enfim cada um voltou para sua respectiva casa, família e cama. Então, para surpresa de Sam, o telefone tocou bem cedinho na manhã seguinte, e era Dewey. "Não dormi direito esta noite, cara", anunciou Dewey. Sam falou: "Cara, você deveria ter dormido como um anjinho, com todo aquele Jack Daniel's e aquela cerveja no organismo". Pois é, mas não. Dewey contou que não conseguiu dormir, ficou pensando naquele disco, ele queria tocar em seu programa naquela noite, na verdade queria duas cópias e avisou: "Não vamos contar a ninguém". A reticência dele, Sam disse, acabou naquele dia.

Sam gravou os acetatos naquela tarde e os levou à rádio. Ligou para Elvis depois do trabalho para dizer que Dewey provavelmente ia tocar o disco no programa daquela noite. A resposta de Elvis foi típica. "Sintonizou o rádio e nos disse para deixar naquela estação", contou Gladys, "e então foi ao cinema. Acho que ele estava muito nervoso para ouvir." "Pensei que o pessoal ia rir de mim", revelou Elvis a C. Robert Jennings do *Saturday Evening Post*, em 1965. "Alguns riram, e alguns estão rindo até hoje, eu acho."

Vernon e Gladys escutaram. Ficaram grudados no rádio com a mãe de Vernon, Minnie, e outros parentes ouvindo em suas casas próximas, até que, enfim, perto das 21h30 ou 22h, Dewey anunciou que tinha um novo disco, não era nem mesmo um disco, na verdade, era uma demo de um novo disco que Sam ia lançar na próxima semana, e isso ia ser um sucesso, dee-gaw, não é mesmo assim, Myrtle ("Moo", dizia a vaca), e ele lascou o acetato – os acetatos – nos toca-discos.

A resposta foi instantânea. Dizem que logo foram contabilizados 47 telefonemas e 14 telegramas, ou teriam sido 114 telefonemas e 47 telegramas? Dewey tocou o disco sete vezes em sequência e outro tanto ao longo do resto do programa. Em retrospectiva, isso realmente não importa; parecia que todo mundo em Memphis estava ouvindo Dewey tagarelar sem parar, incitando seu público, incentivando-o a se juntar a ele na descoberta de uma nova voz, proclamando ao mundo que Daddy-

-O-Dewey tocava os sucessos, que estamos na parte alta da cidade, mais alto é quase impossível, e alguém aí quer comprar um pato forrado de pele? E se esse não for o seu plano, você pode ir para... E diga a eles que foi o Phillips que te mandou lá!

Para Gladys, o maior choque foi "ouvir o radialista falar o nome do filho dela pouco antes de pôr o disco. Aquilo mexeu comigo durante toda a música, Elvis Presley, o nome do meu filho! Na primeira vez nem consegui ouvir direito o disco". Não teve tempo de pensar muito nisso, porque na mesma hora o telefone tocou. Era Dewey atrás de Elvis. Quando ela contou que Elvis estava no cinema, ele falou: "Senhora Presley, traga aquele seu maldito filho aqui para a estação. Toquei aquele disco dele, e agora os nossos patéticos telefones não param de tocar". Gladys desceu por um corredor do Suzore 2, e Vernon desceu pelo outro – pelo menos assim reza a lenda –, e em poucos minutos Elvis estava na estação.

"Eu estava apavorado", disse Elvis. "Não parava de tremer, eu simplesmente não conseguia acreditar, mas Dewey ficava me dizendo para ficar frio, [isso] está realmente acontecendo."

"Senta aí, vou entrevistar você", foram suas primeiras palavras para o assustado garoto de dezenove anos, contou Dewey ao escritor Stanley Booth em 1967. "Ele disse: 'Sr. Phillips, nunca dei uma entrevista na minha vida'. 'Só não fale palavrão', pedi. Ele se sentou, e falei que o avisaria quando estivéssemos prontos para começar. Eu tinha uns discos engatilhados, deixei tocando e fomos conversando. Perguntei a ele em que escola fez o Ensino Médio, e ele respondeu: 'Humes'. Eu queria que todos soubessem disso, porque muitos ouvintes acharam que ele era de cor. Por fim, eu disse: 'Certo, Elvis, muito obrigado'. 'Não vai me entrevistar?', quis saber ele. 'Já entrevistei', respondi. 'Os microfones estavam abertos o tempo todo.' Ele começou a suar frio."

Isso foi numa terça-feira, 6 de julho. Elvis saiu dali e sentiu o ar cálido da noite. Caminhou pela Main até a Third Street e depois na Alabama. Dewey terminou o programa e ligou para Dot, a mulher dele.

Gostou? Quis saber ele. "Falei que tinha amado", declarou Dot ao *Herald Gazette* de Trenton (Tennessee) em 1978, dez anos após a morte de Dewey. "Ele me disse que achava que Elvis ia ser um sucesso... Dewey curtiu aquele momento com Elvis. Ele sempre tocava no assunto."

Sam Phillips estava na gravadora naquela noite. Não viu Elvis, e só viu Dewey após o programa, mas sabia o que tinha acontecido, sabia da reação dos ouvintes, todo mundo ligando sem ninguém estar preocupado com a aparência do cantor. "Não estavam pensando em classificá-lo, em Memphis, Tennessee, gostaram do que tinham ouvido." Ele sabia, também, que agora o trabalho ia começar para valer.

A NOVIDADE SE ESPALHOU tão rápido quanto fogo em um rastilho de pólvora. Billie Chiles, colega de turma de Elvis em Humes, que nunca foi exatamente fã de suas músicas, estava num bailinho da Igreja Católica do Santo Rosário. "Durante a festa, um casal saiu para o estacionamento", contou Billie, trinta e cinco anos depois, ao ex-repórter do *Press-Scimitar*, Bill Burk, "e ligou o rádio [do carro]... O pessoal veio gritando lá de baixo: 'Venham rápido! Nem vão acreditar no que Dewey Phillips está tocando no rádio!'." Outro colega, George Klein, presidente da turma em 1953, foi até a rádio durante o programa de Dewey naquele sábado à noite. Cursava a faculdade de Comunicações na Memphis State. Desde o verão anterior, e também ao longo do ano letivo, atuava como auxiliar de Dewey, "uma espécie de babá". Naquele verão, conseguiu um emprego na KOSE, em Osceola, Arkansas, e voltava para casa de carona – a cidade ficava a 80 quilômetros de Memphis – ao terminar seu turno de sábado, para passar o domingo com a mãe e seus amigos. Naquele sábado, como sempre, passou na estação, bem na hora em que Dewey se preparava para entrar no ar. Como de costume, Dewey o saudou assim: "E aí, mamãe, há quanto tempo!".

"Em seguida falou: 'Sabe duma coisa? Venha cá'. E puxou um disco e o selo com a mão e o colocou no prato. Tocou o disco e falou:

SAM PHILLIPS ESTAVA NA GRAVADORA NAQUELA NOITE. NÃO VIU ELVIS, E SÓ VIU DEWEY APÓS O PROGRAMA, MAS SABIA O QUE TINHA ACONTECIDO, SABIA DA REAÇÃO DOS OUVINTES, TODO MUNDO LIGANDO SEM NINGUÉM ESTAR PREOCUPADO COM A APARÊNCIA DO CANTOR.

'Adivinha quem é'. Eu disse: 'Não sei, Dewey. Quem é?'. Ele disse: 'Você conhece esse cara, foi colega dele na escola'. E então eu sabia que só podia ser o Elvis. 'Sam me trouxe este disco na outra noite', contou-me ele, 'e toquei o filho da mãe catorze vezes, e recebemos cerca de quinhentos telefonemas. Vai ser um sucesso!'"

Com toda aquela empolgação, Sam Phillips percebeu: agora realmente teriam que inventar outra coisa rapidinho; precisavam de um lado B nem que fosse para conseguir lançar o single. Sentia que nada que tinham gravado até então era adequado, por isso voltaram ao estúdio na noite seguinte e de algum modo surgiu algo igualmente improvável, igualmente "diferente" e igualmente emocionante.

"Blue Moon of Kentucky" tinha sido um sucesso de Bill Monroe em 1946, bem antes do termo "bluegrass" entrar em uso. Na versão de Monroe, era uma bonita valsa muito conhecida entre os ouvintes do Grand Ole Opry e reverenciada por cada músico de hillbilly que tinha empunhado um instrumento de cordas. "Fomos experimentando essa ou aquela música", contou Scotty, "de passagem... Acho que nem chegamos a gravar nenhuma. De repente o Bill deu um pulo e começou a fazer palhaçada, batendo em seu baixo e cantando 'Blue Moon of Kentucky', com uma voz aguda de falsete, mais ou menos imitando Bill Monroe. E Elvis começou a dar ritmo no violão e a cantar, e eu me juntei a eles e a coisa simplesmente fluiu.

"É engraçado como as duas músicas surgiram por acidente. Não havia uma diretriz ou coisa que o valha, só havia uma certa... percepção. Sabe, Elvis não era considerado bom no violão rítmico, mas se você escutar 'That's All Right', ele começa com o ritmo, o ritmo inicial, e então vem a batida do baixo [batida de slap]... Ele tinha uma percepção de ritmo para as coisas que a gente fazia, era dificílimo de alguém fazer igual."

"Blue Moon of Kentucky" se transformou de uma versão lenta, meio blues, em compasso 4/4, com instrumental experimental e um vocal bastante floreado, em uma exuberante afirmação de espírito e autodescoberta, conduzida pelo violão rítmico de Elvis e uma mescla propulsora dos riffs e acordes de Scotty com a filigrana de uma só corda. Pela primeira vez, Sam lançou mão prodigamente do que ele chamava de "slapback", um dispositivo de eco caseiro que ele criava reproduzindo o sinal de gravação original em uma segunda máquina Ampex, alcançando assim um efeito faseado quase sibilante. Indubitavelmente, isso deu mais presença e empolgação ao disco, e, é claro, o eco teve a capacidade de encobrir uma infinidade de pecados. O que deu liga a tudo isso, porém, foi acima de tudo a convicção de Sam na singularidade do que estavam fazendo. Uma coisa sempre impedia os músicos de desistir: a acalentadora fé de Sam: "Muito bem, pessoal, estamos quase lá", parece que estou ouvindo ele dizer. "Vamos de novo. Só mais uma vez, por mim." Sam gravou um disco de Carl Perkins, um ou dois anos depois. Carl sentia que havia chegado ao limite de sua criatividade, mas Sam o persuadiu a "entrar no limbo, tentar coisas que eu não sabia se conseguiria fazer, mas após começar eu tinha que ir até o fim. Eu falava: 'Senhor Phillips, isso é horrível'. Ele rebatia: 'É original'. Eu teimava: 'Mas é apenas um grande erro original'. E ele arrematava: 'É exatamente isso que a Sun Records é. É isso que somos'".

"Agora sim", parece que estamos ouvindo Sam dizer ao fim de um dos primeiros *takes* de "Blue Moon of Kentucky". A voz é reconfortadora, quase estimulante, a voz da razão, a voz da confiança inabalável. "Ficou muito diferente", diz ele aos três músicos que aguardam seu veredito. "Virou quase uma música pop." E Elvis, Scotty e Bill caíram na gargalhada, num misto de nervosismo e alívio.

Logo depois de gravar a música, Sam enviou o single de dois lados não só a Dewey, que teve exclusividade por uns dias, mas também a Bob Neal, o DJ e apresentador do *High Noon Round-up* na WMPS, a Dick Stuart na estação de West Memphis, KWEM, e a Sleepy Eyed John, um apresentador de música country na WHHM, que também liderava uma big band de western swing, um subgênero da música country, e administrava a agenda do Eagle's Nest no complexo de Clearpool em Lamar. Os três logo adotaram o disco, tocando mais o segundo lado, mas Sleepy

Eyed John não escondeu um interesse comercial no jovem cantor, o que deixou Sam perturbado. "Sleepy Eyed John odiava o que estávamos fazendo na gravadora, ele não dava a mínima para aquilo. Eu continuava a enviar discos para ele porque ele tocava, mas acho que tocava porque achava que isso ajudaria as pessoas a perceber que não era música de verdade." Sleepy Eyed John era um "homem de negócios", não a forma de vida mais pérfida aos olhos de Sam, porque Sam se considerava um homem de negócios, mas, se você só pensa em negócios, só se interessa em ganhar dinheiro, não vale nem o chão onde pisa. Para afastar Sleepy Eyed, Sam sugeriu a Scotty que ele se tornasse o empresário da banda, pois ele já era o empresário dos Starlite Wranglers. "Ele era exatamente o que precisávamos. Scotty tinha a postura e a atitude... Não ficaria criando problemas desnecessários a Elvis, do tipo 'Faça isso' ou 'Faça aquilo'. Era um sujeito confiável. Não precisávamos de um figurão como empresário... Ora, o Scotty só queria ajudar a manter a banda unida."

Na segunda-feira, 12 de julho, apenas uma semana após se conhecerem, Scotty tornou-se o empresário oficial. "Considerando que W. S. Moore, III, é um líder de banda e um agente musical", diz o contrato, "e Elvis Presley, menor de idade, dezenove anos, é um cantor de reputação e renome, com promessas brilhantes de grande sucesso..." Scotty ganharia uma comissão de 10% do bruto, e do restante, por sugestão de Sam, o grupo dividiria os proventos nas bases percentuais de 50-25-25. A ideia original era que Elvis se tornasse parte do show dos Wranglers, uma espécie de atração extra, uma espécie de "dois shows em um", relembrou Scotty, e na verdade foi esse o modelo adotado no sábado seguinte no Bon Air, o show habitual de fim de semana dos Wranglers. O disco foi fabricado naquela semana na Buster Williams Plastic Products, na Chelsea Avenue, em Memphis, e no momento em que foi oficialmente lançado com o registro 209 da Sun, na segunda-feira, 19 de julho, seis mil cópias já tinham sido encomendadas na região. Ed Leek, colega da Humes que estudava Medicina na Memphis State, contou que foi à fábrica ver os primeiros discos saindo da prensa, junto com Elvis, que parecia "uma criança no Natal". Mais gente escutava o disco pela primeira vez. Jack Clement, vocalista ocasional na banda de Sleepy Eyed John, estudante de Inglês e Jornalismo na Memphis State, ligou o rádio de manhã e ouviu "Blue Moon of Kentucky"... "exatamente o que eu queria ouvir. Era autêntico. Adorei a simplicidade daquilo, e todo mundo que eu conhecia e ouviu também adorou. Alguns implicavam com o estilo, mas todos curtiam a batida. Uma só audição era suficiente para nos conquistar".

Enquanto isso, Dixie estava na Flórida, sem a mínima ideia do que estava acontecendo. Um enigmático telegrama chegou à casa do primo dela. ("Estávamos sempre em movimento, por isso não dava tempo de falar ao telefone.") Lia-se: "CORRA PRA CASA. MEU DISCO ESTÁ INDO BEM". "Pensei: 'Como?'. E pensei, não pode ser verdade. Mas sabia que era."

NO SÁBADO, 17 DE JULHO, Sam Phillips levou Elvis ao Bon Air Club, na Summer com a Mendenhall, para executar a primeira etapa do plano que ele e Scotty tinham bolado. Naquela noite, Dewey comentou no ar que ao fim do programa ia prestigiar o show. Com isso, o público pode ter aumentado, mas, para um sábado à noite, era um público normal, de acordo com Sam, "caipira até o tutano dos ossos", ruidoso, beberrão, meio truculento, apaixonado por música hillbilly, ansioso por se divertir. Elvis e Sam pegaram uma mesinha enquanto a banda concluía uma performance, e Elvis não escondia o nervosismo. "Seria a primeira apresentação de Elvis. Ponto final. Ele estava completamente mortificado. Aquela caipirada (num bom sentido) lotava o pequeno clube. Fazer um show com o visual de Elvis, num clube de jecas, e não cantar hillbilly, era correr risco de vida. A galera entorna a bebida, e você mostra um estilo novo de música, não experimentado, não comprovado, você é desconhecido. Juro, ele se saiu muito bem."

Cantou as duas canções dele (as únicas que o trio realmente sabia), e Scotty e Bill ficaram mais uns minutos, mas então era hora de os Wranglers voltarem ao palco, e Elvis e Sam foram embora. Nisso, toda a confiança que ele havia gerado no palco pareceu se esvair. "Ele disse: 'Sr. Phillips, eu tenho a impressão de que... eu fracassei'. Eu disse: 'Elvis, está brincando? Você foi bem'. Não falei muito bem. Eu disse: 'Teria sido melhor se você tivesse gostado de estar no palco'. Fui honesto com ele, não fiquei mentindo nem nada, disso ele não pode reclamar."

Quanto aos Wranglers, houve atritos, disse Scotty, desde o início. Para começar, eles não se deram conta de que não iriam acompanhar Elvis, embora, é claro, Scotty soubesse que isso não teria funcionado, porque não o haviam acompanhado durante as gravações. Talvez também se ressentissem não só pela reação da plateia, nada de extraordinária, mas pelo visual do pirralho, o modo como se vestia e se comportava – bastante insólito. Para Sam, isso foi uma revelação. Não encarava Elvis Presley como um "espécime físico". "Não fiquei me perguntando: 'Será que ele tem presença de palco, será que vai ser um grande artista?'. Eu só procurava algo que ninguém pudesse categorizar." Foi isso que Sam viu no clube naquela noite, e foi o que os Wranglers viram, também – mas suas reações foram completamente diferentes.

Sam ligou para Bob Neal logo após o show no Bon Air. Neal, o DJ da WMPS, ia promover um "festival de hillbilly com baladas folk favoritas num ambiente folk silvestre", estrelando, "em pessoa, o sensacional astro da música" Slim Whitman, do Louisiana Hayride, cantando os sucessos "Rosemarie", "Secret Love" e, é claro, "Indian Call". O show seria no anfiteatro do Overton Park, e Sam perguntou a Neal se ele podia inserir uma nova atração de Memphis na programação. Claro que sim, disse Bob, o mais afável dos empreendedores. Bastava Sam inscrever o garoto no sindicato dos músicos, coisa que Sam mandou Marion imediatamente providenciar. Primeiro não contou nada sobre isso a Elvis, porque não queria deixá-lo muito agitado – mas já pensava em pôr um anúncio no jornal com a loja de discos Poplar Tunes na semana seguinte, se tudo corresse bem.

Dixie chegou em casa no domingo, muito tarde para se encontrar com Elvis naquela noite. A primeira música que a família ouviu no rádio ao voltar à cidade foi "Blue Moon of Kentucky". Na segunda-feira, Dixie ligou para Elvis na Crown Electric de manhã bem cedo, e ele disse para ela ir à casa dele e esperá-lo no fim do expediente, assim ele não precisaria chegar em casa, tomar banho, se arrumar e só depois ir até a casa dela. "Fui com uma saia azul-clara justinha e uma blusa vermelha, e fiquei na varanda, com a mãe e o pai dele, à espera de Elvis. Nem podiam acreditar, estavam tão entusiasmados! Contaram sobre o estúdio, o disco e as pessoas ligando e indagando: 'É o filho de vocês?'. Então eu o avistei descendo a Alabama Street, eu o reconheci a uma quadra de distância, e eu mal podia esperar ele chegar, e ele também mal podia esperar. Quando Elvis chegou, tivemos que repassar tudo de novo. E tivemos de dizer, oi, como você está? Curtiu as férias? Recebeu meu telegrama? Sim, recebi. Comentou algo sobre a minha roupa, e fomos muito educados por um minuto, e então ele foi entrando pela porta e falou algo como: 'Vou pegar uma bebida lá dentro'. E emendou: 'Dixie, vem comigo um minuto'. Então me levantei e entrei, e começamos a nos beijar, porque não nos víamos havia tanto tempo... Duas semanas! Mas fomos bem-comportados, porque estávamos praticamente na frente da mãe e do pai dele. Foi um dia adorável, eu ainda consigo visualizar tudo, eu não parava de pensar: 'Por favor, não deixe ele mudar', mas, sabe, depois disso as coisas nunca mais foram iguais."

Mas, por um tempo, tudo entre eles parecia igual. Dixie o acompanhava em sua rota no caminhão da Crown Electric. Continuavam a se ver quase todas as noites. Passavam no programa de rádio de Dewey uma ou duas vezes e sentavam-se com Dewey enquanto ele bramia, bradava e tagarelava sem parar. Uma noite, Elvis fez uma propaganda no ar para a Crown Electric, e no dia seguinte a central ficou tão cheia de chamadas que os Tipler desviaram Elvis de sua rota e o fizeram atender ao telefone. Os Tipler estavam quase tão empolgados com o sucesso dele quanto o senhor e a senhora Presley. Foram vê-lo na primeira noite em que ele tocou no clube noturno, levando amigos e funcionários, e só ficaram decepcionados porque ele não teve permissão para cantar mais músicas.

Algumas noites, ensaiavam na casa de Scotty, e Dixie sentava-se com as esposas, Bobbie e Evelyn, mulheres casadas e mais velhas, na faixa dos vinte e poucos anos (Dixie não tinha nem dezesseis anos), durante o ensaio. Uma vez, Elvis a levou ao estúdio da Sun, mas Dixie achou Sam um pouco assustador, não como Dewey, que deixava todos bem à vontade, embora fosse um pouco vulgar. Sam era meio esquivo, no entanto. A força de seu olhar, o jeito como olhava Elvis nos olhos, deixava transparecer que ele não via muita utilidade em Dixie, nem se interessava muito por ela. Por isso, na presença dele, ela ficava ainda mais quieta do que o normal. Na noite do sábado seguinte após o retorno dela, eles tocaram de novo no Bon Air. Mas, claro, Dixie não pôde comparecer, porque serviam bebidas alcoólicas, então ela esperou em casa até o show acabar. Quando enfim Elvis veio buscá-la, tinha esquecido seu casaco, e ela foi ao clube com ele, mas "parecia um outro mundo. As pessoas o reconheceram, e ele precisou voltar ao palco e cantar de novo. Era como se eu estivesse lá sentada, pensando: 'Não estou vivendo isso de verdade, estou só assistindo de algum lugar'".

Na semana seguinte, os anúncios do show no Overton Park em 30 de julho começaram a aparecer. Num deles, seu nome estava escrito "Ellis Presley", e noutro ele nem constava. No dia da apresentação, saiu um anúncio com a foto de Slim Whitman no alto, onde se lia "ELVIS PRESLEY, novo astro de Memphis, que canta 'Blue Moon of Kentucky' e 'That's All Right, Mama'" junto a uma propaganda da Poplar Tunes que incitava os clientes: "Compre os discos de Slim Whitman, da Imperial Records, e de Elvis Presley, da Sun" na loja situada na 305 Poplar. Na terça-feira, na hora do almoço, Marion Keisker levou Elvis ao prédio que sediava o jornal *Press-Scimitar*, na 495 Union. Ela esperava que o seu velho colega de faculdade Bob Johnson fizesse a matéria, mas Johnson indicou "um novato que andava mexendo com isso" – Edwin Howard, o filho do editor – e talvez fosse mais político deixar que ele escrevesse. Marion chegou com Elvis, lembrou-se Howard. "Nunca vou me esquecer da aparência dele... Espinhas por todo o rosto. Penteado rabo de pato. Uma gravatinha-borboleta engraçada... Foi difícilimo entrevistá-lo. Extraí apenas respostas monossilábicas, sim e não."

O artigo, intitulado "No turbilhão", dizia assim:

> Elvis Presley pode ser perdoado por dar voltas e mais voltas em diferentes caminhos hoje em dia. Formado na Humes, acaba de assinar, com apenas dezenove anos, um contrato de gravação com a Sun Record Co. de Memphis, e já tem um disco que promete ser o maior sucesso que a Sun já lançou... "O mais estranho", conta Marion Keisker, do escritório da Sun, "é que os dois lados do single parecem ser igualmente populares em programas de música folk, pop e de blues. Esse mocinho tem algo que chama a atenção de todos. Acabamos de enviar os discos promocionais para os disc jockeys e distribuidores de outras cidades, mas ontem já recebemos grandes encomendas de Dallas e Atlanta."

Para endossar as lembranças de Howard, o artigo não traz sequer uma única palavra direta do novo cantor, e a foto que ilustra o texto é um retrato de três quartos sem sorriso com gravata-borboleta e brilhantina no cabelo, na inútil tentativa de domá-lo – do bárbaro topete, dois fios escapavam como antenas. Ele vestia uma jaqueta estilo western de bolsos com botões na altura do peito, alinhavo branco e amplas lapelas. Parecia estar usando sombra nos olhos, e no geral parecia uma mistura de algo do espaço sideral com o menino polido, bem-educado, sóbrio e sensível que ele realmente era. Ele saiu bem na foto, pensou Dixie, e saiu mesmo. Para Elvis Presley, ele podia ter saído melhor, mas ficou perto do jeito que gostaria.

Sexta-feira, 30 de julho, dia quente e abafado. Dixie e Elvis deviam ter se falado ao menos meia dúzia de vezes durante o dia. Ele não gostava de tocar no assunto, mas ela sabia o quanto Elvis devia estar nervoso. A caminho do parque, subindo a Poplar, ela notou que os dedos dele tamborilavam no painel metálico do carro num ritmo ainda mais acelerado. O senhor e a senhora Presley também foram com uns parentes. Alguns colegas de Dixie do grupo de jovens da igreja, que frequentavam o rinque de patinação, e outros amigos deles também estavam presentes, mas basicamente era uma multidão indistinta que não estava lá para ver "Ellis Presley", mas Slim Whitman, o bem-apessoado astro e seu indefectível bigode, ou senão Billy Walker, o Texano Alto, que acabava de estourar nas paradas com seu primeiro grande sucesso, "Thank You for Calling". Cantores de hillbilly para um público de hillbilly – Dixie estava morrendo de medo, não por si mesma, mas por Elvis. Como ele se sentiria se o público ficasse lá sentado, meio 'E daí?'. E se tirassem sarro da cara dele, e se fosse o fim do seu sonho?

Sam Phillips chegou atrasado para o show. "Tive de estacionar muito longe, e quando cheguei lá, ele estava em pé nos degraus atrás do palco, com um olhar deplorável – talvez deplorável não seja a palavra certa, eu sabia como ele ia parecer: inseguro. E ele me agarrou pelo braço e falou: 'Estou tão feliz em vê-lo, senhor Phillips. Eu... eu...' Sabe, era assim que Elvis fazia. 'Eu... eu... não sei direito o que vou fazer.' É como quando a mãe de alguém está mesmo doente e você diz que vai ficar tudo bem, mas sabe que existe a possibilidade de a mãe dele morrer. Eu disse: 'Olha, Elvis, vamos descobrir se gostam de você ou não'. E emendei: 'Vão adorar você'. Claro que eu não tinha como saber, e pode me chamar de mentiroso ou falso por dizer algo que eu não sabia se seria verdade... Mas eu acreditava que, assim que ele começasse a cantar e o vissem, não o visual dele, eu me refiro àquela voz e a bela simplicidade que aquele trio de músicos transmitia... Sabe, Elvis confiava em mim, notava que eu sempre me aproximava com um olhar de incentivo, mas também sabia que eu jamais o jogaria à cova dos leões. Não era o caso de bater o escanteio e correr para cabecear. A bola estava picando, e ele só precisava chutar e fazer o gol. Mas, se ele chutasse para fora, a casa não ia cair."

Elvis subiu ao palco e, de tão nervoso, disse Scotty, era visível que ele tremia. Bob Neal fez a apresentação, e então os três musicistas, que nunca tinham tocado num cenário sequer remotamente parecido com aquele, estavam por conta própria. O cantor mexeu no microfone, retorcendo-o com tanta força que os nós dos dedos perderam a cor. Mas ao dedilhar o acorde inicial de "That's All Right" e, na levada rítmica de Scotty e Bill, se ergueu nas plantas dos pés e dobrou o corpo sobre o microfone. Seus lábios se torceram involuntariamente numa espécie de desdém e suas pernas começaram a balançar. "Eu estava muito assustado", explicou ele depois. "Era a minha primeira grande apresentação na frente de uma plateia, eu apareci e comecei [meu primeiro número], e todo mundo começou a gritar e eu não sabia por que estavam gritando."

"Estávamos todos assustados", disse Scotty. "Lá fomos nós com dois pequenos instrumentos dançantes e um parque lotado, e Elvis, em vez de cantar parado ou só bater o pé, bem, ele estava meio que gingando. Era só a maneira de ele bater o pé. Além do mais, acho que com aquelas nossas calças velhas e largas – não eram justas, sobrava tecido, quase pantalonas – você balançava a perna e parecia que um inferno estava acontecendo lá embaixo. Nos trechos instrumentais, ele se afastava do microfone, tocava o violão e sacudia o corpo, e o público simplesmente ensandecia, mas ele achava que estavam zoando dele."

Cantou a segunda música, "Blue Moon of Kentucky", o que praticamente esgotava o repertório do trio àquelas alturas, e a multidão ficou ainda mais agitada. Bill fazia suas micagens, literalmente montava no baixo e, cada vez mais animado e confiante, executou um *lick* duplo. "Era realmente um som insano, como um tambor na selva ou algo assim", relembrou Elvis ainda com certo espanto. "Saí para os bastidores, e meu agente me disse que estavam gritando porque eu estava balançando as minhas pernas. Voltei para fazer um bis e balancei um pouco mais, e quanto mais eu fazia aquilo, mais loucos eles ficavam."

Sam Phillips e Bob Neal assistiam a tudo dos bastidores. Aquilo ia muito além de suas mais alucinadas expectativas. Na hora do bis, Elvis repetiu "Blue Moon of Kentucky" e mostrou ainda mais confiança e menos entrave nos movimentos. "Foi uma revelação", disse Neal, que não tinha motivo nenhum para esperar algo daquele não testado e não comprovado estreante de dezenove anos. "Ele apenas fazia a coisa certa, automaticamente." "Ainda queriam Slim", disse Sam, "mas queriam Elvis, também." Quando terminaram de aclamar Elvis, aclamaram Slim. E quando Slim Whitman apareceu no palco – e isso mostra que grande cavalheiro ele era –, falou: 'Sabe, entendo a reação de vocês, pois eu estava nos bastidores e também gostei muito'. Como querer uma estreia melhor do que essa?"

Por sua vez, Dixie sentiu um misto de emoções. Não ficou chocada com os movimentos dele, muitas vezes já tinha visto ele fazendo coisa parecida ao cantar para os amigos em Riverside Park. "Era seu jeito natural de se apresentar." E não era tão diferente do que o Chief fazia no All Night Singings – até mesmo a reação e o tamanho da plateia também se comparavam. Mesmo assim ela disse: "Não creio que ele estivesse preparado para o que estava prestes a acontecer. Ele sabia que era isso o que ele queria fazer e que estava dando tudo certo para ele, mas acho que nunca pensou que [todos] iriam enlouquecer. Eu queria dizer [para as moças que estavam gritando]: 'Calem-se e deixem-no em paz. O que vocês acham que estão fazendo aqui?'. E súbito me dei conta de que eu não fazia parte do que ele fazia. Ele fazia algo tão plenamente dele que eu não fazia parte daquilo... E ele adorou".

NAS SEMANAS que se seguiram ao show do Overton Park, Sam Phillips colocou o pé na estrada. Desde o início da Sun Records no ano anterior, ele havia rodado de cento e cinco mil a cento e vinte mil quilômetros, visitando cada um de seus quarenta e dois distribuidores, conhecendo operadores de jukebox, disc jockeys, proprietários de lojas de discos, compradores e vendedores. Apesar de toda a mordacidade com que Sam evitava as convenções (nos dois sentidos), ele conhecia quase todo mundo no ramo e, por sua vez, quase todo mundo reconhecia e respeitava o compromisso inabalável que movia aquele jovem delgado, intenso e elegante, com a fé de um pregador e um olhar penetrante. Em cada viagem, Sam lotava o porta-malas com discos, pegava a rodovia e só parava para umas horinhas de sono, quase sempre no hotel da Associação Cristã de Moços local, antes de voltar à estrada para se encontrar com o próximo disc jockey matutino. Nesse meio-tempo, Marion não deixava a peteca cair, pagava contas, afastava credores, atendia às encomendas, mandava imprimir selos, lidava com a fábrica de prensagem e cumpria todas as outras responsabilidades envolvidas numa empresa de poucos sócios (dois) e pouco capital de giro. Nos seis meses e meio antes do lançamento de "That's All Right", a Sun Records gravou doze discos, dos quais o maior sucesso foi "Bear Cat", de Rufus Thomas, que motivou uma amarga ação judicial de Don Robey da Duke Records (alegou que "Bear Cat" infringiu seus direitos autorais sobre "Hound Dog", de Big Mama Thornton) causando um substancial prejuízo financeiro. Nos cinco meses seguintes ao lançamento 209 da Sun, a empresa só lançou outros três discos, um deles (o único a sair antes de novembro), o segundo disco de Elvis Presley. Ficou claríssimo que as atenções de Sam Phillips estavam focadas em seu novo artista e que isso aconteceu não só pelas oportunidades econômicas que ele vislumbrou. Sam Phillips viu uma revolução a caminho.

Não era uma visão fácil de realizar. Quando foi à procura de disc jockeys que tocassem Little Junior Parker ou Rufus Thomas, tentando mostrar o seu potencial de venda aos distribuidores, a tarefa foi comparativamente mais fácil: estava lidando com um mercado definido, não dependia do grau de transversalidade desse mercado, o potencial de ganhar público além do esperado. No caso de Elvis, porém, todas as regras foram jogadas pela janela. "Eu me lembro de ter falado com T. Tommy Cutrer [o melhor DJ country] na KCIJ em Shreveport, que é um dos sujeitos mais legais do mundo – e se tem uma coisa que eu nunca fazia era tentar impor a alguém as minhas convicções sobre o que eu trazia em minha sacolinha preta. 'Se puder tocar um pouco disso, eu agradeço. Se não puder, tudo bem.' T. Tommy me disse: 'Sam, vão me expulsar da cidade'." Por sua vez, Fats Washington, um negro que ficou paraplégico na Segunda Guerra, tinha um programa de rhythm & blues. "Ele sempre tocava meus discos de r&b, todos eles. Quando eu lhe pedi para tocar 'That's All Right', ele tocou para mim, mas disse no ar: 'Só quero dizer a todos os meus ouvintes que estou com Sam Phillips aqui no estúdio comigo, e ele acha que esta música vai ser um grande sucesso, mas estou falando para ele que este homem não deve ser tocado após o nascer do sol, é tão country'. Nunca vou me esquecer dessa afirmação, mas pelo menos ele foi honesto.

"Paul Berlin era o DJ mais badalado de Houston na época, e eu o ensinei a comandar a mesa de mixagem. Quando ele era um novato no Lowenstein's Junior Theater aos sábados na WREC, eu o coloquei no ar e depois do programa ele vinha e queria que eu mostrasse a ele os painéis de controle e tudo mais. Então ele se tornou o disc jockey número um em Houston, e tocava Tennessee Ernie Ford e Patti Page, todos os grandes artistas pop da época, e me falou: 'Sam, esta música sua é tão tosca que eu não posso mexer com isso agora. Talvez mais tarde'.

"Nunca forcei a barra, nem nada. Nunca disse: 'Espere só para ver', porque, puxa vida, era o meu jeito. Nas distribuidoras eu lidava com o pessoal do balcão. Falava com um número inacreditável de operadores de jukebox e varejistas. Às segundas-feiras, era normal visitar os operadores de jukebox e eles tinham a semana inteira para mudar a programação – em geral, quarta-feira era o último dia em que podiam entrar e obter o material mais recente. O contato com os varejistas era nas quartas e quintas, ou nas terças-feiras, se fosse no interior. Eu passava, digamos, em Atlanta ou Dallas, e se o cara do balcão ficava com o pé atrás, comprava em quantidade limitada para não ficar empacado. Eu sempre chegava e comentava a reação dos outros distribuidores país afora. E dizia a verdade. Muitas vezes eu acreditava tanto no que eu tinha que me dava vontade de falar coisas que não eram mesmo verdadeiras. Mas eu sabia que teria de vê-los novamente, então lhes dizia o que eu sentia – e muitas vezes senti o peso do desânimo.

"Um domingo à noite, deixei Houston rumo a Dallas, e topei [com] uma tempestade de poeira a uns 100 quilômetros dali. Eu tinha feito o check-out no Hotel Sam Houston, e as notícias não tinham sido nada boas em Houston, simplesmente não entenderam 'That's All Right, Mama'. Tive que dar meia-volta [em direção a Houston] para não morrer sufocado. Na manhã seguinte, levantei-me e fui a Dallas, e quando cheguei lá – a balconista era Alta Hayes, e ela olhou para mim e disparou: 'Sam, você está com uma cara horrível'. Respondi: 'Bem, obrigado, você também está linda, Alta'. Ela era bonita e uma ótima pessoa, além de ter um ótimo ouvido. Ela falou: 'Bem, vamos tomar um café ali na esquina'. Fomos lá, eu realmente não queria tomar nada, e ela se sentou lá e me disse: 'Sam, olha, não se preocupe com isso, você parece esgotado. Esse cara vai ser um sucesso, eu não dou a mínima para o que estão dizendo'. E eu falei: 'Bem, Alta, espero que você esteja certa'."

Era um caminho solitário, e um caminho que Sam trilhava sem se preocupar com ganhos pessoais ou popularidade ("Eu poderia ser um filho da mãe maquiavélico. Isso até pode soar contraditório, porque eu precisava da ajuda de todos, mas eu não precisava ficar puxando o saco de ninguém"). Ele era um homem movido por convicções, sons e ideias. E, por mais desanimado que ficasse às vezes, por mais árdua que fosse a realidade de vender essa nova música, ele nunca perdeu a convicção, nunca se desviou de sua meta principal. Que era fazê-los ouvir.

Em Tupelo, cidade natal de Elvis, Ernest Bowen, que trabalhou com Vernon Presley na L. P. McCarty & Sons e cujo pai empregou Vernon brevemente após a guerra, agora atuava como gerente de vendas na WELO. Bowen conheceu Sam Phillips quando este ainda trabalhava na WREC e tocava a música de big band que Bowen tanto amava, e ele gostava do homem – mas não gostava nem um pouco da nova música. Por isso a WELO não tocava o novo disco de um rapaz conterrâneo, apesar dos inúmeros pedidos dos adolescentes locais. "Estavam nos atormentando. Sam me ligou e disse: 'Sei que estão pedindo a música de Elvis Presley'. Respondi: 'Verdade'. Ele indagou: 'Não vai tocá-la?'. Falei para ele que era uma porcaria." Em vez de se ofender, Sam explicou pacientemente que entendia os sentimentos de Ernest, mas não era uma questão de gosto pessoal: o mundo havia mudado, as comunicações mudaram, e embora Sam no fundo ainda fosse um moço do interior (*country boy*), fora-se a época em que o pessoal andava de carroça e deixava o veículo na pracinha, por mais gloriosa que ela tivesse sido. "Sam disse: 'Então bem que você podia começar a tocá-la'. E foi o que nós fizemos", concluiu Bowen. "E dali em diante, a música começou a mudar, e a mudar rápido. Os jovens começaram a ouvir rádio em vez de colocar um níquel no jukebox. Eu olho para trás e vejo que esse foi o momento da virada."

NÃO HAVIA DÚVIDA de que o disco era um sucesso em Memphis. Um artigo de uma das melhores revistas nacionais citou, quase um ano depois: "A saudação atual entre os adolescentes [de Memphis] ainda é uma linha rítmica da canção: 'Ta dee da dee dee da'". Em 7 de agosto de 1954, a *Billboard*, que sob a direção editorial de Paul Ackerman havia defendido a causa da Sun ("Paul Ackerman mostrava uma grande dedicação", disse Sam Phillips, "a todas as pessoas talentosas que nunca tiveram chance"), resenhou o novo single em sua seção "Spotlight" sob o título "Talento". "Presley é um novo e potente cantor", dizia o texto, "que pode emplacar uma melodia tanto no mercado country quanto no mercado de r&b... Um talento forte e inovador." Exatamente a tecla em que Sam estava batendo. Enquanto isso, quase todo mundo na cidade havia escutado o disco e tinha uma opinião a respeito. Ronny Trout, colega de oficina de Elvis no último ano dele na Humes, viu a música em um jukebox na barraca de hambúrgueres em frente ao Dairy Delight, onde ele trabalhava, e não acreditou em seus olhos. "Pensei, é impossível, não, não pode ser. Mas, puxa vida, com aquele nome... Então investi um centavo e toquei a primeira, 'That's All Right, Mama', e exclamei: 'É ele!'. Então tive de tocar a outra."

Red West, astro do time de futebol americano da Humes, que, junto com Ronny, ainda tinha mais um ano de Ensino Médio pela frente, ouviu Dewey tocá-la no rádio quando estava acampando na Base da Força Aérea de Memphis. Na verdade, ficou espantado ao ouvir no rádio alguém que ele considerava uma nulidade. Era como entrar num cinema e ver um conhecido na tela. "Foi maior do que a vida", disse ele. "Essa foi a sensação que eu tive. Fiquei feliz por ele, mas era meio inacreditável."

Johnny Black estava no Texas. "Eu estava em Corpus Christi, sintonizei uma estação de Houston, e eles estavam tocando 'That's All Right, Mama'." Reconheceu a música e o cantor imediatamente, ouviu a batida de Bill no baixo e anunciou para sua esposa: "Estamos voltando para Memphis, tem algo acontecendo lá e quero fazer parte disso".

No rescaldo do show do Overton Park, "That's All Right" foi provavelmente o disco mais vendido da cidade. Agora todos os DJs em Memphis estavam tocando a bolacha e parecia que todos estavam entrando na onda. Ronnie Smith telefonou a Eddie Bond para ver se Elvis gostaria de cantar com eles agora, mas Elvis disse que estava trabalhando duro com Scotty e Bill, e não poderia simplesmente desistir, embora apreciasse o convite. Para Elvis e Dixie, foi um tempo idílico, uma momentânea calmaria, quando todo mundo sabia que tudo estava prestes a explodir, mas continuava seu dia a dia como se nada fosse mudar. Para Dixie, olhando para trás, era fácil dizer que esse foi o ponto em que tudo começou a terminar, esse foi o ponto em que ela o perdeu e o mundo o reivindicou, mas na época ela estava com tanto orgulho dele; durante todo aquele verão Dixie passeava por aí e sentia todos os olhares cravados nela, porque ele era o namorado dela e ela ia ser a senhora Elvis Presley.

Continuaram a ir ao Riverside Park, continuaram a tomar seus milk-shakes no parquinho perto da casa de Dixie, a comer hambúrgueres no Leonard's, a ver filmes no cinema drive-in e a trocar carícias na varanda. Elvis pediu a Charlie Hazelgrove se ele não podia colocar o disco no jukebox da loja, e levou o disco ao rinque de patinação Rainbow, onde, conforme o proprietário Joe Pieraccini, Elvis tocava o disco sem parar no jukebox. Algumas tardes eles ensaiavam na lavanderia a seco dos irmãos de Scotty, e Dixie ficava lá sentada, a mente viajando em outras coisas. Os Songfellows, Elvis disse a ela, estavam procurando um novo cantor agora que Cecil havia substituído R. W. nos Blackwood Brothers, mas achava que não ia aceitar o convite, caso acontecesse. Achava que era melhor pagar para ver aonde é que esse novo negócio os poderia levar. Dixie, que nunca havia imaginado qualquer vocação superior a cantor de quarteto vocal, apenas fez que sim com a cabeça. Seja lá o que ele quisesse fazer – as coisas estavam indo muito bem.

Uma noite de domingo, uma semana após o show no Overton Park, ela foi à KWEM, em West Memphis, onde a banda fez uma breve participação ao vivo na rádio. Várias noites ensaiavam na sala de estar de Scotty, onde ele comandava o ensaio e Bobbie servia sanduíches, mas Elvis escolhia o que ele queria cantar. Às vezes, ele não sabia mais do que dois ou três versos de uma canção, e todo mundo tentava se lembrar do resto da letra. Às vezes, se fosse uma música que ela e Elvis tinham ouvido na loja de Charlie, Dixie ajudava a lembrar da letra, ou Elvis apenas improvisava algo e passavam para o próximo número. Scotty e Bill assumiram um papel ativo na educação musical de Elvis. "Eles o ensinaram a se posicionar", disse a esposa de Bill, Evelyn. "A como segurar o violão e fazer tudo isso na frente do microfone. Teve de aprender tudo isso." "Era como se o tivéssemos adotado", disse Bobbie Moore. "Tínhamos de nos assegurar de que ele comparecesse aos shows, tínhamos de nos assegurar de que ele chegasse em casa, tínhamos de nos assegurar de que ele não se metesse em confusão. Ele não passava de um pirralho – era legal, mas sabia ser um pentelho, também!"

Com Elvis, tudo sempre precisava ser engraçado, disse Bobbie, ele estava sempre fazendo uma gracinha, mas Scotty, que também gostava de uma boa piada, acreditava que tinha hora e lugar para tudo. Uma vez, Scotty e Bill estavam carregando o equipamento no fim do show, no segundo ou terceiro sábado no Bon Air, enquanto Elvis e Bobbie estavam ao lado do carro. "Scotty saiu, pôs o amplificador no porta-malas, e Elvis disse: 'Estou tentando marcar um encontro com a tua esposa'. Scotty não falou nada, mas pensei, 'ô-ou, você não devia ter dito isso' – porque não era verdade. Scotty não disse uma palavra. Foi em frente e sentou no banco do motorista. Eu disse: 'É melhor entrarmos no carro logo antes que ele nos deixe aqui'. Eu sabia que ele não tinha levado na brincadeira."

Uma noite, Elvis dormiu lá depois do show. Bobbie não esperava isso, "mas então Scotty disse: 'Tem roupa de cama para o sofá?'. Então improvisei uma cama. Elvis nunca estava cansado, ele podia ficar acordado a noite toda depois de um show, e ficava sempre andando para lá e para cá. Não tinha nada de tímido! Ele não se acanhava de bisbilhotar por aí, dar uma espiada no quarto, conferir a geladeira, zanzar pela casa, olhar o movimento na rua. Não conseguia ficar quieto. Na manhã seguinte que ele pousou em nossa casa, Scotty diz: 'Elvis gosta de ovos com a gema bem dura'. Então fritei os ovos o mais que pude, porque também gosto dos meus bem passados. Ele sentou à mesa e disparou: 'Pode fritar um pouquinho mais?'. Bem, fritei aquele ovo até ele ficar duro como rocha, e ele comeu um monte de torrada com bacon, mas só uns bocados daquele ovo. Foi a primeira vez que eu me lembro que ele passou a noite fora de casa. Sua mãe sempre o esperava – ela contava que só conseguia dormir após Elvis chegar em casa –, então acho que talvez ele tenha ligado para ela avisando que ia passar a noite lá em casa".

Scotty levava a sério as suas obrigações de empresário. Ele e Sam concordaram: não fazia sentido colocar Elvis nos botecos onde Scotty e Bill tocavam, então ele começou a procurar eventos escolares e promoções do Elks Club e do Lions Club da região, num raio de 120 quilômetros de Memphis, que estivessem precisando de um cantor. Tentou sua cidade natal, Gadsden, e foi recusado por seu antigo diretor, que declarou que não ganharia dinheiro nem para pagar a conta da luz. Na verdade, nos meses seguintes, foi difícil marcar um show com retorno financeiro. Tocaram no Kennedy Veterans Hospital num sábado à tarde, no Saturday Night Jamboree do Goodwyn Institute e na sala de recreação no porão do St. Mary's, defronte a Lauderdale Courts, obtendo mais exposição do que remuneração. No Kennedy, tocaram para a ala paraplégica e tetraplégica com o apoio da organização judaica B'nai B'rith, e mesmo lá causaram um grande impacto, de acordo com Monte Weiner, colega de Elvis na Humes, cuja mãe marcou os shows. "Minha mãe trazia uma banda por mês e ficou sabendo de Elvis por meu intermédio, embora eu o conhecesse só de vista na escola. Fez isso por vários meses seguidos, a primeira vez foi logo após o lançamento do disco, e o pessoal trazia os pacientes em macas e cadeiras de rodas para a salinha onde ele ia se apresentar. Lembro que eles empurravam as macas com rodinhas para o meio da sala, e eu via seus rostos enquanto ele e a banda se apresentavam, fazendo algo totalmente distinto de tudo que eu já tinha ouvido antes. Os pacientes não conseguiam se mexer, mas suas expressões faciais – era como se tentassem bater palmas com suas expressões faciais. Era uma coisa realmente extraordinária, isso é tudo o que posso dizer."

SEU ÚNICO SHOW HABITUAL pago começou já na semana seguinte à apresentação no Overton Park; começaram a tocar no show de intervalo no Eagle's Nest na formação de trio, sem os Starlite Wranglers, que não tinham encarado com bons olhos o sucesso da nova descoberta de Scotty. Na verdade, o show deles no Overton Park parece ter vaticinado o fim da banda, embora formalmente isso só tenha ocorrido meses depois. Dixie às vezes cuidava dos filhos de Evelyn para que ela pudesse ir ao show, e os cinco deles – os Black, os Moore e Elvis – saíam para comer depois no Earl's Drive-in, no centro da cidade. Elvis nunca tinha dinheiro no bolso, contou Bobbie. Desde que tinham entrado no sindicato, não eram mais pagos no local de trabalho, tinham de ir até o escritório sindical na segunda-feira para cobrar, então geralmente as "meninas" acabavam pagando o lanche para ele. "Elvis perguntava a Scotty: 'Posso comer outro hambúrguer ou um milk-shake?'. E Scotty dizia: 'Pergunte a ela'", contou Bobbie. "'Ela que cuida da grana'". "Descobri que ele não gostava de ketchup", disse Evelyn. "Porque se eu colocasse ketchup nas minhas batatas fritas, ele não as comia. Chegou ao ponto em que eu sempre colocava ketchup nelas – caso contrário, ele devorava todas!"

Não demorou muito para que os shows de intervalo no Eagle's Nest se tornassem uma espécie de sensação underground. Sleepy Eyed John gerenciava as reservas do clube, e a banda de Sleepy Eyed John continuava sendo a principal, mas logo de cara Elvis se tornou uma atração. "Hoje à noite tem Elvis Presley", anunciava a bem-humorada notinha do jornal. "Veja e ouça Elvis cantando 'That's All Right' e 'Blue Moon of Kentucky'. Ingresso a US$ 1,20 (incluindo impostos)." Às vezes, era "Noite das Damas, também (ingresso a 50 centavos)", e alguns anúncios irreverentes advertiam: "Não use gravata a menos que sua esposa o obrigue". Ao longo do mês, porém, o interesse pelas apresentações aumentou. Foram meia dúzia delas, além de uma ou duas em outros clubes da cidade, e já não era mais necessário malabarismo para atrair o público. No início, Vernon queria dar uns sopapos em Sleepy Eyed John por causa de umas coisas sarcásticas que Sleepy Eyed tinha dito no rádio sobre o disco de seu filho. Ele iria até a estação, contou Vernon a Sam Phillips, e daria uma sova nele. "Falei: 'Peraí, senhor Presley, a coisa não funciona assim. A pior coisa que o senhor tem a fazer é ir até lá. Tudo o que ele quer fazer é criar polêmica. Aos poucos o filho da mãe vai dar o braço a torcer'." Sestroso, Vernon se deixou dissuadir, e quando ele e Gladys foram ao clube, ficou feliz por ter feito isso. Outros membros da família apareciam ocasionalmente: a irmã de Gladys, Lillian, e o marido dela permaneciam pessimistas sobre as perspectivas do menino; o irmão de Vernon, Vester, e a esposa, Clettes, também irmã de Gladys, tiraram fotos de um Elvis Presley muito jovem, muito loiro e um pouco sem graça, em frente à placa luminosa do Eagle's Nest.

James e Gladys Tipler também foram ao Eagle's Nest. Continuavam sentindo um grande orgulho de seu funcionário e até trouxeram alguns de seus grandes clientes do ramo da construção. "Ele queria a nossa presença no show para sentir que tinha alguns amigos na plateia", contou a senhora Tipler. "O pânico de palco que ele sentia era um problema sério." Às vezes, ele usava sua jaqueta bolero, às vezes usava um blazer listrado com gola de veludo que recentemente havia comprado na Lansky's, e de vez em quando preferia roupas western. Suas cores prediletas? Rosa e preto. "Lembro-me do primeiro cheque que ele me deu", disse Guy Lansky, que o conhecia desde a primeira vez que Elvis grudou o rosto na vitrine da loja de roupas na Beale Street. "Foi difícil de aceitar. Era uma compra no valor de quinhentos dólares, e ele me pediu para pagar com um cheque de Sam Phillips. Roupas e joias... eu tinha uma pequena joalheria ao lado. E eu ainda estava cético em relação a ele por causa de sua aparência, eu me lembro que corri ao banco para ver se tinha saldo. Anos mais tarde, depois que ele comprou Graceland, eu levava meus filhos lá, e lembro que ele me mostrou aquele blazer que tinha comprado anos antes – meu amigo, ele amava aquele casaco, lá estava ele no guarda-roupa."

Cada vez mais, Elvis parecia ter noção de quem ele era. Cada vez mais, crescia sua autoconfiança no palco e fora dele. "Seus movimentos eram uma coisa natural", disse Scotty, "mas ele também tinha plena consciência de que provocava uma reação. Fazia algo uma vez e então aprimorava aquilo muito rápido." De acordo com Reggie Young, que tinha dezessete anos na época e entrou na banda de Eddie Bond, os Stompers, no ano seguinte, todos os adolescentes que estavam na piscina que dava o nome ao complexo Clearpool (o Eagle's Nest ficava em cima do vestiário) entravam correndo assim que ouviam Elvis, Scotty e Bill começarem a tocar. Então a garotada voltava para fora quando a banda de Sleepy Eyed John subia ao palco, quinze minutos depois. "Na época, Sleepy Eyed John se espelhava em Ray Price, ou seja, tinha uma big band de western swing", declarou seu vocalista principal e mestre de cerimônias, Jack Clement, que depois se tornou o braço direito de Sam Phillips na Sun e um dos mais brilhantemente idiossincráticos e folclóricos produtores que Nashville já viu. "Oito ou nove instrumentos, três violinos, toda aquela parafernália... É para esse lado que Sleepy Eyed pensava que a música estava indo. Claro que ninguém concordava com ele, e Elvis vinha e fazia o show, só o trio. Parecia que ele estava lidando com aquilo muito bem, sabe, como um jovem cavalheiro, ele era meio reservado, mas não era realmente tímido, esse era o jeito dele. Doris, a minha noiva (nos casamos em dezembro), vinha ao baile e se sentava a uma mesa quando eu estava lá cantando, e Elvis se aproximava para dar em cima de Doris e convencê-la a sair com ele. Doris era uma moça linda, eu não me importava que ele flertasse com Doris, eu gostava dele. Eu subia lá e fazia a nossa sequência, e depois o chamava e ele arrasava."

Em agosto, Marion Keisker teve muito contato com Elvis. De vez em quando, ele passava no estúdio para ver como seu disco estava indo ou só para ficar por ali e bater um papo. Ele era grato a Marion, e permaneceria grato a ela a vida inteira, por ajudá-lo a "conseguir a primeira oportunidade". Ela, por sua vez, enxergava nele uma qualidade quase mágica que ao mesmo tempo o protegia e fazia aflorar o melhor nos outros. "Minha imagem completa de Elvis era a de uma criança. Sua atitude em relação às pessoas era o equivalente a erguer o chapéu quando anda pela rua – 'Boa noite, senhora, boa noite, senhor –, mas sem ficar se exibindo. Ele nunca disse uma palavra errada desde a primeira noite em que apareceu no programa de Dewey Phillips – de certa forma, ele era como um espelho: o que você procurava nele, encontrava. Mentir ou maliciar não eram coisas inerentes a ele. Elvis tinha toda a complexidade de quem é muito simples."

Quanto a Sam, cada vez mais via no menino um reflexo de sua própria imagem, o tipo de pessoa "movida pela insegurança e, mesmo assim, extremamente paciente para alcançar um tipo de sucesso [que seus contemporâneos só podiam sonhar], era certo e definitivo, ele seria cantor. Não era eloquente, mas muitas vezes sem uma afirmação direta ele era eloquente em sugerir algo que informava exatamente o que ele estava pensando". Ainda sujeito a oscilações de humor ("Sam era um cara entusiasmado", disse Marion), mas sempre com ar calmo e autoconfiante, Sam enxergava em Elvis um reflexo do que ele próprio era de verdade, mas raramente mostrava. Onde os outros viam em Elvis insegurança, timidez, incapacidade de se expressar, Sam via o mesmo tipo de ambição ardente, só lhe faltava a capacidade de verbalizá-la.

Sam sempre viu sua missão como "abrir um espaço de liberdade no interior do próprio artista, para ajudá-lo a expressar a mensagem em que ele acreditava", e Elvis caiu como uma luva nessa proposta. Para Sam, a pessoa que entrou no estúdio da Sun nunca havia tocado em lugar nenhum: "Ele não tocava com bandas, ele não tocava country numa casa noturna. Tudo o que ele fazia era tocar em seu quarto em casa. Acho que nem na varanda ele tocava". Era isso que Elvis transmitia, sem palavras, e de certa forma era verdade. Quando Elvis estava com Scotty, quando Elvis estava no estúdio da Sun, era como se ele tivesse renascido.

Para Sam, e também para Marion, ele era a personificação de um ideal, a encarnação de uma visão impregnada em Sam desde os tempos da fazenda em Florence – representava a inocência que havia engrandecido o país, mesclada a elementos como "solo, céu, água, o vento até, as noites tranquilas, o povo da fazenda, sempre com dívidas, esperando comer, luzes no rio – era isso que costumavam chamar de Memphis. Foi onde tudo se amalgamou. E Elvis Presley talvez não fosse capaz de verbalizar tudo isso – mas certamente não era burro, e com toda a certeza era intuitivo e possuía um apreço pela espiritualidade holística da existência humana, embora nunca tivesse pensado no termo. Era com isso que ele se importava".

Essa era a marca de Elvis – transmitia sua espiritualidade sem ter a capacidade, ou a necessidade, de expressá-la. E todos esses adultos, com seus sonhos, paixões, esperanças e vidas complicadas buscavam a si mesmos na simplicidade de Elvis.

Em 28 de agosto, o disco entrou nas paradas regionais da *Billboard*. Apareceu em terceiro lugar na C&W Territorial Best Sellers da semana de 18 de agosto, atrás da canção de Hank Snow, "I Don't Hurt Anymore", e de um dueto de Kitty Wells e Red Foley, mas a novidade era "Blue Moon of Kentucky". Com base na força dessas credenciais e no estrondoso sucesso local do disco, Sam Phillips abordou Jim Denny, gerente do

Grand Ole Opry, com a ideia de que o Opry poderia ao menos oferecer ao menino um pouco de exposição. Afinal de contas, ponderou Sam a Denny – que ele conhecia desde o ano em que trabalhou em Nashville –, os tempos tinham mudado, não seria a hora de deixar algo novo respirar? Sam não insinuou que o garoto necessariamente incendiaria o mundo, mas, puxa vida, dê uma chance aos mais novos. Jim Denny escutou; ele era durão, Sam sabia – não estava prestes a ganhar nenhum concurso de popularidade –, mas também era justo. Ouviu o disco e foi sincero: não era bem do seu gosto, mas se Sam esperasse um tempinho, bem, quando a banda estivesse na área em algum momento talvez pudesse encaixá-los. Sam desligou o telefone – estava satisfeito. Ele podia esperar o tempo que fosse preciso. Ao menos Denny não disse que não.

Mais gente notava as ondas que o novo disco fazia. Em Nashville, Bill Monroe, longe de ficar ofendido com o "sacrilégio" que tinham cometido com sua canção, abordou Carter Stanley, outro famoso músico de bluegrass, num sábado à noite, ao terminar o Opry. "Falou: 'Quero que você escute uma coisa', e ele nunca tinha me dito nada assim antes." Ele tocou para Stanley a "nova" versão de "Blue Moon of Kentucky". "Dei risada e olhei em volta, e todos estavam rindo, exceto Bill. Ele disse: "Amanhã é melhor você gravar essa música [na sessão de gravação agendada por Stanley] se você quiser vender uns discos". E avisou: "Vou gravá-la [em sua própria sessão de gravação] no próximo domingo". E Monroe ajudou a supervisionar a sessão de Stanley no domingo, 29 de agosto, depois refez "Blue Moon of Kentucky" em compasso 4/4, como disse que faria, na semana seguinte.

As grandes gravadoras também não ignoraram o que estava acontecendo. Jim Denny, além do cargo de gerente-geral do Opry, também era dono da Cedarwood Publishing, vinculada, por sua vez, à Decca Records, e Paul Cohen da Decca ficou de orelha em pé com esse novo fenômeno. O amigo de Sam, Randy Wood, que operava um grande negócio de venda de discos por correspondência em Gallatin, Tennessee, e tinha alcançado um bom sucesso com sua própria Dot Record Company, também expressou um ligeiro interesse. Enquanto isso, a RCA Records em Nova York ficou sabendo dessa nova estrela em ascensão, e dessa nova gravadora, não simplesmente por causa dos números registrados na *Billboard* e na *Cash Box*, mas por conta dos relatórios de seus próprios agentes do ramo. "Todos os nossos distribuidores tinham noção de quem era Sam Phillips", disse Chick Crumpacker, que se tornou gerente promocional de música country e western reportando-se ao diretor de a&r (artista e repertório) Steve Sholes em abril. "Havia um burburinho sobre o que essa revolucionária Sun Records estava fazendo, principalmente em tom pejorativo. Além disso, obtínhamos esses relatórios de Sam Esgro, sediado em Memphis, e Brad McCuen, o regional da RCA para uma parte do Tennessee, Virgínia e as Carolinas."

McCuen, migrante nova-iorquino de trinta e três anos, mostrou um relatório a Steve Sholes naquele verão. Nunca se esqueceu do seu primeiro encontro com Elvis Presley. "Meu setor era o leste do Tennessee. Se um disco fizesse sucesso na região das Três Cidades (Kingsport, Johnson City e Bristol), a nordeste de Knoxville, faria sucesso nacional, então eu ficava muito atento a essa área. Um de nossos melhores revendedores de discos era Sam Morrison, em Knoxville, bem na Market Square. Ele foi um dos primeiros revendedores de discos do Sul que fazia o truque de Nova York: colocar um alto-falante no degrau da porta e tocar música para o público do mercado, que vinha vender seus hortifrútis. Uma vez Sam me agarrou pelo braço e disse: 'Tem uma coisa interessantíssima para te mostrar, é mesmo bizarro', e foi lá e pegou o disco de Elvis, que acabava de ser lançado, e colocou 'That's All Right' no toca-discos. 'O que você acha?', perguntou ele. 'Não consigo me cansar disso. Estou vendendo pelo menos uma caixa por dia.' Fiquei estupefato, mas comentei: 'É só um disco normal de rhythm & blues, não é?'. Ele respondeu: 'Não, não é, está vendendo para o público country'.

"Bem, naquele exato instante entra um cinquentão do interior, eu digo brincando que ele tinha mais cabelo saindo das orelhas e do nariz do que na cabeça, e diz num forte sotaque do Tennessee: 'Por minha vovó, eu quero este disco'. Não entendi direito, porque ele obviamente era fã de música country. Então Sam virou o disco e tocou 'Blue Moon of Kentucky', e pensei: 'Bem, vai ver que ele quer o disco por causa dessa música'. Mas não era... era realmente por 'That's All Right'. Então comprei duas cópias do disco e enviei uma a Steve Sholes, e Steve disse: 'Está de brincadeira comigo!'. Mas eu disse a ele que Sam Morrison já tinha ultrapassado a marca de cinco mil, e estava vendendo em Kingsport e na área das Três Cidades. E Sam Esgro e eu continuamos enviando os relatórios."

Em 8 de setembro, o jornal *Memphis Press-Scimitar* anunciou uma "Diversão em Larga Escala" na inauguração do novo shopping center Lamar-Airways. As festividades nos próximos dias incluiriam cerimônias indígenas, "grupos musicais escoceses, hillbilly e indígenas, personalidades do rádio, da televisão e das gravadoras", um chefe indígena "robô" de 8,5 m de altura, prêmios extravagantes e a presença de "várias celebridades... incluindo o prefeito Tobey". Também aparece na lista o "mais novo sucesso musical de Memphis... o cantor de 'That's All Right, Mama' e 'Blue Moon of Kentucky', Elvis Presley", que tocaria com a banda de Sleepy Eyed John do Eagle's Nest em uma carreta tipo plataforma defronte à Farmácia Katz na noite da inauguração, quinta-feira, entre 21h e 22h. A essa altura, "Blue Moon of Kentucky" estava em primeiro lugar na parada c&w de Memphis, com "That's All Right" em sétimo lugar.

O estacionamento estava abarrotado quando Elvis chegou com Dixie, e George Klein, que estava de volta à Memphis State para o semestre outonal, fazia a transmissão do interior do gigantesco índio de madeira. Scotty e Bill já estavam presentes, e Sleepy Eyed estava pronto no palco, mas o público parecia inquieto. A maioria, adolescentes – muitos deles, mais do que caberiam no Eagle's Nest. A multidão talvez não igualasse em número à do Overton Park, mas dessa vez era óbvio o motivo para estar ali.

George saiu do índio para apresentar a banda, e o rosto de Elvis se iluminou ao ver seu antigo colega de turma na Humes, presidente da turma sênior e editor do anuário, principalmente quando George contou que tinha tocado o disco na rádio de Osceola o verão inteiro. Eles se falaram muito brevemente (era a primeira vez que Elvis se encontrava com George após a formatura, quinze meses antes) e ficou muito claro como suas situações haviam mudado. Falaram de amigos em comum, e então chegou a hora de subir ao palco. George foi só elogios, disse que tinha sido colega do jovem astro em ascensão, passou um ar de importância e respeito em sua voz treinada de locutor que Sleepy Eyed nunca teria imaginado, mas ninguém estava preparado para a ruidosa recepção da plateia, o *frisson* de antecipação, os gritos, a expectativa de tirar o fôlego, enquanto Elvis Presley se posicionava atrás do microfone. Dixie não o via se apresentar desde Overton Park – e ali não estavam muito longe do rinque de patinação Rainbow, onde ela conhecera seu "amor secreto".

Naquele dia, caiu a ficha para Scotty. "Esse foi o primeiro show em que percebemos o que estava acontecendo. Porque era um parque de estacionamento cheio de crianças, e elas enlouqueceram." Adoraram as palhaçadas de Bill, e os rodopios de Elvis já tinham evoluído muito além dos de Overton Park. Mas foi o ritmo que realmente mexeu com o público, e foi a resposta da garotada que alçou a música a outro patamar. Estava tão fora de controle que chegava a ser assustador.

Após o show, Elvis ficou um tempinho por ali – ele conhecia um monte de gente da plateia, e todo mundo queria falar com ele, alguns até pediram autógrafo. Olhando para Elvis, vendo como se abria para as pessoas de um jeito que ela sempre soube que ele poderia, Dixie pensou que talvez o namorado não fosse mais longe que isso. Este seria o mais alto nível de sucesso que alguém normal poderia esperar. George não escondia a empolgação. Teve de voltar para dentro do índio para fazer anúncios e atuar como DJ, mas disse que os dois deveriam se encontrar um dia. Um pessoal na plateia, também, murmurava que não via motivo para tanto rebuliço... Aquele cara estranho de calça preta com listras cor-de-rosa, cabelo lambido e rosto cheio de espinhas – até parecia que estava usando maquiagem. Na Flórida, Lee Denson ouviu de seus irmãos e irmãs sobre o auê que Elvis estava causando na cidade, e ele nem pôde acreditar. Dois anos antes, aquele moleque mal sabia dedilhar um acorde quando Lee tentou ensiná-lo em Courts – de todos, ele era o menos provável de fazer sucesso. Lee fazia shows semanais e também trabalhava como porteiro em Key West. Uma noite, no Sloppy Joe's, Ernest Hemingway, o escritor, que morava na ilha, tinha declarado que Lee era seu cantor favorito. E agora Elvis Presley fazia todo aquele barulho. "A diferença entre nós dois", disse Lee, "foi que eu corri atrás. Não descansei. Nova York, Hollywood, tentei em todos os lugares. Ele ficou lá no meio do nada e achou o tesouro."

No alto: Elvis, Bill, Scotty e Sam Phillips, 1954
(Cortesia de Gary Hardy, Sun Studio)

Embaixo: com Bob Neal, 1955
(Cortesia de Ger Rijff)

"GOOD ROCKIN' TONIGHT"

Outubro a dezembro de 1954

A VIAGEM DE 320 QUILÔMETROS até Nashville foi relativamente confortável a bordo do Cadillac preto ano 1951 de Sam Phillips, o baixo de Bill preso ao teto. Era sábado, 2 de outubro. Elvis, Scotty e Bill tinham feito seu show habitual na sexta-feira à noite no Eagle's Nest; o compacto de "Blue Moon of Kentucky" chegava perto do topo das paradas em Memphis e só começava a tocar em Nashville e Nova Orleans. Tinham todas as razões para sentir que estavam no auge de suas carreiras musicais – porque naquela noite eles iam tocar no Opry.

Jim Denny enfim sucumbiu ao argumento de Sam: não havia necessidade de pensar em colocar o garoto como uma atração frequente, não precisava pensar nisso como um "teste" normal e sim apenas dar uma chance ao garoto. Denny não parecia lá muito convencido – talvez tivesse cedido apenas pela persistência de Sam – mas concordou em dar ao jovem um espaço no segmento do programa de Hank Snow. Ele poderia tocar uma canção com sua banda, a country "Blue Moon of Kentucky". Será que valia a pena viajar tanto para tocar uma só música? Quem não arrisca, não petisca. Lá se foram Sam e o trio, e Denny cumpriu o prometido.

Nesse meio-tempo, o Louisiana Hayride, o inovador programa rival do Opry em Shreveport, também entrou em contato com Sam. Ao contrário do Opry, eles realmente queriam essa novidade de Memphis. O Hayride, ao qual Denny chamava com certo desdém de "Clube Campestre do Opry", porque muitas de suas atrações acabavam migrando para Nashville, tinha descoberto Hank Williams em 1948 e lançado estrelas como Slim Whitman, Webb Pierce e, mais recentemente, Jim Reeves e Faron Young. Mas Sam os colocou em espera porque, conforme explicou ao agenciador do Hayride, Pappy Covington, primeiro ele queria tocar no Opry. Assim que os meninos tivessem cumprido esse compromisso prévio – combinou com Pappy, reconfigurando um pouco a verdade –, Elvis poderia se apresentar no Hayride. Afirmou que não tinha dúvidas: Elvis faria sucesso com o público do Hayride. Poderiam agendar para uma semana ou duas após a participação no Opry, mas tinha prometido a Jim Denny que o menino primeiro tocaria no Opry. Estava se arriscando, sabia disso. Não queria nem por um minuto perder o Hayride, mas também não perderia a oportunidade de ver um novo e inexperiente artista estrear nacionalmente no renomado Grand Ole Opry.

Apesar de malcuidado, o Ryman Auditorium era uma espécie de santuário para os três musicistas. Nenhum deles tinha visto um show naquele palco antes, e muito menos subido nele para tocar. Entraram no dilapidado prédio, construído como um templo religioso em 1886 e ainda mantendo os antigos bancos de madeira, numa espécie de torpor. Ficaram ao mesmo tempo arrebatados com a atmosfera histórica do salão – a música que tinham ouvido a vida inteira emanava daquele acanhado palco – e também um pouco desiludidos. O Grand Ole Opry não era exatamente grandioso. Nos bastidores, os outros músicos se misturavam livremente, batendo papo e trocando saudações, afinando os instrumentos, se maquiando, ajustando o figurino, sem qualquer formalidade ou protocolo que poderia ser esperado de astros, mas com todo o distanciamento, real ou percebido, de grandes jogadores esnobando os novatos recém-promovidos ao time principal. O baixista Buddy Killen, de vinte e um anos de idade, recém-contratado como principal (e único) *song plugger* (demonstrador de músicas) da Tree Music, editora musical criada em 1951 por Jack Stapp, o diretor de programação da WSM, topou com o jovem vocalista que parecia claramente deslocado e se apresentou. "[Elvis] disse: 'Vão me odiar'. Eu disse: 'Que nada. Vai dar tudo certo'. Ele disse: 'Se me deixassem sair, eu ia embora agora mesmo'." Marty Robbins viu sinais da mesma insegurança, mas, quando Elvis avistou Chet Atkins nos bastidores, ele se apresentou e, então, conhecendo a admiração de Scotty pelo trabalho de Atkins, chamou Scotty e falou: "Meu guitarrista quer te conhecer". Atkins observou rispidamente que o garoto parecia ter pintado os olhos.

De todas as lendas do Opry, a que mais temiam encontrar talvez fosse Bill Monroe. Muitos no meio da música country tinham considerado profana a versão da Sun para "Blue Moon of Kentucky". Sam inclusive ouviu falar que Monroe queria a cabeça deles por sua interpretação livre de seu imponente lamento ("Ouvi dizer que ele ia quebrar minha cara!"). Enfim, foram apresentados a Monroe. Em seu traje conservador (terno escuro, gravata e a marca registrada, o chapéu branco), ilustre figura de quarenta e três anos, dono de uma dignidade que não permitia besteirol nem informalidades, ele foi direto. Elogiou o que eles tinham feito. Na verdade, contou que tinha acabado de gravar uma nova versão da música para a Decca, a ser lançada na próxima semana, que seguia o novo padrão.

Houve duas surpresas extras. Marion Keisker, deixada para trás em Memphis para manter o estúdio aberto, abandonou o posto e pegou um ônibus para Nashville, onde pensava que, no início, ficaria na plateia para não os alarmar, mas sem demora foi aos bastidores e se juntou ao grupinho. Então Bill espiou a plateia e, para a surpresa dele, descobriu a esposa, Evelyn, e a esposa de Scotty, Bobbie, na primeira fila. "Acho que ele ficou feliz em nos ver", disse Bobbie, "pois queriam voltar a Memphis naquela noite, e Sam ia ficar em Nashville. Tinham dito pra Evelyn e pra mim: 'Vocês não podem ir conosco. Vamos num carro só, e não há espaço para vocês'. Bem, aceitei isso, mas então, por volta do meio-dia, horas depois que eles saíram, Evelyn veio até a nossa casa e disse: 'Vamos a

Nashville'. Eu falei: 'Ah, não sei se devemos ir, podemos nos meter em confusão'. Mas, sabe, éramos atrevidas como Lucy e Ethel, do seriado *I Love Lucy*, então falei: 'Seja o que Deus quiser!' e pegamos a estrada. Bill enfiou a cabeça na porta do palco e nos viu, mas, quando Scotty me viu nos bastidores, foi como se tivesse encontrado um fantasma!"

Às 22h15, Grant Turner anunciou o segmento de Hank Snow, patrocinado pela Royal Crown Cola, e Snow, cujo filho, Jimmie Rodgers Snow, tinha acabado de se aproximar de Elvis com admiração, se empolgou ao apresentar o jovem de Memphis que acabava de lançar um disco de sucesso, pediu uma salva de palmas, só que na hora se esqueceu do nome do jovem cantor. Elvis sacudiu o corpo como sempre fazia, como se tivesse descido de um trem em pleno movimento, e executou seu único número. Scotty e Bill estavam mais nervosos do que ele – a impressão que eles tinham era a de que, a partir dali, a carreira deles só podia ir ladeira abaixo. E pressentiram, com base na recepção educada, mas morna, que era exatamente para onde estavam indo. Saíram do palco como uma equipe de boxe tentando racionalizar a derrota. Fizeram uma rodinha com olhares pasmados, e todo mundo foi legal com eles. Tiveram uma boa recepção, insistiram Bobbie e Evelyn. Bill se apresentou para todo mundo, rindo e contando piadas, enquanto Scotty ficou de lado, um pouco sério, esperando ser apresentado. Antes de sair, Sam conversou rápido com o sr. Denny. Ele confirmou que Elvis Presley simplesmente não se encaixava nos moldes do Opry, mas comentou com Sam: "'O moleque não é ruim'. Não me deu um grande elogio, só agarrou meu braço fino e disse: 'O moleque não é ruim'. Bem, as pessoas esnobam Jim Denny, ninguém gostava muito do Jim, ele era um homem muito durão, mas ele me fez um favor".

Saíram logo depois e desceram a colina até a 417 Broadway, onde ficava a loja de discos de Ernest Tubb, onde tinham combinado de tocar no famoso Jamboree da Meia-Noite (o Jamboree era transmitido ao vivo da loja de discos, ao término da transmissão do Opry). Ficaram impressionados com o tamanhinho da loja, mas talvez fosse apenas porque ela estava cheia de caixas de som e muita gente já havia chegado para o início do show. Alguém apresentou Elvis a Ernest Tubb, o mais gracioso e cortês dos artistas, e este ouviu com paciência o jovem de dezenove anos desfiar seu amor pela música de Tubb, garantindo que sua real ambição era cantar música country. "Ele falou: 'Mas me dizem que se eu quiser ganhar dinheiro vou ter que cantar [este outro tipo de música]. O que é que eu faço?'. Questionei: 'Elvis, já tem algum dinheiro?'. Ele respondeu: 'Não, senhor'. Eu disse: 'Bem, vá em frente e faça o que estão mandando. Ganhe dinheiro. Daí pode fazer o que bem entender'."

Após a transmissão, Scotty e Bill voltaram a Memphis com suas esposas errantes. Sentiam-se simultaneamente exaltados e deprimidos (tinham chegado ao grande momento, mesmo que agora, com toda a probabilidade, estivessem na estrada rumo ao esquecimento), mas para Sam Phillips a noite foi um triunfo completo. Tocar no Opry e, em seguida, obter a aprovação, por mais rabugenta que fosse, de Jim Denny e Bill Monroe! Até mesmo as críticas não fariam mal. Poderiam ser usadas, Sam estava firmemente convencido, para catapultar o magnetismo do garoto – se ao menos conseguisse contornar parte dessa maldita rejeição que ele estava recebendo, se ao menos conseguisse modificar algumas das ideias errôneas que ele estava encontrando, os cegos poderiam ver e os coxos poderiam andar. "Eu precisava da atenção que recebi das pessoas que odiavam o que eu estava fazendo, que agiam como quem pensa: 'Eis alguém tentando empurrar um lixo para cima de nós e rotular isso como nosso tipo de música'. Bem, danem-se, deixe que eles rotulem como quiser. Eu só precisava subir ao alto da maldita pirâmide antes que ela desmoronasse." E com Elvis Presley, Sam Phillips tinha certeza de que podia chegar ao topo.

O SEGUNDO SINGLE DE ELVIS PRESLEY foi lançado pela Sun em Memphis na segunda-feira após a participação no Opry. Por incrível que pareça, foi uma declaração de intenção ainda mais ousada do que a primeira, em especial o estridente blues "Good Rockin' Tonight". Naqueles primeiros e incertos dias no estúdio, jamais teriam imaginado que algo balançaria as estruturas com tanta convicção. Talvez Sam ainda não conseguisse traçar o percurso, mas sentiu que enfim começavam a vislumbrar o caminho para "aquela maldita verga que ainda não tinha sido arada".

Aproveitaram todas as oportunidades possíveis para entrar no estúdio no mês de agosto, mas Sam ficava tanto tempo na estrada, e a banda trabalhava em tantos fins de semana (mantendo seus empregos em tempo integral), que isso era mais fácil de dizer do que de realizar. Em 19 de agosto, passaram horas fazendo e refazendo "Blue Moon", num ritmo sinistro de *clippity-clop,* que mais parecia uma cruza de "Indian Love Call" de Slim Whitman e alguns dos voos de falsete dos grupos de "passarinhos" do r&b: Orioles, Ravens, Larks (corrupiões, corvos e cotovias). No final, Sam não estava convencido de que tinham algo que valesse a pena lançar, mas guardou isso para si a fim de não desencorajar o frescor e o entusiasmo irrefreáveis do cantor. "As sessões se estendiam por horas a fio", disse Marion Keisker, "cada disco era suado. Sam tinha uma paciência colossal... e olha que paciência não era muito o forte dele."

O problema não tinha tanto a ver com tempo, em todo caso, mas com confiança e orientação. Acertaram o tom uma vez, meio que por acidente, mas agora ninguém tinha ideia de como repetir a dose, e Sam não queria impor nada. "Eu tinha uma imagem mental, tão certo quanto Deus está no trono d'Ele, eu tinha uma imagem mental do que eu queria ouvir, certamente não nota por nota, mas eu sabia a essência do que tentávamos fazer. Também sabia que a pior coisa que eu poderia fazer era ser impaciente, forçar uma situação – às vezes, basta um só palpite para [mudar] um compasso e você mata a música. E, às vezes, você pode ser muito arrogante com quem já é inseguro e intimidá-lo ainda mais. Quero dizer, o máximo que eu falava era: 'Ei, cara, não tenha medo'. Nunca na minha vida disse para alguém não ter medo do microfone... Não convém chamar a atenção para aquilo que você já sabe que lhes inspira medo. Nunca fui atrevido, não dou a mínima para aparecer, mas eu tentava envolvê-los em minha atmosfera de segurança."

Nas semanas seguintes, fizeram várias tentativas com "Satisfied", sucesso gospel de Martha Carson de 1951, e "Tomorrow Night", a balada blues de Lonnie Johnson que muitas vezes Elvis tinha cantado para Dixie. Fizeram vários tropeços com outras músicas, todas apagadas da fita porque, afinal de contas, o material era caro, e eles simplesmente não estavam chegando a lugar nenhum. As baladas, Sam disse, "vão ser um tiro no pé", mas estava decidido a deixar Elvis dar asas à imaginação. Estava igualmente determinado, contou Marion, a não lançar nada abaixo do padrão já estabelecido; fazia de tudo para tornar cada disco o melhor "humanamente possível". Nas palavras de Sam: "Eu queria simplicidade, mentalizar a imagem do que estávamos ouvindo e dizer: 'Puxa, esse cara acertou em cheio'. Mas eu queria algo provocativo, também. Tudo tinha que ser estimulante. Para mim nessas gravações era como se eu estivesse filmando o épico *E o vento levou*".

Por fim, a partir de 10 de setembro, acertaram em cheio (de novo parecia que tinham encontrado a música por acaso). Mas quando pegaram o fio da meada, contou Sam Phillips, o resto foi fácil. Gravaram "Just Because", um blues que os Shelton Brothers tinham originalmente gravado como Lone Star Cowboys, em 1933. O grande bom humor e a borbulhante efervescência da nova versão do trio podem ser creditados em partes iguais à confiante exploração pelo cantor de suas técnicas de gospel (aqui pela primeira vez ouvimos a "queda" a um registro vocal mais grave e arrastado, que se tornou a marca registrada de Presley), ao estilo pulsante, quase hilário, do contrabaixo de Bill e à cada vez mais rítmica guitarra de Scotty. "Era quase uma espécie de ritmo total", disse Scotty. "Com apenas nós três, tínhamos de fazer cada nota valer." Embora Sam nunca tenha lançado essa gravação nem a seguinte, uma versão tristonha de "I'll Never Let You Go (Little Darlin')", lançada em 1941 por Jimmy Wakely, com final bem marcado em compasso binário, ambas são caracterizadas pelo espírito de brincadeira e aventura que Sam procurava, a atitude de frescor, quase "insolência" que ele tentava desbloquear.

Com "I Don't Care If the Sun Don't Shine", aconteceu uma transformação ainda mais improvável. Mack David tinha composto essa música originalmente para *Cinderela*, o longa-metragem de animação da Disney. Mack era irmão do célebre compositor pop Hal David (e o próprio Mack emplacou sucessos como "Bippidi Bobbidi Boo" e "La Vie en Rose"), a canção acabou ficando fora do disco da trilha sonora, mas foi popularizada em 1950 pelo dueto de Patti Page e Dean Martin, acompanhados por Paul Weston and His Dixie Eight. A abordagem rítmica não poderia ter sido mais diferente, mas claramente Elvis se inspirou na versão de Martin. Mesmo com toda a energia que Elvis, Scotty e Bill conferem à canção, e por todo o alto astral dos vocais de Elvis, é o ar indolentemente despreocupado que transparece. Parecia uma inusitada mistura de "Dennis, o Pimentinha" com o sotaque do inglês George Sanders, ator hollywoodiano especializado em papéis coadjuvantes. "É isso o que ele ouvia em Dean", disse Sam, que estava bem ciente da influência de Martin, "aquela malemolência na alma quando fazia suas travessuras é por isso que Elvis adorava o estilo como Dean Martin cantava."

Foi com a última música da sessão, o clássico r&b de Wynonie Harris, "Good Rockin' Tonight", que tudo enfim se encaixou. A essa altura, todos já estavam meio inquietos, e ninguém tinha certeza se haviam conseguido algo ou não, mas, como Scotty frisou: "Sam tinha um misterioso talento para extrair as coisas da gente. Ele traçava uma direção e tirava o nosso couro, nos enlouquecia ao ponto de você querer matá-lo, mas não largava o osso até arrancar de nós aquele algo a mais, que nem a gente sabia que tinha". Ele insistia para que tocassem apenas o ritmo. Depois, quando tivessem se acostumado, pedia para desacelerarem a um ritmo tão lento que todo mundo sentia gana de gritar. "Muitas vezes, era um andamento que eu tinha certeza de que eles não iam gostar, mas estávamos num beco sem saída, e quando voltavam [ao ritmo original], era como se tivessem feito um golaço."

Para Marion Keisker era como um enigma para o qual só Sam tinha a solução. "Ainda me lembro dos momentos em que todos estavam exaustos, e uma piadinha nos relaxava... eu via Elvis literalmente rolando no chão, e Bill Black escarrapachado em seu velho e detonado contrabaixo, zoando e brincando. Uma grande atmosfera de... não sei explicar, todos se esforçavam ao máximo, mas tentavam ficar bem soltos no processo todo. [Às vezes] Se Elvis fazia algo absolutamente extraordinário, mas alguém pisasse na bola ou algo desse errado antes de terminar a gravação, Sam dizia: 'Bem, vamos voltar, e repita o que você fez aí. Era isso que eu queria'. E Elvis perguntava: 'O que foi que eu fiz? O que foi que eu fiz?'. Porque era tudo tão instintivo que ele simplesmente nem se dava conta."

O princípio organizador de Sam era que tinha de ser divertido. "Eu tolerava tudo, qualquer tensão, mas o importante era que todos mostrassem confiança no que fazíamos. Eu os deixava relaxados, eles podiam escutar e reagir a meus comentários sem aquele limiar de apreensão em que já não se consegue mais fazer nada direito. Cada vez que gravávamos uma faixa, eu queria ter certeza, no melhor de minha capacidade, de que todos estavam trabalhando com gosto."

No caso dessa música final, essa sensação de prazer emerge desde a primeira nota, quando a voz de Elvis assume um tom agressivo ausente nas gravações anteriores, a banda, pela primeira vez, se torna o instrumento de fusão rítmica que Sam sempre buscou, e há uma ambiciosa e pulsante atmosfera de bons tempos que praticamente desafia as normas sociais. "Sabe da novidade?", ele indaga em sílabas alongadas e dramáticas. "Vai ter um bom balanço esta noite."

O outro elemento dramático a se manifestar foi a qualidade que Sam pressentiu em Elvis desde o início, o impulso estranho e inesperado que levava o menino a lançar-se em "That's All Right" para começo de conversa – parecia sair do nada e, entretanto, na percepção de Sam, esse mesmo sentimento aflorava nas baladas, também. Ele comparava a insegurança que surgia tão inequivocamente na postura e no comportamento do menino com o senso de inferioridade – social, psicológico, cognitivo – que era projetado pelos grandes talentos negros que ele havia garimpado e gravado. Sam não tinha certeza, mas percebia em Elvis uma alma gêmea, alguém que compartilhava com ele uma atração secreta, quase subversiva, não só pela música negra, mas pela cultura negra, por um esforço rudimentar, uma crença na igualdade dos homens. Sam sentia que isso era algo que jamais poderia ser articulado; cada um deles estava condenado a tatear no escuro, afinal, as apostas aumentavam dia a dia.

"Eu precisava ficar longe de confusões. Poderiam falar: 'Este maldito rebelde sulista vai puxar o nosso tapete. Por que devemos amaciar as coisas para esse filho da mãe que gosta de negros?'. Tive que raciocinar com sutileza... Estou contando [aqui] a verdade nua e crua. Mas fui capaz de ter paciência. Eu defendia minhas ideias com um fervor quase religioso, mas sem estardalhaço... Eu não queria dar sermões num púlpito. E eu sentia nele o mesmo tipo de empatia. Não acho que ele estava ciente de minhas motivações para fazer o que eu estava tentando fazer – não de modo consciente, pelo menos –, mas intuitivamente ele sentiu isso. Nunca discuti isso com ele – não creio que tocar nesse assunto teria sido muito inteligente. Por exemplo, eu chegar para ele e dizer: 'Ei, cara, estamos indo contra o sistema' ou 'Estamos tentando rebaixar o pop e valorizar a música negra'. Mas uma das melhores coisas que poderia ter nos acontecido foi a falta de preconceito racial por parte de Elvis Presley. Era quase subversivo, insinuava-se através da música, mas deixamos a nossa marca, não acha? Me aventurei nessa terra de ninguém e derrubamos a maldita linha que dividia as cores."

Também sob outros prismas Sam percebeu que havia encontrado uma alma gêmea. No mês seguinte, tentando alinhavar a presença no Opry, levou o compacto do novo single a velhos amigos de Nashville. Entre eles, o DJ da WLAC, Gene Nobles, e os donos de centrais distribuidoras de discos, Randy Wood e Ernie Young. Todos eles, fundamentalmente adeptos do rhythm & blues, mostraram a mesma resistência, mas Sam sabia que sua intuição não estava errada. Foi conhecendo melhor o menino, deixando que ele se abrisse um pouco mais, falando com ele não só a respeito de música, mas sobre a vida, o amor e as mulheres, sentiu um potencial que nem mesmo ele tinha antecipado plenamente.

"Fiquei admirado. Lá estava eu, doze anos mais velho, aos trinta e um, e ele com dezenove. Eu tinha sido exposto a todos os tipos de música e vivido a maldita Depressão. Mesmo assim, ele tinha uma habilidade, basicamente intuitiva, de ouvir músicas sem nunca precisar classificá-las, ou a si mesmo. Com essa mesma habilidade, só conheci duas pessoas: Jerry Lee Lewis e eu. Parecia que ele tinha uma memória fotográfica para cada música que já ouvira e era um dos seres humanos mais introspectivos que já conheci. Sabe, Elvis Presley conhecia o que era ser pobre, mas isso não o deixou preconceituoso. Ele não traçava linhas divisórias. E como disse [o editor da *Billboard*] Paul Ackerman: você tinha que ser uma pessoa inteligentíssima ou burra pra caramba (e de burro ele não tinha nada) para cultivar esse tipo de pensamento."

> Elvis Presley, nosso cantor de hillbilly local, caminha a passos rápidos e constantes rumo à proeminência nacional no campo dos ritmos rurais. A mais recente honra que lhe coube foi a de artista convidado do Louisiana Hayride, transmitido sábado à noite na KWKH, em Shreveport. Em matéria de hillbilly, o Louisiana Hayride é o segundo ou terceiro programa mais popular no ar. O principal é o Grand Ole Opry de Nashville, que só convida astros já bem estabelecidos na música country. Mas Presley já tocou no Grand Ole Opry (em 2 de outubro) e nem clientes, tampouco colegas artistas quiseram que ele desistisse. Foi algo sem precedentes na história do Grand Ole Opry receber um artista com base num só disco, como era o caso de Presley duas semanas atrás.
> – *Memphis Commercial Appeal*, **14 de outubro de 1954**

Sam ligou para Pappy Covington, o agenciador de talentos do Hayride, na segunda-feira, logo após marcarem presença no Opry. Combinaram uma data dali a menos de duas semanas, com sentimentos um pouco ambíguos de parte de alguns partidários do Hayride. Mas, além de Pappy, o agenciamento teve o apoio entusiasmado de Tillman Franks, agente dos astros do Hayride, Jimmy e Johnny (na época, Jimmy e Johnny estavam no terceiro lugar da parada hillbilly da Chess Records de Chicago). Quando ouviu pela primeira vez o disco no programa de T. Tommy Cutrer, na KCIJ, Tillman primeiro achou que era de um cantor negro. Quando Tillman tocou o disco para Horace Logan, o extravagante produtor e mestre de cerimônias do Hayride, cujo figurino incluía sempre cinturão, coldre e pistola, ele achou a mesma coisa. Mas T. Tommy, que só estava tocando o disco como um favor a Sam Phillips, depois que Sam viera à cidade meses antes (os dois se conheciam da breve passagem de T. na WREC, logo após a guerra), rapidamente desarmou Horace e Tillman: afinal de contas, Slim Whitman e Billy Walker não tinham dividido o mesmo palco com o garoto em Memphis? E Tillman, um apaixonado pela música (já tinha sido, e deixado de ser, agente exclusivo de Webb Pierce e Bill Carlisle, ajudou a encaminhar a carreira de Slim Whitman e então agenciava Johnny Horton sem deixar de tocar baixo no Hayride), deu todo o seu apoio à decisão de Pappy Covington.

O Hayride existia havia pouco mais de seis anos. Precedido por um programa similar, o *Saturday Night Roundup* da KWKH, antes da guerra e, conforme um artigo do *Commercial Appeal*, era provavelmente o segundo programa de hillbilly mais popular no ar, com um poderoso sinal de 50 mil watts que rivalizava com o do Opry, abrangendo até vinte e oito estados, e uma conexão com a CBS que lhes permitia alcançar 198 estações durante uma hora, no terceiro sábado de cada mês. A marca registrada do Hayride era a inovação, e foi como o ousado primo mais jovem do Opry que o Hayride realmente deixou sua marca. Hank Williams, Kitty Wells, Webb Pierce, Faron Young, os Carlisle, David Houston, Jim Reeves, todos estrearam no Hayride para depois brilharem em Nashville, e sob a batuta de Horace Logan o programa continuava a ser um refúgio para novos talentos, variedade desenfreada e rumos inovadores. As plateias do Hayride no Municipal Auditorium, com seus 3.800 lugares, mostravam o mesmo entusiasmo que os artistas, e Logan colocava microfones no meio do público para registrar a reação às músicas sendo transmitidas ou às cambalhotas e saltos mortais do apresentador Ray Bartlett (que durante o dia era o DJ de rhythm & blues Groovey Boy). Shreveport tinha um animado cenário musical, bem no limiar da riqueza do petróleo e com o tipo de mistura racial despretensiosa (nada parecido com dessegregação, é claro, mas com as duas populações vivendo lado a lado, entrelaçadas numa inevitável aliança cultural) que dava a Memphis seu próprio sabor musical. Na verdade, o Hayride tinha tudo, menos uma política agressiva de agendamentos para sua programação semanal (Pappy Covington tinha o cargo só porque detinha o contrato de aluguel do edifício) e gravadoras para contratá-los. Esse era o principal motivo para a migração rumo a Nashville, mas no outono de 1954 parecia que o fornecimento de novos talentos era inesgotável, e o Hayride estava tão acostumado a desafiar o Opry que Horace Logan o chamava no ar de "a filial do Tennessee do Hayride".

Sam, Elvis, Scotty e Bill partiram a Shreveport, viagem de sete ou oito horas de Memphis, logo após o trio sair do show habitual de sexta à noite no Eagle's Nest. Perderam o desvio em Greenville, Mississippi, porque se distraíram com uma piada de Bill, e depois Scotty quase atropelou uma parelha de mulas enquanto tentavam compensar o tempo perdido. Quando enfim chegaram a Shreveport, fizeram o check-in no Hotel Captain Shreve, no centro – pegaram um espaçoso quarto duplo e outro menor, ao lado – e então tiveram de esperar um tempão para Elvis pentear o cabelo. Sam levou o trio para conhecer Pappy, que os fez sentir como se eles valessem quatrocentos milhões de dólares. Gentil, paternal, recebia com extrema cordialidade, como se você fosse a melhor pessoa que já entrou em seu escritório. "Foi a melhor coisa que poderia acontecer para esses jovens e até mesmo para mim." De lá, ele e

Elvis foram prestar solidariedade a T. Tommy, que se recuperava de um grave acidente de automóvel no qual teve amputada uma perna. Continuava fazendo o programa acamado, direto da casa dele. Elvis usava um característico traje preto e cor-de-rosa e, de acordo com T. Tommy, "seu cabelo era comprido, oleoso e não parecia limpo. Depois minha esposa comentou: 'Aquele moço precisa lavar o pescoço'". T. Tommy, senhor altamente perspicaz, charmoso e competente, que mantinha uma banda própria na época e mais tarde foi eleito senador pelo estado do Tennessee e representante dos caminhoneiros da Teamster, ainda tinha dúvidas sobre quão longe iria aquele menino. O tempo todo Elvis mal abriu a boca, mas Sam estava tão convicto, e T. Tommy no fundo era um pragmático, então pensou: "Bem, vamos ver onde isso vai dar".

De lá, Sam fez o resto de suas voltas. Passou na loja de discos Stan's na 728 Texas Street, dobrando a esquina do auditório, onde conversaram com Stan Lewis. Aos vinte e sete anos, Stan fazia jus a seus cabelos precocemente grisalhos: já era um veterano no ramo. Começou administrando cinco jukeboxes nos fundos da mercearia italiana dos pais. Acabou comprando a lojinha de discos que era sua fornecedora e entrou no negócio em tempo integral com a ajuda da esposa. Ace, o irmão mais velho de Stan, era o baterista da banda de T. Tommy, e se alternava na função com seu primo, D. J. Fontana, que também tocava com Hoot e Curley no Hayride, e Stan conhecia Sam Phillips desde que Sam tinha entrado no ramo. Quem fosse à loja dele encontrava de tudo. Era o mais importante distribuidor independente da área e, portanto, interessou-se pelo novo artista, mas não muito: era um artista desconhecido de um gênero ainda não experimentado. Ainda assim, Stan tinha sido fundamental para colocar Jimmy e Johnny na Chess, anteriormente uma gravadora quase exclusivamente de blues, e agora ele estava colhendo os frutos do sucesso deles. Disse a Sam que sempre estava aberto a novos talentos; uma mão lava a outra.

Enquanto isso, Elvis foi ao auditório. Maior que o do Opry, com vestiários espaçosos para cada artista e um grande vestiário comum no segundo andar. As cadeiras dobráveis da plateia podiam ser retiradas para bailes ou eventos de basquete, e as galerias laterais se projetavam em curva sobre o palco, dando ao salão um eco natural. Subiu ao palco, o olhar fixo no chão, levantou os olhos rápido como se estivesse avaliando a multidão e retornou ao hotel. As moradias dos negros em Bottoms, a poucas quadras da entrada do grande auditório, não eram muito distintas dos barracos de Shake Rag, em Tupelo, ou das casinhas estreitas de um só pavimento de South Memphis. O agitado centro de Shreveport, a poucas quadras dali, era movimentado e cheio de vida, e quando topou com Scotty e Bill no restaurante do hotel, Bill já estava de olho em uma garçonete bonita...

Naquela noite, o auditório nem parecia o mesmo. A presença do público em multicoloridas roupas western, uma expectativa quase palpável de que algo estava por acontecer. Elvis vestia jaqueta cor-de-rosa, calça branca, camisa preta, gravata-borboleta de cores vivas e sapatos de verniz em duas cores, também chamados de sapatos de espectador, porque eram muito usados pelo público de eventos de golfe e críquete. Scotty e Bill usavam camisas western decoradas com babados e gravatas escuras. O surrado baixo de Bill parecia estar se desmanchando, Elvis embalava seu violãozinho tamanho infantil, e apenas a bonita Gibson ES 295 de Scotty dava ao trio um toque de classe profissional. Mas todos ficaram arrebatados pelo moleque. Tillman Franks, que havia encaminhado Jimmy e Johnny para Carlsbad, mas permaneceu tocando baixo na banda residente, estava quase pulando de expectativa. Pappy Covington recebeu Sam e o trio calorosamente, como se não os visse havia meses. Até mesmo Horace Logan, conhecido não só pelos seus instintos de empresário, mas pelo seu ar gélido de autossatisfação, pareceu ter sido conquistado pelo menino – havia algo nele que trazia à tona uma qualidade quase protetora, mesmo em profissionais experientes.

Sam foi sentar-se na plateia. O dia inteiro mostrou-se otimista, mas não sabia como ia ser. Restava-lhe se esforçar para ao menos obter uma boa resposta do público. Admitia que estava preocupado; o moleque parecia estar morrendo de medo, e mesmo racionalizando que a essa altura já eram praticamente veteranos no palco – todas aquelas noites no Eagle's Nest, o triunfo em Overton Park e, claro, sua presença no Opry – por outro lado, todos sabiam que este podia ser o fim da linha.

Horace Logan estava no palco. "Tem alguém aí do Mississippi? Do Arkansas? Quero ouvir o pessoal de Oklahoma. E agora, quem aqui é da Louisiana? E quantos aí vieram do grande estado do Texas?" Um forte estrépito rugiu quando o relógio da Western Union na parede marcou precisamente 20h, e a banda tocou o conhecido tema do Hayride, inspirado na velha canção negra de "menestrel", "Raise a Ruckus Tonight". *"Come along, everybody come along"*, entoou com a plateia, *"While the moon is shining bright/ We're going to have a wonderful time/ At the Louisiana Hayride tonight."*[1]

Magricela e alto, um cantor de Shreveport (que aos vinte e poucos anos já tinha um programa de televisão em Monroe) abordou a nova sensação – ficou de queixo caído ao ouvir o primeiro disco de Elvis Presley na Twin City Amusements de Jiffy Fowler, empresa de jukebox em West Monroe. "Falei: 'Oi, Elvis, meu nome é Merle Kilgore'. Ele se virou e disse: 'Ah, você trabalhou com Hank Williams'. Respondi: 'Pois é'. Ele falou: 'Você compôs 'More and More' [que chegou ao topo das paradas na voz de Webb Pierce no outono de 1954]!'. Respondi: 'Sim'. E ele: 'Quero conhecer Tibby Edwards'. Foi a primeira coisa que ele me disse. Tibby gravou para a Mercury e era uma estrela. E eu falei: 'Ele é meu amigo, quando estamos em Shreveport dividimos o quarto'. Fui chamar Tibby e o apresentei a Elvis. Foi assim que começou a nossa amizade."

"HÁ POUCAS SEMANAS", anunciou o locutor Frank Page em sua voz moderada, mas marcante, "um jovem de Memphis, Tennessee, gravou um disco no selo Sun, e em poucas semanas o disco chegou ao topo

---

1 "Venham junto, todo mundo/ Hoje à noite brilha o luar/ Vamos ao Louisiana Hayride/ Belos momentos passar." (N. de T.)

das paradas. Está fazendo sucesso em todo o país. Tem apenas dezenove anos. Tem um estilo novo, diferente. Elvis Presley. Vamos recebê-lo com uma salva de palmas... Elvis, como é que você está esta noite?"

"Tudo bem, e o senhor?"

"Você está bem preparado com sua banda..."

"Estou bem preparado!"

"Para nos deixar ouvir suas músicas?"

"Bem, eu quero dizer o quanto estamos felizes por estar aqui. É mesmo uma grande honra nos apresentarmos no Louisiana Hayride. E vamos tocar uma música para vocês... O senhor tem mais alguma coisa a dizer?"

"Não, pode ir em frente."

"Vamos tocar para vocês uma música de nosso disco da Sun, é mais ou menos assim..." E nisso ele começou o primeiro lado de seu primeiro single na Sun.

Os aplausos do público foram encorajados por Frank Page e Horace Logan, ao lado do banner da Lucky Strike. Os microfones pendurados no palco foram ligados quando Scotty fez um solo meio errático, e o público reagiu polidamente. Elvis não escondia o nervosismo, tremia tanto que os joelhos se tocavam. Sam estava certo de que Elvis teria tido uma síncope, não fosse aquele seu inovador movimento de pernas. A reação do público foi parecida com a do Opry – ele estava tão pouco à vontade que era difícil para o público realmente gostar dele, embora para Sam estivesse claro que o público torcia por ele: estava pronto, como as plateias de Memphis, para responder aos encantos do menino.

Entre um show e outro, ele foi aos bastidores para falar com Elvis. Merle Kilgore notou que Sam os puxou para um canto e disse para Elvis relaxar: as pessoas estavam ali para vê-lo, apenas deixe-os ver o que você tem, mostre o seu tipo de show, se não funcionar, bem, pro inferno com isso, ao menos podemos dizer que tentamos. Elvis, notou Merle, parecia muito assustado, mas então Sam Phillips voltou a seu lugar na plateia, e pouco depois o trio entrou no palco para executar seus dois números, e dessa vez foi completamente diferente. Grande parte do público mais jovem do primeiro show tinha ficado para o segundo, observou Tillman Franks, e agora a plateia estava pronta para aquilo que o novo cantor tinha a oferecer. Para Sam, foi um momento inesquecível.

"Havia uma faculdade em Texarkana onde os discos de Elvis tinham feito sucesso, e alguns dos jovens daquela faculdade apareceram. Bem, quando ele terminou o primeiro número, eles estavam em pé – e não só eles, por sinal. Uma dama rechonchuda – quer dizer, foi preciso um esforço para ela se levantar, e ela se ergueu e não parou de falar, bem no meio da segunda música, ela não sabia quem eu era, só disse: 'Cara, você já ouviu algo tão bom assim?'. E, honestamente, em termos de impacto tonal, não dava para competir com Maddox Brothers and Rose, ou com os Carlisle, da semana anterior... afinal de contas, eles eram profissionais. Mas Elvis tinha esse fator comunicativo, acho que o público viu nele o desejo de agradar, ele transparecia uma inocência, e ainda assim tinha uma atitude quase insolente, que era sua bengala psicológica. Certamente não queria ser insolente, mas na medida certa era algo bonito e adorável... E não estou falando de sua beleza física, porque na época ele nem era tão bonito assim, e pelos padrões convencionais ele teria sido expulso daquele palco. Mas calculei isto em minha mente: será que vão rejeitá-lo por suas longas costeletas? Aquilo poderia ser um ponto positivo... ou negativo. Mas, pela animação do público, isso não teve importância. Ele se sustentou sozinho."

Ele cantou as mesmas duas músicas do primeiro show. Não houve bis, porque o senhor Logan era muito rigoroso quanto a bis, você não fazia bis, a menos que houvesse uma erupção genuína, do tipo da que ovacionou Hank Williams quando ele cantou "Lovesick Blues" sete vezes seguidas e poderia ter continuado a tocar a noite toda. Para Elvis, Scotty e Bill nada disso aconteceu, mas todos os três estavam visivelmente mais confiantes, e Elvis, apesar de engolfado pelo terror, respondeu à altura o entusiasmo da multidão por ele. Alguns dos veteranos do Hayride, como Jimmy "C" Newman, de vinte e sete anos, que recentemente havia emplacado seu primeiro grande sucesso na gravadora Dot, de Randy Wood, com "Cry, Cry Darling", avaliaram a programação da noite com uma boa dose de desconfiança. "Eu nunca tinha visto algo parecido antes. De repente vem esse cara, acho que você quase pode chamá-lo de amador, com um colar de sujeira no pescoço, mas que fez tudo certo desde o início. Ele não precisava se esforçar, simplesmente sabia o que ia fazer. Ficamos balançando a cabeça lá nos bastidores. 'Não pode ser, não pode durar, tem de ser uma onda'."

"Acho que ele assustou um pouco a plateia [no primeiro show]", contou Merle Kilgore. "Cantou na ponta dos pés, literalmente. O público achou que ele ia saltar do palco. Mas quando voltou, ele arrasou... A essa altura o público já sabia que ele não ia pular do palco e bater neles, e simplesmente explodiu."

Jimmy "C" Newman explicou: "O que ele fez? Virou tudo de pernas pro ar. Depois daquilo fomos ao Texas trabalhar, mas não havia trabalho em lugar nenhum, porque tudo o que eles queriam era alguém para imitar Elvis, ficar saltitando no palco e fazer papel de bobo. Para mim isso foi constrangedor... Elvis conseguia fazer aquilo, mas pouca gente conseguia imitá-lo."

A *BILLBOARD* DE 16 DE OUTUBRO, na mesma data da primeira apresentação no Hayride, trazia uma pequena chamada na coluna de Bill Sachs, "Folk Talent and Tunes", em que se lia: "Bob Neal, da WMPS, Memphis, está planejando tours de outono com Elvis Presley, os Louvin Brothers e J. E. e Maxine Brown". Neal, que após o show no Overton Park, em julho, teve pouco contato pessoal com Elvis, foi conferir o trio diversas vezes no Eagle's Nest e ficou impressionado com o potencial deles. Sem experiência prévia como empresário de um artista, havia cinco anos agenciava shows em Memphis, promovendo localmente pacotes para o Opry e o Hayride, além de pequenos shows em Arkansas e Mississippi, seja onde for, num raio de 320 quilômetros do sinal de transmissão da WMPS. Divulgava os shows, é claro, em seu popular programa ao amanhecer, das 5h às 8h, bem como no *High Noon Round-Up*, do qual participavam Blackwood Brothers, Eddie Hill e outras atrações hillbilly, e no qual começou a dar espaço a Elvis. Neal ligou para Sam Phillips e indagou se a banda tinha algum representante. Sam disse que, na verdade, não – por enquanto Scotty acumulava a função de empresário interinamente –, e os dois concordaram que talvez valesse a pena deixar Bob tentar agenciar alguns shows, para ver como funcionava. Bob falou com Elvis, e o garoto mostrou-se afável, mas obviamente não tinha muito a dizer. E Scotty não pareceu fazer nenhuma objeção; até onde Neal percebeu, ele queria apenas voltar a ser músico. Então Bob foi em frente e marcou algumas datas em clubes cívicos e escolas para novembro e início de dezembro – em cidades como Bruce e Iuka, Mississippi; Helena e Leechville, Arkansas – lugares para onde havia levado seus shows muitas vezes. O público desses locais já conhecia, e apreciava, sua habilidade no uquelele e o seu aconchegante humor caipira, cuidadosamente aperfeiçoado.

Em 20 de outubro, o *Press-Scimitar* orgulhosamente publicou um artigo intitulado "A afirmação de Elvis Presley": "Elvis Presley, cantor de Memphis, em ascensão no cenário hillbilly, agora virou membro fixo do Louisiana Hayride Show... O Hayride se especializou em lançar jovens e promissores talentos dos ritmos rurais – e bastou uma apresentação dele como convidado, no sábado passado, para o jovem de Memphis se tornar uma atração fixa". O anúncio foi um pouco prematuro (Sam ainda estava em tratativas com Pappy Covington e Horace Logan), mas Elvis prontamente abandonou seu emprego, e Scotty e Bill pediram demissão dos deles, também. Fizeram isso com a mais corajosa das intenções, mas com um friozinho na barriga. "Odiei ter de abrir mão dele", contou o Sr. Tipler, que continuou a levar a esposa ao Eagle's Nest, "[mas] percebi que ele estava abrindo as asas e voando. Falei apenas: 'Entendo que você não pode ficar fora a noite toda e trabalhar no outro dia'. Sempre analiso se a pessoa vai sair ganhando, vai progredir, nunca peço para eles ficarem."

ELVIS PRONTAMENTE ABANDONOU SEU EMPREGO, E SCOTTY E BILL PEDIRAM DEMISSÃO DOS DELES, TAMBÉM. FIZERAM ISSO COM A MAIS CORAJOSA DAS INTENÇÕES, MAS COM UM FRIOZINHO NA BARRIGA.

Vernon, de acordo com Elvis, encarava tudo com menos entusiasmo. "Meu pai já tinha visto muita gente que tocava violão e outros instrumentos dar com os burros n'água, então me disse: 'Você precisa resolver se vai ser eletricista ou tocar violão. Todos os tocadores de violão que eu conheço não deram em nada'."

Tocaram de novo no Hayride no dia 23, depois tiveram de faltar uma semana em razão de uma data pré-agendada no Eagle's Nest. Então ficaram em Memphis, ensaiaram na casa de Scotty e curtiram todos os holofotes que estavam atraindo. Sentiam que coisas extraordinárias estavam prestes a acontecer, logo que voltassem a Shreveport. Tillman Franks prometeu conseguir trabalho para eles. Pappy Covington garantiu que poderia conseguir datas para shows por meio da pequena agência que ele administrava junto aos escritórios do Hayride – eles mal podiam esperar para dar os próximos passos de sua nova vida. Mas, nesse meio-tempo, a garotada da cidade estaria em peso em Clearpool no fim de semana de 29 a 30 de outubro – com shows na sexta-feira e no sábado à noite – e aquilo funcionaria como uma espécie de bota-fora de Memphis.

Naquela sexta à noite, Bob Neal trouxe ao clube um visitante ilustre. Oscar Davis, conhecido como o Barão da Bilheteria, era um extravagante cinquentão, um veterano nos circuitos de vaudeville, festivais itinerantes e country. Suas marcas registradas eram os garbosos bótons na lapela, o elegante porta-cigarros, o sotaque bostoniano, o hábito de cravar os olhos no interlocutor e concentrar nele todo o seu substancial charme. Orgulhava-se honestamente de ter gasto mais dinheiro do que muitos milionários, motivo pelo qual estava sempre falido. Autêntico *bon vivant*, fazia jus ao slogan publicitário que usava em todos os shows que promovia: Nem ouse perder a oportunidade!

Por isso estava em Memphis nesse momento específico. Havia um bom tempo, Oscar trabalhava em promoções por conta própria, agenciando estrelas como Hank Williams, Roy Acuff, Ernest Tubb e Minnie Pearl. Na música country, estabeleceu um padrão de moderno *promoter* musical, mas por ser financeiramente descontrolado acabou como empregado de um ou outro de seus protegidos. Nessa viagem a Memphis, estava trabalhando para o "Coronel" Tom Parker, que Bob Neal conheceu anos antes, por ocasião do show de Eddy Arnold no Russwood Park, em que Neal atuou como mestre de cerimônias. Depois disso, o Coronel rompeu com Arnold, a quem tinha alçado a alturas insuperáveis no campo da música country, por conta de "diferenças pessoais" e uma questão de rumos artísticos. Parker colocou Eddy Arnold em filmes, conectou-o com Abe Lastfogel, presidente da Agência William Morris, e agendou shows em Las Vegas. Supervisionou cada detalhe da carreira de Arnold. Mas Arnold queria fazer televisão e gastar o seu próprio dinheiro e o do Coronel. Assim, em agosto de 1953, Arnold demitiu seu agente sem prévio aviso, um golpe amargo para o orgulho de Tom Parker. Mas ele logo superou o baque: assinou com Hank Snow, a nova estrela número um da música country, um contrato de sociedade limitada. Parte dos termos de sua indenização com Arnold consistia em continuar a agendar os shows de Arnold em nível regional, e com essa finalidade ele organizou uma turnê de dez dias pelo Centro-Sul, no outono de 1954. Memphis era a quinta data nessa turnê.

Em sua viagem a Memphis, Oscar passou no estúdio da WMPS para sortear alguns ingressos para o show naquela tarde e perguntou a Bob Neal o que acontecia na cidade. Neal, verdadeiro coringa, deu um rápido resumo e mencionou o jovem cantor, Elvis Presley, cuja próxima turnê seria agenciada por ele. Oscar já tinha ouvido falar em Elvis. Havia um grande rebuliço em torno do novato, e ele queria ter a chance de ver o moleque – talvez ele ou Tom pudessem fazer algo por Elvis. Aliás, disse Neal, o menino ia tocar no Eagle's Nest naquela noite: por que não saíam dali juntos e assistiam ao show?

Elvis, Scotty e Bill ficaram entusiasmados em conhecer esse grandioso personagem com suas histórias importantes do mundo glamoroso sobre o qual eles podiam apenas ler nas revistas especializadas, como a *Country Song Roundup* e a *Country & Western Jamboree*. A presença de Davis causou um *frisson* na singela atmosfera do clube. Ele convidou Elvis para participar domingo do show no Ellis Auditorium. Elvis aceitou na mesma hora. Talvez, o senhor Davis sugeriu, ele pudesse até apresentar Elvis a Eddy Arnold, sempre interessado em novos talentos. Antes disso, Davis viajou a Nashville no dia seguinte para alinhavar os próximos shows de Eddy, segunda e terça-feira, mas estaria de volta à cidade no domingo.

Naquele domingo, às 18h, Elvis subiu a familiar escadaria do Ellis Auditorium. O show reunia Minnie Pearl, o virtuoso guitarrista Hank Garland, o astro local do hillbilly, Eddie Hill, e o quarteto vocal Jordanaires, sem falar em Robert Powers, o "Menor Cantor de Hillbilly do Mundo". O bilheteiro de pronto reconheceu Elvis e lhe entregou os ingressos deixados em seu nome, e ele atraiu uma boa dose de atenção ao ficar lá na frente sentado, de camisa cor-de-rosa, calça preta e sofisticados sapatos brancos. Eddy cantou "Don't Rob Another Man's Castle", "I'll Hold You in My Heart", "Any Time" e "I Really Don't Know" (seu mais recente sucesso), tudo naquela voz fluida e natural, com o apoio suave dos Jordanaires.

Depois que o show acabou, Bob Neal encontrou Elvis e o levou aos bastidores, onde ele perambulou naquele ambiente desconhecido numa espécie de estupor. Oscar Davis mostrou genuína satisfação em vê-lo e o apresentou a Eddy e a Hoyt Hawkins, dos Jordanaires. Olhando para o chão e com uma voz gaguejante, Elvis disse que havia apreciado muito os vocais do grupo. Eles também tinham apreciado o seu jeito de cantar, falou Hoyt. Tinham ouvido o disco dele no rádio quando estavam na Califórnia com Eddy. A voz dele parecia a de um cantor de quarteto. Elvis corou e ficou mexendo as mãos. Comentou que se por acaso um dia ele fizesse um sucesso parecido com o de Eddy Arnold, gostaria de ter um grupo como os Jordanaires cantando com ele. Se um dia fizesse um sucesso daqueles gostaria que eles cantassem *backing vocals* para ele num disco... Hoyt achava que isso era possível? Hoyt respondeu que claro que sim. Já tinham feito muitos trabalhos como *backing vocals* em Nashville, isso estava ficando cada vez mais popular – adorariam trabalhar com ele um dia. Oscar parecia ansioso para sair dali. No outro lado da rua tinha uma cafeteria. Que tal se ele, Elvis e Bob Neal fossem até lá, tomar uma Coca-Cola ou uma xícara de café? Do outro lado da sala, um sujeito corpulento num terno amarrotado – e, evidentemente, não feito sob medida –, com um charuto na boca, os encarou rapidamente e desviou o olhar. "Quem era aquele?" – indagou Elvis a Oscar ao saírem dos bastidores. Aquele, disse Oscar, com um gesto respeitoso, mas um pouco impaciente, era o Coronel Parker.

Na noite do sábado seguinte, Elvis assinou um contrato sindical padrão com o Hayride pelo período de um ano. Receberia 18 dólares por apresentação, como líder; Scotty e Bill receberiam 12 dólares cada um. Estavam autorizados a faltar cinco datas por ano para agendas externas, mas o senhor Logan lhe garantiu que tratativas informais poderiam ser feitas em caso de outras circunstâncias. Vernon e Gladys foram com ele a Shreveport para assinar o contrato, e todos ficaram no Hotel Captain Shreve.

"Good Rockin' Tonight" alcançou o terceiro lugar nas paradas de Memphis, e o primeiro single ainda despontava nas paradas regionais Sul afora. Nessa semana, a *Billboard* publicou uma resenha do novo single, outra vez na seção "Spotlight". "Elvis Presley", dizia o texto, "comprova que é um cantor de vanguarda com suas interpretações desses dois clássicos. Mescla de country e r&b, o estilo dele flerta com o pop." Sam Phillips ficou encantado. Isso lhe dava munição em sua cruzada. De agora em diante, revendedores, operadores de jukebox e centrais de distribuição até podiam ignorar o tsunami que se formava – mas por sua conta e risco. Os discos de Bill Haley também apontavam esse caminho, e todos os dias Sam enxergava novas provas disso nos meninos interioranos que apareciam em sua porta, pois percebiam algo na música que, sem conseguirem rotular, reconheciam logo de cara. E Sam sabia que estava chegando o dia, tão certo quanto ele havia nascido, estava chegando o dia em que esse tipo de música prevaleceria, e ele não precisava de um tapinha nas costas da indústria para convencê-lo disso. Mas afinal de contas aquela era a *Billboard*! E o colunista Paul Ackerman (jornalista que ainda não conhecia, mas por quem nutria o mais profundo respeito) estava captando os mesmos sinais na música que Sam Phillips captava.

Gladys cuidadosamente colou a resenha no álbum que ela estava montando – nem acreditava na rapidez com que os recortes se acumulavam. Ela e Dixie falavam animadamente sobre a nova "carreira" de Elvis. Degustavam toda e qualquer informação disponível. Parecia impossível que tudo aquilo estivesse acontecendo, e acontecendo tão rápido – você deveria ter visto o público em Shreveport, contou Gladys, empolgada, a Dixie. A criançada praticamente enlouqueceu, e Elvis teve de dar um bis nos dois shows. E o hotel era tão bom...

DIXIE ESTAVA PREOCUPADA com Elvis. Quando ele viajava, ela se preocupava com ele, rezava por seu sucesso e rezava para que o sucesso não o mudasse. Quando ele estava em casa, ela se preocupava porque notava que as coisas realmente estavam mudando. Havia apenas três meses, a principal preocupação de ambos era o casamento e se teriam a força para esperar. Agora parecia que a cabeça dele estava sempre em outro lugar. Ela ficou se perguntando se ele estava com outra pessoa, mas não achava isso, tinha certeza de que não, ele só andava muito distraído. Aonde fossem, Elvis era reconhecido, algumas das moças tentavam se exibir de um jeito quase despudorado, mas ele não se aborrecia com aquilo. Passavam no Chisca para visitar Dewey enquanto ele fazia seu programa de rádio e, às vezes, Elvis ia lá sozinho. Ela não sabia ao certo o que eles faziam depois: às vezes, jogavam sinuca, às vezes, assistiam a filmes na garagem de Dewey, e ela sabia que os dois passeavam na Beale Street, porque ele contou a ela a respeito do encontro com B. B. King e sobre alguns dos clubes para o público negro e os donos de clubes que ele havia conhecido. Elvis parecia muito animado com tudo aquilo – tinha visto Lowell Fulson com uma roupa transada no Club Handy, e cantou para Dixie um trecho da nova música de Fulson, "Reconsider Baby", que ela já teria ouvido se ainda houvesse tempo para ouvir discos no Charlie's. Também contou como o guitarrista Calvin Newborn "splitava" para mudar o timbre da guitarra em seus shows no Flamingo Lounge. O puro entusiasmo, o fascínio no olhar arregalado e a ânsia por novas experiências faziam parte do rapaz que ela conhecia, mas havia algo diferente nele, Dixie sabia disso, e a senhora Presley também. Nenhuma delas queria confessar à outra, então contornavam o assunto e apenas expressavam sua preocupação de que os meninos dirigissem com cuidado.

No fim da temporada de futebol americano, Elvis passou de carro pela Humes quando o time embarcava rumo a Bartlett para jogar uma partida. Um dos astros do time, Red West, que já jogava no ano em que Elvis tentou entrar na equipe (West na época estava no 9º ano e Elvis, no 11º), o reconheceu antes de entrar no ônibus e o chamou com um grito. "Parabéns", disse ele quando Elvis saiu do seu antigo cupê Lincoln e se aproximou a passos lentos. Convidou Elvis para assistir ao jogo, então Elvis seguiu o ônibus até Bartlett e, quando o jogo acabou, perguntou se Red não gostaria de ir a um show que ele ia fazer naquele fim de semana, e pelo resto do ano letivo Red o acompanhou nos shows marcados para os fins de semana.

Gostava de ter Red por perto, sentia-se mais à vontade, e Red se dava bem com Scotty e Bill, mas ainda assim Elvis começou a se sentir esquisito em Memphis, tinha a impressão de que as pessoas o tratavam com muita cerimônia, como se estivesse no palco o tempo todo e nunca pudesse ficar à vontade, nunca pudesse ser ele mesmo. Estava se tornando uma espécie de celebridade local e não sabia direito como agir. Em 3 de novembro, tocaram na Memphis State para uma campanha de doação de sangue, e Elvis posou para uma foto ao lado do prefeito Tobey. "Ele conferia os jornais", disse Guy Lansky, "preocupado com o que diziam sobre ele." Um dia, Ronnie Smith se encontrou com Elvis na WHHM "e ele me disse: 'Vem cá, Ron, vou te mostrar o meu novo Cadillac'. Pegamos o elevador, descemos ao estacionamento e fomos andando até chegar perto da companhia telefônica. Lá estava o seu velho Lincoln estacionado!". Às vezes, velhos amigos fingiam que não o conheciam ao passar por ele na rua – não sabia se estavam rindo dele, ou se era porque não aprovavam o que ele fazia, ou se pensavam que ele de alguma forma sentia-se superior agora.

Em Shreveport era diferente. Era como se ele fosse outra pessoa; podia criar uma imagem totalmente nova para si sem que ninguém o obrigasse a se lembrar da antiga. Em Shreveport, as meninas faziam das tripas coração para se aproximar dele. Quando Elvis, Scotty e Bill voltaram a Shreveport uma semana depois da vinda de Gladys e Vernon, o trio se escondeu no Al-Ida Motel, em Bossier City, do outro lado do rio, e as fãs começaram a aparecer logo depois, como se sentissem a presença deles. Para um pirralho que raramente passava uma noite fora de casa, era como estar no acampamento de verão: sempre adorou flertar com as meninas, adorava brincar com elas e provocá-las, mas agora não havia ninguém por perto para impedir que isso fosse longe demais. E elas também não pareciam lá muito preocupadas com isso. Entre um show e outro no auditório, ele ficava atrás da cortina espiando, e quando achava uma moça atraente, gingava até o quiosque, passava um braço por cima do ombro dela e o outro braço em volta de outra pessoa, agindo quase como se estivesse bêbado, embora todos soubessem que ele não bebia.

"Era um adolescente, sem tirar, nem pôr", disse Scotty. "Meio selvagem, mas de um jeito travesso. Adorava trotes e pegadinhas. Para tirá-lo da cama, praticamente tínhamos de bater nele com um bastão. Os pais dele eram superprotetores. A mãe dele me encurralava e dizia: 'Cuide do meu filho, se ele está comendo direito'. Se ele isso ou aquilo. Coisas clássicas de mãe. Mas sempre sobrava para mim. Isso não o incomodava; não havia nada de artificial naquilo, ele realmente amava a mãe. Elvis era apenas o protótipo do filho mimado, é o máximo que se pode dizer, muito tímido – ficava mais à vontade lá sentado com o violão do que tentando falar com você. Em geral, Bill e eu éramos os únicos a falar, mas quando ele queria também podia ser muito extrovertido. Sabe, eu tinha viajado muito, e ele nunca pisou fora dos limites da cidade. Ele só observava e aprendia, eu nunca disse nada a ele. A gente se comunicava praticamente sem falar – e o que ele não sabia, era só porque ninguém tinha lhe explicado. Quando chegou a Shreveport, ele ferveu por aí, eu acho, pulando de galho em galho."

Com Merle Kilgore, eles iam ao Murrell's Cafe, na Market Street, em frente aos escritórios do Hayride. Ficavam lá durante horas, às vezes, comendo hambúrgueres, falando de música e flertando com as meninas. "Ele me lembrava de Hank Williams", disse Merle, que aos quatorze anos conheceu Williams e cuja admiração pelo seu ídolo continuava ilimitada. "Algo nos olhos dele. Ele fazia uma pergunta, e os olhos faziam outra. Era aquele olhar. Esperava a resposta com um olhar indagador. Só vi isso em Hank e Elvis." Às vezes jogavam pinball na rodoviária com Tibby Edwards ou passavam na Stan's Record Shop para vasculhar as prateleiras de rhythm & blues. Você comia quando queria, dormia quando queria, as garotas vinham correndo atrás de você. Era um sonho de adolescente. Todas as noites, ele ligava para casa e falava com a mãe; muitas vezes ligava para Dixie e expressava seu amor eterno. Mas depois estava livre para fazer o que quisesse.

Trabalharam uma noite no Lake Cliff Club, onde Hoot e Curley costumavam tocar. Elvis tinha uma queda pela linda filha de Hoot, Mary Alice, mas estava um pouco nervoso em pedir a Hoot, que tocava *steel guitar* na música "Indian Love Call" de Slim Whitman, permissão para convidá-la para sair. O show no Lake Cliff virou uma piada. Havia seis anos, Hoot e Curley tocavam lá e tinham seu público, que infelizmente não foi avisado de que eles não iam tocar no Lake Cliff naquela noite. Não jogaram objetos, mas quase. No fim da primeira sessão, o clube tinha quase esvaziado e, na avaliação de Scotty, "foi um fracasso total".

Com base no entusiasmo de Tillman Franks e em suas promessas de trabalho, tinham reservado hospedagem por duas semanas no Al-Ida em meados de novembro. Logo descobriram, porém, que Tillman subitamente havia se tornado *persona non grata* no Hayride e não cumpriria suas promessas. Entraram em pânico. Scotty recorda vividamente desse período em que o trio ficou "ilhado" em Shreveport, abandonado, sem dinheiro nem para pagar a conta do hotel ou comprar gasolina suficiente para voltar a Memphis. Na verdade, não ficaram presos por muito tempo. Talvez apenas tivessem gasto todo o dinheiro deles na expectativa de ganhar mais. Seja lá como for, em poucos dias, Pappy Covington conseguiu trabalho para eles em Gladewater, Texas, a uns 95 quilômetros a oeste de Shreveport.

Pappy ligou para Tom Perryman, um jovem batalhador que tinha deixado sua marca em Gladewater na estação de rádio KSIJ, onde trabalhava desde 1949. Além de DJ, ele atuava como engenheiro, jornalista, locutor esportivo, gerente de vendas, diretor de programa e gerente-geral em vários momentos. Também criou um show de talentos que era transmitido primeiro do estúdio e, depois que cresceu, do centro comunitário local e do cinema de trezentos lugares da cidade. Por fim, colocou o show na estrada, onde tocava em escolas e ginásios do Ensino Médio nas cidades do entorno. Perryman também agendava shows no Hayride e ocasionalmente colocava artistas já com discos gravados para fazer participações no show de talentos itinerante, como uma espécie de atração especial. Foi assim que conheceu Jim Reeves, na época DJ em Henderson, Texas, de quem mais tarde se tornou agente e sócio em vários empreendimentos. Começou a agendar alguns desses artistas individuais em clubes e botecos como o Reo Palm Isle em Longview e, em geral, era um dos empresários mais ocupados do nordeste do Texas, região que parecia ser tão louca por música quanto Memphis ou qualquer outra parte do interior. Ele estava tocando "Blue Moon of Kentucky" desde o lançamento do disco, "por causa do arranjo único. Era um som simplesmente inédito".

Por isso não ficou tão atrapalhado quando, naquela segunda-feira de manhã, Pappy Covington, com quem já tinha agenciado vários shows, telefonou para ele indagando "se eu tinha como encaixar um grupo em algum lugar, urgente.

Ele deu a real: 'Tem uns garotos aqui que estão falidos, não têm grana nem para voltar a Memphis'. Bem, um amigo meu tinha um boteco às margens da Tyler Highway. Então falei: 'Sim, acho que sim', e liguei para esse meu amigo, que respondeu: 'Sim, estou sem ninguém no momento, pode mandar os caras. Quem são eles?'. Falei que era um cantor novato de Memphis chamado Elvis Presley. Claro, eu toquei muito o disco deles na rádio nos dias seguintes e, sexta à noite, lá vieram eles. Só Elvis, Scotty e Bill num Chevrolet com aquele grande e velho contrabaixo no teto do carro.

"Em geral, eu agendava o show, o dono do clube ficava com a grana do bar, e eu ficava com o dinheiro da bilheteria. Minha esposa, Billie, trabalhava na porta. Pagávamos as despesas do show, os patrocinadores e a publicidade, se houvesse. A maior parte da publicidade era feita no meu programa [de rádio], e também fazíamos uma palhinha ao vivo do estúdio para promover a apresentação daquela noite. Daí eu ficava com quinze por cento do bruto, e o que restava ia para o artista. Nunca vou me esquecer: naquela primeira noite, a renda total foi de noventa dólares. Nem um centavo a mais. Claro que não peguei a minha parte. Eu sabia que os rapazes precisavam da grana, então repassei tudo a eles.

"Sabe, ele era mesmo autêntico. Quando Elvis se apresentava, todos tinham a mesma reação básica. Era algo quase espontâneo. Isso me remetia à minha infância no leste do Texas, onde fui criado indo àqueles encontros sob telhadinhos rústicos feitos de ramos para fiéis que, de tão fervorosos, eram chamados 'Holy Rollers': ver esse pessoal abraçar uma religião. Comentei: 'Cara, isso é incrível'. No auge da carreira, em meio à parafernália de sistemas de som e luzes, Elvis fazia aquilo como se não houvesse mais do que dez pessoas [no salão]. Só mais tarde ele começou a se dar conta do poder que tinha. Dizia: 'Cara, o público é muito legal nesta parte do país. São sempre assim?'. Eu respondia: 'Não, cara. Nunca viram nada como você'. Ninguém tinha visto.

"Não vai acontecer de novo nesta geração ou na próxima, não creio. Apareceu na hora certa com a coisa certa. Porque foi no pós-guerra. O pessoal da minha idade cresceu nos anos 1940 com a música das big bands. Mas esses meninos, da geração que era criança durante a guerra, não tinham um estilo musical com o qual se identificar, estavam buscando algo com que pudessem se identificar, e aquele som novo era uma combinação disso tudo".

Na quinta-feira, 25 de novembro, Elvis tinha um show marcado em Houston pela primeira vez no Paladium Club, por intermédio de Biff Collie, o conhecido DJ de Houston. Collie, natural de San Antonio, aos vinte e oito anos já trabalhava havia uma década na profissão. Figura altamente influente no rádio, foi ele quem conseguiu o emprego para T. Tommy Cutrer em Shreveport. T. Tommy e Tillman Franks, seus conhecidos de longa data, falaram a Biff de Elvis Presley pela primeira vez. Na realidade, ele tinha visitado Memphis com Tillman apenas uma semana antes, com o objetivo de assistir a uma apresentação de Elvis. Os dois tinham se encontrado em Shreveport a caminho da terceira convenção anual "Country Music Disc Jockey", em Nashville, evento cuja organização havia contado com a substancial ajuda de Biff. A dupla representada por Tillman, Jimmy e Johnny tinha show marcado para a quarta-feira à noite no Eagle's Nest, junto com esse novo "fenômeno" de Memphis, sobre o qual Biff tanto tinha ouvido falar. Por isso ele e Tillman foram ao clube para conferir.

Biff não ficou tão impressionado. Sem dúvida, o moleque era "diferente", mas não tinha nada de "sensacional". Na verdade, Jimmy e Johnny roubaram a cena. Uma coisa, porém, o deixou muito intrigado: nunca tinha visto aquela combinação de elementos. O menino parecia "um cantor gospel do Mississippi cantando música negra, é a melhor descrição que posso imaginar". Com base nessa observação, sem falar no incansável entusiasmo de Tillman e a recomendação de Bob Neal, com quem conversou no clube aquela noite e com quem passou um tempo na convenção, agendou Elvis para uma apresentação ao vivo em seu próprio programa de sábado à noite, o *Hoedown Jamboree*, com o empresário local e dono de casa noturna Tony Sepolio ficando com as duas noites anteriores.

Foi boa a reação às apresentações de Elvis em Houston, mas para Biff a natureza do show era basicamente igual à observada em Memphis. Repertório extremamente limitado. Elvis obviamente tinha muito a aprender. A essa altura, porém, começou a cair a ficha para Biff Collie, embora não soubesse definir direito o porquê. "Indaguei: 'Não canta baladinhas?'. Respondeu: 'Não canto... Eu gosto de cantar essas coisas porque elas me fazem sentir bem, sabe'. Continuei: 'Sim, o público gosta disso, e você está fazendo muito bem, ao que parece, mas esse lance de rhythm & blues não vai durar para sempre. Precisa incluir músicas lentas no repertório'. A reação dele foi: 'Não curto muito... eu só gosto de cantar, sabe, o que me faz sentir bem'.

"Naquela noite, no final do evento, atravessamos a rua até o restaurante Stuart's Drive Inn, sentamos à mesa de uma cabine privativa, de assentos estofados, pedimos algo e vi Sonny Stuart passar. Filho do dono, ele estava aprendendo o negócio na época. Pisquei para ele e disse: 'Só por diversão, peça à moça do sistema de som lá em cima chamar Elvis Presley'. Ele me perguntou: 'Pode me soletrar?'. E a moça chamou o nome dele três ou quatro vezes por quinze minutos e, obviamente, nada aconteceu. Nada mesmo. E eu me lembro de ter falado ao Elvis naquela noite: 'Qualquer dia desses você vai precisar de alguém para cuidar de sua segurança'. E, de novo, isso não foi por conta do que ele tinha feito lá. Simplesmente senti que algo estava prestes a acontecer."

No dia seguinte à estreia no Paladium em Houston, Elvis enviou um telegrama para casa. "Oi, queridos", dizia o texto. "Segue o dinheiro para pagar as contas. Não digam a ninguém quanto mandei. Vou mandar mais na semana que vem. Tem um cartão no correio. Com amor, Elvis."

Nesse meio-tempo, Bob Neal encarava seu novo projeto com entusiasmo crescente; cada vez mais, lhe atraía e amadurecia a ideia de se tornar empresário com plenos poderes sobre a carreira de Elvis Presley. As poucas datas que fizeram juntos só confirmaram sua visão sobre o potencial do menino. E também os relatórios que continuavam chegando da Louisiana e do leste do Texas. Faltava assinar um documento oficial, mas não havia dúvida em sua mente de que esse experimento só poderia fracassar se ele resolvesse abandoná-lo. Ali estava enfim a oportunidade de criar algo a partir do começo, em vez de apenas assinar outro pacote promocional para Nashville; poderia ser a chance de chegar ao topo.

O topo. Rapidamente, Bob Neal percebeu que era para lá que o garoto estava indo. Não muito mais velho do que seu filho Sonny, aparentemente Elvis não tinha a capacidade de articular o que realmente estava procurando. Mas o garoto parecia ter um instinto infalível de como criar um vínculo com o público, além da força e da determinação para concretizar isso. Algo que Neal jamais tinha visto em doze anos de rádio e quatro ou cinco anos no ramo promocional. Nas regiões do Mississippi e do Arkansas onde o sinal do Hayride chegava mais forte, ele parecia praticamente explodir, subindo ao palco como um velocista arranca ao ouvir o tiro de partida, com uma energia e um crepitante entusiasmo que mal podiam ser contidos. Em locais onde ele era menos conhecido, por outro lado, "não sabiam direito como avaliá-lo, simplesmente não sabiam o que fazer. Às vezes, ficavam bastante calados. Muitos vinham para os shows porque eram ouvintes do meu programa de rádio, e isso às vezes deixava Elvis um pouco frustrado. Eles me cercavam para me perguntar sobre a minha família e meus filhos, e assim por diante, e meio que ignoravam Elvis, [mas] quanto mais o público ficava em cima do muro, mais ele se esforçava para surpreendê-los. O show dele evoluiu tanto que, às vezes, se Elvis estivesse no palco e um movimento acidental suscitasse um grande grito ou reação na plateia, ele guardava aquilo automaticamente na memória. E se inventasse algo e a reação fosse morna, ele não se preocupava com isso, deixava para lá e tentava outra coisa. Para Elvis, isso era tão automático quanto respirar".

Quase tão importante quanto esse dom natural, porém, eram os dois homens que compunham os dois terços restantes do trio. Talvez não fossem os melhores músicos do mundo, mas Elvis se sentia perfeitamente à vontade com eles, e, naqueles raros casos em que seus próprios instintos fracassavam, era Bill quem assumia o controle. Com uma personalidade muito solícita, Bill era sempre muito útil. Para isso contribuíam o seu humor rústico e sua lembrança das velhas rotinas do Opry, afinal de contas, tocavam para um público country. Às vezes, Bill saía da plateia vestido de mendigo e gritava: "Peraí, quero tocar com vocês. Consigo tocar tão bem quanto vocês!". Outras vezes, ele poderia vestir um par de ceroulas femininas tamanho GG, que Bobbie e Evelyn tinham comprado especialmente para o show, ou pintar de preto os dentes da frente ou contar uma daquelas velhas piadas sobre Roterdã ("Roterdã é demais!" era o arremate). E o público ficava enlouquecido quando ele montava naquele baixo, os braços erguidos para encorajar Elvis, e o baixo entre as pernas como se fosse um touro zebu. Ele conseguia salvar Elvis, também, quando o garoto metia os pés pelas mãos ou julgava a plateia errado e ela não tolerava suas inovações, vulgaridades ou simplesmente as piadas fracas. "Em alguns dos primeiros shows", disse Scotty, cuja calma inabalável e capacidade de lidar com toda e qualquer crise eram parte integrante de toda a experiência, "se não fosse por Bill, teríamos pisado feio na bola. É que o Elvis era uma esquisitice e tanto, vamos combinar, e se o público não o conhecia, ficava praticamente em choque. Mas com suas palhaçadas o Bill relaxava a galera."

O ingresso, em geral, era de um dólar para adultos, cinquenta centavos para crianças, com 10% retidos para despesas e 15% retirados da renda bruta, após o patrocinador local ou Kiwanis Club ter sido pago. Às vezes, sobravam até trezentos dólares para dividir, com quarenta e cinco indo para Bob e o resto dividido na base percentual 50-25-25 entre Elvis, Scotty e Bill. Era comum render menos, mas uma ou duas comissões de vinte e cinco a quarenta e cinco por semana eram um bom suplemento para o já confortável salário de DJ, e se você somasse todos os penduricalhos desfrutados por uma personalidade popular de rádio, era o suficiente para ter uma vida boa.

Uma série de sinais anunciava que o negócio estava prestes a melhorar no futuro próximo. A revista *Billboard* observou que os discos ainda apareciam bem nas paradas (na semana de 17 de novembro, "Blue Moon of Kentucky" estava em quinto lugar em Memphis e "Good Rockin' Tonight" em oitavo). Numa pesquisa entre DJs, Elvis Presley aparecia como o oitavo artista mais promissor de Country & Western, atrás de Tommy Collins, Justin Tubb, Jimmy e Johnny, os Brown, Jimmy Newman, entre outros. Enquanto isso, Bob Neal divulgou os resultados de sua terceira pesquisa anual entre os seus ouvintes, em que Elvis aparecia na décima posição, atrás de feras do country como Webb Pierce, Faron Young, Ray Price, Hank Snow e Kitty Wells. A edição de 11 de dezembro da *Billboard* informou na coluna "Folk Talent and Tunes" que "atualmente a mercadoria mais quente do... Louisiana Hayride é Elvis Presley, o novato com a batida blues hillbilly". Por sua vez, Marty Robbins gravou uma versão creditável como country de "That's All Right" para a Columbia em 7 de dezembro.

O que mais impressionava Neal era a ambição do garoto, algo que lhe havia passado despercebido, não fosse por sua esposa. Às vezes, voltando dos shows rumo a Memphis, Elvis ia junto com Bob e Helen, e se revezava no volante para que Bob, cujo programa começava às 5h, praticamente logo após chegarem à cidade, pudesse dormir um pouco. Elvis se abria com Helen, então, de um jeito que não fazia com Bob, nem mesmo com Scotty e Bill – ele se revelava em fragmentos que Neal captava entre momentos de vigília e sono ou descritos por Helen depois. "Ele falava sobre suas aspirações e planos", disse Neal ao biógrafo de Elvis Jerry Hopkins. "Helen contou que ele não falava em sucesso moderado; a ambição dele era chegar ao cinema e assim por diante. Ele perguntava o que ela achava. Será que conseguiria? Ela respondeu com otimismo incorrigível: ele poderia chegar o mais longe que quisesse. Desde o início, ele teve grandes ambições de se destacar e conquistar o mundo."

DIXIE DESEJAVA que Elvis pudesse passar um pouco mais de tempo em casa no Natal. Seria o primeiro Natal deles juntos, e ela queria muito torná-lo especial. Ao voltar do Texas, Elvis trouxe para ela um presente de Natal antecipado: um short e uma regatinha cor-de-rosa. Queria que Dixie os experimentasse imediatamente, e ela estava animada, também, porque adorou a roupa, e adorou ainda mais o entusiasmo dele. Nunca foram muito de dar presentes – simplesmente não tinham grana. Mas ela sabia que o Natal daquele ano seria diferente.

Elvis já tinha se presenteado meses antes com um violão Martin 000-18, modelo "parlor", comprado por US$ 79,50 na O. K. Houck Company, na Union. Ele ficou meio constrangido em relação a isso; parecia uma extravagância gastar tanto dinheiro, mas era seu ganha-pão, disse a si mesmo, e só hesitou quando o homem jogou no lixo seu velho violão. "Ele recebeu meu violão por apenas oito dólares, e eu paguei a diferença", contava ele para quem quisesse ouvir, ainda boquiaberto, sem acreditar. "Puxa vida, ele ainda soava bem." Mandou inscrever seu prenome em letras metálicas pretas na parte clara da madeira do D-18, diagonalmente ao braço do violão, e o novo instrumento parecia muito mais profissional do que o antigo, mas, Elvis brincava, ele tocava tão mal quanto antes.

Foram ao show de Natal na Humes High, e todos os professores e alunos se reuniram em volta de Elvis, mas alguns o esnobaram, achando que ele ia esnobá-los, o que era uma injustiça. Foram ensaiar na casa de Scotty para um show que dariam perto do Natal. Primeiro ensaiaram um velho número de blues que se tornou um clássico do western swing, sub-gênero da música country, em diferentes versões ao longo dos anos: Bob Wills e seus irmãos, Billy Jack e Johnnie Lee. A nova versão abria com um ritmo de blues cadenciado, belo e animado que quase parecia provocar o ouvinte, até Elvis anunciar, com apenas um quê de malícia na voz: "*Hold it, fellas, that don't move me. Let's get real, real gone for a change*"[2]. E mergulhava no famoso "Milkcow Blues Boogie". O lado B era uma nova canção de um gerente de sala teatral em Covington, Tennessee, chamado Jack Sallee, que Sam havia conhecido quando ele entrou na Memphis Recording Service para gravar uns anúncios para seu jamboree de hillbilly, às sextas à noite. Sam disse que estava procurando material original para seu novo artista, e Sallee foi para casa e escreveu uma música. "You're a Heartbreaker" foi a primeira das canções de Elvis cujos direitos autorais pertenciam a Sam Phillips, e foi também o mais próximo que chegaram até aquela data de um número explicitamente country.

Tocaram no Hayride no dia 18, então Bobbie esperou Scotty voltar para casa com seu Chevrolet. "Scotty deveria voltar a tempo de eu ir às compras de Natal. Estavam usando o carro, e eu dependia de ônibus. Combinaram de voltar para casa quinta à noite depois do show (o Natal era no sábado). Falei: 'Bem, vou esperar vocês chegarem aqui e daí termino minhas compras de Natal'. Esperei até o meio da tarde de sexta-feira, e nada. Imaginei que tinham ficado lá, mas continuei esperando. Falei comigo: 'Não vou andar de ônibus. Scotty não vai ganhar nada para o Natal'. Chegaram por volta das 17h30, e falei: 'Por que não voltaram para casa ontem à noite?'. E a resposta: 'Elvis queria ficar em Shreveport e fazer suas compras de Natal esta manhã'. Eu disse: 'OK, Elvis consegue o que Elvis quer, e você não ganha um presente de Natal!'. Mas o Scotty não ficou lá muito preocupado."

Elvis e Dixie passaram todo o dia de Natal juntos, primeiro na casa de Dixie, depois na dos Presley. Elvis deu a ela um traje comprado em Shreveport – ela amou, Dixie amava tudo o que Elvis dava a ela, mas, de

---

2 "Peraí, camaradas. Isso não me comove. Para variar, vamos botar para quebrar." Observação: a expressão *"real gone"* tem um largo espectro polissêmico e pode ser traduzida de várias maneiras, desde "alto, embriagado" até "legal, agradável". A tradução sugerida é apenas uma de várias possíveis. Por exemplo, segundo o site https://americansongwriter.com/top-15-philosophical-songs/, que cita "Milkcow Blues Boogie" como uma das Top 15 Canções Filosóficas, *"real, real gone"* "restabelece o significado literal de 'êxtase', que é estar 'fora de estase', fora da inércia, ou seja, em movimento". "Botar para quebrar" meio que resume essas ideias, pois significa "executar algo com intensidade e força", passando essa ideia de movimento que a canção transmite. (N. de T.)

alguma forma, ela não imaginava que seria assim. Elvis tinha acabado de chegar à cidade na noite anterior, e agora dizia a ela que colocaria o pé na estrada de novo antes que ela sequer notasse. Tinham um show marcado para o dia 28 em Houston, com Biff Collie, no Cook's Hoedown Yuletide Jamboree. E depois uma participação na transmissão especial da Noite de Ano-Novo, a ser feita no Eagle's Hall, também agenciado por Biff.

Dixie acenou quando o carro do grupo partiu e depois foi para a casa dos Presley, onde ela e Gladys compartilharam seu orgulho pelo rumo que a vida de Elvis havia tomado e se consolaram mutuamente pelo que as duas tinham perdido.

Louisiana Hayride
(Langston McEachern)

FRUTO PROIBIDO
Janeiro a maio de 1955

ELVIS ASSINOU COM BOB NEAL formalmente no início do ano. A foto oficial, divulgada na mídia e na edição de março da *Country & Western Jamboree*, mostra Elvis sentado à mesa diante de uma lareira, a caneta na mão, o sorriso torto, o cabelo perfeito. De um lado, Sam Phillips, do outro, Bob Neal. Sam repousa a mão no ombro direito de Elvis, Bob ostenta um largo sorriso e uma gravata western, e os três olham direto para a câmera. Tecnicamente, Elvis ainda era menor de idade. Por isso, o senhor e a senhora Vernon Presley assinaram o contrato como pais e responsáveis legais, com plenas expectativas de que isso marcasse uma reviravolta e catapultasse os ganhos de seu filho.

E funcionou, quase desde o começo. Bob agendou shows que manteriam Elvis na estrada a maior parte de janeiro, com estreia em Memphis no Ellis Auditorium, no dia 6 de fevereiro de 1955. Também estava em vias de estabelecer uma sólida conexão com o Coronel Tom Parker, que, por meio de sua nova agência empresarial com Hank Snow, tinha plenas condições de expandir muito o público de Elvis. No início, o Coronel mostrou-se um pouco relutante em se envolver, mas agora falava em experimentar Elvis numa turnê com Hank Snow que começava no Novo México em meados de fevereiro. Por enquanto, Elvis estava agendado para o Oeste do Texas na semana de 2 de janeiro, num pacote do Hayride; em seguida, após voltar a Shreveport, tocaria nas proximidades de New Boston, Texas, e no dia 12 estava programado um show em Clarksdale, Mississippi, com a dupla "irmão-irmã", Jim Ed e Maxine Brown, e "Tater" Bob Neal como mestre de cerimônias, repetindo a dose em Helena, Arkansas, na noite seguinte. Na semana posterior havia um sólido bloco de shows marcados para a região de Corinth, Mississippi, com um pulinho a Sikeston, Missouri, retornando à área de Gladewater para um circuito de cinco dias na outra semana.

Nem sempre era ele que roubava o show. Jim Ed e Maxine Brown eram um duo de respeito. No verão anterior, alcançaram o oitavo lugar na parada de sucessos, com "Looking Back to See". Comparativamente, eram veteranos do Hayride e tinham um público fiel que nunca os abandonava. Grandalhão e bonito, Jim era só um ano mais velho que Elvis, e também caprichava no visual para as meninas; a irmã dele, Maxine, era atraente e extrovertida, e a dupla sempre conquistava a maior parte da plateia. Tom Perryman lembrou-se de um show que ele promoveu em Gilmer, Texas, perto de Gladewater, em que os Brown realmente arrasaram. "Cantaram várias de suas músicas de louvor, e tinham um disco de sucesso, e na plateia havia famílias inteiras. Foi a única vez que vi alguém roubar o show do Elvis. Claro que foi algo emocionante para os irmãos Brown." Na maioria das vezes, porém, acontecia o contrário. Não que eles fossem menos populares ou que os fãs não se reunissem em torno deles no final da apresentação para pedir autógrafos e comprar seus discos. Simplesmente, quando o garoto subia ao palco, era algo jamais visto. Gostando ou não, a plateia não conseguia pensar em mais nada, e isso a impedia de se concentrar em qualquer coisa que viesse depois.

Em Corinth, Mississippi, o show foi patrocinado pelo Jaycees Club local e estava programado para acontecer no tribunal, com a participação do DJ/cantor local Buddy Bain. Aos trinta e um anos, Buddy já havia atuado em Nashville como DJ na WSM, após uma temporada de cinco anos em Knoxville com Chet Atkins. Sendo um cantor de country tradicional, não apreciou muito o novo estilo. Cresceu admirando Gene Autry e Jimmie Rodgers, mas tinha conhecido Sam Phillips na WLAY em Muscle Shoals, e conhecia os Presley da região de Tupelo, onde havia crescido e onde suas irmãs Mary e Marie tinham trabalhado com Gladys na fábrica de roupas da Reed Manufacturing Company. Assim, quando Sam trouxe não só o primeiro disco, mas o próprio novato à estação de rádio da WCMA em Corinth num sufocante dia no verão anterior, Buddy tocou o disco ("Bem, eu toquei 'Blue Moon of Kentucky'; 'That's All Right' era um pouco demais para mim") e entrevistou o próprio Elvis por cerca de dez minutos no ar.

No retorno a Corinth, em janeiro, Elvis era uma espécie de fenômeno local, e Buddy foi escalado para o show, com sua parceira de palco, Kay Crotts, de apenas quinze anos de idade, de Michie, Tennessee, com quem ele se casaria três anos depois. Buddy acompanhou os shows dos irmãos Brown a semana toda porque tinha uma queda por Maxine ("Éramos muito próximos. Ela me escrevia, e eu escrevia para ela, pensei que algo poderia evoluir. Mais tarde, porém, descobri que ela fazia isso com todos os disc jockeys, sabe, para convencê-los a tocar o disco deles"). Buddy estava cético quanto à atração do novo artista porque tinha ouvido que Bob Neal havia pago a um grupo de meninas locais, cinquenta centavos por cabeça, para que elas ficassem gritando. Mas rapidamente mudou de ideia.

"Sabe, o pessoal veio para tirar sarro dele, mas acabou nos bastidores praticamente tentando despedaçá-lo. Ele era o show, mesmo naquela época... Não se parecia com nada que você já tinha ouvido. Mas nunca vou me esquecer de uma coisa que aconteceu antes do show. Chegaram no meio da tarde, e tínhamos uma casinha de dois pisos em Corinth, minha mãe e eu, e uma jovem cozinhava para nós porque minha mãe estava numa cadeira de rodas. Bem, convidei Elvis, Maxine e Jim Ed para fazer uma visitinha. Antes da janta, ofereci o meu quarto para que Jim Ed e Maxine pudessem descansar e tirar um cochilo. Elvis falou: 'Eu também gostaria de me deitar. O sofá da sala está bom para mim'. Então se deitou em nosso comprido sofá vermelho plastificado, com os pés em cima do braço do sofá, e simplesmente apagou. Quando eu o acordei para o jantar, a mocinha que trabalhava para nós, Martha Morris, tinha forrado a mesa de comida, mas ele só comeu pão de milho e perguntou se tínhamos leitelho. Bem, fui ao mercado especialmente para comprar, e ele simplesmente desboroou aquele pão de milho no leitelho, comeu um montão e disse: 'Que delícia. Bem o que eu queria'. No fim do jantar, a minha mãe estava sentada perto da janela, olhando a rua como sempre fazia, e Elvis se aproximou dela e disse: 'Senhora Bain, adorei a refeição'. E lascou um beijo na bochecha dela, coisa que a minha mãe estranhou, porque nem eu a beijava, eu só dizia: 'Obrigado, mamãe'. Ela era severa. Quando ele saiu da sala por um minuto, ela me perguntou: 'Quem é este menino que estava babando em cima de mim?'. Respondi: 'Mãe, é o Elvis Presley'. Ela disse: 'Fiquei imaginando quem podia ser'.

"Então sentamos todos para olhar meus *scrapbooks*. Eu tinha muitas fotos do início de minha carreira, em Nashville e Raleigh, Carolina do Norte, e o famoso Renfro Valley Barn Dance, e ele falou: 'Espero que um dia eu possa ser tão famoso quanto você. Gostaria de chegar a Nashville algum dia'. E sabe o que eu disse a ele? Eu me lembro como se fosse ontem. Eu disse: 'Elvis, se você aprender umas boas músicas country, pode facilmente entrar no Grand Ole Opry'. Claro que ele foi muito educado e me agradeceu, e então fomos ao show."

Nos bastidores do show, Elvis aproveitou sua amizade recém-descoberta para harmonizar com a parceira de Buddy uma canção dos Blackwood Brothers. "Cantávamos uma música gospel intitulada 'I'm Feeling Mighty Fine'. Antes de subir ao palco, Kay e eu fomos ensaiar num cantinho. Elvis se aproximou e disse: 'Buddy, com licença, mas você não sabe cantar esta música. Deixe-me cantá-la com Kay'. Então ele e Kay cantaram, e a versão dele foi muito diferente da minha. Porque cantei sem floreios, e ele fez o seu 'bem-uh, uh-uh', sabe, como ele fazia. Kay não gostou muito, ao menos disse que não, mas fiquei com ciúmes do jeito como eles cantaram, e ele continuou cantando várias vezes, não sei dizer quantas vezes os dois cantaram aquele refrão, ele não sabia quando parar, só parou na hora de subir ao palco." No fim do show, o garoto de modos meigos pediu ao Buddy para que ele apontasse a garota mais bonita da plateia e brincou que ele ia descobrir se ela estava usando enchimento nos seios ou não.

TUDO PARECIA UM SONHO do qual ele tinha medo de despertar um dia. Parecia que às vezes estava acontecendo com outra pessoa, e geralmente falava nisso com um quê de admiração capaz de suscitar dúvidas não só na mente do interlocutor, mas em sua própria mente. Quando voltou a Memphis para o show no Ellis Auditorium, o jornal *Memphis Press-Scimitar* publicou uma reportagem de página inteira, assinada pelo amigo da senhorita Keisker, o senhor Johnson. Sujeito afável e bonachão, em seu indefectível chapéu, passou um bom tempo com o senhor Phillips e com o calado artista. A manchete "Súbito Elvis Presley vai cantando rumo ao estrelato" (*"Suddenly Singing Elvis Presley Zooms into Recording Stardom"*) vinha precedida da expressão "Com a paciência de Sam Phillips". O artigo trazia uma fotografia de Elvis, Scotty e Bill no estúdio, com a legenda: "A voz de um homem branco que canta ritmos negros com sabor rural mudou a vida de Elvis Presley da noite para o dia". O texto mapeava em termos singelos, precisos e geralmente elogiosos a história de sua ascensão meteórica: a infância em Tupelo, a adolescência em Memphis, levando o violão todos os dias para a Humes. Descrevia como Sam Phillips descobriu o seu talento, como Dewey Phillips o revelou ao mundo, como Elvis foi convidado a aparecer no Grand Ole Opry, o "Paraíso do hillbilly", apenas um mês depois de lançar o primeiro disco, e como se tornou uma estrela do Louisiana Hayride. O artigo mencionava, também, o fenômeno que ajudou a dar origem ao sucesso do jovem e a contribuição de Sam Phillips para esse fenômeno. "That's All Right", observou Johnson, situava-se "no estilo r&b do jazz negro, enquanto 'Blue Moon' era mais do estilo country, mas nas duas faixas havia uma curiosa mescla dos dois estilos musicais". A última seção do artigo, intitulada "In a Class Alone" ("Sozinho em sua categoria"), enfatizou a inclassificabilidade do talento de Elvis e a probabilidade de um futuro brilhante para esse jovem astro de boa aparência com olhos "remansosos" que, com seu novo empresário, Bob Neal, recentemente abrira no centro da cidade um escritório batizado de Elvis Presley Enterprises. "Toca de novo o disco deles, pessoal", escreveu Bob Johnson, anunciando, em negrito, tudo o que o próprio Elvis receava até mesmo sussurrar a seus amigos: a celebridade, a escala e o grande impacto de seu sucesso, a quase inenarrável emoção que acompanhava tudo aquilo.

Foram dois shows, às 15h e às 20h. O anúncio no jornal o colocava em quarto lugar numa lista de "Cinco Estrelas". A atração principal era Faron Young e Ferlin Huskey, e a "bela cantora de gospel" Martha Carson estreava em Memphis. Mas todos esperavam muito da nova sensação local. O primeiro show correu bem, com ele tocando seu novo Martin de tamanho normal, um D-18 – numa extravagância motivada pelo sucesso repentino, tinha investido a bagatela de US$ 750 para substituir seu violãozinho "parlor". Cantou as músicas novas, "Milkcow Blues Boogie" e "You're a Heartbreaker", bem como "That's All Right" e "Good Rockin' Tonight", e nos bastidores contou a Ronnie Smith o quanto estava se divertindo na estrada. Ficou fascinado, também, com a performance de Martha Carson, uma ruiva espetacular que parecia uma estrela de cinema. Lembrava o estilo da Sister Rosetta Tharpe. Cantou seu hit, "Satisfied", e uma série de louvores "negros" tradicionais. Ela arrebentou várias cordas, dançou em êxtase no final de um longo acorde de violão e no geral criou o tipo de intensidade ardente e entusiasmo contagiante que ele tentava alcançar em suas próprias performances. Depois indagou à senhorita Carson se ela conhecia alguma canção dos Statesmen, e ele deixou claro que "sabia as letras de todas as músicas que eu já havia cantado". Falou a ela que um dia gostaria de gravar "Satisfied" e que esperava ser escalado com ela em breve no mesmo line-up. "Ele se mostrou muito interessado no que eu fazia e me elogiou bastante. Senti que era sincero, era genuíno... não estava falando por falar, ele realmente me admirava, e eu podia sentir isso."

Entre um show e outro, ele e Scotty atravessaram a rua para a reunião que Bob havia marcado com o Coronel Parker. O Coronel por fim havia incluído Elvis na próxima turnê de Hank Snow pelo Sudoeste, que começaria em pouco mais de uma semana, e Bob achava que seria uma boa ideia todos se reunirem e falarem um pouco sobre o futuro. Além de Bob e do Coronel Parker, Sam Phillips também estaria presente, junto com o braço direito do Coronel, Oscar Davis (que Elvis havia conhecido por ocasião do show de Eddy Arnold, três meses antes), e Tom Diskin, auxiliar de Parker na Jamboree Attractions, empresa de eventos em que ele e Snow eram sócios. Ironicamente, Scotty tinha entrado em contato com Diskin em dezembro, no escritório de Chicago listado na *Billboard*, para ver se a agência não estaria interessada em escalar Elvis em algum show. Recebeu a resposta três semanas antes, uma carta de rejeição padronizada, que aparentemente não relacionava a sondagem inicial com o novo artista que já despertava o interesse do Coronel com base no promissor relatório do DJ Uncle Dudley de Texarkana sobre o show em New Boston. Na verdade, Diskin procurou o Coronel numa rápida visita a Shreveport, e os dois assistiram ao show de Elvis no Hayride em 15 de janeiro, dois dias após a carta ter sido enviada. Informaram Scotty que o Coronel estava na plateia e ele até pensou tê-lo visto em pé no fundo do auditório. Mas Parker não os procurou depois. Ao longo de janeiro, falou várias vezes com Neal sobre a turnê, mas era a primeira vez que teria contato direto com os músicos até então.

A reunião no Palumbo's não foi exatamente um sucesso. Logo na entrada, Elvis e Scotty já sentiram a tensão no ar. Lá estava o Coronel Parker sentado, fumando um enorme charuto, o queixo projetado à frente, expressão belicosa no rosto, enquanto Diskin, seu jovem tenente, tentava explicar ao senhor Phillips que o Coronel realmente não tinha nada contra a gravadora Sun. Apenas estava salientando as desvantagens das gravadoras pequenas, elas não tinham o alcance que uma grande empresa como a RCA (com a qual o Coronel tinha uma conexão havia muitos anos por meio de Eddy Arnold e Hank Snow) poderia oferecer. Oscar Davis, impecável como sempre, flor na lapela, porta-cigarros elegantemente inclinado, não parecia muito contente com a brusquidão de seu sócio. E Sam espumava de raiva. O que Tom Parker estava insinuando? (Não, não ia chamar aquele maldito charlatão de "Coronel".) Que se Elvis ficasse na Sun não chegaria a lugar nenhum? Bela maneira de começar uma reunião de negócios. Sam fixou seu olhar encovado no Coronel, mas o olhar de Parker não vacilou, e os dois homens ficaram ali sentados num silencioso combate até que finalmente Bob Neal quebrou a tensão e sugeriu que discutissem os detalhes da próxima turnê.

Essa poderia ser uma excelente oportunidade para todos eles, disse Oscar Davis com um sentimento genuíno. Sam teria a chance de vender seus discos em novos territórios, o jovem Elvis teria a chance de expandir seu público e, se as coisas funcionassem, isso poderia ser o começo de um relacionamento de longa data (sem dúvida, Davis evitou o termo "parceria") entre o Coronel Parker e nosso bom amigo Bob Neal, que poderia se consolidar em novas e empolgantes direções. O olhar carrancudo do Coronel deixou Oscar confuso, sem saber o que ele estava pensando. Para Elvis, Bob explicou as amplas conexões do Coronel, não só no mundo da música country, mas também em Hollywood. O senhor Phillips só reforçou o que Bob havia dito. Em seu ponto de vista, Sam declarou antes de conhecê-lo, não havia empresário melhor no ramo do que Tom Parker, e naquele instante eles certamente apreciariam toda e qualquer ajuda. Mas Elvis talvez pudesse se perguntar a essa altura: qual era afinal o grande trunfo do Coronel Parker?

À PRIMEIRA VISTA, THOMAS A. PARKER era um sujeito corpulento, brusco e agitado, com a mente brilhante e o sotaque gutural, supostamente adquirido na Virgínia Ocidental, onde tinha nascido havia quarenta e cinco anos. Ao perder os pais, ainda criança (a idade exata varia conforme a fonte), fugiu de casa e se juntou ao circo, no caso, o Great Parker Pony Circus, que pertencia a um tio dele. De lá, entrou no mundo da Royal American, misto de circo de variedades com parque de diversões, e foi parar em Tampa, onde o parque itinerante passava o inverno e onde, após meia dúzia de anos "naquela vida", casou-se com uma divorciada madura chamada Marie Mott em 1935 e baixou a poeira. Aventurou-se numa série de empreendimentos privados, e, por fim, tornou-se agente de campo (e isso poderia ser traduzido como "Chefe da Carrocinha", como o próprio Coronel contava mais tarde) da Tampa Humane Society, um abrigo de animais sustentado por dinheiro privado, onde ele e a família recebiam um apartamento gratuito acima do canil. Por conta própria, fundou um cemitério de animais de estimação que oferecia "Cuidado Perpétuo para Animais de Estimação Falecidos". Paralelamente, promovia shows e trabalhava em estreita colaboração com os cantores country Gene Austin e Roy Acuff e o astro de cinema Tom Mix em suas turnês na Flórida. Acuff, então conhecido como o Rei dos Hillbillies, tentou persuadi-lo a se mudar para Nashville, e Parker mostrou-se favorável à ideia se Acuff topasse deixar o Opry e desse a Parker carta branca para agenciá-lo. Acuff recusou, e, talvez porque Tom Parker não estivesse pronto para desistir de todos os seus vínculos com os parques de diversões itinerantes, foi aí que cada qual seguiu seu rumo. Foi só anos depois, em 1944, ao conhecer Eddy Arnold, de vinte e seis anos, principal atração de uma turnê de shows do Opry feitos sob lonas, que Parker enfim fez sua jogada.

Arnold havia acabado de deixar a Golden West Cowboys de Pee Wee King e assinado com a RCA Records. Era um barítono encorpado, bem-apessoado, de queixo quadrado, com um poderoso estilo melódico, totalmente distinto da abordagem convencional de Nashville. Parker deve ter sentido nele o potencial que procurava, porque nesse momento entrou no show business com a mesma intensidade criativa e dedicação que sempre o marcaram no mundo dos parques de diversão. De acordo com Oscar Davis, que conheceu Parker na Flórida na época em que Davis gerenciava Ernest Tubb, nunca antes houve empresário assim. A atenção a todos os aspectos da carreira do cliente, a devoção em mapear um plano e executá-lo nos mínimos detalhes, o uso e abuso do rádio, a convicção de que sua palavra era sua garantia e um contrato, uma vez assinado, era um compromisso sagrado de ambos os lados. Tom Parker "como empresário era top, o maior do mundo. Era um assombroso homem de negócios, astuto, ajustava os custos de modo a catapultar os lucros. Se eu fosse escolher alguém no ramo do entretenimento (onde eu trabalho desde 1912), eu o escolheria. Em matéria de negócios, era insuperável. Ele olhava alguém e radiografava a pessoa. Trabalhar no mundo dos parques itinerantes lhe ensinou que nem tudo é o que aparenta na superfície, que todos têm suas fraquezas. Tom era um homem forte. Estabelecia as regras, e você as seguia ou era carta fora do baralho".

Para Biff Collie, o DJ de Houston, a diferença entre o Coronel e Oscar – afora o crônico descontrole financeiro de Davis – era que o Coronel "sempre pensava muito além", enquanto para Gabe Tucker, que conheceu Parker quando tocava baixo para Eddy Arnold e trabalhou com ele em períodos intermitentes ao longo de quase trinta anos, "seu modo de atuação era completamente diferente" por conta de sua atenção aos detalhes. "A maioria dos empresários naquela época ligava para [o promotor de eventos local] e dizia: 'OK, pode agendar uma turnê por aí?'. E o empresário não tirava o traseiro do escritório dele. Mas ele não trabalhava assim. Ele visitava o local, conferia tudo, perguntava quantos lugares o auditório tinha – não para ser sabichão, mas para calcular percentualmente, se tivéssemos um auditório de cinco mil lugares, sabíamos quantos *songbooks* [de Eddy Arnold] levaríamos e quantos venderíamos. A teoria dele era completamente diferente da maioria dos que vão a Nashville. Tinha a diversão no sangue."

Quando assinou com Eddy Arnold, passou a dar foco exclusivo ao seu único cliente. Mudou-se para Nashville e praticamente foi morar com Arnold e Sally, esposa do cantor. "Quando Tom é seu empresário, ele respira você", escreveu Arnold em sua autobiografia de 1969, *It's a Long Way from Chester County*. "Ele vive o artista que representa. Uma vez eu disse a ele: 'Tom, por que você não tem um hobby... jogar golfe, passear de barco, ou algo assim?'. Ele me olhou direto nos olhos e disse: 'Você é meu hobby'." Uma das chaves para o sucesso de Parker, na visão de Arnold, era sua aparente brusquidez. "Pragmático, acho que é como muita gente o descreveria; um casca-grossa, talvez. Muitas vezes o pessoal acha que está lidando com um jeca e pensa: 'Ah, eu posso engambelá-lo'. Mas não conseguem. Ele sempre está um passo à frente... ele os engana direitinho. O pessoal acha, porque ele fala um inglês meio precário (diz uma palavra errada aqui e ali), 'Ah, vai ser fácil lidar com ele'. E caminham direto à teia armada por ele!"

Em 1947, três músicas de Arnold alcançaram o topo das paradas. No ano seguinte, Parker o persuadiu a, mesmo relutante, deixar o Opry: descortinava-se um leque de oportunidades. Em outubro de 1948, Parker usou suas conexões no mundo do divertimento para obter o título honorário de "coronel" do governador da Louisiana e do célebre cantor country Jimmie Davis, compositor de "You Are My Sunshine". Disse a Gabe Tucker, que o acompanhou na cerimônia: "De agora em diante, exija que todos se dirijam a mim como o Coronel". Um ou dois anos após introduzir Arnold no cinema, ele vinculou Eddy com a William Morris, a principal agência de talentos de Hollywood, colocou-o no programa de televisão de Milton Berle e até agendou shows em Las Vegas. Era algo muito além do que qualquer empresário de música country prévio tinha imaginado (podem ter sonhado com isso, mas sem alcançar). Mas, por fim, a exclusividade de seu foco o colocou em apuros.

Em 1953, após nove anos atendendo a seu cliente único (com uma taxa gerencial de 25%, ao contrário dos 10% usuais), foi sumariamente demitido, por razões de estilo e substância. Substância porque Parker tinha formado a Jamboree Attractions com o *promoter* de Chicago Tom Diskin para representar outros artistas, em violação direta da cláusula de exclusividade com Arnold. E outro fator parece ter sido mais importante. "Em geral não concordo com seus métodos de fazer negócios", escreveu Arnold ao Coronel no final de agosto, de modo completamente inesperado. Isso supostamente incluía a obsessão do Coronel com os detalhes. Parker tinha ficado doente um tempo e Arnold escreveu ao empresário. Esperava que após convalescer Parker pudesse "desacelerar um pouco, para que eu sinta mais prazer em trabalhar com você"). Principalmente, seus métodos toscos do mundo da diversão itinerante e sua abordagem implacavelmente agressiva estavam destoando das ambições de Eddy Arnold para uma carreira mais "sofisticada". Nas palavras de Gabe Tucker, o empresário e o cliente "estavam gastando parte da energia para resolver as diferenças em suas personalidades e vidas privadas". Continuaram trabalhando juntos em um acordo de agenciamento limitado, parte de um acordo formal de separação. Nunca deixaram de ser socialmente cordiais, mas deve ter sido um golpe terrível para Parker ser abandonado de maneira tão abrupta por seu protegido e ficar inevitavelmente exposto aos holofotes do show biz.

Demorou um ano para se recuperar. Primeiro, usou como escritório o saguão da WSM, estação de rádio de Nashville, onde, com Oscar Davis e outros operadores independentes, usava o telefone do lobby para reservar seus eventos. "Quando o telefone tocava", de acordo com Bill Williams, editor da *Billboard*, "quem estava mais próximo atendia... e entre eles agendavam mais clientes e fechavam mais negócios do que o escritório do Opry, situado ali pertinho, do outro lado do corredor, enquanto a WSM alegremente pagava a conta... durante anos!" Na primavera de 1954, porém, ele estava trabalhando intensamente com Hank Snow, cuja música "I Don't Hurt Anymore" foi a sensação no primeiro semestre do ano. Em sua edição de 6 de novembro, a *Billboard* anunciou que o Coronel Tom Parker da Jamboree Attractions havia "assinado contrato para representar Hank Snow com exclusividade. A partir de 1º de janeiro, ele assumirá a gestão da Hank Snow Enterprises, que inclui compromissos de rádio, TV, cinema e gravações." Deu a volta por cima.

Mas, curiosamente, permaneceu um tanto enigmático, sem dúvida, uma imprevisível incógnita, para alguém numa função de tanta visibilidade, que não exatamente se abstinha do olhar público. Algo em suas origens simplesmente não fazia sentido. "Ninguém sabe muita coisa sobre sua infância", declarou Oscar Davis. Em uma entrevista a Jerry Hopkins, em 1970, disse não acreditar no tal relato sobre o Great Parker Pony Circus. "Nunca soube se ele tinha irmãos ou irmãs; ele é meio misterioso." De vez em quando, explodia num ataque de fúria ou apenas numa exuberante manifestação de bom humor, numa língua que nenhum de seus colaboradores conhecia ou entendia. Seria alemão? Eles se perguntavam. Mas ele sempre dizia que era holandês, com um brilho no olhar que os fazia desconfiar que ele só estava pregando uma peça neles.

Não permitia intimidades a ninguém, nem mesmo com seus colaboradores mais próximos. "Você tem um defeito", disse ele ao cunhado, Bitsy Mott. "Muitos amigos." Seu olhar gélido escondia uma ocasional afabilidade; sua absoluta honestidade comercial conflitava com o oportunismo que sempre o fazia sair por cima, não só em negócios formais, mas também em assuntos corriqueiros (diziam que, se fosse preciso, ele gastava cem dólares para lucrar um). "Tinha um prazer danado", declarou Chet Atkins, "em fazer os outros pagarem a conta. Ou por apenas fechar um bom negócio... qualquer tipo de negócio." Podia ser generoso de verdade, mas amava, antes de tudo, o jogo. Como observou Gabe Tucker, ele vivia num mundo de espelhos – nunca realmente deixou o mundo dos parques de diversões, no qual "falam uma língua diferente. Todos são como o Coronel; te degolam só para ver você sangrar. Mas têm suas próprias leis, é um jogo para ver quem é mais esperto, para eles, você sempre é a presa". Na opinião de Gabe, e de Oscar Davis também, o Coronel achava que todos ao seu redor eram meio tolos.

Não é de admirar, então, que Sam Phillips sentisse uma antipatia tão instantânea e visceral pelo homem sentado à frente dele no pequeno restaurante da Poplar. Por outro lado, Tom Parker era uma das poucas pessoas no negócio que era capaz de ser um equivalente de Sam. Dois homens muito fortes, independentes, com duas visões de mundo completamente diferentes. Sam abraçou a mudança da história; com muita consciência, evocou o herói agrário como o foco do sonho democrático. Por outro lado, a visão histórica do Coronel era negacionista. Centrava-se no aqui e agora, focando a sobrevivência por meio da esperteza e do instinto num universo, na melhor das hipóteses, indiferente. No ponto de vista do Coronel, havia espaço para os sentimentos, mas pouco para a filosofia; por sua vez, Sam era menos inclinado ao gesto sentimental e mais ao impulso humanitário. Não gostavam um do outro, isso era claro, mas as necessidades de um se adequavam às do outro, ao menos por enquanto.

E Sam precisava mais de Parker e da Jamboree Attractions do que Parker precisava de qualquer principiante de vinte anos. A desafiadora afirmação de Parker tinha um fundo de verdade: com a Sun Records, Elvis Presley já tinha ido longe demais. Era o máximo que a Sun Records poderia chegar sem uma substancial injeção de dinheiro para cobrir a contratação e a promoção de novos talentos, o aumento nos custos de prensagem, a distribuição expandida e os meios para fornecer espaço para respirar. Nesse contexto, Bob Neal fazia um bom trabalho, Sam estava convencido, mas no pouco tempo em que trabalhava com Elvis tinha levado o menino tão longe quanto poderia ir por conta própria. Tinha levado Elvis ao público dele, marcado shows no Mississippi e no Arkansas, e estabelecido conexões com *promoters* locais, como Tom Perryman, Biff Collie e Jim LeFan, de modo que Elvis Presley era agora uma autêntica sensação regional. Uma resenha elogiosa sobre o novo disco tinha sido publicada na semana anterior na *Billboard* ("A cada lançamento, Presley continua a impressionar como um dos talentos mais promissores da música country como há muito, muito tempo não se via"), os discos vendiam como pão quente em Memphis, Nova Orleans, Dallas, Little Rock, Houston e em todo o Oeste do Texas, e após um trimestre apenas, Elvis Presley se tornava uma atração nunca antes vista no Louisiana Hayride. Faltava ganhar o país.

Elvis pediu licença para voltar ao auditório com Scotty, e os cinco homens ficaram reunidos por mais um tempinho. Alinhavaram os detalhes da turnê: dinheiro, datas, cidades e auditórios (alguns já conhecidos) onde Elvis estaria tocando na breve turnê de dez dias. Era só um começo, mas se funcionasse... Neal sonhava com televisão e filmes. Não falou nada, mas estavam guardando dinheiro das apresentações, construindo um pequeno fundo para uma viagem a Nova York para fazer um teste com Arthur Godfrey – nem sequer mencionou isso a Sam. Agora trabalhavam quase todas as noites, disse ele ao Coronel. Em todos os lugares onde tocavam, criavam uma sensação ou outra, do tipo que o Coronel Parker tinha ouvido falar em New Boston. O Coronel grunhiu. Até onde ele percebia, se esse tipo de música se tornasse popular, poderia muito bem se tornar popular na voz de Tommy Sands, jovem protegido dele em Shreveport, e foi exatamente isso que ele pensou que escreveria a Steve Sholes após o encontro daquele dia com Phillips. Espere só para ver o show desta noite, insistiu Bob Neal. Com base apenas em sua própria experiência, Neal tinha a certeza de que Tom Parker era o melhor do ramo. No fundo, ele sonhava com uma espécie de parceria de interesses. Ele mal podia esperar para começar. Quando essa turnê acabasse, Neal sabia que haveria mais – mais turnês, mais apresentações, com ou sem o Coronel. Ele mal podia esperar para sair do território do Centro-Sul.

A TURNÊ – COM HANK SNOW LIDERANDO O LINE-UP, as Carter Sisters & Mother Maybelle e o célebre comediante Whitey Ford (mais conhecido como o Duke of Paducah) – estreou em Roswell, Novo México, oito dias depois. Elvis fez um show em Lubbock, Texas, na véspera, tocando no auditório do Fair Park pela segunda vez em pouco mais de um mês. Estava na programação Jimmie Rodgers Snow, o filho de Hank, que também participaria da turnê na noite seguinte. Meses mais novo que Elvis, Snow ficou abismado em seu primeiro contato com aquele moço "de jaqueta verde-limão, calça preta de listra branca nas laterais e a molecada enlouquecendo. Nunca vi ninguém como ele – mesmo ainda inexperiente, tinha algo que só ele possuía. Eu nunca tinha ouvido falar de Elvis Presley até aquele dia, eu não tinha a mínima ideia de quem ele era, o Coronel só me mandou entrar em sua sala – ele e Tom Diskin – e disse: 'Marquei um show seu com esse moço, Elvis Presley, em Lubbock, Texas'. Mas, naquela noite do show, conversamos, saímos juntos, aliás Buddy Holly estava por lá [na verdade, foi Holly quem abriu o show com seu amigo Bob Montgomery]. Foi uma amizade instantânea".

Reuniram-se aos demais em Roswell e duas noites depois tocaram em Odessa, onde Elvis já era uma lenda por conta de sua única apresentação anterior no local, no início de janeiro. Aos dezenove anos, um músico de Odessa estava particularmente empolgado: Roy Orbison. Quando Elvis visitou a cidade pela primeira vez, compareceu ao programa de TV local, apresentado por Roy Orbison, que já tinha visto Elvis tocar no Big "D" Jamboree, em Dallas. Mais tarde, Orbison falou sobre aquele primeiro encontro: "A energia dele era incrível, o instinto dele era simplesmente fantástico... Na realidade, só fui sentir algo parecido quando assisti àquele filme de David Lynch [*Veludo azul*]. Eu simplesmente não sabia como processar aquilo. Não havia um ponto de referência na cultura para compará-lo".

Hank Snow talvez concordasse, mas encarava o cantor de um ponto de vista ligeiramente diferente. O canadense Snow, orgulhoso e arredio, era baixinho, mas tinha uma vontade de ferro. Manteve distância do "jovem punk", sem aparentemente recordar que o havia apresentado no Opry apenas quatro meses antes e sem demonstrar empolgação com sua presença. Elvis, por sua vez, deixou claro para Jimmy que idolatrava seu pai – conhecia todas as canções de Hank Snow e insistia em cantar trechos até mesmo das mais obscuras ("Brand on My Heart", "Just a Faded Petal from a Beautiful Bouquet", "I'm Gonna Bid My Blues Goodbye"), como se quisesse provar que de alguma forma ele pertencia à turma.

Para Jimmie Rodgers Snow, mais tarde denominado "Pai da Música Country", que conhecia em primeira mão o preço do sucesso – desde repentinas trocas de cidade no meio do ano letivo até promessas quebradas, amargas decepções e o som das teclas da máquina de escrever do pai, que respondia pessoalmente todas as cartas dos fãs –, era uma visão quase inédita daquele mundo, uma visão de pureza e inocência peculiares, aparentemente libertas de todas as lutas frustrantes e as realidades desagradáveis da vida de artista. "Ele não bebia, carregava um cigarro na boca, um daqueles com filtro, mas nunca acendia porque não fumava, só brincava com ele. Eu me recordo do quanto eu o achava legal. Eu queria cantar como ele. Eu queria me vestir como ele e fazer coisas para as quais eu nunca havia dado bola até conhecê-lo. Ele era a mudança que ia dominar os Estados Unidos da América. Com Jimmy Dean e tudo o mais. Acho que ninguém vislumbrou isso. Meu pai não fazia ideia do que Elvis Presley se tornaria. O Coronel provavelmente viu mais do que ninguém, mas acho que não encarava Elvis Presley como algo além de um *show man* naquela época. Eu costumava passear de carro com ele, Scotty e Bill – ah, ele era o pior cara do mundo para passear de carro, porque falava com a gente o tempo todo, pisava no acelerador e mexia os pés o tempo inteiro, trocava as estações do rádio sem parar, ouvia de tudo, country, gospel... ele amava música gospel. Fiquei simplesmente fascinado por ele. Uma manhã fiquei vendo o ritual de Elvis para pentear os cabelos. Usava três óleos de cabelo diferentes, cera modeladora para o topete... como se fosse um corte militar, um tipo de óleo capilar para a frente, outro para trás. Perguntei por que ele usava aquela cera e ele respondeu que, assim, durante o show o cabelo dele cairia de uma certa maneira. Ele achava isso legal. Também me lembro que, quando ele usava um par de meias, em vez de lavá-lo, ele o enrolava e jogava na mala, e se você abrisse a mala, quase caía para trás. Estava cheia de coisas sujas, e muitas vezes ele simplesmente jogava fora e você se perguntava como esse garoto de aparência limpa podia ser tão desorganizado, mas ele sempre cuidava do cabelo. Às vezes, tirava as meias e você podia estar na cama ao lado, o cheiro dominava o quarto inteiro, mas as mulheres não se importavam. Ele era Elvis."

Era assim que a plateia reagia também. Pouco tempo depois, o show de Hank Snow teve problemas. "Papai estava em seu auge, atraía multidões, e em muitos lugares em que nos apresentávamos ninguém conhecia Elvis, mas não importava se o conheciam ou não... Ninguém conseguia tocar depois do Elvis." Era a coisa mais esquisita. No palco, aquele moço simpático, bem-educado e polido se transformava de um jeito que parecia contradizer tudo o que você conseguia divisar sobre sua personalidade privada. "Ele era um moleque punk", lembrou Roy Orbison, de seu ponto de vista original na plateia. "Inexperiente, mas cantava como um passarinho... Logo de cara deu uma cusparada no palco. Na real cuspiu um chiclete... Depois contou umas piadas horríveis e chulas (sabe, humor quase ofensivo) sem a mínima graça. Dicção muito tosca, como a de um caminhoneiro... Por mais que eu tente, não vou dar uma ideia do quanto ele me chocou naquela noite."

A energia dele era feroz; o espírito competitivo parecia tomar conta do garoto tímido e educado que existia lá no fundo; cada minuto que ficava no palco era como uma explosão incendiária. "Nunca existiu um artista country capaz de tocar depois dele", disse Bob Neal. "Esse tipo de show atraía grandes multidões, e quando ele aparecia, era um arraso completo." O problema era que, de acordo com Neal, seu ímpeto competitivo o dominava. Não queria desagradar ninguém, especialmente não queria que os outros artistas o achassem arrogante. "Mas competia com os figurões e sempre tentava superá-los."

Basta ouvir as poucas gravações ao vivo que sobreviveram daquele período. O repertório é limitadíssimo, Scotty volta e meia se perde nos solos, mas Elvis e os meninos simplesmente arrasam em cada canção, seja "That's All Right", "Tweedle Dee" ou o mais novo sucesso de Ray Charles, "I Got a Woman". A intensidade que pulsa em cada performance faz as clássicas gravações da Sun parecerem áridas. Talvez Hank Snow tenha se sentido irritado e humilhado diante de seu próprio público, mas sabia reconhecer uma tendência comercial quando se deparava com uma. Jimmie Rodgers Snow estava arrebatado. Antes de deixar a turnê em Bastrop, Louisiana, convidou Elvis para ir andar de moto com ele em Nashville dali a pouco tempo. Até mesmo o Coronel, que ainda professava profundo desinteresse, mostrou um lado diferente a Elvis, algo que Jimmy nunca tinha visto antes. "Ele nunca fazia um esforço especial para nada. Sempre pegava no meu pé para ser pontual, dando-me este ou aquele conselho." Era um sujeito "intransigente", disse Jimmy, assim como o seu próprio pai e, mesmo assim, Parker parecia estar fascinado por esse irrepreensível jovem, parecia tão arrebatado como todos os outros por seu entusiasmo sincero, sua indisfarçada avidez por experiência. Só uma categoria de pessoas não gostava de Elvis: os namorados de algumas de suas fãs mais desinibidas. Jimmy não tinha ideia de onde ia acabar, ele estava cada vez mais confuso sobre a bagunça que sua própria vida estava se tornando sob a crescente influência de álcool e pílulas, mas sabia que Elvis Presley tinha um futuro no negócio.

Cada vez mais, o próprio Elvis acreditava nisso, embora continuasse a desconsiderar a ideia para familiares e amigos. Todas as noites, ele ligava para Dixie e para Gladys, em cada cidade da turnê. Contava como tinha sido o show, contava com olhos quase arregalados como o público tinha reagido, quem ele havia conhecido e o que tinham dito a ele. "Estava sempre animado com o que tinha acontecido", relatou Dixie. "Ele dizia: 'Adivinhe quem eu vi'. Ou: 'Hank Snow estava lá'." Era quase como se ele estivesse suspenso entre dois mundos. Estudava cada artista – observava cuidadosamente dos bastidores com a mesma apreciação que o público, mas com uma aguçada noção do que eles estavam fazendo, do que realmente conquistava os fãs e de como cada artista alcançava esse efeito. Entre um show e outro, não perdia a oportunidade de cantar com outros membros da trupe, e todos ficavam cativados, assim como o público, com o ingênuo charme do jovem.

Conseguia avaliar cada plateia; era, evidentemente, uma habilidade inata. "Vejo gente de tudo que é idade e estilo", revelou Elvis anos depois, tentando explicar o dom. "Se eu faço algo direito, eles mostram. Se eu não faço, também me mostram. É um círculo virtuoso em que me devolvem a inspiração. É exclusivamente para eles que eu trabalho... Fazem brotar isto em mim: a inspiração. O melhor de mim." Mesmo se não respondessem no início, ele sempre conseguia se comunicar com a plateia. "Ele estudava o público", contou Tillman Franks sobre as turnês do Hayride. "Prestava atenção nele, descobria como emocioná-lo e depois dava um algo a mais. Existia uma centelha entre ele e o público, como existia com Hank Williams. Hank dava tudo o que tinha – não se preocupava com isso, apenas fazia. Mas Elvis planejava a situação. Era um gênio nisso."

"Ele sabia, é claro, a atração que exerce no público feminino", disse Jimmie Rodgers Snow. "Vovozinhas dançavam nos corredores. Mães e filhas brigavam para atrair a atenção dele, enciumadas. Era sinistro: ficavam totalmente fascinadas por esse cara." "Elvis sempre ficava triste com a reação dos meninos", contou Bob Neal, "porque ele queria muito ser um dos meninos e um dos favoritos deles, mas os meninos reagiam com muita violência em muitas áreas, imagino, pelo modo como as garotas agiam. Isso o magoava. Sabe, falávamos nisso às vezes durante horas, nos percursos rodoviários. Ele realmente não conseguia entender. Mas ao que parece não havia como fazer esses adolescentes mudarem de ideia. Simplesmente ficavam ressentidos pela reação que ele despertava entre as moças."

Mas isso era um mero detalhe. Todos os aspectos de sua nova rotina deixavam Elvis entusiasmado. Quando as Carter Sisters & Mother Maybelle se juntaram à turnê, ele e Scotty ficaram impressionados com Anita, a irmã mais nova, e consideraram um grande trunfo quando conseguiram levá-la a um passeio, longe dos olhares atentos de Mother Maybelle. Numa das últimas datas da turnê, perto de Hope, Arkansas, ficaram atolados numa estrada vicinal à procura de um atalho para a cidade, e Scotty tentou dar em cima de Anita no banco traseiro enquanto os outros faziam o que podiam para persuadir um fazendeiro a rebocá-los da lama. "Todos embarcamos na caçamba desta picape", lembrou-se Jimmy Snow, "dando risada, rumo a Hope para fazer um show."

Dois dias depois, a turnê terminou em Bastrop. Hank Snow já havia se separado da turnê havia uma semana (seu último show tinha sido em Monroe, Louisiana, na sexta-feira anterior), e não havia um compromisso definitivo do Jamboree para o futuro, mas havia uma sensação garantida de que tinham cumprido a missão: expandir o público e divertir-se ao mesmo tempo.

NAQUELE SÁBADO, 26 de fevereiro, fizeram sua primeira viagem ao norte, até Cleveland, para tocar no Circle Theater Jamboree. Bob Neal acompanhou o trio na esperança de que isso levasse a uma exposição ainda maior. Talvez, por meio dos contatos feitos nas estações de rádio ao longo do caminho, ou por marcar presença, algo pudesse acontecer. Afora isso, ele não tinha expectativas concretas – sequer tinham um lugar definido para ficar. Tommy Edwards, "o moço urbano transformado em garoto country" e apresentador do Hillbilly Jamboree, tocava os discos de Elvis na WERE desde o outono anterior e era um fã oculto; havia um grande mercado para essa música em Cleveland, garantiu ele a Neal. Com todos os sulistas que migraram à cidade em busca de trabalho no pós-guerra, sem falar na grande população negra que ocupava o distrito de Hough e na ampla diversidade étnica, o cenário musical de Cleveland fervilhava. Toda sexta à noite havia um show de rhythm & blues no Circle, e o Jamboree tinha descoberto tantos hillbillies que Edwards os convidou para educá-lo sobre o que a plateia gostava de ouvir.

Mas talvez o maior indicador das mudanças no cenário musical fosse o surpreendente sucesso de Alan Freed, que, em programas de rádio e na promoção de shows, tinha descoberto o mesmo público branco jovem para o rhythm & blues encontrado por Dewey Phillips em Memphis. Freed, tão extravagante quanto Dewey só que com mais tino para os negócios, mudou-se de Cleveland meses antes para o ainda mais lucrativo mercado de Nova York, onde continuou a cruzada pelo mesmo tipo de música: criou o Rhythm & Blues Revue só com estrelas (The Drifters, The Clovers,

Fats Domino, Big Joe Turner e meia dúzia de artistas importantes todos no mesmo show), e alegava ter cunhado o termo (inclusive protegido por direitos autorais) "rock & roll". E o que dizer de Bill Haley, muito popular ali na cidade? Bob Neal já viu algum show dele? Fez um show de rhythm & blues com sua banda de estilo western, The Comets, dezoito meses antes, com Billy Ward and His Dominoes e o ex-campeão dos pesos-pesados Joe Louis e sua orquestra. Parecia que ali em Cleveland todas as linhas divisórias e barreiras musicais estavam caindo.

O show daquela noite transcorreu bem. Elvis permanecia em grande parte ignorado em Cleveland (ali seus discos eram pouco mais do que "hits de rádio", pois a distribuição da Sun efetivamente não se estendia tão longe). Mas, se Bob Neal estava apreensivo sobre a receptividade do público nortista a essa nova música, seus medos se dissiparam rapidinho. No Norte como no Sul, o impacto de Elvis na plateia foi igual: os mais jovens enlouqueciam, os mais velhos ficavam boquiabertos. Bill logo vendeu todas as fotos de suvenir: misturou-se com os fãs e tinha troco em seu cinto para dinheiro, e Tommy Edwards vendeu um bom número de discos (que tinham levado de Memphis no porta-malas do carro de Bob) no saguão. Após o show, Edwards disse que gostaria de apresentar alguém a Neal. Na verdade, era o mesmo idealizador do show de Billy Ward e Bill Haley, que acabava de voltar de seu turno de quatro horas de sábado à tarde na WCBS em Nova York. Talvez Elvis pudesse dar outra entrevista, embora já tivessem feito uma promoção no ar para o Jamboree no programa de Edwards naquela tarde. Foram até a estação, onde conheceram Bill Randle.

Bill Randle era uma lenda no rádio naquela época. Alto, de aparência acadêmica atrás dos óculos de aros pretos, feitos de chifre, ele havia acabado de ser citado na *Time*, duas semanas antes, num artigo que anunciava: "No último ano, o top DJ dos EUA foi Bill Randle, trinta e um anos, sujeito confiante e agradável, cujo programa vai ao ar seis tardes por semana (das 14h às 19h na estação WERE)". De acordo com o artigo, Randle previu todos, menos um, dos cinco mais vendidos de 1954; descobriu Johnnie Ray; mudou o nome do quarteto Canadaires para Crew-Cuts e emplacou o primeiro sucesso deles; dirigia um Jaguar e ganhava cem mil dólares por ano, com seu programa de sábado à tarde na rede CBS em Nova York sendo a mais recente de sua série de conquistas sem precedentes. "Randle explica seu sucesso: 'Estou sempre recebendo um monte de discos. Descarto os ruins e os outros eu rodo no meu programa para ver a reação dos ouvintes. Então, abasteço os dados numa máquina. Essa máquina sou eu. Sou um Univac [computador]. É tão exata que eu digo a meus ouvintes: 'Esta música estará no número 1 em quatro semanas'." Ao ser indagado se gostava da música que tocava, Randle, cujo gosto pessoal abrangia desde jazz até música clássica e que havia sido demitido de uma estação de rádio de Detroit vários anos antes por se recusar a tocar pop ("Enfrentei um sério problema emocional ao migrar para o pop... Eu fazia um esforço quase físico para tocar aqueles discos"), Randle declarou, alegremente, no texto da *Time*: "Quanto a isso sou um completo esquizofrênico. Meu negócio é dar ao público o que ele quer. Isso é simples mercadoria, e eu entendo isso".

Foi por intermédio de Tommy Edwards que Randle teve o primeiro contato com as músicas de Elvis Presley, mas, enquanto Edwards tocava "Blue Moon of Kentucky" para seu público country, Randle percebeu algo naquele blues. Entretanto, só depois de ir a Nova York em janeiro, ele realmente começou a tocar Presley: arriscou "Good Rockin' Tonight" em seu programa da CBS, o que, conforme Randle, o transformou em *persona non grata* na estação por um tempo.

Fizeram a entrevista no estúdio da WERE naquela noite. Randle tocou todos os três discos de Presley na Sun e ficou completamente arrebatado. "Ele era extremamente tímido, falava sobre Pat Boone e Bill Haley como ídolos, e me chamava de senhor Randle. Muito cavalheiro, muito interessante, ele entendia bastante de música, das pessoas e das personalidades em Memphis, e foi muito emocionante." Ficou quase igualmente impressionado com Bob Neal. "Bob Neal para mim era um cara muito interessante. Inteligentíssimo. Era um disc jockey country, mas também era um empresário-empreendedor-intrujão, mas com muita classe." Randle convidou Neal para ficar na casa dele, e passaram a maior parte da noite acordados conversando. No fim da noite, Randle estava convencido de que Neal "tinha um grande artista a caminho", e deu a Neal o nome de um contato na publicação de músicas que ele pensou que poderia ajudar Presley a fazer um teste no Talent Scouts, de Arthur Godfrey. Quando se despediram pela manhã, Randle desejou sorte a Neal com seu garoto e disse que esperava ter a chance de ir ao show dele quando voltassem a Cleveland e ao Circle Theater no mês seguinte. Então, Randle tinha de fazer seu programa de rádio de domingo à tarde, e Neal e os meninos tinham uma longa viagem de volta a Memphis.

Memphis parecia quase domesticada em seu retorno. Elvis ficara três semanas sem ver Dixie, a separação mais longa do casal, e sentia que tinha todo tipo de coisas para contar a ela, mas, quando chegou a hora, parecia que não tinha tanta coisa – ou tanto tempo – para contar. Nas semanas seguintes, trabalhou quase todas as noites, às vezes no Mississippi e no Arkansas, além da longa viagem a Shreveport nas duas noites de sábado. Ele e Dixie foram ao cinema – *Sementes de violência* estreou naquele mês, com "Rock Around the Clock", de Bill Haley, explodindo nos créditos de abertura. Pela primeira vez, não precisavam se preocupar com dinheiro, compravam todos os discos novos que quisessem na loja do Charlie, na Poplar Tunes e na Home of the Blues, de Reuben Cherry, onde Elvis comprou todos os discos vermelhos e pretos da Atlantic e os azuis e prata da Chess que pôde encontrar. Deram uma passadinha na rádio para visitar Dewey Phillips, e Dewey sempre fazia um grande rebuliço, anunciando em sua voz empolgada de garoto-propaganda que Elvis estava no estúdio, disparando perguntas que Elvis respondia com surpreendente facilidade no ar. De vez em quando, ia ao Triangle para jogar futebol americano, mas se sentia cada vez menos à vontade com a velha gangue. Passaram no novo escritório da Union Avenue, cujos tons predominantes eram o preto e o cor-de-rosa. Os cartões de membros do fã-clube, papel de carta, envelopes, tudo combinava com a decoração pessoal preferida de Elvis, e a esposa de Bob, Helen, disse que o fã-clube já tinha várias centenas de membros inscritos. Em 15 de março, Elvis assinou uma emenda ao contrato de um ano, dando a Neal uma comissão de 15%, sujeito à renovação em março de 1956, quando, se necessário, as bases contratuais poderiam ser revistas.

Nesse meio-tempo, o grupo fez a sua segunda sessão de gravação em pouco mais de um mês. Tinham entrado em estúdio no início de fevereiro, pouco antes do início da turnê Jamboree, com a ideia de gravar seu próximo single, mas, como as outras sessões, essa também foi difícil. Tentaram o recente sucesso de Ray Charles, "I Got a Woman", uma das preferidas do público nos shows, bem como "Trying to Get to You", rara balada gospel de uma obscura banda de rhythm & blues de Washington, D.C., chamada The Eagles, mas nada parecia funcionar. Porém, quando resolveu funcionar, gravaram a melhor faixa até então produzida no estúdio. Pinçada de um original bastante pálido de Arthur Gunter que chegou às paradas de rhythm & blues no final de janeiro, "Baby, Let's Play House" praticamente explodiu com a energia, o alto astral, a pura e incontrolável efervescência que Sam Phillips tinha sentido na primeira vez na voz de Elvis. "Whoa, baby, baby, baby, baby, baby", abria Elvis em uma gagueira ascendente e soluçante que nocauteava todo mundo com sua absurdez totalmente imprevisível, desinibida e gloriosamente brincalhona, e quando alterou a letra original de Gunter, de "Você pode ter religião" para "Você pode dirigir um Cadillac rosa" ("Mas não se deixe enganar por ninguém"), definiu um pouco de suas próprias aspirações – e as de sua geração. Tinha o potencial de se tornar o seu disco mais bem vendido, todos concordavam. Agora só precisavam do lado B.

Enquanto estavam em turnê, Stan Kesler o compôs. Kesler, que tocava *steel guitar* na banda Snearly Ranch Boys, de Clyde Leoppard, rondava o estúdio desde o outono, atraído pelos estranhos e inovadores sons que tinha ouvido no rádio ("Nunca ouvi nada parecido antes"). A Snearly Ranch Boys queria gravar um disco, o que acabou fazendo, mas Sam Phillips escolheu Kesler, com outros músicos da região de

Muscle Shoals (Quinton Claunch na guitarra e Bill Cantrell no violino), a fim de formar uma espécie de seção rítmica para uma série de pequenas sessões demo country que montou no outono e inverno de 1954-55 com artistas tão diversos quanto Maggie Sue Wimberley, de quatorze anos de idade, as Miller Sisters, Charlie Feathers e um novo artista hillbilly de Jackson, Tennessee, uma espécie de Hank Williams entusiasmado, chamado Carl Perkins. Lançou singles de tiragem limitada de cada um desses artistas, principalmente em um selo subsidiário não sindical que ele formou apenas para esse fim, chamado Flip. Mas, com quase todas as energias de Sam ainda focadas em Elvis, nenhum dos discos fez muito sucesso.

Ficou claro, porém, que Sam estava pensando no futuro e buscando maneiras de expandir o recente sucesso da Sun. Os tempos ainda eram difíceis, o dinheiro continuava escasso, e Sam ainda sentia a pressão de comprar a parte do sócio, Jim Bulleit, no ano anterior, mas de jeito nenhum se acomodaria em ser conhecido como produtor de um só artista. As ambições de Sam Phillips eram muito maiores do que isso: apostava as fichas no novato Perkins, "um dos maiores lavradores do mundo", como mais tarde o descreveu, e ficou "tão impressionado com a dor e a emoção em seu jeito de cantar country" que sentiu nele o potencial de "revolucionar o negócio da música country". Ficou igualmente impressionado com outro jovem que tinha aparecido na porta do Sun na esteira do sucesso de Presley e continuou a rondar até Sam lhe dar um teste. Havia algo na qualidade da voz desse jovem vendedor de eletrodomésticos – que lembrava a singela honestidade de Ernest Tubb (dizia ao garoto para não tentar soar como ninguém, não se preocupar se seu som e seu estilo não eram lapidados, nem mesmo para ensaiar muito, "porque também me interesso pela espontaneidade"). Só foi lançar um disco de Johnny Cash no verão seguinte, mas trabalhou com ele, Perkins e Charlie Feathers e uma série de outros ao longo do inverno e da primavera.

Foi assim que Stan Kesler ficou por perto. Pressentiu que estava prestes a acontecer algo novo e queria fazer parte disso. Quando soube que Sam estava procurando material para a próxima sessão de Presley, foi imediatamente para casa e escreveu uma canção chamada "I'm Left, You're Right, She's Gone", com seu colega de banda Bill Taylor (trompetista na Snearly Ranch Boys), com base na melodia do comercial da Campbell's, fábrica de sopas e outros enlatados. Pegou o gravador de Clyde Leoppard emprestado e gravou uma demo com Taylor. Levou a fita ao estúdio e ficou papeando com Marion até Sam chegar para escutá--la. Eis que Sam gostou da música, e Elvis também deve ter gostado, porque as sessões da semana seguinte se concentraram nessa única música.

Foi a primeira vez que usaram um baterista. Sam sempre disse que queria levar o formato do trio o mais longe possível (e na verdade começaram essa sessão como um trio), mas Sam sentiu que faltava algo e chamou um jovem músico que tinha vindo com a banda dele no ano anterior para gravar um acetato de duas faixas de jazz ao estilo das big bands. Na época, faltava mais de um ano para Jimmie Lott concluir o Ensino Médio, mas não se abalou com a responsabilidade. "Estava com bronquite, mas carreguei a bateria no carro da minha mãe. Elvis estava parado na porta do estúdio. Usava o cabelo comprido e oleoso ao estilo 'rabo de pato', coisa que a [minha] turma não apreciava muito." Experimentaram uma canção de Jimmie Rodgers Snow que Elvis queria gravar, "How Do You Think I Feel", para a qual Lott contribuiu com uma batida latina, mas não conseguiram acertar e logo voltaram à composição Kesler-Taylor que Elvis, Scotty e Bill estavam ensaiando a noite toda. Já tinham feito mais de uma dúzia de *takes*, tentando transformar uma simples música country em um blues extremamente lento ao estilo de "Blues Stay Away from Me", dos Delmore Brothers. Não agradava a Elvis a ideia de fazer uma música puramente country, e Sam entendia isso, mas, mesmo quando tentavam se aproximar da meta, Sam percebia que estavam ainda mais distantes: diabos, todos percebiam em alguma parte da alma. A melodia da Campbell's Soup não era nada adequada para uma roupagem de blues.

Acrescente a bateria. O fundo sólido e metálico tirou o peso dos vocais de Elvis, e ele conseguiu o tom bonito, quase delicado que Sam havia imaginado para a melodia o tempo todo, dividindo sua voz a meio caminho do estilo country tradicional e de seu soluço recém-patenteado, com Scotty somando seus mais suaves licks no estilo Chet Atkins às variações de blues remanescentes das versões prévias. Não combinava muito com outras coisas que existiam, mas era exatamente o tipo de material que Sam sentia que eles precisavam ("Não precisávamos daquele country de Nashville, mas eu queria a simplicidade da linha melódica, sabe, tivemos de rastejar um pouco para ver onde estávamos antes de entrar na corrida"). Ao término da sessão, enquanto Jimmie Lott guardava sua bateria, Sam perguntou se ele estaria interessado em trabalhar um pouco mais com o grupo, mas Jimmie, que mais tarde tocaria na banda de Warren Smith e gravaria novamente no estúdio Sun, descartou sem pestanejar. "Disse que tinha mais um ano de escola e não podia."

Uns quinze dias depois, em 23 de março, foram a Nova York com Bob Neal. Foram de avião, porque seu cronograma de shows andava tão apertado que não tinham tempo para ir de carro ou de trem (a *Billboard* de 2 de abril informou que o grupo estava "com a agenda cheia até abril"). Era a primeira vez que Elvis e Bill pegavam um avião, e a primeira vez que o trio visitava Nova York. Olharam pasmados os arranha-céus e embarcaram no metrô. Bob, que já conhecia a cidade, mostrava os pontos turísticos para eles enquanto Bill brincava, envesgava os olhos e agia como um caipira alegre. Chegando ao estúdio, porém, a recepção foi gélida. A senhora que conduziu o teste adotou uma postura "não nos ligue, nós entraremos em contato". E não foi dessa vez que conheceram Arthur Godfrey. Foi uma grande decepção para todos, especialmente para Bob Neal, que vinha acalentando isso como uma oportunidade de dar um salto de popularidade – a televisão era um mercado nacional, e Arthur Godfrey era o veículo pelo qual os Blackwood Brothers haviam se tornado nacionalmente conhecidos. Estavam economizando havia meses para essa viagem, e talvez tivessem jogado o dinheiro na latrina. O amigo de Bill Randle, Max Kendrick, relatou a Randle um pouco indignado que esse novo garoto não estava pronto para o sucesso – veio para o teste malvestido, parecia nervoso e despreparado – e Randle achou que por esse motivo Kendrick se manteve distante por uns meses.

Mas Elvis, Scotty e Bill não tiveram tempo para reflexão. Pé na estrada quase de imediato. Agora, a bordo de um Cadillac rosado e branco, ano 1954. No comecinho do ano, Elvis tinha adquirido um Lincoln Cosmopolitan ano 1951 com apenas dezesseis mil quilômetros rodados, o primeiro carro "novo" de sua vida. Instalou um rack em cima para o contrabaixo, pintou "Elvis Presley – Sun Records" na lateral e ficou tão orgulhoso dele que não permitia que ninguém fumasse dentro do carro. Bill o destruiu em março, entrando embaixo de um caminhão de feno tarde da noite no Arkansas, mas Elvis aplacou a decepção: com a ajuda de Bob Neal, comprou o Cadillac.

Estavam sempre em movimento. Às vezes parecia que não tinham tempo para dormir. Houston, Dallas, Lubbock e todo o Oeste do Texas. Shows do Hayride em Galveston, Waco e Baton Rouge. Hawkins, Gilmer e Tyler, Texas, todos no raio de ação do sinal de rádio de Tom Perryman, em Gladewater. Todas as cidadezinhas espalhadas pelo Mississippi e o delta do Arkansas. De volta a Cleveland para outra data no Circle Theater. El Dorado. Texarkana. O Hayride. "Era sempre emocionante", na visão de Elvis. "Dormíamos no banco traseiro do carro, fazíamos o show, saíamos do palco, entrávamos no carro e rodávamos até a cidade seguinte e às vezes chegávamos a tempo apenas de lavar o rosto [e] fazer o show." Scotty e Bill perseguiam as garotas, e as garotas perseguiam Elvis – e muitas vezes conseguiam o seu intento. Aonde quer que ele fosse, criava uma sensação. "Ele é a nova onda", disse um executivo da rádio de Louisiana numa entrevista à imprensa musical britânica. "Canta hillbilly no compasso de r&b. Tem noção do que é isso? Veste calça cor-de-rosa e casaco preto... está arrasando. Se suportar bem a popularidade, ele vai ficar bem."

"Essa figuraça me apareceu", disse o futuro cantor country Bob Luman, que tinha apenas dezoito anos quando viu Elvis no show em Kilgore, Texas, meses depois, "de calça vermelha, casaco verde, camisa e meias rosadas. Tinha esse escárnio no rosto e ficou atrás do microfone por cinco minutos, pode apostar, antes de fazer um movimento. Então feriu o violão e arrebentou duas cordas. Diabos, eu tocava havia dez anos, e nesse tempo só arrebentei duas cordas no total. Lá estava ele, as duas cordas penduradas, e ainda não tinha feito nada além de romper as cordas, e aquelas adolescentes gritavam e desmaiavam e subiam no palco, e então ele começou a mover os quadris muito devagar, como se tivesse uma queda por seu violão... Nos nove dias seguintes, fez shows únicos em vários locais da região de Kilgore, e depois da escola todos os dias eu e minha namorada entrávamos no carro e íamos seja lá onde fosse o show daquela noite. Foi a última vez que tentei cantar como Webb Pierce ou Lefty Frizzell."

Não chega a surpreender que tanta adulação tenha afetado Elvis um pouco. Todos concordavam: ele continuava a agir com notável educação e deferência. Nunca deixou de mostrar aos seus pais um alto grau de respeito. Mas quem o conhecia pela primeira vez encontrava uma figura um pouco diferente da que teriam encontrado seis meses, ou até três meses, antes. Talvez mais confiante, compreensivelmente mais desconfiado, mas no geral apenas mais ele mesmo. Às vezes, isso se refletia em súbitos rompantes, como no famoso incidente no Hayride em que deu um soco no nariz do porteiro, um adolescente chamado Shorty, porque ele ficava abrindo e fechando a porta para os fãs dele. Todos ficaram surpresos com o incidente, principalmente o próprio Elvis, que de imediato se desmanchou em desculpas e se ofereceu para pagar todas as despesas médicas. As Miller Sisters – o duo que Sam estava gravando – conheceram Elvis num show em Saltillo, Mississippi, ao longo da estrada em que ele nasceu, e o acharam esnobe e convencido. "Era muito atrevido", disse uma delas. "Lembro-me de que Elvis me pediu para segurar o violão dele, e eu disse: 'Segure você mesmo. Não sou seu capacho!'." Mas, é claro, esse pode ter sido apenas um episódio isolado.

"Elvis Presley conquista a região Sul", escreveu Cecil Holifield, gestor das Record Shops em Midland e Odessa, Texas, na edição de 4 de junho da *Billboard*.

Até agora, o Oeste do Texas é o seu território mais quente, e ele é o favorito dos adolescentes onde quer que apareça. Sua primeiríssima apresentação na área foi em janeiro com Billy Walker... e mais de 1.600 ingressos vendidos. Em fevereiro, com Hank Snow em Odessa... mais de 4.000 pagantes. Em 1º de abril agendamos apenas Elvis e seus meninos, Bill e Scotty, além de Floyd Cramer no piano e um garoto local na bateria para um bailinho "rock'n'roll" para adolescentes, com 850 entradas pagas... A propósito, nossas vendas dos quatro discos de Presley superaram as de qualquer outro artista individual em nossos oito anos no ramo de discos.

Com uma nova turnê Jamboree acenando em maio, encabeçada por Hank Snow e percorrendo todo o Centro-Sul, Elvis, Scotty e Bill não estavam dispostos a olhar para trás. E não tinham tempo para isso. Bob Neal estava animado e otimista com todas as conexões que Tom Parker estava proporcionando. Algo lhe dizia: enfim estavam prestes a subir para a série A.

A TURNÊ COMEÇOU em 1º de maio em Nova Orleans, um dia após o lançamento do quarto single de Elvis, "Baby, Let's Play House". Seria uma turnê de três semanas, vinte cidades, com trinta e um artistas diferentes, alguns dos quais entrariam e deixariam a turnê em vários pontos. As principais atrações do line-up eram Hank Snow, Slim Whitman e as Carter Sisters & Mother Maybelle. Martha Carson e Faron Young participariam do show na Flórida. Em uma solução concebida pelo Coronel a fim de evitar o tipo de constrangimento da última turnê, a primeira metade do show seria para os "talentos mais jovens", que incluíam Jimmie Rodgers Snow, Davis Sisters e Wilburn Brothers, com "uma das mais inovadoras e empolgantes personalidades no estilo hillbilly...

[cujo] estilo de cantar é completamente distinto de qualquer outro cantor do ramo", Elvis Presley, fechando o bloco antes do intervalo.

Em quase todos os lugares onde tocavam havia um princípio de tumulto. Johnny Rivers assistiu ao show em Baton Rouge e decidiu: "Quero ser como aquele cara", enquanto em Mobile, Jimmie Rodgers Snow lembra-se de que Elvis teve de fugir correndo das fãs, campo de futebol americano afora. Havia garotas em todas as cidades, e depois do show Elvis nunca ficava sem companhia, passeando pela cidade no Cadillac rosa e branco que tinha acabado de adquirir para substituir o Lincoln (outra vez mandou pintar seu nome na porta). Jimmy Snow dividia o quarto com ele nessa turnê, "e ele trazia as moças, duas ou três delas por noite... se fazia amor com as três, não sei, porque ele mantinha isso privado, e se eu via que ele trazia as mulheres para o quarto, eu saía. Mas eu só acho que ele as queria por perto, era uma sensação de insegurança, eu acho, porque não penso que ele fosse um aproveitador. Ele só amava as mulheres, e eu acho que elas sabiam disso."

Todas as noites ele ligava para seus pais em sua nova casa na Lamar Avenue, apenas para contar que estava bem, como foi o show, para saber como eles estavam. Muitas noites Dixie estava lá, e ele gostava disso, por economizar uma ligação e por saber que os pais estavam de olho nela. "Ele não queria abrir mão desse controle, independentemente de quanto tempo ele estivesse fora ou do que andava fazendo; [ele queria saber] se eu ainda estava lá, à espera dele. Se eu não estivesse, ele perguntava aos pais dele: 'Dixie esteve aí?' ou 'Viram ela hoje? Ela já passou por aí? Passou a noite com vocês?'. Acho que ele esperava que seus pais meio que me guardassem lá enquanto ele estava fora para que eu não fizesse mais nada. Mas após um tempo foi se tornando cada vez mais difícil." Ele queria saber se estavam gostando da casa nova – ainda era alugada, é claro, mas era a primeira vez desde que se mudaram para Memphis que tinham uma casa só para eles. Como o papai estava se sentindo? Passou a dor nas costas? E tranquilizava Gladys. Ela não precisava se preocupar, estava tudo bem com ele – sabia que ela não gostava do comportamento do público, mas ninguém ia machucá-lo. Sim, estavam cuidando bem do novo Caddy, não era uma gracinha? Sim, estavam dirigindo com cuidado. Achava que nem ia deixar Bill dirigir este! E como estava o lindinho Crown Victoria branco e rosado que ele comprara para eles? Era o primeiro carro novo da família. Elvis tentava acalmar a mãe: estava seguro, feliz, ainda era o filhinho dela. Mas Gladys não sossegava. Uma parte dela receava o que estava prestes a acontecer. Uma parte dela receava o que ela já percebia que estava acontecendo. "Sei que ela o adorava", disse Dixie, "ao ponto de quase ter ciúmes de tudo o que tomasse seu tempo. Acho que ela teve problemas em aceitar o filho, à medida que sua popularidade foi crescendo. Era difícil para ela ter de dividi-lo com todo mundo. Eu tive o mesmo sentimento. Ele já não mais nos pertencia."

CONHECEU MAE BOREN AXTON, a publicitária da turnê na Flórida, na primeira data dos shows nesse estado, em Daytona Beach. Professora de inglês de quarenta anos na Paxon High School, em Jacksonville, onde o marido dela atuava como treinador de futebol americano, Axton havia entrado na música country pela porta dos fundos ao ser convidada pela *Life Today*, revista para a qual escrevia ocasionalmente artigos como freelancer, para fazer uma matéria sobre música "hillbilly". Embora tivesse nascido em Fort Worth, Texas, e crescido em Oklahoma (o irmão dela, David, mais tarde se tornou um proeminente senador dos EUA por seu estado), alegou não ter nem ideia do que era a música hillbilly. "Escutávamos ópera, meu professor me ensinou músicas clássicas, eu conhecia a música folk, mas o termo 'hillbilly' era uma novidade para mim." A pesquisa dela a levou a Nashville, onde conheceu Minnie Pearl, que a apresentou como compositora country ao poderoso executivo de publicação de músicas Fred Rose. Acreditando em Minnie Pearl, Rose pediu a Mae uma música nova para uma sessão de gravação com Dub Dickerson naquela tarde, e ela escreveu uma, só para provar que a nova amiga não estava mentindo.

Em pouco tempo, várias de suas músicas tinham sido gravadas (Dub Dickerson gravou mais de suas colaborações, assim como Tommy Durden) enquanto continuava a escrever artigos para revistas de fã-clubes. Foi contratada pelo Coronel em 1953 numa turnê de Hank Snow e começou a atuar na assessoria de imprensa para ele na região de Jacksonville-Orlando-Daytona. Ao mesmo tempo atraente e mal-humorada, Mae alegava ser a única pessoa que ela conhecia que já tinha escutado um pedido de desculpas do Coronel. Normalmente, a única resposta dele a qualquer forma de crítica era "O Coronel é o chefe". "Você que seja o chefe", disse ela com raiva quando ele tentou extrapolar para cima dela. "Seja o mandachuva. Mas não me peça para fazer outra coisa por você." O que suscitou o pedido de desculpas. Apesar do incidente, ou talvez por causa disso, ela sempre se deu bem com o Coronel e por um tempo até serviu como publicitária pessoal de Hank Snow. Era enérgica, engenhosa, e provou ser uma excelente relações-públicas local para uma equipe de gestão que não deixava nada ao acaso.

Estavam programados para tocar em Daytona Beach em 7 de maio, e Mae os conheceu no hotel. "Eu me levantei cedo e fiz uma entrevista sobre o show daquela noite e sobre Elvis. Voltei pelas onze e, sabe, os fundos do hotel tinham vista para o mar. Saí pela porta (meu quarto era perto do de Elvis) e lá estava Elvis debruçado no gradil de ferro, olhando o mar. Havia muita gente na praia, e eu falei: 'Ei, doçura, como você vai?'. Ele ergueu o olhar e disse: 'Bem'. E falou: 'Miz Axton, olhe este mar'. Claro que eu já tinha visto o mar um milhão de vezes. Ele disse: 'Nem acredito que é tão grande'. Deslumbrado, acrescentou: 'Eu daria qualquer coisa no mundo para ter dinheiro suficiente para trazer minha mãe e meu pai aqui para ver este mar'. Aquilo me comoveu. Corri o olhar em volta, e lá estavam todos os outros jovens, membros diferentes do show daquela noite, todos atrás de moças bonitas. Mas a prioridade de Elvis era fazer algo para a mãe e o pai dele."

Na entrevista, ele insistiu em chamá-la de Miz Axton, e ela sugeriu "pode me chamar apenas de Mae. É bem melhor... Elvis", então indagou: "você é um artista bebop, não é? É assim que chamam você?".

Elvis: Bem, nunca me dei um rótulo, mas muitos dos disc jockeys me chamam de bopping hillbilly, bebop e não sei o que mais...

Mae: Acho que isso é muito bom. E você começou a turnê país afora e percorreu muitas regiões nos últimos dois meses, não é mesmo?

Elvis: Sim, senhora, andamos bastante... Principalmente na região Oeste do Texas, onde meus discos vendem melhor. Ali na região de San Angelo, Lubbock, Midland e Amarillo...

Mae: Ouvi falar que quase te agarraram lá, as adolescentes, elas gostam muito de você. Mas sei que você já visitou a parte leste do país, também. Até a Flórida e ao redor. E que as pessoas também foram ver você lá, como no Oeste do Texas, não é?

Elvis: Bem, eu não era muito conhecido aqui embaixo. Sou de uma gravadora pequena, e meus discos não têm a distribuição que deveriam ter, mas...

Mae: ...sabe, assisti a um de seus shows na Flórida, e notei que as pessoas mais velhas se impressionaram com você, assim como os adolescentes. Foi uma coisa incrível.

Elvis: Bem, acho que é só o jeito que nós três nos mexemos no palco, sabe, agimos como se nós...

Mae: Sim, e não devemos deixar de fora Scotty e Bill. Eles fazem um fantástico trabalho rítmico.

Elvis: Com certeza. Tenho uma sorte danada de ter esses dois comigo, porque são muito bons mesmo. Cada qual tem um estilo próprio.

Mae: Sabe, tem uma coisa que não entendo. Como é que você mantém essa perna sacudindo no compasso certo [riso geral] o tempo todo em que está cantando?

Elvis: Bem, às vezes fica difícil. Preciso parar e descansar. Mas ela apenas se mexe assim, automaticamente.
Mae: É mesmo? Ela faz isso automaticamente? Começou no Ensino Médio, não foi?
Elvis: Hã...
Mae: A cantar por aí, fazer apresentações públicas na escola, coisas desse tipo?
Elvis: Bem, não, eu nunca cantei em público na minha vida até fazer este primeiro disco.
Mae: Verdade?
Elvis: Sim, senhora.
Mae: E então você foi direto para o coração deles, está fazendo um trabalho maravilhoso, e quero parabenizá-lo por isso, e quero dizer, também, Elvis, foi ótimo receber você no estúdio...
Elvis: Bem, muito obrigado, Mae, e eu gostaria de lhe agradecer pessoalmente por promover meus discos aqui, porque você faz um trabalho maravilhoso, e eu realmente aprecio isso, porque se você não tiver pessoas apoiando, pessoas incentivando, bem, é muito fácil desistir.

Na mesma noite, na hora do show, Mae encontrou uma ex-aluna, agora estudante de Enfermagem. Elvis estava no palco, "e ela estava muito atenta, não sabia quem ele era, nenhum deles sabia. Mas ficou apenas óóóó... Todas ficaram, mesmo algumas das mais velhas reagiram assim. Olhei os semblantes... Elas estavam adorando. E perguntei: 'Ei, meu bem, qual é a deste garoto?'. E ela disse: 'Ahh, Miz Axton, ele é só um pedaço de mau caminho, um fruto proibido'".

Tocaram em Orlando naquela semana, e a repórter local Jean Yothers, ainda meio atordoada vários dias depois, escreveu uma resenha no *Orlando Sentinel* de 16 de maio.

O que a música hillbilly faz com o fã de música hillbilly é absolutamente fenomenal. Ela o transporta a um estado de êxtase selvagem, emocional e audível. Ele nunca se senta para trás sossegado esfregando as mãos polidamente e proferindo bravos de apreciação musical como seu equivalente de cabelo comprido. Ele troveja seu apreço pela música country e pelo canto vibrante-anasalado que ele ama assobiando estridentemente por entre os dentes, batendo palmas no embalo giratório de uma roda de água turbinada, batendo o pé no chão e emitindo ruídos yip-yip como os latidos de um cão de caça quando enfim captura um esquivo guaxinim.
Na última semana, esse foi o clima no grandioso show de Hank Snow e no Grand Ole Opry Jamboree das estrelas, no lotado auditório municipal. Fazia um calor dos infernos nas velhas dependências do auditório-celeiro, mas os fãs de hillbilly vieram em massa e pareciam imunes ao calor. [...]
O evento inteiro parecia uma cruza do entusiasmo exibido em uma luta livre e um acampamento à moda antiga...
Foi o meu primeiro contato com um jamboree hillbilly, sem dúvida, um contraste chocante com a Metropolitan Opera em Atlanta. Fiquei espantada e, com todo o respeito à ópera em Atlanta, diverti-me tremendamente com essa música barulhenta e desinibida que está enlouquecendo o país. [...]
Ferron [Faron] Young mandou bem cantando aquela música sobre viver rápido, amar muito, morrer jovem e deixar uma bela memória, mas quem realmente roubou o show foi essa sensação de vinte anos, Elvis Presley, verdadeira máquina sexual no que se refere às adolescentes. Elas gritaram como bobas ao ver esse rapazola de casaco alaranjado e costeletas que as fez "balançar" com seu arranjo único de "Shake, Rattle and Roll". E, seguindo o protocolo, Elvis foi cercado

por garotas pedindo autógrafos. Ele dava a cada uma delas um olhar longo e profundo, com pálpebras caídas, e obedecia. Elas o devoraram. A multidão também devorou uma animada e suada senhorita Martha Carson, chamando os espectadores sentados na plateia alta, "vocês aí sentados nas galerias", e a mesma senhorita Carson arrebentou duas cordas do violão e uma palheta com seu forte dedilhado de "This Old House" e "Count Your Blessings". Os fãs sempre corriam para perto do palco tirando fotos com flash durante os shows, e todos instintivamente reconheciam uma melodia com rugidos animados antes de soar o segundo acorde de violão. Foi incrível! A música hillbilly veio para ficar, pessoal!

No dia 13 tocaram em Jacksonville. Antes do show, Mae levou Elvis e alguns dos outros músicos para jantar, e ela tentou convencê-lo a trocar de camisa (ele estava usando uma camisa cor-de-rosa com babados). "A cantora Skeeter Davis estava lá, e June e Anita [Carter], mais alguns dos meninos com Elvis, e eu disse, 'Elvis, que camisa vulgar. Mas em mim ficaria uma blusa tão bonita'. E Skeeter disse, 'Quero ela pra mim'. E June disse: 'E eu pra mim'. Ele meio que abriu um sorrisinho. Eu falei: 'Elvis, você deveria dar a camisa para uma de nós, seja como for, elas vão arrancá-la de você hoje à noite'. Não pensava muito nisso – sabia que o pessoal gostava dele, mas não pensava muito nisso."

Naquela noite, no show, na frente de quatorze mil pessoas, ele anunciou no final: "Meninas, vejo vocês nos bastidores". Quase de imediato elas foram atrás dele. A polícia o escondeu no vestiário do Gator Bowl, onde Mae e o Coronel contabilizavam os ganhos da noite. A maioria dos outros artistas também estava nos bastidores, lembrou Mae, quando as fãs começaram a aparecer por uma janela aérea que inadvertidamente tinha ficado aberta. "Ouvi um estrondo de passos, como o estouro da boiada, e quando dei por mim, escutei uma voz vindo da área do chuveiro.

Comecei a correr, e três ou quatro policiais também dispararam, e quando chegamos lá centenas (bem, talvez nem tanto, mas eram muitas) tinham invadido o local. Lá estava Elvis, pendurado num dos chuveiros, parecendo uma ovelha assustada, com uma cara de 'O que é que eu faço?', a camisa rasgada, o casaco esfarrapado. Alguém tinha arrancado até o cinto dele, as meias dele e até aquelas botas charmosas – não eram botas de caubói, ele estava lá em cima só de calça, cujas barras as fãs tentavam puxar. É claro que a polícia começou a evacuar o local, e nunca vou me esquecer de Faron Young... Uma das garotas tinha uma corcunda nas costas, e ele deu um chute nela, e o par de botas caiu."

O Coronel, afirmou Mae, "e não quero dizer isso depreciativamente, tinha cifrões nos olhos". Foi Jacksonville, disse Oscar Davis, que marcou a reviravolta – a verdadeira revelação, o Coronel disse a ele. Quando o show chegou a Richmond três dias depois, era como se Elvis sempre tivesse sido o garotinho do Coronel. Toda a trupe se hospedou no antigo Jefferson Hotel, e por acaso o gerente de promoções da RCA, Chick Crumpacker, estava em Richmond em uma das visitas sulistas que fazia três ou quatro vezes por ano para conhecer DJs, distribuidores e representantes de campo. O representante regional Brad McCuen, que tinha ouvido o primeiro disco de Elvis em Knoxville no ano anterior e, ao testemunhar a reação ao álbum, enviou-o a Nova York com um relatório promissor, convenceu Crumpacker a ir ao show, e Crumpacker, um sofisticado, honesto e espirituoso graduado da Northwestern School of Music que continuava a fazer composições clássicas, mas tinha um saudável respeito pela "música folclórica americana", aceitou entusiasticamente. Tanto Crumpacker quanto McCuen conheciam o Coronel não só por sua relação atual com Hank Snow e por ser ex-empresário de Eddy Arnold, dois dos principais artistas country da RCA, mas porque cada um tinha acompanhado brevemente a Caravana Country da RCA, que o Coronel havia gerenciado no ano anterior. Os dois tiveram experiências interessantes com o Coronel. Em Jacksonville, no mês de abril anterior, na presença de Chick, Parker havia acusado a publicitária Anne Fulchino de "deliberadamente afastar o pessoal da revista *Life and Look*, que ela havia chamado para fazer a cobertura do show, de perto dele e de sua esposa Marie, os verdadeiros responsáveis pelo sucesso da Caravana. Quando tentei explicar que não era bem assim, ele quase me deu uns sopapos e disse que pediria a nossa demissão por conta disso". Brad, que trabalhou extensivamente com Snow e Eddy Arnold por vários anos, havia desfrutado de uma relação mais agradável no geral, mas a partir da oportunidade que teve de assistir ao Coronel em ação, ele, também, tornou-se plenamente ciente da mania de Parker de controlar tudo, sua necessidade de se manter em vantagem e sua predileção por atos imprevisíveis, a fim de manter até mesmo amigos próximos e associados sempre em alerta. Nenhum dos dois estava totalmente certo da recepção que teriam, mas, para variar, o Coronel os surpreendeu, agindo como se não pudesse ter ficado mais satisfeito ao ver dois velhos e queridos amigos.

Ficaram ainda mais surpresos com o show a que assistiram naquela noite. Até certo ponto, McCuen havia descrito o tipo de música para deixar Chick preparado. Talvez o próprio Chick tivesse escutado um ou dois discos. Mas nenhum deles já havia assistido a um show de Elvis, e nenhum deles estava preparado para a ferocidade da performance e a reação da plateia. "Ficamos surpresos com a reação", disse Chick, "tanto a do público de Richmond quanto a nossa. Havia gente bem jovem na plateia... Definitivamente era um público mais barulhento do que o da Caravana no ano anterior. E, maravilha das maravilhas! Eis que surge esse cara cuja foto tinha saído nos jornais, e ele era uma excentricidade. Todos os maneirismos possíveis e imagináveis. A linguagem corporal... Eu não lembro direito o que ele cantou, mas dava arrotos frequentes no microfone, e o cúmulo foi quando ele tirou o chiclete da boca e o jogou para o público. Isso, é claro, foi chocante, foi selvagem. Mas o que realmente contagiou os ouvintes foi sua energia e a maneira como ele cantava as músicas. O efeito foi galvânico. Também foi um pouco constrangedor para Jimmie Rodgers Snow e nós, seus representantes. Ele ficou totalmente eclipsado."

No outro dia, tomaram café da manhã com o Coronel e Hank Snow. Então, para a surpresa de Chick: "Súbito aparece o jovem astro. E a primeira impressão é a que fica: a de um moço muito despretensioso, um pouco retraído no início, olhou nervosamente ao redor da sala, mas tinha essa qualidade. Por trás disso tudo, era inteligentíssimo e sabia como conquistar as pessoas. Conversamos sobre o show, trocamos opiniões sobre as reações e o número de pessoas da plateia, os outros artistas – Elvis era muito afável, dizia ao Brad e a mim o quanto ele gostava de estar conosco: 'Eu gosto de você, Chick', disse ele. Isso pode ter sido uma manobra, mas funcionou. Gostamos dele, imensamente, desde o início".

Chick terminou sua viagem em Louisville, mas não antes de comprar todos os quatro discos de Elvis na Sun, duas cópias de cada, uma para mostrar ao chefe da divisão de country & western da RCA, Steve Sholes. "Ao longo daquela primavera e da primeira parte do verão, bati na tecla das doces ilusões com Sholes – poderíamos assinar com esse cara. Mas, até onde eu sabia, na época não corria nenhum boato de que seu contrato estava à venda. Sem dúvida o Coronel estava de olho nele, mas o Coronel adotava uma atitude definitivamente de dono, mesmo que nada fosse explicitamente dito ou verbalizado."

Tampa, julho de 1955
(Robertson & Fresh. Cortesia de Ger Rijff)

"MYSTERY TRAIN"

Junho a agosto de 1955

Bob Neal, empresário de Elvis Presley, conforme a edição de 9 de julho da *Billboard*, "informa que seu representado esta semana começa uma quinzena de férias antes de embarcar numa movimentada agenda de verão e outono organizada pelo Coronel Tom Parker, da Jamboree Attractions, Madison, Tenn".

O trabalho de Elvis era constante, praticamente todas as noites, desde o show no Ellis Auditorium, em 6 de fevereiro. Nesse breve período, tinha ido mais longe do que ele próprio ou seu agente tinham ousado projetar. Não só manteve sua força local, mas conquistou novos territórios. Firmou-se entre as maiores estrelas do Opry, e atraiu os favores de um homem que tinha o poder, Neal insistia, de fazer ainda mais por Elvis do que o próprio Neal já tinha feito.

Fazendo um balanço, tudo era motivo de satisfação para Bob Neal: os shows que ele agendou tinham lotado, as situações financeiras (dele e de Elvis) melhoraram sensivelmente e o contrato foi prorrogado até março de 1956, com a opção de renovar. Também testemunhou um tipo de crescimento quase imponderável. Um progresso quase exponencial no próprio garoto, não apenas em sua postura no palco (o que já seria muito significativo), mas no ilimitado apetite por mudança e autoaperfeiçoamento. Não que o garoto pudesse ser confundido com um intelectual – era muito agitado para ser chamado de introspectivo. Mas ele absorvia influências como papel tornassol; estava aberto a novas pessoas, novas ideias e novas experiências de uma forma que desafiava o estereótipo social. Levava a sério o seu trabalho. Sempre que Neal passava pela casa de Elvis, o encontrava com uma pilha de discos – Ray Charles, Big Joe Turner, Big Mama Thornton e Arthur "Big Boy" Crudup – que ele estudava com a mesma avidez que outros jovens dedicavam a seus exames universitários. Escutava várias vezes, parecendo ouvir algo que ninguém mais conseguia, enquanto ao mesmo tempo era capaz de entabular uma conversa perfeitamente coerente sobre a agenda de shows ou a próxima turnê na Flórida (que música iam cantar no bis em Jacksonville?), ou algo que Helen precisava saber para o fã-clube, com Dixie o tempo todo sentada ao lado dele.

Vernon estava por perto na maior parte do tempo – não mostrava uma grande ambição de sair e procurar um emprego. Bob estava um pouco preocupado com isso; você nunca sabe dizer o que acontece dentro de uma família, e Bob se perguntava se não existia "uma pequena rixa" entre pai e filho sobre a relutância do pai em trabalhar. "Mas Gladys mantinha a família unida. Ela era muito pé no chão, sempre muito preocupada com a saúde e o bem-estar do filho, sempre preocupada com as pessoas que o rodeavam. Ele tinha plena consciência de que ela fazia de tudo para ajudá-lo a ter uma chance, e ele queria muito fazer coisas grandes e boas, especialmente para sua mãe. Uma noite, eu me lembro de voltar de um show, ele comentou com Helen: 'Ah, eu só quero fazer sucesso porque eu quero fazer algo pelos meus pais'. E disse: 'Estão ficando velhos'. Olhei para Elvis e perguntei: 'Elvis, quantos anos você acha que eu tenho?'. A resposta dele: 'Bem, não sei'. Acho que eu era um ou dois anos mais velho do que Vernon."

Elvis estava feliz por estar em casa e ao mesmo tempo ansioso para dar o próximo passo. Perto do final da turnê, a sorte começou a mudar. No dia 7 de junho, um mês antes, na estrada entre Hope e Texarkana um rolamento da roda pegou fogo, e ele assistiu ao seu Cadillac cor-de-rosa incendiar todinho. Ficou com o carro por apenas três meses e tinha muito orgulho dele. Naquela hora, Scotty e Bill não facilitaram as coisas para ele. Ficou lá olhando instrumentos e roupas deploravelmente largados à beira da estrada. Era como ver todos os seus sonhos se incinerarem. Mas havia negócios a resolver. Fretaram um avião para chegar ao próximo show, ligaram para Bob e conseguiram alguém para levar o Crown Victoria até encontrá-los em Dallas, e bola pra frente. Então, em 4 de julho, Elvis participou de um piquenique com os Blackwood Brothers e o quarteto Statesmen no All-Day Singing, organizado pelo promotor de eventos gospel W. B. Nowlins, com refeição no local, em De Leon, Texas. Apareceu em seu traje cor-de-rosa, contou James Blackwood, e se mostrou surpreso com tantas famílias reunidas, aquela criançada, comendo frango frito à luz da tarde sob as nogueiras-pecãs do Hodges Park. Aparentemente não tinha informações prévias sobre o piquenique anual do Nowlin (evento que começou sete anos antes, com Eddy Arnold e o Stamps Quartet; em 1950 Hank Williams tinha feito um show com os Blackwood).

"Hoje só vou cantar música gospel", disse ele a James no ônibus novo dos Blackwood Brothers enquanto compartilhavam histórias e músicas. James tentou dissuadi-lo, sem sucesso. No palco, agiu quase como se estivesse enfeitiçado. Não respondia quando as pessoas pediam suas músicas, "ele pisou na bola", disse J. D. Sumner, o baixo-profundo do quarteto. O feitiço (se é que era isso) foi quebrado mais tarde naquele dia, quando ele fez um segundo show com toda a trupe em um jamboree em ambiente fechado, ali perto, em Stephenville, que também contou com Slim Willett ("Don't Let the Stars Get in Your Eyes") e depois um terceiro em Brownwood naquela noite. "Estava muito quente em nosso ginásio", relatou o DJ/*promoter* de Stephenville, Bill Bentley, "mas no próximo ano vai estar fresquinho, pois decidimos instalar ar-condicionado".

Até mesmo voltar para casa não era exatamente voltar para casa. Em primeiro lugar, ele nem conhecia o imóvel direito, a primeira casa em que só a família Presley morava desde a mudança para Memphis.

Fazia dois meses que os pais moravam ali, mas ele só tinha dormido uma ou duas noites na casa nova, um modesto bangalô de tijolos à vista, de dois quartos, na 2414 Lamar, a meio caminho da Farmácia Katz, onde Elvis, Scotty e Bill tinham causado a maior sensação havia menos de dez meses, e do rinque de patinação Rainbow, onde Elvis e Dixie tinham se encontrado pela primeira vez. Se você continuasse a leste na Lamar, a rua passava pelo Eagle's Nest e desembocava na Highway 78 rumo a Tupelo. A rodovia por onde os Presley tinham chegado pela primeira vez em Memphis, por onde ele tinha viajado incontáveis vezes, entrando e saindo da cidade na infância e na adolescência. De alguma forma, porém, a estrada agora parecia diferente, ele se sentia praticamente um estranho. Nos primeiros dias em casa, basicamente dormiu.

Os vizinhos ao lado, os Baker, com três adolescentes na família, dois meninos e uma menina, esperavam ansiosamente o primeiro vislumbre real do jovem descendente da casa. Os Presley não tinham telefone próprio havia algum tempo (era difícil instalar um telefone novo naquela época), então o senhor e a senhora Presley eram visitantes frequentes na casa dos Baker para fazer ligações, e a senhora Baker teve um encontro memorável com a senhora Presley na noite em que se mudaram. O senhor Presley ainda devia estar trazendo as coisas da outra casa, pois não estava lá quando um dos primos dela irrompeu na casa dos Baker e anunciou que a senhora Presley tinha desmaiado na cama. O primo não sabia se os Presley tinham um médico da família, então a senhora Baker ligou para seu próprio médico, que veio e diagnosticou que a senhora Presley estava doente – a senhora Baker entendeu que era diabetes ou um problema cardíaco, algo assim. O que era uma pena em uma mulher tão jovem. Desde então, embora nunca tenham se tornado exatamente amigas, a senhora Baker se compadeceu da senhora Presley, sempre muito cordial, mas uma "criatura nervosa". Parecia carregar um fardo tão grande de tristeza que era incapaz de ficar sozinha em casa.

Os Baker se lembram da noite em que o Cadillac de Elvis se incendiou. Receberam a ligação, mas a senhora Presley parecia saber qual era o problema mesmo antes de atender ao telefone. Depois daquilo, ela não suportava sequer imaginar os perigos que o filho enfrentava na estrada. Por mais que desejasse o sucesso dele, era quase como se ela tivesse perdido toda e qualquer satisfação nesse processo. Uma vez, ela convidou a senhora Baker e a filha dela, Sarah, para fazer uma visitinha. "Venham cá, venham cá", disse Gladys, e mostrou a elas o guarda-roupa do filho, repleto de trajes em preto e cor-de-rosa. Sentia muito orgulho de todos os sapatos do filho e suas roupas penduradas, falava de Elvis de um jeito especial, e só do filho ela falava assim. Convenceu a senhora Baker de que ele não merecia todas as críticas que andavam fazendo, não era vulgar em seus movimentos, não tinha malícia naquilo, apenas colocava todo o seu eu no que fazia.

Já com o senhor Presley eram outros quinhentos. Ele era o que você poderia chamar de sujeito bastante "seco", sempre econômico em hospitalidades ou até mesmo em respostas. O senhor Baker inclusive começou a passar a tranca na porta de tela por um tempo, porque o senhor Presley entrava sem bater, para usar o telefone ou pedir algo emprestado, dia e noite – ele não fazia por mal, simplesmente não sabia outro modo de agir, supunham eles, mas o senhor Baker não gostava, então passava o ferrolho. Às vezes, observavam Vernon trabalhando no quintal, com o irmão ou o cunhado, instalando ar-condicionado em carros novos. Parecia que só trabalhava nos dias em que estava disposto. Tinham mais pena ainda da senhora Presley, mas sabiam que os membros da família eram muito dedicados uns aos outros. Até falavam em um dia comprar a casinha e construir um quarto para a mãe do senhor Presley, que ficava com eles a maior parte do tempo.

Quando enfim se acostumou a ficar em casa, Elvis começou a aparecer nos Baker para fazer algumas ligações, e para receber algumas, também, mostrando uma graciosidade e uma naturalidade que eles nunca puderam esquecer. A primeira vez que os dois filhos mais novos, Jack e Sarah, o viram, ele estava ao telefone, e Elvis se virou para eles e se apresentou, como se eles não tivessem ideia de quem ele era. Sarah, que tinha quatorze anos, relembra o que pensou na época: "Era como se ele nos olhasse com admiração, seja lá quem fôssemos. Com certeza não queria que o tratássemos como se ele fosse mais importante que nós".

"Vamos sair juntos, Dixie e eu, você e sua namorada", comentou ele com Don Baker, na época com dezoito anos. Embora nunca tenham feito isso, ninguém na família suspeitou de hipocrisia. Fazia parte da "polidez" que anunciava de modo contraditório (porque mostrava tanta autoconfiança): "Eu sou realmente alguém". Quando o viam ao telefone, imaginavam que ele estava falando com Hollywood, com terras distantes e longínquas, mesmo que provavelmente só estivesse conversando com Scotty, seu guitarrista, ou o Coronel Parker em Nashville, que ligava cada vez mais frequentemente, ao que parece, para falar sobre os detalhes de sua próxima turnê. Com o passar dos dias, podiam ouvi-lo tocando seus discos, a música de rhythm & blues que Dewey Phillips tocava na rádio, através das janelas abertas da casinha na movimentada rua urbana num dia parado e quente de verão.

HAVIA TANTO A FAZER no pouco tempo livre que restava a ele. Agora que ele tinha casa própria, Scotty e Bill iam lá algumas vezes para ensaiar. Tocavam na varanda, e a garotada da casa ao lado trazia os amigos, sentavam no gramado e ouviam. "O que vocês querem ouvir?", Bill indagou a eles, em tom de brincadeira. Elvis abriu aquele sorriso deslumbrante e perguntou se estavam gostando da música. De novo com a ajuda de Bob Neal (o documento de propriedade e o financiamento estavam no nome de Bob), ele comprou outro Cadillac, novinho em folha dessa vez, e, por sugestão de Helen Neal, mandou pintar o carro com as cores que eram sua marca registrada: preto e cor-de-rosa. Foi à loja de roupas Lansky's mostrar o carro, orgulhoso. Desfilou na Beale para que todos o vissem e depois entrou na loja de Guy Lansky balançando as chaves. "Ele me convidou para dar uma volta na quadra ao volante: 'Senhor Lansky, quero que o senhor me diga o que acha dele'. Ele estava empolgado, mas cometi o maior erro de minha vida. Lá estava eu altamente endividado com toda aquela mercadoria e pensei: 'Se eu der uma volta na quadra e destruir este automóvel, vai me custar um caminhão de dinheiro'. Por isso recusei. Ele não escondeu a decepção. Ficou chateado porque eu não quis dirigir o carro dele: não conseguiu superar isso. Ele adorava aquele carro, e eu o entristeci. Eu me sinto mal em relação a isso, desde então." Também comprou um novo violão, um Martin D-28, maior que o D-18. O corpo do violão era envolto em couro entalhado à mão, o que abafava um pouco o som, mas era quase tão estiloso quanto o Cadillac preto e cor-de-rosa.

Dixie frequentava a casa como de costume. O jovem Jack Baker e a irmã dele às vezes espionavam o casal de mãos dadas no quintal, brincando com o cachorrinho branco do qual Sarah cuidava quando os Presley estavam fora. Elvis tinha acabado de levar Dixie ao baile escolar de fim de ano (Dixie havia concluído o 11º ano, ou "júnior"). Para a ocasião, Bob Neal emprestou a ele seu Lincoln novinho em folha. Dixie e Elvis foram com outro casal, a melhor amiga de Dixie, Bessie Wolverton, e o primo dele, Gene. Ele ficou lindo em seu smoking branco; ela sentiu muito orgulho dele, orgulho de poder mostrá-lo a todos os amigos dela. Tentou fazer amizade com os novos conhecidos de Elvis, mas achava cada vez mais difícil se encaixar na vida dele. Conhecia Red West, é claro – Red tinha se encontrado com Elvis algumas vezes no inverno e na primavera, e no recesso escolar começou a acompanhar Elvis habitualmente nas turnês. Quando Red entrou na faculdade no outono, ela sabia, Elvis queria dar um carro para ele. Red era legal, sempre foi cortês com ela. Mas a nova turma não fazia bem o estilo que antes costumava atrair ela e Elvis. "Usavam linguagem vulgar, todo mundo fumava, todo mundo bebia... Eu não ficava à vontade no meio daquele pessoal." Cada vez mais, parecia que ele queria estar com a galera, raramente ficavam a sós, mesmo no pouco tempo que tinham. "Muitas vezes ele saía com os caras para fazer festa por aí, esse tipo de coisa." Ela até entendia quando ele ia jogar futebol americano com Red no Guthrie Park ou no Triangle com seus velhos amigos. Às vezes, porém, tinha a impressão de que Elvis se deixava levar pelo turbilhão... Sentia-se vivo apenas com outras pessoas por perto e ansiava por atenção de um jeito antes inimaginável.

Já tinham rompido o namoro mais de uma vez. Em geral, a discussão tinha a ver com o que ela estava fazendo enquanto ele estava fora, embora, na verdade, fosse ela quem deveria estar preocupada. Ele não suportava que ela tivesse qualquer tipo de existência independente, embora ele estivesse fugindo desse mesmo mundo que os dois tinham construído para si mesmos. O que ela andou fazendo? Com quem andou saindo? Onde estava quando ele ligou? É melhor não mentir para mim. "Claro que eu tinha outras amigas, o mesmo círculo de amizades que eu sempre tive. Eu não estava namorando ninguém, mas íamos a uma cantina chamada Busy Betty, na Lamar. Eles tinham um jukebox, e nós dançávamos. Chegou ao ponto em que eu falei: 'Olha, você fica longe por três semanas e acha que vou ficar plantada em casa todo fim de semana assistindo à TV?'. Essa era a base de todas as nossas brigas. Elvis era muito possessivo e ciumentíssimo. Acho que sabia que era irracional o que ele estava pedindo, mas não conseguia se controlar. Era muito dramático. Várias vezes devolvi o anel ou ele o pediu de volta. E isso durava talvez um dia, talvez só uma noite, às vezes, antes de eu entrar em casa, ele dava a volta na quadra, retornava e dizia: 'Espere aí', e sentávamos na varanda e chorávamos juntos. Às vezes, minha mãe vinha até a porta duas ou três vezes, batia no vidro e dizia: 'Vem para dentro', e eu dizia, 'Só um minuto'. Eu pensava, não posso sair daqui, estamos muito chateados e não queremos terminar, porque ainda éramos amigos. Sabe, eu provavelmente passava mais tempo com os pais dele do que ele próprio passava. Quando Elvis estava fora da cidade, eu ia lá e ficava com eles, muitas vezes passava a noite lá e dormia na cama dele quando ele estava fora. A senhora Presley e eu cozinhávamos, almoçávamos e caminhávamos juntas. Passeávamos só para olhar as vitrines. Meio que nos consolávamos uma à outra.

Cada vez mais, ele estava focado em coisas que ainda não tinham acontecido: coisas que Bob Neal e o senhor Phillips tinham dito a ele que aconteceriam, coisas que o Coronel Parker havia prometido que aconteceriam em pouco tempo. Coisas que ele nem podia imaginar. Contava a Dixie sobre o Coronel, mas ela não entendia direito. Conversava com Bob a respeito de como o Coronel seria capaz de ajudá-los, falava com os pais o tempo todo sobre esse tal de Coronel Parker, que tinha feito um ótimo trabalho promovendo a última turnê na Flórida. Não parava de falar no Coronel Parker, contou Vernon. "Falava de um grande homem que tinha conhecido, o quanto ele era inteligente e tudo o mais... Gladys e eu o avisamos que realmente não sabíamos nada sobre esse homem e, fosse como fosse, Elvis tinha um contrato com Bob Neal." Bob faria parte de qualquer contrato, Elvis assegurou-lhes. Sozinho, Bob não conseguia dar conta do recado, e sabia muito bem disso. Ele não tinha as conexões que o Coronel Parker tinha. O Coronel tinha amigos em posições importantes. O Coronel conhecia Hollywood.

Era meio engraçado. Quando entrou pela primeira vez na gravadora Sun, ele não tinha ideia do que estava por acontecer. Mas foi atrás daquilo de um modo quase obsessivo. Agora, a sensação era a mesma. Estava obcecado em alcançar algo, mas não sabia exatamente o quê. Gladys não queria mais ouvir falar nesse Coronel, no que ele podia fazer por eles. Estava apenas temerosa pelo seu filho, enquanto Vernon reagia a seu modo. Tinha orgulho do filho, para o conhecido casual ele mostrava todo o orgulho obtuso de um homem que ganhou na loteria. Mas, para quem conhecia aquele homem bonito, de fala mansa, tão retraído que às vezes parecia mal-humorado, ele se mostrava cada vez mais inseguro, cada vez mais à deriva. Para Dixie, os dois sofriam igualmente. "Acho que o maior problema era a resistência do senhor e da senhora Presley ao estilo de vida em que Elvis estava se metendo... Não tinham mais controle sobre ele. Era um sentimento muito frustrante." E mesmo assim o pai sabia: era bem provável que as coisas que o filho andava falando fizessem sentido. Ele gostava de Bob, sentia-se à vontade com Bob, falava com Bob – e, como disse ao filho, não sabia nada sobre o Coronel Parker. Mas imaginava que teria de saber, porque o homem não parava de ligar e enviar telegramas; obviamente não se preocupava com suas contas de longa distância. Começou a notar que as coisas que esse tal de Coronel dizia a Elvis eram provavelmente verdadeiras: Memphis não era grande o suficiente, a Sun Records não tinha distribuição nacional nem pagava os valores que uma grande gravadora pagava, ele percebia isso. Marion Keisker detectou uma mudança bem perceptível na maneira como Vernon se referia a Sam. "Fiquei com a sensação de que o senhor Presley sentia que a Sun Records dependia de Elvis Presley em vez do contrário. Um dia, eu estava por perto e ouvi ele falando com outra pessoa: 'Bem, sabe, o estúdio não seria nada sem o meu filho'. Não acho que Sam estava lá, mas pensei: 'Era só o que faltava'. O panorama estava mudando."

Enquanto isso, Bob Neal buscava propostas, ou pelo menos sondagens, quase semanalmente, de quase todas as gravadoras grandes e independentes com quem ele tinha qualquer contato. De acordo com Neal, "Sam deixou claro que tinha interesse em conversar se chegassem a um acordo financeiro". Neal deixava bem claro que não representava a gravadora (era um mero intermediário), mas a maioria das ofertas chegava através dele. Sam sempre recusava ou aumentava o preço de forma a ter certeza de que seria recusado. Uma vez, o chefe da Columbia, Mitch Miller, por indicação de Bill Randle, o DJ de Cleveland (Randle tinha acabado de recomendar a Miller "The Yellow Rose of Texas", o mais recente sucesso da Columbia e de Miller), telefonou a Neal direto de um hotel no Oeste do Texas. "Falou: 'Quanto vocês querem?', e respondi: 'Vou descobrir', e liguei ao Sam. Se não me engano, Sam estava pedindo uns dezoito mil dólares naquele dia. Retornei a ligação e a resposta foi: 'Esquece, ninguém vale tanto'." Frank Walker, presidente da MGM, enviou um telegrama a Sam em 8 de junho, após ter ouvido de Jud, irmão de Sam, que o contrato de Elvis estava disponível, e Sam disse "não" à Decca quando eles fizeram uma oferta que alcançou o preço estipulado por Jud. Capitol, Mercury, Chess, Atlantic, Dot (a gravadora de

Randy Wood, que desfrutava de grande sucesso com Pat Boone, a última descoberta de Wood) e RCA... Todas mostravam um ativo interesse – boatos corriam em todo o meio musical.

Sam fingia que a venda do contrato de Elvis era a coisa mais distante em sua mente. Tudo acontecia apenas por instigação de estranhos. Fingia que Bob Neal não estava autorizado e falava mais do que devia. Mas Bob sabia: Sam ansiava pela grana. A pequena gravadora havia chegado ao limite de seu próprio sucesso, e Jud pressionava Sam por dinheiro (ou algum retorno de seu investimento como sócio minoritário, quando ajudou Sam a comprar a parte de Jim Bulleit no ano anterior). Como disse Marion, Sam "não tinha o perfil de uma pessoa nascida para ser sócio". E Bob sabia que, se Sam quisesse preservar sua pomposa independência, se quisesse manter sua gravadora e seguir em frente nas novas direções que ansiava explorar, em breve teria que tomar uma decisão difícil.

Bob repassava algumas das ofertas a Elvis; outras ele guardava para si mesmo. Não queria deixar o garoto assoberbado com as possibilidades, e após alguns anos no ramo ele sabia que a maioria delas não daria em nada. Mas estava claro que algo estava acontecendo – tanta gente importante não estaria falando a respeito, procurando pular no barco, se o barco não tivesse muito futuro. Avaliou que a posição deles era quase perfeita. A edição de 16 de julho da *Billboard* mostrava "Baby, Let's Play House" em 15º lugar nas paradas de country e western, e a edição de verão da *Country Song Roundup*, com Hank Snow na capa, trazia o artigo "Elvis Presley – Uma bola de fogo da música folk", após reportagens de abrangência nacional na *Cowboy Songs* e na *Country & Western Jamboree*. Bob gostava do garoto – não tinha nada de ruim para falar dele, ele era quase membro da família. Juntos, iam esquiar no McKellar Lake e fazer piqueniques no Riverside Park. Quando o filho de Bob, Sonny, concorreu à presidência do conselho estudantil no início do ano, Elvis, Scotty e Bill apareceram no evento em apoio à campanha de Sonny na capela da Messick High. Elvis considerava Helen quase uma segunda mãe. Bob não podia imaginar perdê-lo, e quando falava com o Coronel Parker sobre todos os seus planos distantes, era sempre na intenção de parcerias para um futuro brilhante. Sem dúvida, algumas realidades desagradáveis tinham de ser enfrentadas. Por exemplo, as percentagens tratadas com Scotty e Bill teriam de ser alteradas. Eles teriam de se contentar com um salário em vez do acordo original, que dava 50% a Elvis e 25% a cada um deles. Mas Elvis entendia isso, e eles também deveriam entender. Agora a garotada queria ver Elvis – os Blue Moon Boys já não atraíam mais as multidões. Com um pouco de sorte, e com a ajuda inestimável do Coronel, Bob Neal tinha a firme convicção, dali em diante o barco velejaria num mar suave.

EM 11 DE JULHO, Elvis voltou ao estúdio Sun. Uma semana depois, já estava na estrada de novo, e parecia que nem havia estado em casa. Por onde ele andasse na cidade – na Beale Street, no cinema, num drive-in para comer um hambúrguer, ou esperando abrir o semáforo – ele era reconhecido, esperavam algo dele, e ele estava sempre preparado para ser agradável, com uma piscadela, com um aceno, ou uma leve reverência com a cabeça. Só no estúdio as coisas ainda eram as mesmas: Marion na recepção, as persianas fechadas para evitar o calor, Sam na sala de controle, esperando, observando, sempre pronto para algo acontecer, a reconfortante constância de Scotty e Bill – eles nunca mudariam. Para aquela sessão, o senhor Phillips trouxe outra canção original e outro baterista. A canção era, mais uma vez, uma composição country de Stan Kesler, especialista em *steel guitar* e compositor de "I'm Left, You're Right, She's Gone", e o baterista era Johnny Bernero, que tocava habitualmente com várias bandas country e trabalhava na Memphis Light, Gas and Water Company, do outro lado da rua.

A música, Sam sabia, não era do gosto de Elvis. "Ele simplesmente não gostou no início. Talvez fosse meio country demais, a progressão dos acordes, e era uma balada, também. Mas amei o refrão e naquele momento o que precisávamos era justamente diversificar um pouquinho. Então liguei para Johnny... Ou ele estava lá naquele dia, ou liguei para ele, porque ele tinha tocado em outras gravações para mim. Começamos, e ele só estava fazendo a batida tradicional, marcando os quatro tempos. Falei: 'Essa porra não está funcionando, Johnny'. E orientei: 'Faça o seguinte: toque o contratempo no aro da caixa e continue marcando os quatro tempos no bumbo até chegarmos ao refrão. Daí faz a levada do chimbal no tempo dois e quatro'. Fez o que eu pedi e 'I Forgot to Remember to Forget' pareceu duas vezes mais rápida do que realmente é. E então Elvis adorou."

Na música seguinte, não foi preciso esse estratagema. Estavam apenas brincando sem o baterista quando arriscaram uma versão de "Mystery Train", a música que Sam tinha originalmente gravado com Little Junior Parker & The Blue Flames dois anos antes, e foram em frente. Era o tipo de blues meio rhythm com que Sam estava abastecendo Scotty desde que tinham começado a gravar, e os três se deixaram levar com a mesma exuberância natural que haviam aplicado na primeiríssima vez a "That's All Right", mas com um grau de conhecimento (sobre si mesmos e as técnicas musicais) que não tinham um ano antes. "Havia um compasso extra num ponto", lembrou-se Scotty, "que se eu me sentasse agora para tocar, eu não conseguiria, mas com ele cantando pareceu natural". Na opinião de Sam: "Foi a melhor coisa que eu já tinha feito com Elvis". "Era uma música sobre uma sensação que tanta gente experimenta... Quero dizer, é uma coisa importante, embarcar uma pessoa querida num trem: e se ela nunca mais voltar? Talvez nunca mais volte. '*Train I ride, sixteen coaches long*' ('Eu pego o trem de dezesseis vagões'). Você pode visualizar a perspectiva de alguém a bordo, ou o ponto de vista de fora, de alguém em pé, olhando para o trem. Junior escreveu 50 vagões, mas eu disse, não, dezesseis vagões já está mais do que bom, parece que o trem está saindo de uma cidadezinha. Ritmo puro. E no final, Elvis estava rindo, porque nem percebeu que era um *take*, mas só tenho uma coisa a dizer: era uma obra-prima do caralho!"

A última que gravaram foi uma faixa de rhythm & blues, "Trying to Get to You", que já tinham tentado gravar sem sucesso no início do ano. Dessa vez transcorreu tão livre e fluente como tudo que já tinham feito, mesmo com a adição de Johnny Bernero na bateria e Elvis tocando piano e, como "Mystery Train", a música aspirava a um tipo mais elevado de... mistério, por falta de palavra melhor. Havia uma sensação flutuante de harmonia interior mesclada com uma feroz avidez, um esforço desesperado conectado a um puro extravasar de regozijo, que parecia simplesmente fluir da música. Era a própria conquista da arte e da paixão, a beleza natural da alma instintiva que Sam Phillips tanto buscava desde que iniciou na música, e não havia dúvida de que Elvis sabia que ele tinha conseguido.

Nos poucos dias restantes de suas férias, ele passeou pela cidade – com Dixie, Red e seu primo Gene, foi visitar Dewey na estação de rádio. Com Dewey, visitou os clubes na Beale, onde Dewey ainda era saudado como um herói conquistador e aquele menino branco que cantava blues era prontamente aceito como mais uma das ideias malucas de Dewey. "Elvis tinha a atmosfera da Beale Street", disse Sam Phillips. "Ele provavelmente se sentia mais em casa lá do que na Main. Sabe, Elvis não entrou na Lansky Brothers porque alguém sugeriu: 'Por que você não compra uma camisa verde-limão?'." "Ele nos divertia bastante", disse o professor Nat D. Williams, da WDIA, embaixador não oficial da Beale. "Elvis Presley no começo da carreira era um queridinho da Beale Street... Sempre tinha nele essa certa humanidade que os negros gostam de colocar em suas canções." Era isso que ele estava buscando, aquele elemento humano comum, e foi isso que ele conseguiu – em todo lugar que fosse, de um jeito ou de outro, se sentia em casa. Mas, se fosse assim mesmo, por que então cada vez mais se sentia um estranho, como se só ele sentisse não só a amplidão de possibilidades, mas os perigos que espreitavam no grande mundo que existia lá fora de sua terra natal?

Então voltou à estrada, primeiro no Texas, depois rumo à Flórida em meio a expectativas crescentes e uma atenção significativa da imprensa. Poucos duvidaram de que o Coronel havia alimentado tanto essas expectativas quanto essa atenção. O show de fundo era do comediante/filósofo

Andy Griffith ("Você o viu no episódio 'No Time for Sergeants' do seriado de TV *U.S. Steel Hour*, AGORA ASSISTA AO SHOW DELE AO VIVO!"). Outras atrações incluíam Ferlin Huskey & His Hush Puppies, Marty Robbins, Jimmie Rodgers Snow, as "revelações" Tommy Collins e Glenn Reeves, e "EXTRA EXTRA, atendendo ao apelo popular, ELVIS PRESLEY com Scotty & Bill". Na parte inferior de cada anúncio de jornal vinha o slogan de Oscar Davis, "Nem ouse perder", e poucos fãs de música country da Flórida ousaram.

Em Jacksonville, o cenário do primeiro tumulto, em maio, quase houve uma nova confusão, mas "antes de Elvis ser resgatado do meio das fãs exacerbadas", relatou a *Cash Box* num artigo que bem poderia ter sido escrito pelo próprio Coronel, "elas já tinham arrancado dele a gravata, os lenços, o cinto e a maior parte do casaco e da camisa. O Coronel Tom Parker o presenteou com um novo blazer para substituir o que foi arrebatado pelas colecionadoras de lembranças".

A turnê na Flórida terminou em Tampa, em 31 de julho, e ele imediatamente engatou outra, um pacote de cinco dias agendado por Bob Neal, dessa vez com Webb Pierce, Wanda Jackson e o novo artista da Sun, Johnny Cash. Tocaram em Sheffield, Alabama, em 2 de agosto, então no dia 3 foi em Little Rock, show que o senhor e a senhora Presley, que ainda não tinham concordado com o novo acordo oficializando o Coronel como "consultor especial" de Elvis e Bob Neal, foram convidados a assistir. Vernon já parecia pronto a assinar, mas Gladys continuava relutante. Estava assustada com os tumultos na Flórida, explicou ela, e não sabia por que tanta pressa em fazer qualquer coisa naquele momento; ela estava com medo do que poderia acontecer com seu filho. Bem, isso era certamente compreensível, disse o Coronel – ele também sentia que talvez o filho dela estivesse sobrecarregado. Mas, se o dinheiro fosse justo, ora, então Bob não precisaria marcar tantos shows menores, Elvis poderia até pensar em tirar uma folga, talvez ir à Flórida com o senhor e a senhora Presley ou passar uns dias com o Coronel e a senhora Parker em Madison. O Coronel nunca mais queria ver se repetir algo como o que havia acontecido em Jacksonville, e certamente não havia necessidade de assinar nada agora. Uma vez que as coisas se endireitassem, ele poderia garantir à senhora Presley que jamais voltaria a acontecer algo parecido com o incidente de Jacksonville.

Embora ele próprio devesse estar em Hollywood para cuidar de um assunto de cinema para Hank Snow, o Coronel providenciou que o comediante country Whitey Ford, o Duke of Paducah ("Vou voltar pra carroça, estes sapatos estão me matando"), fosse conhecer os pais de Elvis em Little Rock. Ford, natural de Little Rock, tinha trabalhado na turnê original de Hank Snow em fevereiro e era amigo de longa data e parceiro do Coronel, além de vizinho. Também era conhecido por seu trabalho em igrejas e grupos de jovens e, embora não estivesse escalado oficialmente, marcou presença no White River Carnival de Batesville com Elvis, dois dias depois, e ficou feliz em ajudar o Coronel a convencê-los. "A senhora Presley estava relutante", disse Ford ao escritor Vince Staten, "muito relutante no início. Não queria que Elvis fizesse nenhuma mudança, porque já estava sob todos esses contratos. Mas eu disse a ela que tudo aquilo poderia ser comprado... Disse a ela que conhecia o Coronel havia anos e que ele realmente conhecia todos os ângulos para produzir shows de sucesso." O amigo de Elvis, Jimmie Rodgers Snow, fez o seu melhor para transmitir praticamente a mesma mensagem. "Eram pessoas do interior, e o Coronel era muito astuto – tenho certeza de que perceberam isso. Acho que estavam mais interessados em ficar com Bob Neal. A ideia era explicar a eles que precisavam evoluir e seguir em frente. Acho que falei mais com a senhora Presley do que com Vernon, porque na prática era ela quem tomava as decisões."

Por enquanto, Gladys ainda não estava plenamente convencida. "Ele parecia inteligente", disse Vernon sobre o Coronel, "mas ainda não sabíamos muito sobre ele, por isso não assinamos." Elvis ficou zangado, frustrado e amargamente decepcionado com os pais. Sentiu que eles simplesmente não entendiam, mas não teve escolha a não ser aceitar as garantias do Coronel de que, mais cedo ou mais tarde, eles iam ceder.

EIS A DESCRIÇÃO DELA SOBRE O SHOW: "OUVI ALGUÉM GRITANDO, E EU REALMENTE SOU UMA PESSOA MUITO CONTIDA PUBLICAMENTE, MAS DE REPENTE PERCEBI: 'SOU EU!'".

Não se preocupe, tranquilizou o Coronel. Sem sombra de dúvida, eles tinham começado com o pé direito. No fim, tudo daria certo.

Na noite seguinte, ele tocou em Camden, Arkansas, e em 5 de agosto retornou a Memphis para um show triunfante no Overton Park Shell, o local de seu não planejado triunfo original, ocasião em que abriu o show para Slim Whitman e Billy Walker, e cujo programa trouxe o nome dele escrito errado. Dessa vez, ele era a segunda maior atração (só abaixo de Webb Pierce & the Wondering Boys) de um line-up com vinte e dois artistas que arrematava "o oitavo Jamboree Country anual de Bob Neal". No dia seguinte, o jornal *Press-Scimitar* publicou a foto dos heróis locais, Elvis Presley e Johnny Cash, diante da multidão de quatro mil pessoas que lotou a "concha", deixando de fora "centenas que não conseguiram entrar". Marion Keisker compareceu ao show, a primeira vez que ela viu Elvis se apresentar desde a participação dele no Opry, quase um ano antes. Eis a descrição dela sobre o show: "Ouvi alguém gritando, e eu realmente sou uma pessoa muito contida em público, mas de repente percebi: 'Sou eu!'. A mãe séria de um adolescente... Eu me empolguei legal". Mas de certo modo isso não a surpreendeu. Ela adorava Elvis, e estava experimentando os sentimentos mais agridoces de pavor, arrependimento e expectativa ao ver o drama se desenrolar.

Pela primeira vez desde que ela conheceu Sam, ele simplesmente parecia não saber direito o que fazer. Claramente seria vantajoso para eles se Parker açambarcasse o contrato, e àquela altura era provável que isso também fosse vantajoso para Elvis. Mas, de alguma forma, Sam simplesmente não conseguia aceitar a barganha que ele sabia que precisava fazer. Marion declarou: "Claro que só fui conhecer o Coronel na assinatura do contrato [com a RCA], mas eu sentia que Sam tinha muito desprezo por ele. Não sei se algum dia já ouvi Sam realmente dizer algo pejorativo, mas eu sentia que ele não estava pensando apenas em seus interesses próprios. Sam não achava que seria melhor para Elvis se relacionar com o Coronel Parker naquele momento. Acho que essa foi a única coisa que Elvis fez contrariando os conselhos de Sam, embora Sam possa negar. Ele não achava que isso seria sábio, mas como parecia inevitável, não lutou contra isso. E Elvis era de uma ingenuidade inata. É quando você mente e divaga que está em apuros, mas acho que ele nunca falou uma coisa errada diante dos microfones ou das câmeras em toda a sua vida".

No dia seguinte ao show, foi lançado o novo single, e uma resenha da seção "Spotlight" da *Billboard* o definiu como "uma esplêndida combinação", e uma crítica na "Best Buy" três semanas depois dizia: "A cada lançamento, Presley se aproxima mais do protagonismo. Seu disco atual já apareceu no topo das paradas de Memphis e Houston. Também está vendendo bem em Richmond, Atlanta, Durham, Nashville e Dallas".

Enquanto isso, o Coronel fazia das tripas coração. No rescaldo imediato da reunião de Little Rock, ignorou Bob Neal por completo e fez contato direto com Vernon e Gladys. Mostrou-se um tanto impaciente com o método "ineficaz" de Neal para fazer negócios. Sabendo que os Presley nutriam grande consideração por Hank Snow, pediu que Snow telefonasse. "Acho que o Coronel teria usado qualquer um para influenciá-los", disse Jimmie Rodgers Snow, "porque eles eram precavidos, e ele era inteligente o suficiente para perceber que sozinho não poderia influenciá-los diretamente. E sabe de uma coisa? É bem provável que tenham assinado não por causa de Parker e do que ele fez, mas porque gostavam do meu pai."

Em 15 de agosto, todos se reuniram outra vez, em Memphis, e Elvis orgulhosamente após sua assinatura no documento que nomeava o "Coronel Thomas A. Parker" como "consultor especial de Elvis Presley ['artista'] e Bob Neal ['empresário'] pelo período de um ano, com opção para duas renovações de um ano cada, pela soma de dois mil e quinhentos dólares por ano, a serem pagas em cinco parcelas de quinhentos dólares cada, a fim de negociar e ajudar de qualquer maneira possível o desenvolvimento de Elvis Presley como artista. O Coronel Parker será reembolsado por eventuais despesas para viagens, promoção, publicidade, conforme aprovado por Elvis Presley e seu empresário".

O Coronel detinha os direitos exclusivos para cem shows ao longo do próximo ano, pelos quais o artista receberia duzentos dólares por apresentação, "incluindo seus músicos". Além disso, caso "as negociações se interrompessem completamente e Elvis Presley, seu empresário e associados quisessem atuar por conta própria (freelance)", o Coronel seria reembolsado por suas despesas e "à taxa especial de cento e setenta e cinco dólares por dia pela primeira apresentação, duzentos e cinquenta dólares pela segunda apresentação e trezentos e cinquenta dólares [pela terceira]". Além disso, o Coronel mantinha direitos territoriais exclusivos para as seguintes cidades: San Antonio, El Paso, Phoenix, Tucson, Albuquerque, Oklahoma City, Denver, Wichita Falls, Wichita, New Orleans, Mobile, Jacksonville, Pensacola, Tampa, Miami, Orlando, Charleston, Greenville, Spartanburg, Asheville, Knoxville, Roanoke, Richmond, Norfolk, Washington, D.C., Filadélfia, Newark, Nova York, Pittsburgh, Chicago, Omaha, Milwaukee, Minneapolis, St. Paul, Des Moines, Los Angeles, Amarillo, Houston, Galveston, Corpus Christi, Las Vegas, Reno, Cleveland, Dayton, Akron e Columbus.

O contrato terminava assim: "Cabe ao Coronel Parker negociar todas as renovações nos contratos existentes".

Nisso, Elvis voltou à turnê, agora como membro oficial da Jamboree Attractions de Hank Snow. Na superfície, nada havia realmente mudado, exceto pelo ânimo do trio em adicionar um quarto membro permanente. Voltando a Texarkana no final do mês pela quarta ou quinta vez em menos de um ano, Bob Neal, Elvis, Scotty e Bill deram uma entrevista promocional num estilo tão casual e desarmante que pareciam estar na sala de estar de alguém. "Queremos convidar todos ao show", disse Scotty. "E todo mundo está perguntando sobre o baterista que tocou lá conosco na última vez [quatro meses antes], o D. J. Fontana. Ele vai estar conosco. Agora se tornou um membro da banda..." "Olha só", atalha Bob, "antes de chamarmos mais alguém para conversar, Elvis Presley, como você está?"

"Tudo bem, Bobert", diz uma voz jovem e descontraída. "E você, como vai?"

"Ah, muito bem", diz Bob sem pestanejar. "Sei que todo o pessoal aqui em Texarkana está fazendo barulho para vocês virem aqui e devolverem este barulho a eles... Agora temos este grande show duplo marcado para sexta-feira à noite no auditório. O que acham disso?" E começam um longo colóquio sobre o assunto antes de Bob apresentar "um dos caras mais barulhentos de toda essa trupe... Bill Black, que arrasa no contrabaixo e às vezes conta uma ou duas histórias, mas em geral só bagunça o coreto. Bill, venha cá e dê um alô para seus fãs em Texarkana".

Por um momento, ouvimos a fala arrastada e melíflua do homem que, segundo Scotty, "nunca conheceu um estranho". "Bob, eu só quero dizer uma coisa", comenta ele. "Sexta à noite estaremos lá, e vou ter uma nova foto de Elvis, e vai ser vendida pelo mesmo preço antigo de apenas vinte e cinco centavos. E vou ter cerca de uns quatro ou cinco milhões delas. Se alguém quiser comprar uma, bem, vou ter um montão delas, antes do show, no intervalo, depois do show... O fato é que tenho a noite inteira para vendê-las. Isso é tudo que eu tenho a dizer."

É tudo tão descontraído e simples, é difícil acreditar que Elvis Presley está à beira de algo – estrelato, sucesso, um precipício tão íngreme que deve ser ao menos tão assustador quanto convidativo. "Gostaria de convidar todos para o nosso grande show na sexta à noite", ele declara, incitado por Bob Neal, para atrair o público. "Porque não sei quando vamos voltar para cá... Acho que vai demorar até voltarmos a Texarkana", conclui, sem saber, e nem se importar, quando será isso.

Coronel Parker, Gladys, Elvis e Vernon Presley: cerimônia de assinatura com a RCA, nos Estúdios da Sun, 21 de novembro de 1955
(Cortesia de Gary Hardy, Sun Studio)

OS FLAUTISTAS
Setembro a novembro de 1955

RAPIDAMENTE, O CORONEL consolidou sua posição. Quando Arnold Shaw, o recém-nomeado gerente-geral da editora musical E. B. Marks, visitou-o em Madison em agosto, o Coronel falou de um só assunto: Elvis Presley. "Qual é o seu interesse, Coronel?", Shaw perguntou a ele. Sonegando parcialmente as informações, mas com absoluta franqueza, o Coronel falou: "Este mocinho agora é agenciado por Bob Neal, de Memphis. Mas será meu quando o contrato com Neal terminar, em menos de um ano". Até mesmo Bob parecia reconhecer a inevitabilidade da rescisão, cedendo a maior parte de sua autoridade ao Coronel, embora ainda o chamasse de "contrato de parceria". Foi ele quem renegociou o contrato do Hayride com Horace Logan, no início de setembro, de modo que, ao final do primeiro ano, em 12 de novembro de 1955, o Hayride renovaria sua opção por duzentos dólares por apresentação, um substancial aumento no soldo sindical de dezoito dólares que Elvis recebia até então. O pretexto, de acordo com Logan, era o de que Elvis trouxesse um baterista habitual, mas a verdade é que ele havia se tornado "a coisa mais quente no show business". O contrato estipulava que "o artista tem o direito de faltar a uma apresentação de sábado por bimestre", mas Logan acrescentou um acordo paralelo multando o cantor no valor de quatrocentos dólares por show adicional que ele faltasse. Sem o conhecimento de Neal, claro, o Coronel pediu a Vernon que não assinasse o acordo. Queria que os Presley se abstivessem de assinar como guardiões até que ele tivesse uma ideia melhor sobre em que pé as coisas estavam para o novo contrato de gravação – mas Vernon foi em frente e assinou do mesmo jeito.

Neal também teve a desagradável tarefa de dizer a Scotty e Bill que eles estavam prestes a ganhar um salário fixo. Algo piorou ainda mais as coisas: Scotty e Bill enfim tinham convencido Elvis a adicionar D.J. na bateria, concordando em dividir o custo do salário dele (cem dólares por semana) entre eles. Elvis queria um baterista, mas dizia que não podia pagar, a menos que os outros músicos indicassem sua vontade de participar. De acordo com Neal: "A decisão final [de colocar a banda sob salário] coube a Elvis. Falamos no assunto algumas vezes, conversamos com os pais dele e por fim decidimos que tinha de ser feito. Eu precisei lidar com isso e me lembro que houve um princípio de insatisfação naquele momento, inclusive ameaças de cair fora, mas no fim tentaram chegar a um denominador comum". Scotty e Bill estavam inclinados a pedir a interferência do Coronel, embora Bob certamente estivesse preparado para matar no peito. Sabia que a pior coisa do mundo seria que culpassem Elvis, e fez tudo o que podia para proteger o garoto, mas acabou descobrindo que não tinha muito a fazer. Elvis tinha o hábito de se desvencilhar por conta própria, e nesse caso ele conseguiu se desvencilhar sem quaisquer ajudas externas.

Pela primeira vez, porém, Bob Neal estava começando a se perguntar sobre seu próprio papel: o que exatamente ele deveria fazer? Apesar dos ânimos serenados e do acréscimo do afável D.J., instalou-se uma sub-reptícia onda de mal-estar e suspeitas, coisa que não existia antes. Havia uma sensação de incerteza em relação ao que aconteceria a seguir – a certa altura, o Coronel chegou até a sugerir que Elvis largasse Scotty, Bill e D.J. e usasse a banda de Hank Snow na próxima turnê. Bob abafou o assunto antes mesmo de chegar a Elvis, mas é impossível calcular até que ponto essas ideias contaminaram a atmosfera geral. A banda de Snow ficou sabendo do boato, e, se eles sabiam, quanto tempo mais demoraria para chegar aos ouvidos de Scotty e de Bill?

Se o Coronel queria tumultuar o ambiente, ele estava fazendo um ótimo trabalho. Até Sam estava nervoso com o que estava acontecendo. Um nervosismo em relação aos negócios em geral. A ação judicial contra o dono da Duke Records, Don Robey, sobre o assédio de Robey a Little Junior Parker, quando este tinha contrato com a Sun, deu com os burros n'água; ele estava prestes a inaugurar uma estação de rádio no novíssimo Holiday Inn, no centro da cidade (o terceiro da nova rede hoteleira de propriedade de Kemmons Wilson, amigo de Sam); tinha fé numa série de novos artistas, mas ainda conseguira gravar um sucesso deles; e obviamente sentia os efeitos de várias pressões financeiras ocultas. Mas, acima de tudo, parecia estar confuso, coisa incomum para ele. E a fonte dessa confusão era justamente o Coronel. Claramente, Sam queria o que o Coronel tinha a oferecer, ou seja, a promessa de algum tipo de segurança financeira, algo que ele também temia, com igual clareza.

Naquele outono, fizeram na Sun uma única – e abortiva – sessão em busca de um lado B para "Trying to Get to You". De novo, Sam convocou Johnny Bernero para a bateria, e eles trabalharam no blues de Billy Emerson "When It Rains, It Really Pours", uma das músicas favoritas de Elvis desde o lançamento dela em janeiro. Mas havia uma tensão no ar, e o som não fluía. Logo a sessão foi interrompida sem a boa atmosfera e o inquebrantável otimismo que marcaram todas as outras datas de gravação. Em certo momento, fizeram uma pausa, Bernero lembrou ao historiador da Sun, Colin Escott, "e Elvis entrou na sala de controle para falar com Sam. Ficaram lá em cima uma meia hora. Ficamos ali no estúdio jogando conversa fora. Então Elvis voltou, veio em minha direção e disse: 'John, não vamos terminar esta sessão, mas eu realmente agradeço a sua vinda'. E me deu cinquenta dólares. Não demorou muito, Sam acabou vendendo o contrato dele".

Enquanto isso, o Coronel sistematicamente tratava de seus negócios, os quais consistiam, em sua maior parte, em jogar um potencial licitante contra outro. Não havia dúvida de onde o Coronel queria chegar: tinha vínculos com a RCA, a gravadora de Eddy Arnold e Hank Snow, havia mais de dez anos, sempre lidando com o mesmo homem na maior parte desse tempo: Steve Sholes, o chefe da divisão de a&r (artistas e repertório). Além disso, o Coronel Parker tinha amplas conexões dentro da empresa, inclusive Bill Bullock, chefe da divisão de singles. Ao mesmo tempo, ele não queria dar à RCA a impressão de que o negócio já estava no papo. Afinal de contas, não tinha certeza do quanto eles estavam interessados no artista dele ou em investir o montante necessário para o garoto rescindir o contrato com a Sun Records. Por isso continuou a incentivar ativamente as outras gravadoras interessadas, que faziam ofertas quase diárias a ele e a Bob Neal.

Outros eventos conspiravam – involuntária ou ativamente – para que as coisas mudassem rápido. A Hill and Range, uma das mais novas e proeminentes editoras musicais da família BMI, que surfava na onda dos discos de "etnia" e de "hillbilly" no pós-guerra, estava a caminho de publicar um *songbook* com letras e cifras das canções de Elvis Presley, empreendimento que teve sua gênese no Festival Jimmie Rodgers, em maio. Foi lá que o representante da Hill and Range, Grelun Landon, em companhia do amigo Chick Crumpacker, promotor musical da RCA, viu pela primeira vez um show de Elvis. Empolgado, entrou em contato com seus chefes, Jean e Julian Aberbach. Os Aberbach, refugiados vienenses com extensa história na publicação musical europeia, criaram a Hill and Range em 1945 para celebrar a "música folk nativa da América" ("Hill" vinha de "hillbilly", e "Range", de "vasta gama") e, desde o início, se especializaram em "publicações em parcerias". Foi assim que atraíram estrelas como Ernest Tubb, Bob Wills, Bill Monroe e Hank Snow, permitindo-lhes pela primeira vez participar em uma base de 50-50 nos proventos finais do negócio (até então, quase sem exceção, o autor era forçado a abrir mão de todos os seus direitos editoriais, que representavam cerca de metade dos royalties ganhos por uma canção, em benefício do editor de música, em troca do favor de representar suas canções). Landon estimulou os Aberbach a logo entrarem em contato com Sam Phillips para que pudessem fazer um empreendimento com esse novo e notável fenômeno. No começo do verão de 1955, o projeto estava definido, após um acordo com Phillips e Bob Neal.

Enquanto isso, os Aberbach também foram procurados por Bill Randle, o DJ de Cleveland, para uma iniciativa paralela. Randle mantinha uma relação de longa data com a Hill and Range (todo mundo lucrava com essas redes de associações informais, incluindo o artista, embora suas canções provavelmente viessem de uma fonte vinculada a seu diretor de a&r ou a um DJ influente como Randle). Ao mesmo tempo, Freddy Bienstock, o jovem braço direito e primo dos Aberbach, que já tinha ouvido falar de Presley a partir de Randle, recebeu um telefonema de Hank Snow elogiando o artista de vinte anos. O Coronel não estava muito feliz com o negócio que Bob Neal havia fechado em relação ao *songbook*, tampouco ignorava a esperança de Randle, fomentada pelo desejo dos Aberbach de recrutar Randle para iniciar uma empresa de gestão de talentos para a Hill and Range, de se tornar agente do garoto. Mas Tom Parker confiava em seu taco, em sua própria perspicácia nos negócios e, principalmente, em sua capacidade de redigir um contrato. Assim, fez vista grossa para as manobras dos Aberbach e as ambições de Randle. Deixou que todos pensassem o que quisessem pensar. Como contou a Arnold Shaw, na primeira vez que vendeu um show a um promotor, "me passaram a perna... Então fui para casa, encontrei a cláusula que me engambelou, recortei-a e colei-a numa folha. Na próxima vez, fui enrolado por outra cláusula... Um dia juntei todas aquelas cláusulas espertas... E eis o contrato que você está segurando!".

Enquanto isso, Randle estava prestes a filmar o curta-metragem promocional *O flautista de Cleveland: um dia na vida de um famoso disc jockey* (*The Pied Piper of Cleveland: A Day in the Life of a Famous Disc Jockey*, 1955), e queria utilizar o garoto, e isso poderia ser útil na comercialização do contrato dele. Ou talvez não. Não importava. Tudo daria certo, desde que você não tirasse os olhos da bola – todos os outros, ele sabia por experiência, provavelmente desviariam o olhar. O principal era – no plano básico do Coronel, se é que ele tinha um plano – fazer todas as partes trabalharem com o mesmo objetivo, sem se dar conta, nem sequer suspeitar, de que não estavam sós na parada. Nisso, de um jeito peculiar, ele e o menino eram parecidos. O Coronel percebeu que todo mundo que conhecia o menino, mesmo que por um instante, sentia que era o favorito – quase por conta da inocência e da falta de astúcia do rapaz. Era um dom raro, algo que não podia ser ensinado, algo que o Coronel particularmente apreciava e que aprovava do fundo do coração. Dava-lhes algo em comum.

Afora isso, os negócios de costume: turnês, shows agendados, deixar a máquina publicitária bem azeitada. "[O promotor musical sediado em Washington, D.C.] Connie B. Gay afirma que um garoto de dezenove anos chamado Elvis Presley será a próxima sensação da música country e western (hillbilly)", anunciou a coluna "TV and Radio People" de um jornal de Tidewater, em 4 de setembro. "Presley misturou o bebop com a música country e, de acordo com Gay, 'é o som mais atual do hillbilly'." Todas as pesquisas de DJ e revistas de fãs mostravam Elvis Presley subindo ao topo do "mundo da música folk, não se agarrando ao tradicional, mas cantando com ritmo e balanço". Por fim, a edição de outubro da *Billboard*, sob a manchete "A nova ordem é combinar pop com c&w", anunciava: "O Coronel Tom Parker, da Jamboree Attractions, um dos principais empresários e promotores de talentos c&w, instituiu uma nova ordem ao apresentar uma mescla de música popular e country & western numa recente tour de uma noite só. Parker juntou Bill Haley & His Comets com Hank Snow para uma turnê estendida, que estreou em Omaha, em 10 de outubro. Elvis Presley juntou-se à turnê Snow-Haley em Oklahoma City." Até o pôster mostrava esse ângulo separado – mas igual. "EM PESSOA", lia-se na parte superior. "O artista nº 1 do rhythm & blues nacional, Bill Haley & His Comets, dos hits 'Rock Around the

Clock' e 'Rock, Rattle and Roll' E MAIS Elvis Presley com Scotty e Bill." Já na parte de baixo, a foto de Hank Snow, o "Ranger cantor", que, com um "elenco estelar", encabeçava o line-up da outra metade do show.

Basicamente, a ideia era a explicada no artigo da *Billboard*. O Coronel havia abordado o empresário de Haley, o quase tão folclórico Lord Jim Ferguson, tentando persuadi-lo de que tinha esse garoto: "Posso adquiri-lo, mas primeiro quero que ele ganhe experiência". Ferguson, que agenciava um dos artistas mais famosos do country num momento em que não estava bem claro em qual direção o country provavelmente seguiria, assentiu prontamente, levando em conta o sucesso do novato nas paradas e a força atrativa que Snow poderia trazer ao line-up. Mas para o Coronel o objetivo era outro. Sem dúvida, a RCA estava interessada – mas ainda não interessada o bastante. Se fossem colocar o dinheiro necessário para comprar o contrato de Presley da Sun, precisariam acreditar não só no artista, mas no movimento. Essa era simplesmente mais uma maneira de mostrar a eles que realmente havia algo acontecendo lá fora, que Presley não era apenas mais uma sensação hillbilly. Quando o pessoal da cidade grande entendesse aquilo, o Coronel Thomas A. Parker sabia que o resto seria fácil.

O próprio Elvis estava entusiasmado por estar no line-up. Bill Haley, de Chester, Pensilvânia, tinha uma série de discos de sabor western, alguns mais bem-sucedidos do que outros, desde 1946, quando tinha vinte e um anos. Em 1951, gravou um cover de "Rocket 88", a produção de Sam Phillips frequentemente citada como o nascimento do rock, e desde então lançou um fluxo constante de discos combinando a sensibilidade do r&b, a atmosfera hillbilly boogie com o instrumental das big bands de western (acordeão, *steel guitar* e saxofone). Essa mescla desafiava a categorização e teve um impacto considerável nas paradas em 1953 e 1954, mas o sucesso arrebatador só veio para Haley com o filme *Sementes de violência* (*The Blackboard Jungle*), lançado em março de 1955. A música de Haley de 1954, "Rock Around the Clock", que logo vendeu cerca de setenta e cinco mil cópias, foi escolhida para tocar na abertura, e a canção alcançou a primeira posição, concedendo a Haley o status de estrela instantânea (embora nunca tivesse outro hit que chegasse perto de igualá-lo, continuou a colher os frutos dele até o dia em que morreu). A versão de Haley para "Shake, Rattle and Roll", de Big Joe Turner, também um dos pontos altos do show de Elvis, era uma honrosa homenagem ao rhythm & blues. Isso permitiu que Bill Haley embarcasse numa breve carreira cinematográfica (*Rock Around the Clock*, a levemente ficcionalizada "História de Bill Haley", com Alan Freed interpretando um forte papel coadjuvante, foi lançada no início do ano seguinte). A música dele talvez não tivesse a pureza e a ousadia que Elvis tinha conseguido no estúdio, e certamente suas performances ao vivo não tinham a ardente sexualidade das apresentações de Elvis, mas Haley nesse momento era uma estrela, e Elvis sentia uma forte atração por esse estrelato, como se pudesse contagiá-lo. Haley, por sua vez, estava muito contente em ajudar um garoto que, até onde ele sabia, nunca tinha saído do perímetro de Memphis antes.

"Isso foi bem antes de ele ser um grande sucesso, sabe", lembrou Haley ao entrevistador Ken Terry. "Era um garotão alto, taludo. Não tinha muita personalidade na época... Se não me engano, a primeira vez que falei com Elvis foi em Oklahoma City. Lá estava ele nos bastidores, e nos preparávamos para tocar de novo. Veio falar que era meu fã e conversamos, um moço incrível... Queria aprender, o que é o mais importante. Lembro-me de uma noite em que ele fez o show dele e depois me perguntou o que eu achava. Assisti ao show e disse a ele: 'Elvis, você está tocando muitas baladinhas. Você tem um ritmo natural, então fique nas melodias rítmicas'. Ele tinha a postura da maioria dos jovens, de que podia subir ao palco, parar o show e chutar Bill Haley do palco, algo impossível na época porque éramos o número um. E ele foi lá e tocou para os fãs de Bill Haley... Quando voltei após meu show ele estava meio que chorando no camarim, desanimado, e sentei ao lado dele e falei: 'Olha, você tem muito talento', e expliquei a ele uma porção de coisas. E essa camaradagem durou pelo resto da turnê."

Em outros aspectos, a vida na estrada era apenas a insanidade de sempre: shows cada vez mais marcados pelo mais puro e desenfreado pandemônio; meninas loucas que fariam qualquer coisa em qualquer lugar e, não raro, as confusões de namorados ciumentos; traslados alucinados para chegar ao próximo show após ficar a noite toda em claro na cidade onde tinham tocado por último; dois ou três telefonemas por dia para casa, seja lá o que estivesse acontecendo, ou quem mais andasse por perto; fogos de artifício. "Elvis era um desses caras com muita energia nervosa", disse D.J. Fontana, o mais novo membro da banda. "Um cara hiperativo... Super-hiperativo. Sempre inquieto ou fazendo algo. Nunca se cansava, mas, se isso acontecesse, dormia onze ou doze horas seguidas nesses dias. Estava sempre fazendo alguma coisa. Na rodovia, nunca chegávamos com folga aos locais de show, porque parávamos a cada 50 quilômetros para comprar rojões. Ele nos fazia parar nessa e naquela barraca, aquele pentelho. Eu dizia: 'Temos um saco cheio'. E ele respondia: 'Sabe, cara, podemos precisar de um pouco mais'. Tínhamos que parar e comprar mais uns rojões só para ter o que fazer."

Agora ele era a atração principal do show em quase todos os lugares. No Oeste do Texas teve o Elvis Presley Jamboree, com um elenco coadjuvante que incluía Johnny Cash, Porter Wagoner e Wanda Jackson. Em Lubbock, o jovem cantor Buddy Holly, agora na ativa procura de um contrato de gravação próprio, abriu o show para ele mais uma vez e pediu conselhos. Em Houston, ele foi assistir a Bob Wills com Tillman Franks numa noite de folga e se divertiu quando Wills disse ao promotor de eventos Biff Collie: "Traga o jovem punk de volta".

Enfim, ele estava se acostumando, até certo ponto. Já não acreditava que tudo iria simplesmente acabar – embora nas entrevistas ainda estivesse inclinado, com decorosa modéstia, a dizer que acreditava. Uma parte dele ainda não acreditava que tudo estava mesmo acontecendo: os discos, os shows, o sucesso, o Coronel, o sexo. Mas parte dele – a maior parte dele – acreditava. Com Dixie estava tudo acabado, ele percebeu. Não queria, mas tinha de ser. Tinham falado nisso – muitas e muitas vezes. Nunca contou a ela que tinha sido infiel, mas ela sabia. E ele sabia que ela o perdoava. Não era uma vida para uma garota cristã decente – às vezes, quando baixava a poeira ou ele estava sozinho por um momento e tinha tempo para refletir, não tinha tanta certeza de que era uma vida para qualquer cristão decente –, mas poderia lidar com isso. E, se não pudesse, se fosse demais para ele, sempre poderia voltar, não poderia? Dixie falou para Gladys que tinha acabado, e as duas tinham chorado juntas, mas combinaram de continuar sempre amigas, porque as duas o amavam tanto. Quando ela contou à própria mãe, a mãe dela também se mostrou quase igualmente chateada. "Foi difícil para minha família aceitar. Eles também o amavam muito. A mamãe dizia: 'Bem, o que você vai fazer se conhecer outro homem e se casar, e depois que se casar, Elvis voltar dizendo: Sim, cometi um erro, quero que você venha e seja minha esposa?'. E respondi: 'Bem, eu peço o divórcio e vou morar com ele'. Muito simples em minha cabeça. E pensei: 'É isso que vou fazer'."

Os Presley, enquanto isso, tinham se mudado de novo. Saíram da via movimentada e alugaram outra casa, dobrando a esquina, na 1414 Getwell. Seja como for, estavam chateados com a postura não colaborativa do antigo locatário ao expressarem interesse em comprar a casa da Lamar Avenue. Mais uma vez, foram obrigados a fazer a mudança na ausência de Elvis, e mais uma vez Gladys desejou que ele pudesse simplesmente parar agora, comprar um pequeno negócio com o dinheirinho que tinha ganhado, casar com Dixie e ter três filhos. Mas ela sabia que isso não ia acontecer. E se agarrava aos telefonemas dele, falavam um com o outro numa linguagem só deles, enquanto ela orgulhosamente acompanhava a sua crescente fama. Continuou montando seu *scrapbook* religiosamente. Da mesma forma que um dia guardara todas as fotos de bebê e boletins escolares e lembranças, agora ela guardava todas as notícias e reportagens sobre o filho; ela e Vernon gostavam de folhear o álbum de recortes. "Quando Elvis era um jovem em Tupelo, Mississippi, as pessoas costumavam pará-lo na rua e dizer: 'Cante para nós, Elvis', lia-se no recorte mais recente, do *Country Song Roundup*. "E ele cantava... de pé nas esquinas, no sol quente do Mississippi... ou na igreja... ou na escola... em qualquer lugar que alguém quisesse ouvi-lo, ele cantava." Na edição de sábado, 22 de outubro de 1955, do *Cleveland Press*, na coluna de Bill Randle, ao lado da de Amy Vanderbilt e acima de uma resenha do *audio-book Old Possum's Book of Practical Cats*, de T. S. Eliot, lia-se uma seção intitulada "Turntable Topics": "Esta semana com a equipe de gravação da Universal International Pictures foi nada menos que frenética. Não sou exatamente um Clark Gable, mas tive a sorte de ser apoiado neste curta-metragem por Pat Boone, os Four Lads, Bill Haley & His Comets e o fenomenal Elvis Presley. O filme vai se chamar *Top Jock*, terá uns quinze minutos e em breve chegará ao cinema mais próximo de sua casa".

ELVIS TOCOU no Cleveland's Circle Theater mais uma vez, na noite de quarta-feira, 19 de outubro, em um jamboree com várias estrelas da música country encabeçado por Roy Acuff e Kitty Wells. No dia seguinte, o filme de Randle estava programado para ser filmado às 13h no auditório da Brooklyn High School, em frente à escola de três mil alunos, e então às 20h daquela noite no St. Michaels Hall, na esquina da East 100th com a Union. Randle já havia filmado vários curtas-metragens antes – com Peggy Lee, Benny Goodman e Stan Kenton –, e na verdade a ideia era concluir este em Nova York com performances de Patti Page, Tony Bennett, Nat King Cole e outros pop stars "legítimos". Mas Cleveland foi o ponto de partida e se mostrou hospitaleira o suficiente até que o diretor da Universal, Arthur Cohen, rechaçou a ideia de inserir Presley, após assistir sua performance no Circle Theater e acompanhar os ensaios no auditório do colégio no dia seguinte. De acordo com Randle: "Ele achou Elvis 'deplorável', totalmente inaceitável, não valia o tempo e o esforço para tratar dos valores. Expliquei a ele a resposta fenomenal que Presley estava tendo... mas Cohen foi inflexível e só autorizou a filmar as estrelas consagradas". Randle então consultou o cinegrafista Jack Barnett, que concordou em filmar Presley se Randle pagasse pelo serviço extra. Essa foi uma solução eficaz, e o show continuou.

Pat Boone nunca se esqueceu de seu primeiro encontro com Elvis Presley. Boone, de apenas vinte e um anos e estudante do North Texas State Teachers College (realizaria uma transferência para a Universidade de Columbia no ano seguinte), tinha crescido em Nashville e era casado com Shirley, a filha de Red Foley. Ele já havia vencido a Hora Amadora Original de Ted Mack, marcado presença em várias ocasiões no show de Arthur Godfrey e feito sucesso em duas gravadoras de Nashville, alcançando fama nacional na Dot com um cover dos Charms, "Two Hearts", no início do ano. O novo single dele, um cover de "At My Front Door (Crazy Little Mama)", canção originalmente gravada por The Eldorados, começava a subir nas paradas pop. Randle o apanhou no aeroporto, "e no caminho até a cidade me contou sobre um garoto no show que ia ser uma grande estrela, perguntei quem era, e ele disse, 'Elvis Presley, de Memphis, Tennessee'. Eu disse: 'É mesmo?'. Eu tinha morado no Texas e visto o nome dele em alguns jukeboxes de música country. Fiquei me perguntando como era possível um hillbilly ser a bola da vez, ainda mais com esse nome, Elvis Presley. Claro que fiquei curioso, e no auditório do colégio onde fizemos isso, ele veio aos bastidores, e já tinha uma pequena comitiva [talvez Red e o primo Gene]. Mas em Cleveland ninguém tinha ouvido falar dele, por isso o fato de trazer uma comitiva me pareceu engraçado. Eu me aproximei em minha camisa abotoada até em cima, gravata estreita e sapatos de camurça e me apresentei. Balbuciou algo que não entendi, escorou as costas na parede cabisbaixo e nunca me olhou nos olhos. Então falei: 'Garoto, Bill Randle acha que você vai fazer muito sucesso'. E ele disse: 'Hummm... rruumblee...', meio que um resmungo fanho interiorano. Não entendi nada do que ele disse. Ele tinha a gola da camisa virada para cima, o cabelo muito engordurado e, bem, estava sempre olhando para baixo, sabe, como se não pudesse olhar para cima. Pensei comigo mesmo, qual é o problema desse cara? Pensei que sua performance seria uma catástrofe, que ele ia desmaiar no palco ou algo assim".

Elvis ficou feliz em rever Bill Haley, de quem tinha se despedido no Texas na semana anterior. O DJ Tommy Edwards queria tirar uma foto dos dois juntos e foi ao camarim. Elvis comentou que esperava que esses ianques gostassem de sua música, passando a Haley a impressão de que nunca havia tocado em Cleveland antes. Randle o apresentou a Mike Stewart, o homenzarrão que tinha sido muito bem-sucedido na gestão dos Four Lads e um dia assumiria a gravadora United Artists. Stewart ficou tão impressionado com o talento e o charme do garoto que ligou para Mitch Miller na Columbia Records no dia seguinte, só engrossando o coro de elogios que Randle havia começado e de que Miller claramente estava cansado.

O show em si foi um grande sucesso. Cada artista tocou quatro ou cinco músicas, com Elvis, Scotty e Bill (parece que D.J. não fez a viagem) cantando "That's All Right", "Blue Moon of Kentucky", "Good Rockin' Tonight", e as canções de seu último single, "Mystery Train" e "I Forgot to Remember to Forget", que tinham entrado nas paradas nacionais de música country no mês anterior. Os receios de Pat Boone não se concretizaram. Quando Elvis pisou no palco com sua jaqueta de tweed marrom, meias vermelhas, sapatos brancos e camisa branca plissada com audaciosos babados, pareceu a Boone "que tinha acabado de apear de uma motocicleta. Tinha a camisa aberta, e parecia que estava rindo de algo, como se tivesse alguma piada interna, sabe? Não disse nada, só começou a cantar algo meio rockabilly, e a criançada da plateia adorou. Fiquei muito surpreso. Então abriu a boca e disse algo, e foi tão hillbilly que o público não entendeu. Então ele cantou outra música e os conquistou novamente. Desde que não falasse, ele mandava bem. Eu levei muito tempo para conquistar aquela plateia".

Praticamente o mesmo ocorreu em St. Michael, só que com maior intensidade. Ao contrário do ambiente escolar, onde a criançada estava contida pela presença ameaçadora de seus professores (o diretor de atletismo, senhor Joy, ficou segurando a porta para afastar as alunas de Pat Boone), ali as meninas gritavam sem restrições e brigavam para chegar a Elvis e Boone enquanto os dois se apresentavam. Quando Presley arrebentou as cordas do violão, disse Randle, e depois destruiu o instrumento no palco, "foi histeria em massa. Foi preciso força policial para tirá-lo do auditório, com a roupa dilacerada, a jaqueta sem uma das mangas. Boone também teve a mesma resposta. Após o show, Elvis declarou que não acreditava que aquilo tinha acontecido com ele. Pela primeira vez sentiu que ia chegar ao topo – como Pat Boone".

Não havia dúvida de que Bill Randle tinha encontrado um vencedor, e durante todo o tempo que ficou em negociações para um cargo executivo na Hill and Range (que terminou em novembro, quando recusou o acordo da editora de músicas e decidiu assinar um contrato mais lucrativo envolvendo a compra de ações da WERE, estação de rádio de Cleveland), ele não tinha dúvida de que ainda estava no páreo. Os irmãos Aberbach estavam claramente ansiosos para que ele continuasse envolvido com Presley (ou seria uma manobra para fazer Randle assinar com eles?), o filme só esperava as filmagens de Nova York, e, se conseguissem negociar com êxito os problemas sindicais por lá, seria o primeiro curta-metragem dedicado à nova música, com o foco sugerido no subtítulo: "Um dia na vida de um famoso disc jockey". Randle tinha boas conexões com a televisão e Las Vegas, e era para lá que a carreira do garoto estava indo, na opinião dele. Mas agora Bill Randle ficou cara a cara com a realidade: o Coronel Parker tomou as rédeas do destino. Quase exatamente na mesma época, o Coronel foi a Nova York e se hospedou no Hotel Warwick. Estava de posse de um documento de abrangência impressionante, assinado por Vernon e Gladys Presley. O contrato o autorizava a representar o filho deles (havia enviado os termos da minuta num telegrama de 20 de outubro, de sua autoria). Assim, pela primeira vez, formalmente buscava ofertas para um artista cujo contrato, do ponto de vista mais estrito, ele formalmente não detinha. Quatro dias depois, em 24 de outubro, entrou em contato com Sam Phillips, informando-o de seu novo status gerencial e exigindo que ele definisse seu "melhor preço para a ampla dissolução do contrato com Elvis Presley, deixando livres e desimpedidos seus serviços como artista e de gravação".

Essa foi a gota d'água para Phillips. Até então, aquilo era apenas uma dancinha cuja consumação, embora predestinada, ainda não precisava ser encarada de frente. Agora, com um disco de sucesso nas mãos e novas despesas aparecendo diariamente em todas as frentes, Phillips sentia que não só seu relacionamento com Elvis, mas a credibilidade de sua gravadora estava sendo minada por essa atmosfera contínua de incerteza que ele próprio tinha permitido se instalar. "Fiquei indignado, emputecido. Liguei para Bob Neal e falei: 'Bob, que porcaria é essa que você está fazendo comigo?'. Ele respondeu: 'Sam, não estou fazendo nada', e eu disse: 'Droga, você está mancomunado com Tom Parker e ele está espalhando essa mentira, depois de tudo que passei para fazer esse cara progredir, está espalhando entre os meus distribuidores que vou vender o contrato de Elvis. Cara, isso está me matando, você não está mexendo apenas com o contrato de um artista, está mexendo com a minha vida. Você simplesmente não joga sujo com essas pessoas [os distribuidores]. Também estão envolvidos nisso'. Trabalhei arduamente... dirigi de 100 a 120 mil quilômetros por ano para ganhar a confiança deles, não só em Elvis, mas desde os primeiros malditos lançamentos da Sun. Falei: 'Isso pode me custar a empresa. Isso tem de parar'.

"Então liguei para Tom Parker no Warwick Hotel em Nova York, e ele falou: 'Sa-a-am, como vai?'. E eu disse: 'Não vou nada bem'. E continuei: 'Olha, Tom, isso já está acontecendo há praticamente três ou quatro meses, mas não pensei no assunto, porque não tive a confirmação de Bob Neal de que vocês, meus bons amigos, estavam tentando puxar meu tapete... de modo voluntário ou involuntário'. Ele disse: 'Ah, nããão, Sam, eu não entendo assssiiim'. E disparou: 'Mas você estaria interessado em vender o contrato de Elvis?'. E falei: 'Eu bem que poderia estudar o assunto'. 'Quanto você acha que quer por ele?' Ele não fez nenhuma proposta – apenas quis saber quanto eu pediria. Então falei: 'Na realidade não cheguei a pensar nisso, Tom. Mas vou te avisar'. Então ele disse: 'Bem, olhe... pense nisso, e me avise'. E pensei no assunto trinta segundos e liguei de volta."

O preço que ele especificou foi de US$ 35 mil, mais US$ 5 mil que devia a Elvis por royalties atrasados, valor nunca antes pago por um artista de gravação popular (em comparação, a Columbia pagou US$ 25 mil pelo contrato de Frankie Laine, uma estrela já estabelecida, em 1951). Assim, formalmente empoderado, o Coronel realmente começou a atuar forte para convencer a RCA e a Hill and Range.

Para entender por que Sam Phillips talvez quisesse vender o contrato de Elvis, em primeiro lugar, é preciso compreender uma complexa rede de circunstâncias. Primeiro, apesar de todo o sucesso que ele tinha desfrutado no último ano, ele estava em dificuldades financeiras meio urgentes. Os custos para fabricar um disco de sucesso (principalmente, custos de fabricação fora de controle, pagos adiantados, sem a garantia de que os distribuidores não devolveriam um grande número de discos, mesmo com trinta ou sessenta dias para pagar) tinham pressionado seus parcos recursos ao ponto de ruptura. Em janeiro, escreveu a seu irmão Jud: "Eu já lhe disse várias vezes que os passivos da Sun são três vezes os ativos e tenho feito todos os esforços possíveis para evitar a falência... Qualquer um menos interessado em manter a reputação teria desistido há muito tempo, mas pretendo pagar cada dólar que a empresa deve (incluindo a você), mesmo sabendo que não tenho de onde tirar um dólar sequer".

Em outubro, enfim, conseguiu pagar o que devia a Jud. Também finalizou as tratativas para abrir sua primeira estação de rádio, a WHER, no formato de big band e um time "só de garotas" que incluía a assistente dele, Marion Keisker, e a esposa dele, Becky, entre os talentos no ar. Trabalhava dia e noite empolgado e focado em manter seus vários empreendimentos à tona. Os royalties de Presley já estavam atrasados. Sabia que Tom Parker, cuja posição se tornava cada vez mais entrincheirada, dificilmente seria tão tolerante quanto Bob Neal em relação aos detalhes contratuais. Acima de tudo, Sam Phillips não queria estar sob o cabresto de ninguém. Não queria ser conhecido como o dono de uma empresa de um artista só – tinha outros artistas para desenvolver, sem falar naquela música que Carl Perkins tinha cantado para ele na outra noite no telefone! Acreditava que seria um grande sucesso, maior do que qualquer outro que já havia lançado até então. Não precisava hesitar em vender o maldito contrato. Sua única hesitação era entregar o garoto àquele maldito pregoeiro que se autointitulava "Coronel", mas raciocinou: "Sempre que você pensa que sabe o que o público vai querer, olhe-se no espelho: está olhando para um tolo maldito. Pensei: 'Bem, se eu conseguir um dinheiro...' Mas eu queria tanto que Elvis tivesse sucesso (é uma coisa meio egoísta, mas tenho que dizer isso), porque eu não queria que dissessem: 'Ora, isso foi um mero acaso'".

Na sexta-feira, 28 de outubro, em Madison, Tom Parker recebeu um telegrama de W. W. Bullock, gerente da divisão de singles da RCA, informando que US$ 25 mil era o máximo a que a gravadora estava disposta a chegar. No sábado, ele e seu assistente Tom Diskin foram a Memphis para se encontrar com Sam Phillips e Bob Neal no escritório da WHER, que enfim entrou no ar naquela manhã após vários dias do que o jornal chamou de "atrasos tipicamente femininos", demoras no equipamento e problemas com o transmissor. Por três dias seguidos, Sam instalava o sistema de aterramento e conferia tudo. Por aparente coincidência, o advogado da Hill and Range, Ben Starr, chegou naquele mesmo dia para fechar o acordo sobre o *songbook* das canções de Elvis Presley, pelo qual a Hill and Range estaria licenciada a representar o catálogo de publicações da Sun na Europa, bem como para promover ativamente versões cover domésticas das músicas do catálogo da Sun. Após ouvir a oferta da Hill and Range, Sam deixou Starr no estúdio e se juntou aos outros no restaurante Holiday Inn, ao lado, apertando-se em uma mesa de cabine privativa ao lado de Neal, defronte a Parker e Diskin. Parker trouxe à tona a situação do dinheiro mais uma vez, como se quisesse ter certeza de que tinha escutado certo, poderia ter sido só um chiado na linha telefônica. "Trinta e cinco mil?", disse ele. "É muito dinheiro, sabe. Não sei se consigo levantar esse dinheiro com um talento não comprovado. Fez sucesso em Jacksonville, mas você está falando de US$ 35 mil." "Isso mesmo", emendou Tom Diskin. "É muito dinheiro.

Quanto dinheiro você ganhou com aquele garoto, afinal?" De acordo com Sam Phillips: "Falei: 'Não é da sua maldita conta. Além disso, você nem estava convidado para a reunião. Convidei Tom Parker'. Tom deu uma cotovelada em Diskin, que estava sentado no assento perto do corredor, e disse: 'Cala a boca'. Porque eu estava prestes a me levantar e dar uma lição nele. Ou receber uma lição. Parker disse: 'Olha, não sei para onde podemos ir'. Ele disse: 'Sam, não tem muita gente acreditando nisso. Mas como podemos trabalhar nesse negócio?'. Eu disse: 'Pra começo de conversa, mantenha Tom Diskin de boca fechada'".

Enfim lavraram um contrato de opção. A opção entraria em vigor na segunda-feira, 31 de outubro, e dava a Parker duas semanas para levantar US$ 5 mil (até a meia-noite de 15 de novembro). O negócio estipulava o preço de compra de US$ 35 mil (não surpreendentemente, Sam Phillips não baixou o preço e, sem dúvida, esperava que o acordo não fosse cumprido), e o valor total deveria ser levantado, e o contrato executado, dentro de um mês, até 1º de dezembro de 1955. Os US$ 5 mil não seriam reembolsáveis, e o prazo não seria prorrogado. Era uma aposta de Tom Parker. A essa altura, já estava comprometido. Se não conseguisse, dificilmente teria uma nova chance. O senhor e a senhora Presley acreditavam nele, ao menos por enquanto, e Bob Neal simplesmente deu o braço a torcer; e o menino – o menino, ele pensou, o seguiria até os confins da Terra. O menino não dava a mínima. E só o Coronel sabia que o dinheiro não estava lá.

Sam Phillips, por sua vez, também foi impactado por um atípico momento de dúvida. Voltou ao estúdio da rádio e, após resolver o caso da Hill and Range, Sam topou com Kemmons Wilson, o visionário fundador do Holiday Inn que estava temporariamente fornecendo a Sam espaço de escritório gratuito. Se havia alguém que Sam Phillips admirava no mundo dos negócios, esse alguém era Kemmons Wilson, e subitamente receoso do que tinha feito, pediu a opinião de Wilson. "Ele disse: 'Meu Deus, trinta e cinco mil dólares? Caramba, ele nem sabe cantar direito, cara. Pegue o dinheiro!'. Falei: 'Bem, acabei de fazê-lo, mas não sei se vão pagar ou não'. Ele disse: 'É melhor torcer para que paguem'. Então me senti melhor em relação àquilo... Mas no fundo eu estava dilacerado."

PARA TOM PARKER E SAM PHILLIPS, as duas semanas seguintes foram um período de intensa, e às vezes frenética, atividade. No domingo, 30 de outubro, Sam partiu para Houston com Marion Keisker para a audiência preliminar no tribunal federal sobre seu processo contra a Duke Records. Era o décimo aniversário de seu filho Knox, e ele estava tão desgastado por todas as suas obrigações conflitantes que teve de estacionar ao lado de uma pastagem, no acostamento da rodovia, perto de Shreveport, para dormir um pouco. Retornando a Memphis, estava decidido a contar a Elvis sobre o acordo, mas, após tranquilizar Elvis de que iria falar com Steve Sholes pessoalmente, que nunca o abandonaria, não havia muito mais a dizer. Seja como for, Elvis nunca foi muito falante e passou a mesma atitude que já havia articulado com Bob Neal. "Na verdade, Elvis me perguntou uma ou duas vezes se eu achava que eles [a RCA] tinham a mesma qualidade de gravação que a Sun", disse Neal, "e eu falei: 'Não há motivo para que não tenham'. Ele não parecia lá muito animado, a não ser pelo fato de que estava aumentando de valor o tempo todo... Não era do tipo de ficar deslumbrado. Sua postura era meio 'Eu sabia que isso ia acontecer. É ótimo, deixa rolar'."

Por sua vez, Tom Parker investia quase todo o seu tempo tentando convencer a RCA a aumentar sua oferta, fosse indicando o interesse de outras empresas, que até agora, para todos os efeitos, só assistiam de camarote, ou tentando encaixar de algum modo o negócio do *songbook* da Hill and Range para deixar o preço do contrato mais atraente. Na época da convenção de DJs em Nashville, em 10 de novembro, o Coronel tinha certeza quanto a seu acordo. Todo mundo percebia que havia algo no ar. Mas é duvidoso que a RCA estivesse ciente de que Sam Phillips não tinha baixado o preço original, e Phillips também não sabia que a RCA não queria pagar tanto. Era provável que o Coronel estivesse apostando que o interesse da RCA no negócio aumentaria e então poderia entrar nos detalhes financeiros desagradáveis.

O chefe de singles de especialidades (country, western, gospel e r&b) da RCA, Steve Sholes, compareceu à convenção como sempre fazia, e o Coronel passou o máximo de tempo possível com ele e a diretora de publicidade Anne Fulchino, que não era uma de suas maiores fãs após o escândalo que ele tinha feito na Flórida no ano anterior, mapeando suas várias visões sobre o futuro. Fez questão de salientar que tanto a *Cash Box* quanto a *Billboard* haviam selecionado seu menino como a mais promissora revelação de c&w nas pesquisas de disc jockeys, e de fato cada uma dessas revistas o presenteara com um diploma na convenção que acompanhava a placa recebida da *Country & Western Jamboree* por ter liderado a enquete de leitores, com 250 mil votos, para "Artista Revelação do Ano". Provavelmente o elefante que o Coronel acorrentou fora do Salão Hickory do Hotel Andrew Jackson também transmitiu sua mensagem implícita e, ao mesmo tempo, proclamou: "Como os elefantes, Hank Snow nunca esquece. Obrigado, DJs".

Quanto a Elvis, mal teve tempo de entrar e sair, decolando de Nashville no fim da noite de sexta-feira para passar umas horinhas em casa antes de decolar novamente no início da manhã seguinte para a inauguração de uma fábrica em Cartago, Texas, e uma performance no Hayride naquela noite, depois voando de volta a Memphis para um "Western Swing Jamboree" estelar no Ellis Auditorium, domingo à tarde e à noite. A convenção em si passou como um borrão – o Coronel o apresentou a velhos amigos (sem mencionar o senhor Sholes), Hank Snow o protegendo sob suas asas, Bob Neal reencontrando bons amigos e colegas, todos se divertindo e fazendo negócios. Havia garotas por todo o hotel e festas para apresentá-lo a elas (se fosse preciso ser apresentado). O representante da Hill and Range, Grelun Landon, trouxe-lhe as provas do *songbook* e as mostrou para ele e Bob Neal: a capa estava impressa em preto e cor-de-rosa, e a quarta capa trazia uma foto, feita em estúdio profissional, de Vernon e Gladys Presley, jovens e felizes (Gladys de sorriso aberto, o cabelo feito pelo senhor Tommy na Goldsmith's, ela parecia linda como uma boneca).

Nunca tinha percebido antes quantos amigos ele tinha no ramo. Biff Collie estava ali e T. Tommy Cutrer, com sua voz estrondosa e profunda, tinha acabado de se mudar de Shreveport; todos os DJs e *promoters* locais estavam lá, e notou que todos o estavam tratando como se ele estivesse de alguma forma... diferente. Mas ele não se sentia diferente, ainda era um garoto inquieto e ansioso para ir adiante. Ao rever o responsável pela promoção de country & western da RCA, Chick Crumpacker, ao qual já tinha sido apresentado em Richmond e depois encontrado em Meridian, Mississippi, na primavera anterior, anunciou orgulhosamente: "Ei, estou com vocês agora". E a Buddy Bain, o DJ de Corinth que o hospedou no início do ano e mostrou-lhe um álbum cheio de fotos de Opry, anunciou orgulhosamente, com um largo sorriso: "Amigo, acredito que vou chegar lá. O Coronel acabou de vender meu contrato para a RCA". Ao que Buddy respondeu: "Acredito que sim".

Muita gente queria uma coisa ou outra de Elvis – ele não tinha tempo para ficar parado. Dava autógrafos e adorava conversar sobre música ou qualquer outro assunto com qualquer um que o procurasse, mas não queria falar de negócios com ninguém, caramba, ele não sabia nada sobre negócios, era para isso que Bob e o Coronel estavam ali. Mae Boren Axton, a senhora de Jacksonville que trabalhava para o Coronel na Flórida, estava tentando convencê-lo a ouvir uma música desde que ele havia chegado – ela ficou dizendo que seria sua primeira música a vender um milhão de discos. Ele poderia tê-la caso fizesse seu primeiro lançamento na RCA, ela estava tão feliz que ele tinha fechado esse maravilhoso negócio. Ele não queria ouvir nenhuma música naquele momento, havia tanta coisa a fazer, mas Bob enfim conseguiu que ele fosse até o quarto com ele e Mae, e Elvis realmente gostou e disse: "Puxa vida, Mae, toque de novo", e ela tocou de novo – era realmente diferente, um pouco como "Hard Luck Blues", de Roy Brown, só que era sobre um hotel, um hotel de partir o coração, onde as lágrimas do porteiro escorriam e o recepcionista vestia preto. Aprendeu a música inteira antes de sair do quarto. "Vai estar no meu próximo disco", disse ele, acenando a Bob Neal para que Mae soubesse que estava falando sério e talvez largasse de seu pé agora.

No domingo, tocou no Ellis. De acordo com a imprensa local (jornal *Press-Scimitar*), foi uma rara apresentação na cidade. Ele era a atração principal, com seu nome acima de Hank Thompson e Carl Smith, e aquele novo garoto de Jackson, Carl Perkins, aparecia no fim da lista e abria os shows. Gladys e Vernon marcaram presença – o Coronel fez questão disso, e receberam tratamento VIP. O Coronel e Hank Snow ligavam para o senhor e a senhora Presley frequentemente para tranquilizá-los de que estava tudo bem, de que o novo contrato com a RCA ia se concretizar, e até passaram para fazer uma ou duas visitinhas na casa da Getwell. Gladys ainda não gostava do Coronel, ele sabia disso, mas ela enfim começou a se acostumar com o jeito dele. Por sua vez, Vernon não falava muito, mas ele sabia muito bem onde lhe apertava o sapato. No show daquela noite, Elvis usou seu traje vermelho folgado e montou a cavalo no baixo de Bill após arrebentar três ou quatro cordas de seu próprio violão. "Scotty está no palco para manter a ordem", disse alguém na plateia, e depois que o show acabou todos os artistas deram autógrafos enquanto ainda estavam no palco, com Elvis saltitando na ponta dos pés, como um tigre enjaulado, salientou um observador, incapaz de encontrar um modo de liberar tanta energia.

Em 15 de novembro, o dia em que a opção tinha de ser consumada, o Coronel ainda trabalhava febrilmente no negócio. Bill Bullock continuava a recusar o preço, com Parker enviando um último telegrama para lembrá-lo de que o tempo estava se esgotando e que, se não aproveitassem a opção agora, acreditava que o preço simplesmente ia subir de novo. Pessoalmente, disse o Coronel, ele acreditava que o preço era altíssimo, mas enfatizou: ele não tinha nada a ganhar com o acordo, além de proteger os interesses de todas as partes envolvidas, e acreditava que a RCA deveria topar porque o talento de Elvis valia a pena. Contou que tinha conseguido impedir Sam Phillips de lançar um novo single da Sun, mas com a óbvia implicação de que ele não poderia impedi-lo por muito tempo. Mais uma vez, lembrou Bullock do preço e da condição que ele havia inserido, sem dúvida como uma última maneira de acentuar as diferenças entre ele e Bob Neal, de que o contrato previa três presenças garantidas em rede nacional de televisão. Em seguida frisou que os bancos fechavam às 14h em Madison.

Por fim, Bullock cedeu. Com seu aval, Parker telefonou a Phillips para perguntar se ele queria que o dinheiro fosse transferido para cumprir rigorosamente o prazo. Não, disse Sam. Pode enviar pelo correio, e enviou um telegrama confirmando. Teriam de se reunir na próxima semana para finalizar o acordo, e isso, naturalmente, aconteceria em Memphis. O Coronel foi ao seu banco em Madison e enviou o dinheiro por correio aéreo, entrega especial, então escreveu a H. Coleman Tily III, o representante legal da RCA, e agradeceu-lhe por toda a ajuda dele e de Bullock. O Coronel esperava ter feito o melhor negócio para todos; o melhor possível na ausência da orientação deles. Lembrou a Tily das três apresentações como convidado especial que precisavam fazer parte do acordo, caso contrário ele perderia sua credibilidade com os Presley, e então deu instruções sobre como seu cheque de reembolso devia ser feito, com uma observação clara de que era um reembolso, não uma comissão. Como acionista da RCA, ele estava simplesmente orgulhoso de ter adiantado o dinheiro.

Em Memphis, Sam Phillips sentiu-se momentaneamente desamparado. Nunca acreditou mesmo que o negócio seria fechado, mas no fundo sabia que não havia outra coisa a fazer. Então mergulhou de novo em sua atividade de gravação, passou longas horas no estúdio da nova rádio, começou a preparar seu novo cronograma de lançamentos (estava determinado a lançar *Blue Suede Shoes*, o novo disco de Carl Perkins, até 1º de janeiro) e deu continuidade ao processo contra a Duke Records, que seria julgado até o final do mês.

Seis dias depois, em 21 de novembro, o advogado da RCA, Coleman Tily, Bob Neal, o Coronel, Tom Diskin, o distribuidor local da

RCA Jim Crudgington, o representante regional Sam Esgro e Hank Snow (que só chegou depois que as fotos foram tiradas) convergiram ao pequeno estúdio da Sun para a assinatura da papelada. O Coronel Parker veio acompanhado de um documento datado do mesmo dia estipulando que, dos 40% em comissões combinadas devidas ao Coronel e a Bob Neal (25% ao Coronel, 15% a Neal), haveria uma divisão uniforme enquanto durasse o acordo de Neal, até 15 de março de 1956. O contrato de compra consistia num singelo documento de duas páginas pelo qual a Sun Records concordava, a partir de 31 de dezembro de 1955, em entregar todas as fitas e cessar toda a distribuição e venda de gravações previamente lançadas, enquanto os gerentes "por meio desta vendem, atribuem e transferem à RCA todos os seus direitos, títulos e interesses", conforme rezava o acordo de opção anteriormente exercido. O preço da compra foi de US$ 35 mil; a RCA assumiu a responsabilidade pelo pagamento de todos os royalties retroativos e mantinha a Sun Records livre de quaisquer ações judiciais subsequentes. No final de tudo isso, Elvis Presley passou a receber uma porcentagem de royalties de 5%, comparada aos 3% que recebia então da Sun – isso equivalia a quase dois centavos a mais por disco vendido, o que em termos de um milhão de vendas chegaria a cerca de US$ 18 mil.

    Além disso, por meio de um acordo de copublicação que o Coronel havia firmado com a Hill and Range, Elvis agora receberia metade da taxa estatutária de dois centavos e metade dos royalties de performance a serem pagos à editora em todas as novas composições de Hill and Range que ele gravasse, que passariam a ser registradas por meio de sua própria editora musical. Se a essa altura ele também começasse a compor suas músicas, ou, talvez mais pertinentemente, se começasse a reivindicar crédito de composição para as canções que gravasse, prática que remonta a tempos imemoriais na indústria fonográfica, ele poderia aumentar sua renda em até mais dois centavos por faixa. Por sua vez, a Hill and Range ganharia uma vantagem quase incalculável sobre seus concorrentes do ramo, garantindo não só uma posição competitiva, mas na prática o equivalente a um direito de preferência sobre a nova sensação da música nacional.

Após a assinatura do contrato, houve uma cerimônia de fotos, com diferentes configurações das várias partes envolvidas. Em uma delas, Elvis é flanqueado pelo Coronel e Hank Snow, parceiros orgulhosos na Jamboree Attractions, enquanto Bob Neal, à esquerda de Snow, aparece com ar de jovial aprovação. Noutra, Gladys dá um beijinho na bochecha do filho, agarrada à sua bolsa preta, enquanto o Coronel dá um tapinha no ombro dela e Vernon o encara com olhar severo. Em outra, Sam e Elvis trocam um aperto de mãos sob o olhar do advogado da RCA, Coleman Tily. Em todas as fotos, todos os homens estão radiantes – todos aparentemente conseguiram exatamente o que desejavam. Após a sessão de fotos, alguns dos participantes foram à rádio para uma breve entrevista no programa de Marion Keisker nos novíssimos estúdios da WHER. "Pensamos que seria muito divertido", disse Marion, "se todos viessem e fizéssemos o anúncio. Então todo mundo se aglomerou na pequena sala de controle e fizemos uma pequena entrevista com quatro ou cinco deles, bem, não exatamente uma entrevista, mas sim um pequeno bate-papo. E nisso Hank Snow falou: 'Estou muito orgulhoso. Este garoto fez sua primeira apresentação em rede nacional na minha seção do Grand Ole Opry'. E estava sendo tão pomposo sobre isso que não pude evitar e fiz o seguinte comentário: 'Pois é, eu me lembro, o senhor inclusive precisou perguntar qual era o nome dele'. Foi no mínimo falta de tato de minha parte."

No dia seguinte, Elvis enviou esta carta:

> Caro Coronel,
>
> Não há palavras para expressar o quanto meus pais e eu valorizamos o que o senhor fez por mim. Eu sempre soube, e agora meus pais têm a certeza, que você é a melhor pessoa, a mais maravilhosa pessoa com quem eu poderia

> esperar trabalhar. Acredite em mim quando eu digo que
> vou estar com o senhor sempre e fazer tudo o que eu puder
> para manter a sua fé em mim. Mais uma vez, meu muito
> obrigado, e eu amo o senhor como se fosse meu pai.
> **Elvis Presley**

O artigo de Bob Johnson no *Press-Scimitar* desse mesmo dia ganhou a manchete: "Presley, cantor de Memphis, assina contrato com a RCA-Victor".

> Elvis Presley, 20 anos, cantor e artista de Memphis que
> praticamente da noite para o dia atingiu o estrelato,
> foi liberado de seu contrato com a Sun Record Co. de
> Memphis. (...) Phillips e os representantes da RCA não
> revelaram os termos, mas disseram que o valor envolvido
> é provavelmente o mais alto já pago por uma liberação
> de contrato para um artista de country-western. "Sinto
> que Elvis é um dos jovens mais talentosos da atualidade",
> disse Phillips, "e ao liberar o seu contrato para a RCA-
> Victor, estamos dando a ele a oportunidade de entrar na
> maior organização do gênero no mundo, para que seu
> talento receba as mais plenas oportunidades."

Para capitalizar ainda mais essa oportunidade, Elvis e o Coronel voaram a Nova York em 30 de novembro para uma animada visita à sede da RCA no dia seguinte. Em 2 de dezembro, Elvis estava de volta à estrada, tocando para uma plateia decididamente modesta em Atlanta e participando de um show do Opry encabeçado por Roy Acuff e Kitty Wells, na noite seguinte, em Montgomery, Alabama, pelo qual ele recebeu quatrocentos dólares. A revista *Billboard* publicada naquele mesmo dia trazia a manchete: "Negócio duplo alça Presley ao estrelato", especulando argutamente sobre o futuro brilhante que se descortinava.

Elvis Presley, um dos cantores mais procurados do ano, assinou dois grandes contratos como artista, compositor e editor. A RCA Victor superou a competição com outras gravadoras e assinou com o músico de 19 anos um contrato de três anos, com opção de renovação. Além disso, a Hill & Range o inscreveu num extenso contrato de composição exclusiva e, ao mesmo tempo, criaram uma editora separada, a Elvis Presley Music, Inc., que funcionará dentro dos âmbitos da H&R. (...) Embora a Sun tenha vendido Presley principalmente como artista c&w, a Victor planeja distribuir seus discos em todos os três campos: pop, r&b e c&w. Porém, o chefe de singles de especialidades da RCA Victor, Steve Sholes (responsável por gravar Presley), planeja dar ao cantor o mesmo apoio (guitarra elétrica, baixo, bateria e o próprio Presley no violão rítmico) trazido em seus discos anteriores na Sun.

Stage Show, 17 de março de 1956
(Alfred Wertheimer)

STAGE SHOW
Dezembro de 1955 a fevereiro de 1956

O que os outros falam de você não importa, filho. Você sabe quem você é! Nada mais importa.
– Gladys Presley ao filho dela, conforme citado por Harold Loyd no livro *Elvis Presley's Graceland Gates*

A última advertência que fiz a Elvis foi: "Olha, agora você já aprendeu como fazer isso. Vá em frente e não fique dando bola para quem disser o contrário... Eles acreditam em você, investiram dinheiro vivo em você. Então vá lá, deixe que saibam como está se sentindo e o que deseja fazer."
– conselho de Sam Phillips a Elvis Presley, final do outono de 1955

Na terça-feira, 10 de janeiro de 1956, dois dias após seu vigésimo primeiro aniversário, Elvis Presley pisou no estúdio da RCA em Nashville pela primeira vez. Pouco antes do Natal, Steve Sholes lhe enviara um bilhete propondo dez títulos para sua análise, junto com demos de acetato e partituras cifradas de cada uma das canções. A seleção incluía baladas, novidades, "choronas" country, blues e músicas "rítmicas", que Sholes o incentivou a aprender e depois informar ao chefe de a&r da RCA de qual delas ele mais tinha gostado. Uma semana antes da sessão, no Variety Club em Memphis, um clube pós-expediente "apenas para membros" frequentado por gente do ramo de entretenimento e empresários, Elvis sentou-se ao velho e detonado piano de armário e deu uma palhinha de "Heartbreak Hotel" para Dewey, anunciando que ia gravá-la em Nashville na semana seguinte.

Enquanto isso, Sholes entrou em contato com Chet Atkins, seu coordenador de Nashville e uma das principais inspirações de Scotty na guitarra, para reservar o estúdio e montar uma banda para a sessão. A banda não seria problema – eles utilizariam o grupo habitual de Elvis com Chet no ritmo. Além disso, Atkins convocou Floyd Cramer, que tinha acabado de se mudar para Nashville e já tocara piano para Elvis no Hayride e na turnê do ano anterior, bem como Gordon Stoker dos Jordanaires, o popular quarteto que acompanhou a turnê de Eddy Arnold e fazia os vocais de fundo em um número crescente de sessões em Nashville. Ele não conseguiria empregar o grupo completo, explicou Atkins a Stoker; a RCA tinha acabado de assinar com o renomado quarteto gospel Speer Family, e ele queria usar Ben e Brock Speer para engrossar o som das baladas que fossem gravar na sessão.

Steve Sholes estava ficando cada vez mais nervoso. Na convenção de DJs, em novembro último, o editor da *Billboard* Paul Ackerman escreveu sobre a postura predominante: "Quem comprá-lo [Elvis Presley] ficará empacado", e a postura predominante no escritório de Nova York não era mais reconfortante. Sholes, normalmente o mais cauteloso dos homens, não desconhecia que havia arriscado o pescoço com esse contrato. Sem dúvida, existia ciúme corporativo suficiente para enterrá-lo. Pouco antes do ano-novo, seu estado de espírito não melhorou quando ouviu o último lançamento de Sam Phillips, a dançante, otimista e tempestuosa "Blue Suede Shoes", de Carl Perkins, de apenas vinte e três anos de idade. "Steve ficou com medo de ter comprado a revelação errada", observou Chet Atkins, e muita gente na RCA ficou com a mesma impressão precipitada.

No entanto, nas semanas seguintes à assinatura, a RCA, como entidade corporativa, fez tudo o que pôde para capitalizar seu investimento. Em 2 de dezembro, lançaram sua própria versão do último single de Elvis na Sun, "I Forget to Remember to Forget", ainda subindo nas paradas country após onze semanas e agora destinada a chegar ao número um e permanecer nas paradas por mais vinte e oito semanas. Além disso, relançaram todos os quatro singles da Sun em 20 de dezembro. Por sua vez, a Hill and Range enfim publicou o *songbook* com as canções de Elvis Presley. Em 17 de dezembro, o Coronel anunciou que Elvis tinha sido contratado para quatro apresentações no *Stage Show* da CBS, programa de auditório cujos *hosts* eram Jimmy e Tommy Dorsey. O programa tinha a produção do comediante Jackie Gleason na esteira de seu altamente bem-sucedido programa aos sábados à noite. A NBC também tinha concorrido, declarou o Coronel, mas a oferta do colega artista da RCA Perry Como, cujo programa era rival do de Gleason, pelos serviços do senhor Presley foi malsucedida. "A mais badalada personalidade da indústria fonográfica da última década", declarou o anúncio de página inteira da RCA na *Billboard* em 3 de dezembro, apresentando uma fotografia dinâmica de Elvis Presley, pernas escanchadas, olhos fechados, cantando seu blues a plenos pulmões e um pequeno aviso em itálico embaixo: "Bob Neal, empresário/sob a direção da Hank Snow Jamboree Attractions/Coronel Tom Parker, gerente-geral".

A RCA TINHA SEUS ESTÚDIOS num prédio dividido com a Comissão de TV, Rádio e Cinema da Igreja Metodista. O salão de pé-direito alto tinha um teto arqueado que criava uma tendência, de acordo com Atkins, de deixar as notas graves "vibrarem por um longo tempo". A primeira sessão estava marcada para as 14h, horário improvável, mas Sholes e

Chet não gostavam muito de sessões noturnas. D. J. Fontana sentou-se atentamente atrás de sua bateria; era sua primeira sessão de gravação com a banda, e sabia que existiam muitos bateristas tão bons quanto ele em Nashville. Floyd Cramer, com uma jovem esposa para sustentar, estava se perguntando se tinha tomado a decisão certa ao deixar Shreveport e se o trabalho de estúdio podia lhe proporcionar estabilidade. Por sua vez, Steve Sholes, atrás do vidro da sala de controle às voltas com suas partituras cifradas e listas de músicas e pouca percepção de como o garoto reagiria ao novo estúdio e à nova situação, não conseguia evitar o medo de dar um passo em falso. Trabalhar com uma banda tão heterogênea, especialmente em circunstâncias tão exigentes; sentir-se sob o escrutínio ciumento não só de sua própria gravadora, mas de toda uma indústria; tentar duplicar o efeito de eco ("*slapback*") que se tornou marca registrada do cantor enquanto seus próprios engenheiros professavam ignorância sobre como Sam Phillips tinha conseguido aquilo – ele não estava feliz de estar na posição em que estava. Bill mascava chiclete e soltava piadinhas, mas até mesmo ele sentia a tensão no ar. Scotty também não se sentiu melhor ao ouvir a resposta de Atkins a uma pergunta sua. Para tentar quebrar o gelo, os dois tiveram uma conversa sobre as qualidades exclusivas dos amplificadores Echosonic, um item customizado que Scotty tinha adquirido seis meses antes, após ficar sabendo que Chet fez uso do equipamento para obter um efeito particular em "Mister Sandman". Então, Scotty perguntou a Chet o que ele gostaria que eles fizessem. "Só continuem fazendo o que vocês têm feito", foi a resposta caracteristicamente fleumática de seu ídolo musical. "Ele era o próprio Cool Hand Luke", disse Scotty, em referência ao personagem do filme *Rebeldia indomável*. "Ele não estava ali para atrapalhar nem nada. No começo [a coisa toda] foi uma mudança drástica para nós... acho que passou uma certa frieza. O engenheiro chamava o *take* pelo número, em vez de dizer 'Ei, faça de novo'. Não tive a sensação de estar necessariamente num momento grandioso, mas agora a atmosfera era um pouco mais profissional... Éramos marinheiros de primeira viagem!"

Só Elvis não mostrava qualquer sinal de tensão. Vestia uma calça cor-de-rosa com listra azul e estava claramente animado. Atirou-se na primeira música, "I Got a Woman", de Ray Charles, que ele cantava havia quase um ano em seus shows, e a interpretou várias vezes, arrematando com um final meio blues que sempre era o clímax da performance ao vivo. Não mostrou nem sombra de dúvida ou hesitação. Não pareceu se incomodar com o efeito de eco no estúdio. (O *slapback* de Sam Phillips era, em essência, um ajuste eletrônico, um *overdub*. A única maneira de obter um efeito semelhante no estúdio da McGavock Street – numa espécie de aproximação grosseira – era colocar um microfone e um amplificador nas extremidades opostas do comprido corredor na frente do edifício e realimentar o som de volta à sala principal.) Ele só esperava sua melhor oportunidade, como Sam Phillips o ensinou, até acertarem em cheio. Às vezes Steve Sholes declarava um *"master take"*, mas o garoto insistia, de modo afável, que podia fazer melhor, que ainda não estava lá. Atkins, normalmente gélido e sem emoção, ficou tão impressionado com a performance que ligou para sua esposa e disse a ela para vir ao estúdio imediatamente. "Eu disse à minha esposa que ela nunca mais veria algo assim de novo, era empolgante demais."

A próxima música foi "Heartbreak Hotel", a canção que Mae Axton tinha levado à convenção, e que Elvis falou a Dewey que iria gravar. Era uma composição estranha, quase mórbida, que Axton havia composto com Tommy Durden após Tommy lhe mostrar a reportagem de um jornal de Miami sobre um homem que se suicidou e deixou um bilhete dizendo: "Ando numa rua solitária". "Isso me deixou atordoada", disse Mae. "Falei a Tommy: 'Sempre tem alguém no mundo que gosta da gente. Vamos colocar um Heartbreak Hotel no fim dessa rua solitária'. E ele disse: 'Vamos lá'. Então a escrevemos." Mae prometeu a música a Buddy Killen na Tree Publishing, e ela deu um terço dos créditos de composição a Elvis. "Eu não sei por quê", disse Buddy, "ela falou que queria comprar um carro para ele." A Hill and Range tentou conseguir a publicação, mas Mae se manteve firme, o que deve ter frustrado Steve Sholes ainda mais.

Era uma escolha estranha sob o prisma da sabedoria convencional: sombria, cansada do mundo, definitivamente em desacordo com a imagem incontrolavelmente vibrante que Elvis projetava desde o início, ao vivo e em todos os seus discos até aquela data. Em tese, talvez não fosse um ajuste totalmente confortável, e Sam Phillips rotulou o produto acabado de uma "barafunda mórbida", mas Elvis claramente acreditava nela e colocou todo o seu talento. Apesar das reservas pessoais de Sholes e de Chet, a sobreposição pesada de ecos e as batidas no aro de D.J. criaram uma atmosfera poderosa, carregada emocionalmente de um desespero otimista.

À tardinha, gastaram três horas inteiras para gravar "Money Honey", que, com sua batida r&b, era mais uma das preferidas do público nos shows. A sessão única realizada na tarde seguinte foi investida para gravar as duas baladinhas sugeridas por Steve Sholes, com o grupo vocal improvisado de três homens fornecendo as harmonias de fundo apropriadas. Gordon Stoker, em particular, estava insatisfeito. Stoker, que havia conhecido Elvis no show de Eddy Arnold em Memphis quatorze meses antes, ficou chateado porque seu próprio grupo não havia sido usado. Sentia que o som não era profissional, com um "quarteto" composto de um baixo-profundo e dois tenores naturais. As músicas ficaram boas ("I Was the One" sempre foi a favorita de Elvis daquela sessão), mas Stoker não ficou muito impressionado com as habilidades vocais de Presley para cantar baladas e deixou a sessão com raiva de Chet e Steve Sholes por lhe mostrarem tão pouca consideração.

No frigir dos ovos, foi um começo um tanto desconexo, e não foi com um sorriso estampado no rosto que Steve Sholes voltou a Nova York com dois covers de r&b, um original singularmente estranho cujos direitos nem pertenciam à Hill and Range, e duas baladas em um estilo bem diferente de tudo o que Elvis Presley já tinha gravado antes. E não se sentiu melhor quando, em seu retorno, os seus superiores ouviram o material com desânimo. Sholes relatou que foi aconselhado a voltar imediatamente a Nashville. "Todo mundo me disse que não soava como nada, não soava como seu(s) outro(s) disco(s), e que era melhor não lançá-lo, o melhor seria voltar e gravar tudo de novo." Sholes argumentou que tinha levado dois dias para conseguir aquilo. Voltar seria um desperdício de dinheiro; além disso, teriam outra oportunidade para uma sessão em Nova York no final do mês e precisavam lançar algo imediatamente.

Nesse meio-tempo, Elvis continuava inabalável apesar das dúvidas dos outros. De volta a Memphis, marcou presença na Humes, na Noite Especial dos Pais, em que os pais fazem atividades com seus filhos na escola. No mês anterior, também havia participado do espetáculo natalino produzido pela senhorita Scrivener a fim de angariar fundos para estudantes carentes. Comprou para seus pais uma perua Plymouth 1956, novinha em folha. Também passou no Hotel Chisca para atualizar os ouvintes de Dewey sobre o que ele andava fazendo. Fora do ar, trocou ideias com Dewey enquanto os discos tocavam. Dewey ficou cada vez mais animado com o mundo em que Elvis estava entrando e o futuro que se descortinava à frente dele.

No endereço da Memphis Recording Service, na 706 Union, o foco estava nos dois novos lançamentos da Sun: Carl Perkins e seu "Blue Suede Shoes" e o insólito "Folsom Prison Blues", de Johnny Cash. Elvis contou a Marion e ao senhor Phillips tudo sobre a sessão de Nashville e a iminente participação no programa dos Dorsey. Sam era fã das big bands de swing e sempre citava "Boogie Woogie" de Tommy Dorsey como o início de tudo. Sam não o interrogou muito sobre a sessão. Considerava Steve Sholes um homem íntegro e não queria soar intrometido. Ficaram ali sentados por uns minutos no pequeno escritório externo, sem falar muita coisa, mas certos de que tudo transcorria conforme planejado. Elvis se sentia à vontade com Sam e Marion, ele se sentia em casa no pequeno estúdio – "Era seu lugar preferido", disse Sam. "É a constatação de um fato. Se você ficava amigo dele, ele nunca se esquecia disso. Tinha dificuldade em construir amizades verdadeiras, e eu também tinha essa dificuldade. Tenho muitos amigos, mas não sou uma pessoa que constrói relacionamentos facilmente. O Elvis também era assim. Era simplesmente um solitário inato."

Teve notícias de Steve Sholes novamente por volta de 20 de janeiro, uma semana antes da data programada para sua partida a Nova York. Sholes sugeriu seis músicas dessa vez, incluindo "Pins and Needles in My Heart", canção de Roy Acuff de 1945 com a qual Sholes pensava que Elvis pudesse "se identificar". Uma cópia da carta, é claro, foi enviada ao Coronel, que andava ocupado fazendo planos com base em um futuro que ninguém mais conseguia enxergar.

A visão do futuro do Coronel centrava-se em exposição em massa, algo que ele havia experimentado com sucesso com Eddy Arnold. Com Elvis, porém, era diferente. "Acho que havia uma grande diferença de épocas... A época de Eddy Arnold e a época de Elvis eram totalmente diferentes", disse a comediante country Minnie Pearl, que trabalhou com o Coronel nas duas épocas. Diferentes porque, de acordo com Pearl, apesar da fama alcançada por Arnold, Elvis era o sonho do Coronel, o veículo perfeito para todos os esquemas promocionais elaborados e engenhosos do Coronel. Elvis era o mais puro dos produtos do pós-guerra, a mercadoria que estava faltando nas prateleiras num mercado em expansão de tempo livre e dinheiro disponível. Como tinha feito com Eddy Arnold, o Coronel "dormia, comia e respirava Elvis" – mas os tempos eram outros, bem como as personalidades dos artistas: Elvis era jovem e ansioso para agradar, plasticidade pura numa era informativa que exigia um herói versátil.

A televisão era fundamental para o negócio. O Coronel percebeu isso – que diabos, Bob Neal tinha percebido isso, era o que ele estava mirando quando levou Elvis a Nova York para fazer um teste no programa Talent Scouts de Arthur Godfrey. Quantas pessoas você consegue alcançar ao aparecer em rede nacional em comparação a todos os shows de uma noite, infinitas promoções e oportunidades, que você fazia antes de levantar acampamento e ir à próxima cidade? Não havia comparação, nem mesmo para um sujeito com raízes nos parques e circos itinerantes como Tom Parker. O truque era controlar o jogo. Você tinha um rapaz que poderia se arruinar por diversas variáveis: sexo, escândalo, intimidades, perda de autoconfiança. A ideia era afastá-lo dessas variáveis. O truque era expô-lo, mas expô-lo na medida certa, definindo e controlando o nível de perigo aceitável. O Coronel tinha uma série de aliados poderosos, uma equipe cuidadosamente montada que incluía Abe Lastfogel, chefe da Agência William Morris, e seu braço direito, Harry Kalcheim, que havia alinhavado o contato com Dorsey; Jean e Julian Aberbach da Hill and Range, que junto com Lastfogel remontavam aos dias de Eddy Arnold; mantinha todos os seus contatos de sua passagem pela RCA, além de colaboradores periféricos como Bill Randle, com sua vasta audiência de rádio, trabalhando pelos interesses do Coronel sem sequer se darem conta. Tudo o que ele tinha a fazer era induzi-los a trabalhar sozinhos sem atrapalhar uns aos outros. A chave era montar um time no qual todos os jogadores funcionassem harmonicamente, mas só o treinador do time sabia a função e a posição de cada um. Era um truque difícil, mas factível – bastava o menino fazer a parte dele. E o Coronel não tinha a menor dúvida de que Elvis conseguiria fazer.

NA SEMANA ANTERIOR à primeira participação dele no *Stage Show* dos irmãos Dorsey, Elvis estava em turnê no Texas. No sábado à noite, contou aos artistas de Hayride sobre sua iminente presença na televisão, e todos lhe desejaram sorte – ele já estava na turnê da Jamboree Attractions no Sudeste havia um mês, agendada para acontecer simultaneamente às participações consecutivas na televisão, nos próximos quatro sábados à noite. Conforme Maylon Humphries, amigo de Shreveport e artista ocasional que estava em férias na faculdade: "Ele estava sentado no camarim de Hoot e Curley, e Curley falou: 'Elvis, você vai fazer uma fortuna com isso', e ele baixou o olhar, respirou fundo e revelou quanto estava ganhando. 'Mas, sabe, Curley', continuou ele, 'o senhor Parker falou que mais gente vai me ver nessas quatro apresentações na TV' – e ele não falou 'Coronel' e sim 'senhor Parker' – 'do que o público de todos os shows que fiz no Hayride'". O que deixou todo mundo com uma pulga atrás da orelha.

Ele voou a Nova York na quarta-feira, 25 de janeiro, com o Coronel, e na quinta-feira reuniu-se com vários executivos da cúpula da RCA. Steve Sholes o apresentou a Larry Kanaga, o chefe da divisão de discos, e Sholes queria afundar no chão quando Elvis deu um susto em Kanaga com o zumbidor manual que tinha escondido na palma da mão. Depois, Sholes o levou ao departamento de publicidade, onde conheceu Anne Fulchino, a jovem e atraente bostoniana que tinha modernizado as práticas de publicidade nos setores pop e c&w na RCA. Havia um tempo que ela pedia a Sholes um artista novo com potencial para revolucionar a música pop. "Steve trouxe Elvis e nos apresentou. Ele apertou minha mão, e tinha aquele zumbidor manual. Falei: 'Meu amor, isso até pode ser engraçado em Memphis, mas nunca vai funcionar em Nova York'. Felizmente, ele tinha senso de humor, então achamos graça daquilo, mas ele parou de usar aquele estúpido zumbidor.

"Ele captava tudo muito rápido, um garoto interiorano que percebia as coisas rápido. Nós o levamos para almoçar naquele dia, e ele não sabia qual talher usar, mas logo pegou o jeito. Era um jovem que sabia para onde queria ir, e ele era bastante focado nisso. Tivemos uma conversinha naquele dia sobre o que ele queria fazer, quais eram os objetivos de longo prazo e quais os passos da campanha publicitária. Expliquei a ele que isso deveria ser feito de forma muito metódica, que deveria ser um plano de longo prazo, eu precisava saber as intenções dele, e nós dois tínhamos de concordar que ele era capaz de cumprir as metas. Desenhei pequenas pirâmides no meu caderno para mostrar a ele, e falamos sobre temas como turnês, e desde o início eu vi o potencial dele para o cinema. Elvis entendeu tudinho. Ele queria chegar lá, e tinha talento. Depois do almoço, pedi a ele que esperasse em minha sala e fui conversar com Steve. Falei para o Steve: 'Encontramos!'. O cara que procurávamos."

No sábado de manhã, perto do meio-dia, aconteceu um ensaio nos Nola Studios, na Broadway, esquina da Fifty-First com a Fifty-Second, a poucas quadras do Warwick Hotel, onde o Coronel, Elvis e a banda estavam hospedados. O Coronel e um agente da William Morris apresentaram Elvis aos irmãos Dorsey e à mãe deles, "e Elvis mostrou um misto de respeito e cortesia", observou Arnold Shaw, o primeiro a indicar Presley a Bill Randle. Os Dorsey "ficaram claramente desconcertados", não estavam acostumados com tanto respeito e cortesia. Scotty, que gostava da parte de engenharia de som, foi conferir a cabine de controle. D.J., por sua vez, nunca havia estado em Nova York antes. "Não sabíamos o que esperar. Não sabíamos que tipo de pessoas eles eram... Achávamos que iam simplesmente nos engolir." Com surpresa, foi apresentado a seu ídolo de infância, Louie Bellson. O veterano baterista convidou D.J. para tomar um café e mostrou que era um "cara legal". Elvis ficou por ali no saguão, brincando com o filhinho de cinco anos de Grelun Landon, representante da Hill and Range, e contando a Grelun e Chick Crumpacker, entre outros, a história de seu carro incinerado na rodovia. Viu a própria carreira "virar fumaça", disse ele. Subiram numa colina para ver o carro em chamas. Súbito, a buzina disparou com toda a força e então foi minguando progressivamente, contou ele, como uma vaca moribunda. Mencionou alguns de seus artistas favoritos, Bill Kenny e os Ink Spots em particular, e disse que seu ator de cinema favorito era James Dean, e brincou na hora de dizer o título de seu filme favorito, *"Rebelde Debalde"*. Ele era encantador, disse Chick Crumpacker, conquistava as pessoas porque levava em conta a reação delas.

O dia estava nublado – uma tempestade havia atingido a Costa Leste –, mas quando o ensaio terminou Elvis aceitou o convite para fazer um passeio com Grelun Landon e o filhinho dele. Pararam numa loja de artigos esportivos perto do Madison Square Garden e compraram uma bola de futebol americano para ficar treinando arremessos. Depois, tomaram milk-shakes num café e alegremente absorveram a agitação urbana. De volta ao hotel, Scotty e Bill lembraram algumas das primeiras turnês, e Bill falou sobre todas as coisas que tinham feito quando começaram a tocar com Elvis. Como sempre, Scotty manteve-se reservado, enquanto Bill contou entusiasmado algumas das encrencas em que tinham se metido. Elvis? Bem, disse Landon, com Elvis era impossível saber até que ponto ele estava realmente descontraído ou se estava apenas tirando de letra a situação. Aos trinta e três anos, Landon, veterano da indústria fonográfica e um arguto observador da natureza humana, percebeu uma coisa em Elvis. "Ele sempre sabia o que estava fazendo. Penso nele como uma espécie de romancista... Estudava, observava o que estava acontecendo, era algo inerente a ele." Trocaram ideias sobre "Heartbreak Hotel", lançada pela RCA no dia anterior. Pouca gente apostava as fichas no single novo, misterioso na mensagem e no estilo. Quase todo mundo na RCA (inclusive Steve Sholes), preferia o som transparente, translúcido e atrevido de "I Forget to Remember to Forget", que, em sua nova prensagem na RCA, continuava subindo ao topo das paradas. Mas a RCA precisava de produtos novos, precisava demonstrar seu compromisso com seu novo artista, precisava provar que não tinha cometido um erro de proporções monumentais e que não estava prestes a se tornar a chacota da indústria. Pouco antes de ir ao auditório, Elvis Presley tirou uma soneca.

O PROGRAMA DAQUELA NOITE, escreveu Chick Crumpacker, não pareceu prenunciar ou indicar um sucesso arrebatador. Foi transmitido do Studio 50 da CBS, entre a Fifty-third e a Fifty-fourth, e "pouca gente se animou a enfrentar a tempestade. No auditório, tiritavam uns gatos-pingados, soldados e pessoas que buscavam refúgio contra o mau tempo no sábado à noite. Lá fora, muitos adolescentes passavam reto pela marquise e se dirigiam a um rinque de patinação ali perto. Pouco antes do horário do programa, um exausto *promoter* [o próprio Crumpacker] voltou à bilheteria com dezenas de ingressos, incapaz de distribuí-los nas ruas da Times Square".

O programa em si andava mais para lá do que para cá. Os índices de audiência caíam, e sob muitos prismas não passava de um capricho de uma das maiores estrelas da televisão, que casualmente curtia o doce som do swing. O *Stage Show* tinha estreado no outono anterior, com meia hora de duração. Servia como uma introdução ao esquete "Honeymooners" de Jackie Gleason, que antes pertencia ao *The Jackie Gleason Show*. A audiência era tão baixa que em março o programa mudou de horário e depois foi cancelado após uma única temporada. Entre os outros convidados na noite de estreia de Elvis Presley na televisão estavam Sarah Vaughan, cujo marido empresário George Treadwell se recusou a deixá-la cantar logo após um cantorzinho "hillbilly" sem talento, e o tocador de banjo e humorista Gene Sheldon. Na manhã anterior, a coluna de Nick Kenny do *New York Daily Mirror* havia anunciado que "Bill Randle, um dos melhores disc jockeys do país, marca presença no *Stage Show* da CBS, amanhã às 8 da noite. Bill vai apresentar sua nova descoberta, o cantor pop Elvis Presley". Tommy Dorsey chamou ao palco não Elvis Presley, mas o "convidado especial" Bill Randle, que durante aquela tarde havia "colocado pilha" nos ouvintes de seu programa de rádio para comparecerem ao evento. Randle pegou o microfone e disse: "Agora, queremos apresentar a vocês um jovem que, como muitos artistas, Johnnie Ray entre eles, veio do nada e se tornou uma grande estrela da noite para o dia. A primeira vez que vi este jovem foi quando fazíamos o nosso curta-metragem. Achamos que esta noite ele vai fazer história na televisão, com vocês... Elvis Presley!".

Então Elvis surgiu com um olhar de quem havia sido arremessado por um canhão. Camisa preta, gravata branca, calça com listra brilhante, jaqueta de tweed tão espalhafatosa que quase brilhava. Com um leve aceno de cabeça para Scotty e Bill, engrenou a primeira música. Para a surpresa de Randle, não foi o seu novo single na RCA, mas "Shake, Rattle and Roll", de Big Joe Turner. Quando chegou na parte instrumental, ele recuou buscando o abrigo protetor da banda, subiu na ponta dos pés, abriu bem as pernas e se soltou.

A reação do público, recorda-se Chick Crumpacker, foi um misto de choque e interesse, "uma espécie de divertimento. O povo tende a rir e a aplaudir em momentos-chave". Ele não para de mexer as mãos e parece mascar chiclete, seu aspecto geral é o de uma contração espasmódica – mas ostenta uma confiança ilimitada, também, e seus olhos pintados de rímel parecem escanear o público buscando... conexão. No meio da música, ele emenda "Flip, Flop and Fly", outro número de Big Joe Turner, e você não tem certeza se é planejado ou não, mas tem a sensação de algo feroz e descontrolado. Scotty toca sua guitarra atento e focado. Bill – mascando chiclete – incentiva aos gritos: "Vai, vai, vai". E Elvis se deixa ir. No final da performance, quase cambaleia atrás do microfone, faz uma reverência teatral e acena, tudo num átimo. O que absorvemos dele, não importa quantas vezes o assistimos ou o quanto percebemos o inquieto movimento das mãos, é o puro gozo do momento. Elvis Presley está no topo do mundo.

"Papai só ficou lá sentado", contou Jackson Baker, então com quinze anos, vizinho dos Presley no verão anterior, "e disse: 'Elvis vai ser uma grande estrela'. Todos nós assistimos, e era tão óbvio que ele seria." Bob Johnson tomou nota para uma história futura: "Presley coloca intensidade em suas músicas. Emoção exacerbada? Sim. Mas ele transmite. Ele 'vende'. Elvis chegou. (...) Mas você não pode se jogar em algo com tanta intensidade sem um custo. Vai esgotá-lo. Vai exauri-lo emocional e fisicamente. Agora ele tem vinte anos [na verdade tinha vinte e um]. Se for sábio, vai desacelerar um pouco e viver mais vinte anos".

Pouca gente em Memphis não assistiu – Bob Neal, o prefeito, os irmãos Lansky, Dixie e sua família, os amigos de infância de Elvis, todos torciam por ele, sem dúvida. Contudo, estrelas não caíram do céu, a audiência não subiu sensivelmente e não houve uma grande cobertura da imprensa sobre a estreia de Elvis Presley na TV. Na segunda-feira de manhã, ele estava de volta ao estúdio de gravação.

DE NOVO, STEVE SHOLES idealizou uma sessão que só poderia acontecer em sua mente. Escalou um versátil tecladista chamado Shorty Long, que seria destaque no novo musical de Frank Loesser, *The Most Happy Fella*, a estrear em maio, para encorpar a banda. Novamente, fez o seu melhor no intuito de preparar Elvis para a sessão, mas sentiu que faltava algo. Elvis nunca respondia com insolência, e Sholes só tinha elogios ao garoto perante o Coronel Parker quanto à postura e à atitude de seu jovem representado. Mas Sholes suspeitava que faltava uma conexão.

O QUE ABSORVEMOS DELE, NÃO IMPORTA QUANTAS VEZES O ASSISTIMOS OU O QUANTO PERCEBEMOS O INQUIETO MOVIMENTO DAS MÃOS, É O PURO GOZO DO MOMENTO. ELVIS PRESLEY ESTÁ NO TOPO DO MUNDO.

A polidez do menino mascarava uma distância ou outro ponto de vista que ele não conseguia, ou não queria, articular.

Por instigação de Sholes, no que parecia um procedimento padrão da gravadora, começaram com "Blue Suede Shoes", o novo lançamento da Sun que subia nas paradas e gerava dúvidas tão atrozes na RCA. As condições de gravação ali em Nova York eram muito mais satisfatórias do que em Nashville: o estúdio no piso térreo do edifício da RCA na East Twenty-Fourth, que já havia abrigado os antigos estábulos da academia de polícia, oferecia todo o conforto necessário para Sholes trabalhar, e os músicos certamente estavam familiarizados com o material. Após treze *takes*, porém, ainda não tinham uma versão capaz de rivalizar com a autoridade da original. Sholes não ficou mais tranquilo quando o jovem declarou que não adiantava continuar tentando: não conseguiriam fazer melhor do que Carl, por mais que tentassem. Em seguida, por solicitação de Presley, emendaram numa canção com a qual Sholes certamente estava familiarizado porque era de um artista com quem ele havia trabalhado amplamente na série "racial" da Victor, o cantor de blues Arthur "Big Boy" Crudup. Crudup tinha escrito "That's All Right", a primeira música de Presley, e foi naquele instante que gravaram a magistral versão de "My Baby Left Me". Pela primeira vez, a banda começou a realmente soar como uma unidade. A bateria de D.J. e o baixo marcante de Bill introduziam a canção. Em contraste com os ritmos apressados da música de Perkins ou os ecos misteriosos de "Heartbreak Hotel", aquilo soou natural e vibrante, ao estilo das gravações na Sun. Mas não foi um grande consolo para Sholes. Para ele, um blues de Arthur Crudup não era bem o que eles estavam procurando, por melhor que ele fosse. A RCA não tinha assinado com um cantor de blues. Tinha assinado com um novo artista de potencial pop. A RCA não buscava esse tipo de som. Buscava um novo som revolucionário.

A sessão vespertina bateu na mesma tecla. Outro maravilhoso embalo de Crudup, "So Glad You're Mine", além de uma das seis músicas que Sholes havia sugerido, uma canção de boteco chamada "One Sided

Love Affair", adequada ao estilo pianístico *boogie-woogie* de Shorty Long. Se ele conseguisse mais três ou quatro, Sholes imaginou, juntando com os cinco títulos não lançados pela Sun que ele havia adquirido, teria justamente o suficiente para um álbum.

A certa altura no processo, ligou para Sam Phillips em Memphis e, sob o pretexto de informá-lo de que tinham gravado "Blue Suede Shoes" (garantiu a Sam que não seria lançada como single), pediu conselhos e reafirmação sobre o curso que estava seguindo. Deu até a entender, de acordo com Phillips, que estaria interessado em contratar Sam como produtor freelance para gravar os discos de Elvis na RCA. "Falei a ele que a RCA não tinha investido na pessoa errada. Repeti o que eu já tinha dito quando ele comprou o contrato: não tente transformar o Elvis em algo que ele não é instintivamente. O pior erro que você pode cometer é tentar moldá-lo como um limitado artista country, ou qualquer outro rótulo, se isso não fluir naturalmente. Mantenha tudo o mais simples possível. Sou o maior admirador de Steve Sholes, ele era uma pessoa muito íntegra (e, cá entre nós, não sei como conseguia isso trabalhando numa grande gravadora), mas produtor ele não era. Steve estava presente em todas as sessões, mas ficava sempre num maldito silêncio."

No segundo dia de gravação, um jovem repórter chamado Fred Danzig apareceu para uma entrevista, primeiros frutos da campanha publicitária de Anne Fulchino. "Eu redigia a coluna 'On the Record' para a rádio, e fazia outra versão para os jornais, para a chamada United Press Red Letter. Eu entrevistava cantores, compositores e produtores de discos, coisas assim. Em algum ponto em 1955, Marion Keisker começou a me escrever de Memphis sobre um garoto, Elvis Presley, que estava fazendo coisas maravilhosas lá embaixo, e então ele ficou em nono lugar na terceira Disc Jockey Poll (pesquisa realizada entre os disc jockeys) daquele ano. Então eu já tinha ouvido falar nele quando Annie me ligou e me disse que ele estaria em Nova York para fazer o programa dos Dorsey."

Danzig assistiu ao programa de TV e apareceu no escritório de Fulchino às 11h da terça-feira seguinte. Ela o levou ao estúdio de gravação onde, Danzig escreveu mais tarde, "um jovem alto e magro nos esperava no corredor". Ele vestia "uma camisa de um estilo que eu nunca tinha visto antes. Era uma camisa de fita, de cor lavanda-clara. Elvis falou o preço dela: setenta dólares. Também notei que seus mocassins azuis de jacaré estavam descascados e gastos nos calcanhares. Blazer cinza e calça cinza-escura. Unhas roídas até a carne". O carisma dele nos contagiava, disse Danzig, "começando pelo rosto. Se você o visse na rua, ia dizer: 'Uau, olhe só este cara'".

Entraram na sala de controle para fazer a entrevista. Perguntou sobre influências e o garoto listou cantores de blues dos quais Danzig já tinha ouvido falar, mas que "para Elvis obviamente significavam muito. Fiquei bastante surpreso quando citou artistas negros sulistas e sobre como ele tentava captar a música deles. Falou que almejava comprar uma casa para os pais e tornar a vida mais fácil para eles. Perguntei a ele sobre o modo como balançava e gingava o corpo. Falou que pediram para que ele não saltitasse tanto na TV, mas respondeu que era o seu estilo próprio de se apresentar, era como sabia fazer. Mostrou o violão com o corpo envolto em couro e explicou que só havia um outro violão assim. Contou que a ideia tinha sido de Hank Snow. 'Protege o corpo do violão das bordoadas e arranhões quando eu balanço o instrumento e bato a fivela do cinto nele'". Falaram sobre cinema e como ele "queria ir a Hollywood e se tornar o próximo James Dean. Pensei: 'Menos, garoto, menos...' Mas ele tinha metas bem definidas.

"Falamos uns vinte, vinte e cinco minutos (ele não era o garoto mais articulado do mundo, mas respondeu a todas as perguntas), daí Steve Sholes chegou avisando que estavam prontos para começar." Elvis convidou Danzig para ficar e vê-lo trabalhar, e a primeira música que tentaram foi "I'm Gonna Sit Right Down and Cry (Over You)", canção r&b gravada em 1954 por Roy Hamilton (lado B do inspirador sucesso de Hamilton, "You'll Never Walk Alone"). "Caramba, aquelas costeletas me incomodam", comentou Sholes para Danzig sarcasticamente. "Fico pensando se eu não deveria levá-lo à barbearia." Mas acrescentou com uma risadinha: "Em time que está ganhando não se mexe. Acho que é melhor deixar como está".

OS PRÓXIMOS DIAS foram dedicados a passeios turísticos e uma gama de atividades promocionais, organizadas principalmente por Anne Fulchino e Chick Crumpacker, e com a presença do representante da Hill and Range, Grelun Landon. A essa altura, o Coronel já tinha voltado para a casa dele, no Tennessee, a fim de supervisionar, em todos os meticulosos detalhes, tudo o que envolvia a próxima turnê. Com seus "guardiões", Elvis rodou de carro até Trenton para dar uma entrevista na talvez única estação de rádio da zona metropolitana de Nova York a tocar música country. Eles se perderam procurando a rádio, e Elvis dormiu na ida e na volta. O pessoal da William Morris promoveu uma festa para ele; Julian Aberbach, o presidente da Hill and Range, deu um jantar em homenagem a Elvis em sua casa. A esposa de Julian, Anne Marie, serviu cordeiro malpassado, e Elvis quase se engasgou, explicando que não estava acostumado com carne "sangrenta"; gostava mais de hambúrgueres, bem passados. "Educadíssimo", disse Freddy Bienstock, primo de Julian, que também estava presente, "mas todo sem jeito."

Quando o entusiasmo supera a razão. Foi assim que Chick mais tarde explicou a recepção feita na Hickory House, na Fifty-second Street, subindo a Times Square. O erro dele foi não garantir um salão privado. "Era um entra e sai de gente que mais parecia a Grand Central Station. Quem salvou a situação? Elvis. Correu o olhar ao redor e fez um balanço das coisas. Depois assumiu o controle. Com charme e desenvoltura, fez com que todos se sentissem sozinhos com ele no salão." Usava uma gravata pintada à mão, comprada por um dólar na Times Square, e a mesma camisa de fita, cor lavanda, sobre a qual Fred Danzig havia comentado. Alguém disparou uma pergunta. Qual sua reação perante o sucesso? "Está tudo acontecendo tão rápido", disse ele. "Tem tanta coisa acontecendo comigo... que em algumas noites não consigo dormir. Isso me assusta, sabe... apenas me assusta."

A SEGUNDA PARTICIPAÇÃO NO SHOW DOS DORSEY foi um sucesso. Cantou "Tutti Frutti" e "Baby, Let's Play House", novamente ignorando o novo single, que de acordo com a *Billboard* era "um blues intenso com o estilo poderoso e a batida contagiante que eram as marcas registradas de Elvis. (...) Agora Presley está brilhando na TV, em rede nacional, e este disco vai surfar nessa onda especial". Mas algo no programa nitidamente incomodava Elvis. Afinal, como Sholes escreveu a Parker três dias depois: "Acho que Elvis foi ainda melhor no programa desta noite do que no sábado anterior. Sei que ele não ficou tão satisfeito, mas tinha todos os motivos para estar. Pode sentir muito orgulho do garoto", continuou Sholes,

> porque até onde eu sei ele se comportou direitinho depois que você saiu. Na festa de imprensa, se misturou com todos os convidados e causou uma boa impressão. Por isso ele está em muita evidência aqui em Nova York. Com sorte, acho que as perspectivas serão excelentes para todos nós... Na sexta-feira, nenhum material novo agradou a Elvis, por isso gravamos LAWDY MISS CLAWDY e SHAKE RATTLE AND ROLL. Nenhuma delas é adequada para lançamento como single, mas são boas opções para o segundo álbum.

No domingo à noite, Elvis tocou em Richmond com uma trupe do Opry, reunida pelo Coronel, que incluía as Carter Sisters & Mother Maybelle, Justin, filho de Ernest Tubb, e Charlie e Ira Louvin, que já tinham tocado em vários shows com Elvis e eram o grupo favorito de música country da senhora Presley. Tinham shows todas as noites... Greensboro, High Point e Raleigh, na Carolina do Norte; depois em Spartanburg e Charlotte na semana seguinte, com folga no sábado à noite para Elvis ir a Nova York para sua terceira participação no programa dos irmãos Dorsey. Oscar Davis atuava na vanguarda, e o Coronel cuidava da parte logística: a montagem dos shows, o transporte de fotos, programas e todo o material promocional – que agora ele vendia pessoalmente, subtraindo de Bill uma lucrativa fonte de renda extra. A maneira expansiva de Oscar conquistava cada jornalista, promotor de eventos, balconista e porteiro de hotel. Por sua vez, o Coronel, com sua atenção escrupulosa e quase compulsiva aos detalhes (que tanto contrastava com sua aparência casual) e seu quase desdém pelas delicadezas do comportamento humano, garantia que na prática tudo transcorresse conforme planejado. "O Coronel me faz passar vergonha", reclamava Oscar a seus comparsas. "Caramba, ele me deixa muito constrangido. Corre para lá e para cá como se estivesse num parque de diversões, com a maldita camisa saindo para fora da calça e sem gravata." Parker se indignava com a maneira como Oscar desperdiçava dinheiro, mas formavam uma equipe ideal, desde que Oscar não pedisse o boné ou o Coronel não o demitisse por dar uma gorjeta de cinquenta dólares a um mero assistente de palco em qualquer show.

"Trabalhávamos praticamente todos os dias", contou Scotty. "A banda chegava na cidade, ia para o hotel, tomava banho ou senão ia direto ao auditório ou teatro, fazia o show e depois embarcava nos carros rumo à cidade seguinte. Não dava nem tempo para ler jornal... E não escutávamos muito rádio, porque viajávamos à noite e dormíamos de dia... Tudo o que a gente fazia era rodar de carro, rodar de carro, rodar de carro." Nas palavras de D.J., era como estar num nevoeiro.

No sábado à noite, toda a trupe assistiu à terceira apresentação no *Stage Show*, quando Elvis cantou pela primeira vez não só "Heartbreak Hotel", mas a recém-gravada versão de "Blue Suede Shoes". A performance de "Heartbreak Hotel" beirou o desastre, com Scotty e Bill ocultos nas sombras, a orquestra dos irmãos Dorsey contribuindo com um arranjo arrítmico que Elvis não conseguia entender, e Charlie Shavers fazendo um solo de trompete que deixou o cantor com um sorriso sem graça nos lábios.

À exceção talvez das Carter Sisters, é bem provável que a trupe tenha se divertido com o deslize do jovem fenômeno. Já havia uma quantidade considerável de inveja pela atenção que Elvis despertava não só do público, mas do próprio Coronel, que claramente concentrava quase todas as suas energias e interesses em sua nova aquisição. Para Justin Tubb, que conhecia a indústria fonográfica desde pequeno, e aos vinte anos, com três hits country, fazia parte do elenco do Opry por direito próprio, a turnê foi diferente desde o início. "O público era muito jovem, e pela primeira vez eu os via gritar, balançar os braços e vibrar. Sabe, cantores e instrumentistas country sempre eram [considerados] quase de segunda categoria. Os músicos pop nos olhavam com ar de superioridade. A sensação que você tinha era de que ali estava alguém que cantava música country para começo de conversa, mas tinha o lance rockabilly, o lance atrevido, e era aquilo que as meninas queriam ouvir.

"Era mais que ciúme, era inveja. Acontecia, dava para sentir. Não só pela reação do público, mas pela importância do lançamento de 'Heartbreak Hotel', pela RCA ter comprado seu contrato, por ele voar a Nova York para fazer o programa de TV e todo mundo ficar lá sentado para assistir.

"Ele era como um diamante não lapidado. Quando saía do palco, estava encharcado, pingando de suor. Trabalhava duro, e colocava tudo o que tinha nisso, e tudo o que ele fazia funcionava, porque o público simplesmente não se importava – nunca tínhamos visto nada parecido antes. Meu sentimento era de que o programa na TV não tinha captado isso – claro que já o tínhamos visto em ação, e pode ter sido inveja, mas ele pareceu um pouco reservado pelo que vimos, parecia um pouco nervoso, não mostrou todo o seu magnetismo e carisma."

A turnê prosseguiu. Elvis, Scotty e Bill ficavam muito na deles, de acordo com Justin. "Elvis sempre ficava nos bastidores e observava todo mundo, especialmente os irmãos Louvin: ele era fã deles." De vez em quando, ele saía para comer com os outros, mas Red West, que fazia a maior parte do trabalho de motorista, e D.J. eram os únicos mais propensos a sair. No final da segunda semana, Elvis e seus três membros da banda voaram de Winston-Salem, Carolina do Norte, a Nova York. Tocaram no programa de TV com instrumentos emprestados, enquanto Red transportava os deles num trailer cor-de-rosa construído por Vernon ("Parecia mais um banheiro sobre rodas", contou Red em seu livro *Elvis: What Happened?*, "[do jeito que] o pai de Elvis falava sobre aquela coisa, você imaginava que era um maldito iate"), numa viagem rodoviária de quinze horas rumo a Tampa. A essa altura, o disco enfim começava a mostrar a que veio. Parecia prestes a estourar nas paradas pop e atraía cada vez mais a atenção da *Billboard*, particularmente na coluna "Best Buys" de country e western, que declarou que as vendas tinham "rapidamente virado uma bola de neve nas últimas duas semanas, com a demanda de clientes de pop e r&b juntando-se aos fãs hillbilly de Presley atrás do disco". Reflexo talvez desse novo fluxo de atividade, a Jackie Gleason Enterprises tinha aproveitado a opção do contrato de Presley e agendado mais duas participações dele no *Stage Show* para o final de março, no valor combinado de US$ 1.250 cada.

Enquanto isso, na turnê, as coisas já tinham chegado ao ponto de ebulição. Poucos dias antes da quarta apresentação no programa dos Dorsey, o promotor de eventos em Wilson, Carolina do Norte, vendeu mais ingressos do que o local permitia. O Coronel avisou à trupe que eles teriam de fazer um segundo show naquela noite. Com um detalhe: sem pagamento extra. Exasperados pela maneira cada vez mais peremptória do Coronel Parker (começavam a sentir que eram tratados não só como "artistas", incômodos necessários na agenda do Coronel, mas como cidadãos de segunda classe, pouco mais do que adereços de palco na turnê), eles se uniram e se recusaram a tocar de novo. Ira Louvin tinha fama de ser "pavio curto" ("Meu irmão tinha um gênio difícil", amenizou Charlie Louvin). Ele vivia dizendo, quem é que esse moleque

Presley pensa que é, esse filho da mãe sem talento, tentando obscurecer a música deles. E esse tal de Coronel que vá pro quinto dos infernos. Ele ia ficar sabendo que não iam mais engolir aquilo.

Fizeram uma reunião, com Ira moderando suas exigências apenas ligeiramente e Justin Tubb, que conhecia o Coronel desde criança (e cujo pai era muito respeitado e amado na comunidade da música country), fazendo ponderações mais sensatas e fundamentadas. Mas, se eles pensavam que Tom Parker seria movido pelo sentimento, ou encurralado por uma posição unificada, estavam redondamente enganados. O Coronel ficou chocado – foi esta palavra que usou, "chocado" – por estar sendo questionado em seus motivos daquela maneira. E um passarinho lhe contou que Ira tinha mandado ele, o Coronel, para o quinto dos infernos. "Por que você falou isso, Iwa?", disse Tom Parker em seu sotaque não modulado, ao estilo Elmer Fudd. "Por que me mandou para o 'quinto dos infernos'?" E quanto a Justin, o Coronel balançou a cabeça, estava decepcionado com ele. Conhecia a mãe de Justin, o pai de Justin, deu a Justin um poneizinho Shetland de aniversário, quando ele era pequeno ("Velhinho e quase cego", murmurou Justin, mas não jogou isso na cara de Tom Parker)... E o que Justin queria ao vir até ele com essas exigências ultrajantes? Alternadamente, os olhos do Coronel faiscavam de raiva e se enchiam de lágrimas. Como Justin reconheceu: "Ele era um veterano do ramo dos parques itinerantes, cresceu em um ambiente rústico, era um homem que cresceu por esforço próprio... Um bronco, mas, quero dizer, ele era o Coronel, acho que a maioria de nós esperava isso dele. Não era nada contra ele, apenas queríamos expor nossa posição".

No fim, o Coronel capitulou – todos os artistas foram pagos, e o show continuou. Mas os ressentimentos recrudesceram. Os ânimos continuaram a se deteriorar. Ninguém duvidava: o Coronel estava furioso e Ira Louvin fervia de raiva, sentindo-se desprezado mesmo quando não era. Dias depois do incidente em Wilson, o caldo transbordou nos bastidores, entre um show e outro. Elvis estava no camarim com os Louvin, cantando hinos e tocando piano quando, na lembrança de Charlie, irmão mais novo de Ira, "Elvis disse: 'Rapaz, esta é a minha música favorita'. Bem, Ira se aproximou e disse: 'Então por que, seu crioulo branco, se esta é sua música favorita, por que não canta isso em seus shows? Por que canta aquele lixo crioulo?'. Presley respondeu: 'No palco eu canto o que a plateia quer ouvir. Quando estou aqui, posso tocar o que eu quero'". Num acesso de raiva, Ira "tentou estrangulá-lo", de acordo com Charlie. "E dali em diante os dois não conversaram mais."

Em Jacksonville, no dia 23 de fevereiro, Elvis desmaiou. Tinham concluído o primeiro show noturno no Gator Bowl e carregavam os instrumentos no estacionamento quando, no relato de Bill, ele "desabou". Foi levado ao hospital, onde ficou sob observação por duas horas. Elvis conta que o plantonista diagnosticou: "a minha carga de trabalho em vinte minutos era a mesma de um trabalhador normal em oito horas. Se eu não reduzisse o ritmo, seria preciso me afastar por dois anos". Mas saiu do hospital antes do amanhecer, porque, disse aos amigos com uma piscadinha, as enfermeiras não lhe davam descanso. Além do mais, disse a Red, era tudo uma farsa para impressionar Anita Carter. Tocou no Gator Bowl de novo naquela noite sem diminuir a energia e a reação do público. "Desacelerar" era palavra inexistente em seu dicionário.

Voltaram ao Hayride na semana seguinte, após um mês afastados. Em trinta dias, tanta coisa havia acontecido, mas Elvis, Scotty e Bill não tinham tempo para avaliar aquilo. Não parecia tão diferente de tudo o que aconteceu e foi construído ao longo do ano. Tocaram "Heartbreak Hotel" pela primeira vez no Hayride, contou Scotty, "e o maldito auditório quase veio abaixo. Outras plateias também tinham enlouquecido, mas ali era diferente, a sensação de voltar para casa. Mas o público não era mais o mesmo. Rostos e reações diferentes, da água para o vinho... Foi a primeira vez que me perguntei: 'O que diabos está acontecendo?'".

Com o Coronel Parker, Las Vegas, abril de 1956
(James Reid)

O MUNDO DE PERNAS PARA O AR

Março a maio de 1956

O ELVIS PRESLEY que pela sexta e última vez marcou presença no *Stage Show* dos irmãos Dorsey, em 24 de março de 1956, nem parecia a mesma figura inquieta, pouco à vontade, mascando chiclete como um maníaco, que tinha estreado na televisão havia apenas dois meses. Aproximou-se do microfone confiante e cantou "Money Honey" com uma intensidade bárbara. Até o cabelo estava diferente, menos gordurento, mais bem esculpido. Nas apresentações anteriores, sua energia vocal oscilava, e ele se refugiava na proteção de sua banda para fazer suas dancinhas na tentativa de provocar a plateia. Agora, ele encarava o público, que o adorava, com um olhar de divertimento – não de desdém, mas sim de autoridade. Aceitava a adulação da plateia com a devida gratidão... e depois só a provocava um pouco mais. Quando anunciou que iria tocar uma do último disco, houve gritos na multidão, e "Heartbreak Hotel" transmitiu uma força sensual só dissipada quando ele vocalizava naquele tom infantil para surpreender Scotty e Bill em momentos imprevisíveis. Dessa vez não foi nada além de uma insinuação, traída pelo mais discreto sorriso de autossatisfação, em meio ao animado programa. E então ele sai do palco, fria e casualmente, não sem antes se curvar em sinal de reverência. Elvis, como Jimmy Dorsey anunciara no começo do programa, partiria para fazer o teste de ator em Hollywood.

A banda pegou a estrada naquela noite, enfrentando uma tempestade de neve. Pararam em Dover, Delaware, para visitar Carl Perkins no hospital. Ele se recuperava de um violento acidente de carro em que os dois irmãos dele (baixo e guitarra rítmica) também sofreram ferimentos graves. A canção de Perkins, "Blue Suede Shoes", competia ferrenhamente com "Heartbreak Hotel" nas paradas, e ele e a sua banda voltavam de Nova York, onde tinham participado do *The Perry Como Show*, um concorrente do programa dos irmãos Dorsey, quando o acidente ocorreu. Elvis, porém, ficou em Nova York naquela noite para dar uma entrevista ao repórter da revista *Coronet*, Robert Carlton Brown, na qual avaliou seu sucesso atual. Contou que telefonava diariamente aos pais, porque "minha mãe se preocupa com acidentes ou doenças. Então tenho de informá-la. A verdade é que ela não está bem de saúde... E não é bom para ela se preocupar muito". Tinha acabado de comprar uma casa nova para os pais, informou Brown. "Eles se mudaram na terça-feira. Tem sete cômodos, é tipo uma casa de campo. Três quartos, um escritório, sala de jogos... Um lugar muito bonito." Quanto ao pai dele: "Agora parou com tudo... Só cuida dos meus negócios. Em outras palavras, ele é muito mais importante para mim em casa do que no trabalho. Porque é tanta coisa se acumulando para mim quando estou fora que, se ele não estivesse lá para me ajudar, quando eu chegasse em casa não teria nem tempo para descansar um pouquinho. Ele cuida de tudo, sabe... Tudo que aparece, seguros, um montão de coisas que eu poderia mencionar". E o Coronel? "Andei lendo que o Coronel Tom Parker", emendou o entrevistador, "lhe deu muitos conselhos e ajuda. De que natureza?" "De tudo um pouco", disse Elvis sem hesitação. "É o único cara que realmente me deu grandes oportunidades... Não acho que eu chegaria onde estou sem ele. É inteligentíssimo."

Bob Neal assistia perplexo: agora era uma carta, plena e formalmente, fora do baralho. Em 15 de março, seu acordo com Elvis tinha acabado e, conforme o contrato de 21 de novembro com o Coronel, não exerceu o direito de renovar. Em 26 de março, o novo status do Coronel como "único e exclusivo consultor, representante pessoal e empresário em todo e qualquer ramo do entretenimento público e privado" estava formalmente ratificado. A comissão? Também foi reafirmada em 25%. Em entrevista a Jerry Hopkins em 1971, Neal declarou: "Fiquei com a sensação de que deveria ter me esforçado mais para manter o vínculo. Mas, ao mesmo tempo, muita coisa acontecia em Memphis... Meu programa de rádio, as promoções, a minha loja de discos... Família grande, crianças na escola e assim por diante... Meio que abri mão". Sem dúvida, Neal apreciava o sucesso de Elvis, mas talvez o incomodasse ver as manchetes, semana após semana, e notar que poderia, e talvez deveria, fazer parte daquilo. "PÃO QUENTE! Presley vende como água" foi a manchete estampada na *Billboard* em 3 de março.

> Esta semana o artista mais vendido da RCA Victor foi ninguém menos do que o incrível jovem rouxinol country, Elvis Presley, na gravadora há apenas dois meses. Presley tem seis singles de sucesso na lista dos 25 mais vendidos da empresa, cinco deles previamente lançados pela gravadora Sun... O single "Heartbreak Hotel" e "I Was the One", lançado pela Victor, é o segundo mais vendido do selo, atrás apenas do hit de Perry Como, "Juke Box Baby".

Até o fim de março, o single já havia alcançado a marca de um milhão de cópias vendidas. Num feito inédito (espelhado apenas por "Blue Suede Shoes", de Carl Perkins, praticamente ao mesmo tempo), chegava perto do topo de todas as três paradas: pop, country e rhythm & blues. Além disso, o novo álbum, lançado em 13 de março, já tinha quase trezentas mil cópias vendidas. A passos firmes caminhava para se tornar o primeiro álbum da RCA a atingir um milhão de dólares (ao preço de US$ 3,98 no varejo). Além disso, o EP com "Blue Suede Shoes", que a RCA havia lançado na mesma data que o LP, também intitulado apenas *Elvis Presley*, sem qualquer crédito ou qualificação adicional (de acordo com as instruções do Coronel, nem músicos nem supervisores de gravação foram creditados), já tinha chegado às paradas. Quem ri por último, ri melhor, alardeou outra manchete da *Billboard*, semanas depois, referindo-se a Steve Sholes.

No DOMINGO, 25 DE MARÇO, após umas horinhas de sono, Elvis voou à Costa Oeste. Tinha um compromisso agendado: apresentar-se no *The Milton Berle Show* na terça-feira seguinte. O teste de ator com o produtor Hal Wallis foi agilmente encaixado na semana de entremeio. Do alto de seus cinquenta e seis anos de idade, Wallis já havia produzido filmes famosos como *Relíquia macabra* (*The Maltese Falcon*), *Casablanca*, *A canção da vitória* (*Yankee Doodle Dandy*) e *A rosa tatuada* (*The Rose Tattoo*). Na época, trabalhava na pré-produção de *Lágrimas do céu*, adaptação da peça teatral de N. Richard Nash, *The Rainmaker*. Em fevereiro, o sócio dele em Nova York, Joseph Hazen, falou de Presley ao veterano da indústria cinematográfica. A cunhada de Hazen, Harriet Ames, uma das sete (e ricas) irmãs Annenberg, era "viciada em televisão" e casualmente assistiu ao programa de Dorsey. Ela ligou para Hazen, que morava do outro lado da rua, na 885 Park Avenue, "então telefonei a meu sócio na Califórnia", lembrou-se Hazen. "Falei: 'Ligue a televisão e assista ao show. Esse garoto é incrível'."

Mais tarde, Wallis escreveu que ficou impressionado com a "originalidade" de Presley. O que mais o impressionou provavelmente foram os números das vendas e o burburinho que ele estava criando (sem mencionar o nítido potencial de explorar o novo mercado juvenil, que clamava por um sucessor do falecido Jimmy Dean), fatores que lhe foram indicados enfaticamente por Abe Lastfogel, da William Morris. O teste de ator estava programado para coincidir com a apresentação no programa de Berle, e o Coronel dispensou os esforços publicitários (em rádios e jornais) para a viagem da Costa Oeste até que todos os detalhes com Wallis estivessem definidos. Sob o prisma de Anne Fulchino: "Foi nesse momento que realmente perdemos o controle. Eu me lembro de que o Coronel me procurou [pouco antes de ele ir a Hollywood], e fez menção de me dar um abraço, mas na hora vi que algo não estava cheirando bem. Ele disse: 'Sabe, quero pedir desculpas a você pelo que fiz em Jacksonville [incidente com Chick Crumpacker na Caravana Country da RCA, dois anos antes]'. Vou te contar, algo realmente não cheirava bem, ele nunca se desculpava, mesmo que estivesse muito errado, então fiquei sabendo que vinha bomba por aí. E ele me disse: 'Vocês fizeram um tremendo trabalho com Elvis. Mas', acrescentou, 'agora vocês podem sossegar'".

Embora o próprio Elvis tivesse deixado claro para o Coronel que tinha pouco interesse em apenas "cantar nos filmes" – se fosse para entrar no cinema, queria tornar-se um astro, um ator de verdade, como Brando, Dean, Richard Widmark, Rod Steiger –, ele foi submetido a um teste de ator em duas partes. Na primeira, recebeu o que parecia um violão de brinquedo e disseram para fingir que cantava "Blue Suede Shoes". A ideia, de acordo com o roteirista Allan Weiss, que estava presente na audição e preparou o disco (na época trabalhava no departamento de som), era ver se a "energia indefinível" que tinha aparecido na televisão transpareceria na filmagem.

Nunca houve qualquer dúvida, escreveu Weiss, quando Presley pisou na frente da câmera:

> Foi uma transformação incrível, (...) a eletricidade ricocheteou nas paredes do palco sonoro. Quem estava presente teve uma sensação espantosa (...) como um terremoto em andamento, só que sem a ameaça implícita. O rapaz inseguro do interior, que se desculpou ao pedir um ensaio como se tivesse feito algo errado, deu um passo à frente e se transformou em dinamite pura. À luz brilhante dos holofotes começou a sincronizar a

letra de seu conhecido sucesso com o movimento dos lábios. Acreditava naquilo e nos convencia, por mais "sofisticado" que fosse o gosto musical do espectador... Essa parte do teste foi concluída em duas tomadas, e começaram com os close-ups. Protestou levemente por não estar "satisfatório" em alguns pontos. Explicaram que os planos de pormenores seriam editados para dar o efeito pretendido. Não sei se ele entendeu, mas obedeceu com sua típica autoconfiança. Nenhum ator substituto foi fornecido, e ele não reclamou enquanto suava em bicas porque as luzes estavam sendo ajustadas.

Em seguida, fez duas cenas de *Lágrimas do céu*, drama histórico ambientado em Kansas em 1913, cuja filmagem estava programada para começar em junho, com Burt Lancaster estrelando ao lado de Katharine Hepburn. As falas dele eram do irmão mais novo de Lizzie Curry (Hepburn). "Decorei minhas falas", contou Elvis orgulhoso, meses depois. "Tinham me enviado o roteiro antes de eu ir a Hollywood... e fui lá e só tentei me colocar no lugar do personagem que eu estava interpretando, tentando agir com a maior naturalidade possível." Nunca tinha atuado em uma peça teatral, sua experiência como ator era nula. No teste demonstrou, conforme Weiss, "uma convicção amadora – como se fosse o protagonista de uma peça do Ensino Médio". Embora meio "cru" pela falta de treinamento dramático, Elvis foi sincero com o senhor Wallis quando se reuniram para discutir o futuro cinematográfico do cantor. Confessou ao senhor Wallis: achava que o papel não era adequado para ele. Era um personagem "perdido de amor, todo tímido. Quer dizer, não era todo tímido. Todo alegre. Todo feliz, todo alegre, todo perdido de amor. Não era como eu... O senhor Wallis me perguntou que tipo de papel eu gostaria de interpretar, respondi que alguém mais parecido comigo, que não exigisse um excesso de atuação". Mas não era bem isso que ele queria dizer. Quando o produtor deu risada, o rapaz sorriu e deixou para lá. Não podia verbalizar o que realmente pensava. Não podia dizer com todas as letras que sabia que conseguia fazer aquilo. Seria como dizer que sabia que conseguia voar. E, embora nunca tenha participado de uma peça teatral no Ensino Médio, sempre se imaginou na tela, estudava os filmes, estudava os atores – a forma como atuavam, a maneira como inclinavam a cabeça, o jeito de conquistar a simpatia do público. Ele havia se imaginado um cantor famoso, e isso se tornou realidade – então por que não a cereja do bolo?

Wallis, por sua vez, ficou impressionado com o comportamento educado e polido do jovem. Depois de trabalhar com Jerry Lewis por sete anos, seria um alívio trabalhar com um jovem tão fácil de lidar, essencialmente maleável. E Wallis e o Coronel (que Wallis considerava "tão fascinante quanto Elvis") estavam bem cientes da longa e lucrativa tradição pela qual praticamente todos os cantores de sucesso (Rudy Vallee, Bing Crosby, Frank Sinatra etc.) acabavam em Hollywood e, com sorte, viravam astros de cinema. Esse tal de rock'n'roll talvez não durasse, mas o moço era mesmo um fenômeno, e se ele conseguisse (como Crosby e Sinatra) transformar esse magnetismo na receptividade do artista completo, então eles seriam capazes de ganhar muito dinheiro juntos.

Ele e o Coronel chegaram a um acordo que seria formalizado nas semanas seguintes. A negociação foi relativamente rápida, mas Wallis a descreveu – com precisão ou lisonja, é impossível dizer – como "uma das mais difíceis da minha carreira". Consistia num contrato de um filme com opções para mais seis, com o primeiro filme pagando apenas US$ 15 mil, o segundo US$ 20 mil, e a soma gradualmente subindo para US$ 100 mil no último. O Coronel se reservava o direito de fazer um filme por ano em outro estúdio, embora esse filme pudesse ser adquirido de antemão por Wallis a um valor comparável. Só um relações-públicas de estúdio definiria esse acordo como "arrasa-quarteirão", mas em seu âmago havia a firme determinação do Coronel de assinar com um produtor autêntico e manter suas opções abertas. A estratégia baseava-se em dois alicerces: a sua crença no potencial ilimitado de seu menino e sua convicção de que um negócio sempre pode ser melhorado depois que você entra pela porta.

Não houve tempo para saborear o triunfo. Elvis foi a San Diego para o programa de Berle, cuja transmissão ao vivo seria em 3 de abril, direto do convés do *U.S.S. Hancock*, ancorado na estação naval de San Diego. Sem dúvida, o *Milton Berle Show* foi um upgrade em comparação ao programa dos irmãos Dorsey. Milton Berle, o original "Mr. Television", estava no auge e tinha agendado Presley só como um favor ao seu agente, Abe Lastfogel. Berle foi apresentado a Elvis e ao Coronel no aeroporto. "Coronel Parker à minha esquerda, Elvis à minha direita, e eu no meio. Então falei: 'Aqui está o contrato para o show', e eu estava prestes a entregá-lo a Elvis quando o Coronel Parker o agarrou e disse: 'Não mostre o contrato ao garoto!'. Ou seja, Elvis não sabia o que estava ganhando. O Coronel Parker fazia jus à fama!"

Foram direto para o ensaio, onde Scotty, Bill e D.J. se juntaram a eles, recém-chegados após uma árdua jornada rodoviária através do país. D.J. ficou entusiasmado com a presença do grande baterista Buddy Rich, que tocava na Harry James Orchestra, mas Rich não retornou o elogio. Os músicos da orquestra torceram o nariz quando Elvis não trouxe nenhuma partitura. Ao primeiro acorde de "Blue Suede Shoes", Rich revirou os olhos a Harry James e disse, para todo mundo ouvir: "Pior que isso, impossível".

Mas o show foi nada menos que um triunfo absoluto. As bandeiras tremulavam ao vento, o oceano como pano de fundo para um público tão bem-humorado quanto entusiasmado. Elvis abriu com "Heartbreak Hotel", é claro, após uma teatral apresentação de Berle, que apareceu no palco vestido de almirante com ombreiras de trancinhas douradas. País afora, em suas casas, os telespectadores viram diante de seus olhos um cantor em estágio avançado de metamorfose radical, com uma autoconfiança que chegava a ser irritante, mais dono de si, de seu visual e estilo do que costumava ser apenas dez dias antes. Mas é justamente essa força visual que alavanca sua performance. Vestido em preto da cabeça aos pés, à exceção da gravata, cinto e meias claros, pernas afastadas e uma atitude de serenidade, até então despercebida, que convidava a reação da plateia.

E ela reagiu. A canção foi recebida por um público composto essencialmente de marinheiros e suas namoradas num misto de gritos e risos – porque a essa altura já ficou claro que o artista está se divertindo tanto quanto a plateia. Talvez não tenha ficado tão claro para as meninas, mas não há nada de agressivo na performance, ele só está provocando a plateia, brincando com ela, o riso de Elvis é o riso do público, pela primeira vez em sua vida ele é um deles. Então anunciou "meu último lançamento, 'Blue Schwede Shoes'", e se atirou na música de um jeito solto e despreocupado que superou de longe todo e qualquer esforço anterior na televisão. A multidão o apoiou o tempo inteiro, e quando ele encaminhou o fecho da música, que mais parecia um repetitivo mantra, Bill montou em seu contrabaixo como se ele fosse um cavalinho de pau, batendo com as palmas das mãos nas laterais do instrumento, erguendo e baixando os braços, dobrando e esticando os joelhos, provocando um *frisson* na plateia. Foi um momento, um instantâneo, uma foto de iluminação perfeita, mas que o Coronel jurou que nunca mais se repetiria: Bill Black nunca mais roubaria o show de seu garoto.

Em seguida veio um esquete de comédia. Berle volta ao palco vestido igual a Elvis, só que com a calça enrolada e parecendo um jeca em sapatos de camurça azul muito grandes. Com sotaque do interior, disse que se chamava Melvin, o irmão gêmeo de Elvis, que tinha ensinado ao cantor tudo o que ele sabia. Brincaram com isso por um tempo, com Elvis dizendo: "Eu devo tudo a você, Melvin", e então tocaram um bis de "Blue Suede Shoes", e a performance de Elvis foi tão natural quanto a anterior, enquanto Berle saltitava no palco numa ágil paródia de seu jovem e entusiasmado amigo. Não foi possível detectar sinais de ressentimento por parte da "mais nova sensação musical dos Estados Unidos da América". Pareceu não dar bola por Berle ter feito troça de sua performance nem pela alusão a um irmão gêmeo. Afinal de contas, era tudo show business – Gladys devia estar achando graça em casa com alguns dos primos e a vovó Minnie. Sempre gostaram do "Tio Miltie", desde que compraram seu primeiro televisor. Claro, ele era uma figura importantíssima e poderosa no ramo, disse o Coronel Parker, e Elvis nunca deveria se esquecer: o senhor Berle estava lhes fazendo um favor ao recebê-lo no programa.

Houve um breve show no dia seguinte numa loja de discos de San Diego e um tumulto na noite seguinte, no final da primeira das duas apresentações na San Diego Arena. A certa altura, Elvis teve de repreender a plateia. "Se vocês não se sentarem, o show termina", e as meninas voltaram a seus assentos, mas os músicos ficaram isolados no prédio por quarenta e cinco minutos após o fim do show, e Elvis sentou-se nos bastidores com uns músicos locais, falando sobre o Hayride e sua rápida ascensão à fama. "A plateia fazia tanto barulho que na maior parte do show ninguém escutou as músicas", desdenhou o jornal de San Diego, observando que a breve apresentação foi precedida por "uma cantora, um grupo de dança acrobática, um comediante e uma xilofonista", muito diferentes dos artistas country "estelares" com os quais ele costumava se apresentar. "Mudei totalmente de estilo", contou Glen Glenn, cantor country de vinte e um anos de idade, dos arredores de Los Angeles, que tinha ido ao show com seu guitarrista e nos bastidores foi apresentado ao cantor pelo baixista Fred Maddox, dos Maddox Brothers and Rose. "Depois desse show todos queríamos ser como Elvis."

Agora era impossível parar o malabarismo. Deixou o Coronel em meio às negociações com Hal Wallis e decolou de Hollywood para a sua última participação rotineira no Hayride. Foi num sábado, dia 31 de março. O Coronel tinha desvencilhado Elvis do seu contrato pagando uma multa de dez mil dólares e prometendo que ele faria um concerto beneficente em dezembro, sem cobrar cachê. No domingo após o programa de Berle, tocaram em Denver, então voaram ao Texas para o início de uma turnê de duas semanas que seria intercalada com uma sessão de gravação no sábado, 14 de abril. Chegou a um ponto em que ninguém mais sabia em que dia da semana estavam. Pegavam a rodovia à noite porque, afinal de contas, era impossível dormir antes das 9h ou 10h da manhã, Elvis disse, ele ficava muito acelerado. Havia garotas por todo lado; ele gastava mais tempo se escondendo delas do que as procurando. Claro, uma coisa era sagrada: telefonar para casa pelo menos uma vez por dia. Ainda não tinha passado uma única noite na nova casa em Audubon Drive.

Onde quer que ele estivesse, todo mundo queria saber tudo sobre ele. Queriam saber como ele começou no negócio. Queriam saber sobre a mãe e o pai dele. Queriam saber sobre os filmes, naturalmente. Elvis administrava todas as perguntas com aquela mescla única de respeito e candura. Respondia a todas as perguntas com a verdade. Sim, estava muito animado com seu contrato de Hollywood, era um sonho que se transformava em realidade. Mostrava justamente que ninguém jamais pode afirmar o que vai acontecer em sua vida... Mas não, nos filmes ele não iria cantar. Não, ele não tinha nenhuma garota em especial, pensou que estava apaixonado, esteve apaixonado uma vez, na verdade, e quando começou a cantar, eles terminaram. Ainda recebia notícias dela, ela lhe escrevia de vez em quando. Ele ainda frequentava a igreja? "Parei quando comecei a cantar profissionalmente. Em geral, sábado é a nossa maior noite, e quase todos os domingos temos uma matinê ou estamos na estrada..." Cuida bem da saúde? Corre o boato de que você tem feito farras por aí e nem sabe para onde está indo. "Bem, essa é a pura verdade. É mesmo. Impossível negar. A metade do tempo não sei para onde estou indo no outro dia. Tenho tanta coisa na cabeça, em outras palavras, tento me cuidar, manter o equilíbrio... Você tem que se cuidar neste mundo. É muito fácil se perder por aí." E o que ele mais gostava em ser tão bem-sucedido, além do dinheiro? "O dinheiro é importante, como você bem disse, mas na verdade o que eu mais gosto é saber que as pessoas gostam de mim... Que tenho tantos amigos."

Era um trabalho árduo – e o ritmo nunca diminuía. Mas não importava o quanto ele trabalhasse, o Coronel não trabalhava menos. Todas as manhãs, às 5h30, o Coronel estava em pé, antes de todos começarem a chegar. E era o último a sair, só depois de computado o último ingresso e vendida a última foto. Pegava no pé de todo mundo, parecia, não deixava um *promoter* escapar com um único ingresso não vendido, e estava sempre instruindo Scotty e Bill sobre o que podiam ou não podiam fazer no palco. "Ele estava trabalhando para Elvis e ponto final", contou D.J., um observador talvez mais desinteressado do que os outros dois. "Não se importava se você se esforçava ou não. Só queria saber de uma coisa: Elvis, vinte e quatro horas por dia, Elvis. Era um filho para ele." Às vezes, parecia que Elvis estava testando o Coronel – chegava atrasado para um show após o outro. Súbito, contou D.J., quando o Coronel estava prestes a nos degolar, "ele dizia: 'Não se preocupe com o Coronel. Eu cuido disso'. E então o Coronel nos chamava a atenção: 'Ei, vocês têm que chegar um pouco mais cedo'. E respondíamos: 'Diga isso a ele', e isso encerrava a discussão. 'Acho que ele fazia isso só para deixar o Coronel bravo, às vezes'".

Com um olhar, Scotty e Bill sabiam que o Coronel queria cortar a garganta deles. Os dois concordavam: se dependesse do Coronel, eles já seriam carta fora do baralho. O Coronel não escondia isso de ninguém. Nunca tocaram no assunto diretamente com Elvis. Sabiam que Elvis não ia aceitar qualquer mudança que influenciasse a sua música. Bill e Scotty duvidavam que o Coronel o pressionasse nesse ponto. Estava claro o que aconteceria se alguém pressionasse o Coronel. Uma vez, Red explodiu com o Coronel, e todo mundo notou a ausência de Red, pelo menos naquela turnê. De acordo com Red, Elvis estava com uma garota na cama, e não queria sair.

> Quando enfim apareceu, parecia que estava saindo de uma batedeira... Bem, agora estamos atrasados pra caramba. Inverno. Granizo, uma chuva gélida. Pulamos no carro, saio guiando como um louco pela neve e tudo o mais rumo a esse auditório de Virgínia... Chegamos lá, acho que uns quinze minutos atrasados, ou algo assim. A neve está caindo, mas na frente do auditório tem um louco só de camiseta. Saio do carro, e o sujeito solta uma baforada em seu charuto, e ele tem uma expressão no rosto como se quisesse me matar... matar a mim, não a Elvis. Daí eu

noto outra coisa. Ele está tão agitado que, mesmo no meio da maldita neve, a camiseta tem marcas de suor... Ele dá uma encarada em mim como se fosse arrancar um pedaço de meu traseiro. Sem demora começa o sermão: "Por onde diabos você andou? Sabe que horas são? A plateia está esperando, e você está muito atrasado. Não é legal deixar o público esperando. Quem você pensa que é?".

Não havia espaço para sentimentos naquela situação nova. Tudo estava mudando: os negócios, os ânimos e os shows também. Agora as multidões estavam tão frenéticas que você não conseguia mais ouvir a música. A gritaria começava logo que subiam ao palco, rostos crispados, lágrimas ofuscantes – Scotty e Bill assistiam a tudo sem acreditar, tocando o mais alto que podiam, enquanto tudo o que podiam ouvir acima do estrépito era o ocasional estalido da bateria de D.J. "Éramos a única banda na história", costumava brincar Scotty, "que era comandada por um traseiro. Era como estar num mar sonoro". Era verdade, mas por mais atentamente que o observassem, nunca sabiam dizer o que ele ia fazer a seguir. Elvis fez um comentário maroto: "Aposto que elas gritam até se eu arrotar". E testou para ver, e elas gritaram.

Fretaram um avião para ir de Amarillo a Nashville no meio da noite. O objetivo: chegar a Nashville a tempo da sessão de gravação às 9h da manhã seguinte. Pouco antes do amanhecer, se perderam e aterrissaram em uma pista de pouso nas imediações de El Dorado, Arkansas, para reabastecer. Estava frio, e os músicos se amontoaram no pequeno café, entre bocejos e conversas aleatórias. Acabava de amanhecer quando decolaram de novo. Sentado na cabine do piloto, Scotty foi solicitado a segurar o manche enquanto o piloto estudava o mapa. Logo que Scotty assumiu o manche, o motor deu uma tossida e se apagou. O avião começou a perder altitude. Seguiu-se um grande tumulto, e Bill cobriu a cabeça com o casaco, amaldiçoando o dia em que se deixou persuadir a embarcar naquela frágil aeronave. Nisso, o piloto descobriu que após o reabastecimento eles não tinham trocado para o tanque cheio e o atendente da pista de pouso só tinha enchido um dos tanques. Quando enfim chegaram a Nashville, Elvis anunciou meio brincando: "Cara, não sei se volto a voar".

A sessão refletiu o nervosismo de todos. Trabalharam das 9h às 12h, fizeram cerca de vinte *takes* de uma única canção, e foi só o que conseguiram: a balada chamada "I Want You, I Need You, I Love You", que Steve Sholes tinha sugerido para a ocasião. Mais uma vez, o coro era o mesmo trio incompatível montado para a primeira sessão de Nashville: Ben e Brock Speer da Speer Family, e Gordon Stoker dos Jordanaires. Onde estavam os outros rapazes? Indagou Elvis a Stoker numa pausa. Ele havia tocado com os Jordanaires em Atlanta um mês antes, no mesmo show com o humorista country Rod Brasfield, primo de Mississippi Slim, e seu irmão, Tio Cyp, e tinham feito planos para se reunir no estúdio em breve. Isso deu a Stoker, que estava furioso com a exclusão dos outros Jordanaires, a chance de que ele precisava. "Foi o pior som de todos os discos de Elvis. Um som tenso, um som péssimo. Não tínhamos um quarteto completo. Chet nem se dignou a dar a Elvis um quarteto completo. Brock era um baixo-profundo verdadeiro, e Ben está no meio da estrada, e lá estou eu como primeiro tenor. Elvis não curtiu muito aquilo. Foi extremamente cortês e delicado em tudo o que disse, mas sabia exatamente o que queria. Então falei a ele que eu tinha sido o único dos Jordanaires a ser convidado. Elvis nunca tinha muito tempo para conversar, e continuou sendo assim. Mas me perguntou: 'Será que os Jordanaires poderiam trabalhar comigo [de agora em diante]?'. Respondi: 'Com certeza podemos. Estaremos lá!'."

Steve Sholes ficou alterado ao escutar o resultado da sessão. Tinha avisado o Coronel, quantas vezes avisou o Coronel, avisou um monte de vezes, mais tempo de preparação era necessário, a RCA tinha um cronograma a cumprir, a pressão era crescente para aprontarem o segundo álbum até 15 de abril, com lançamento previsto no outono. "Sei que Elvis tem uma agenda cheia de shows e participações, certamente não posso culpá-lo", escreveu em fevereiro, "mas o objetivo principal desta carta é frisar que ainda precisamos fazer gravações extras de Elvis num futuro próximo". Não tinham gravado um single sequer nos meses anteriores, agora já estavam em meados de abril e Tom ainda não ouvia, era óbvio que ele não ouvia (se é que era capaz de ouvir); cada vez mais, Sholes se perguntava: será que Nashville era o lugar apropriado para tentar gravá-lo? Chet era seu protegido, seu gerente de a&r em Nashville, mas era óbvio que Chet e o menino não estavam se dando bem. Percebeu que algo estava errado pelo relatório descompromissado de Chet e por terem recebido uma música apenas. Esperou algumas semanas, depois enviou nova carta a Tom, reclamando outra vez que era preciso dar ênfase às gravações, mas era como tentar parar um trem em fuga. Na sessão de Nashville, Elvis tinha sido presenteado com um disco de ouro por "Heartbreak Hotel", e o álbum já tinha vendido mais de 362 mil cópias: Sholes estava sendo estrangulado por seu próprio sucesso.

A sessão poderia ter prosseguido se houvesse uma atmosfera melhor, mas Elvis e o grupo estavam ansiosos para visitar Memphis por algumas horas após tanto tempo fora e, além do mais, Chet tinha reservado apenas três horas no estúdio. Decolaram no avião fretado de volta a Memphis naquela tarde e no caminho enfrentaram turbulência. Scotty contou que dessa vez "Bill quase pirou. Ficou morto de medo, realmente teria saltado do avião se pudesse. Elvis disse: 'Aguenta firme, Bill, quando chegarmos a Memphis, vamos dispensar esta coisa'. No dia seguinte pegamos um voo comercial, nem me lembro para onde".

Continuaram a turnê no Texas: San Antonio, Amarillo, Corpus Christi e Waco, onde Elvis deu uma breve entrevista na terça-feira à noite, minutos antes de subir ao palco, à repórter do *Waco News-Tribune*, Bea Ramirez. "O que você quer saber sobre mim, meu bem?", perguntou ele olhando dos bastidores quatro mil adolescentes gritando na plateia, "num misto de susto", escreveu Ramirez, "e descrença".

"Elvis, você deixa as moças loucas. Tem ideia do porquê?"
"Não tenho, não. Acho que é algo que Deus me deu.
Acredito nisso, sabe. Entende o que quero dizer, meu

bem? E sou grato. Mas tenho medo. Tenho medo de apagar como uma luz, assim como acendi. Entende o que quero dizer, meu bem?"

Presley tem um jeitinho especial de falar "meu bem". Em geral fala olhando reto para a frente, ou com um ar sonhador, sem um foco específico. Súbito se vira para a gente com aquele "entende o que quero dizer, meu bem?". O rosto dele está perto, muito perto. Bem em nosso rosto – quase...

"Elvis, ouvi falar que você anda enquanto dorme."

"Bem, eu tenho pesadelos."

"De que tipo?"

"Eu sonho que estou prestes a lutar com alguém ou prestes a sofrer um acidente de carro ou que estou quebrando tudo à minha volta. Entende o que eu quero dizer, meu bem?"

(Não tenho a mínima ideia do que ele quer dizer.)

"De onde você é?"

"De Memphis, Tennessee."

"Ah, sim, é de lá que vêm todos os cantores hillbilly, né?"

"Pode ser, mas não sou cantor hillbilly."

"Bem, já definiu qual é seu estilo?"

"Não, não me arrisco."

"Por quê?"

"Porque tenho medo, entende, meu bem? Muito medo."

"De quê?"

"Não sei... não sei. Entende o que quero dizer, meu bem?"

Neste ponto agradeci a ele por seu tempo e fui saindo de fininho. Ele ficou sentado, me puxou pela mão, me fitou com olhos sonolentos sob cílios compridos e disparou:

"Escreva coisas boas de mim, certo, meu bem?"

No sábado à noite, 21 de abril, fizeram dois shows no City Auditorium, em Houston. Fim do primeiro show, e a multidão não arreda pé. Elvis deixa uma última mensagem ao público predominantemente feminino: "Foi um show maravilhoso, pessoal. Não se esqueçam de uma coisa. Não vá ordenhar a vaca num dia chuvoso. Se cair um raio, vocês podem pagar o pato". O *Houston Chronicle* relatou que "as quatro mil garotas quase morreram". Após o show, tendo pela frente o primeiro dia livre em semanas, Scotty, Elvis e Bill foram ao Club El Dorado, do outro lado da cidade, onde o cantor de blues Lowell Fulson era a atração principal. No ano anterior, Fulson, que chegou ao topo das paradas com "Reconsider Baby", costumava tocar no Club Handy e no Hipódromo em Memphis e era um dos preferidos de Dewey Phillips. No intervalo, Scotty levou Elvis para apresentá-lo a Fulson, e Fulson os chamou ao palco para tocar umas músicas no próximo set. Para Scotty, foi uma experiência memorável. "Eu me lembro de ficar lado a lado com Lowell tocando um blues." Um desses blues era "Shake, Rattle and Roll", de Big Joe Turner, de acordo com Lowell. "Não me lembro do outro. De qualquer forma, Elvis causou boa impressão, e o público gostou, então ele [Scotty] indagou: 'O que você acha dele, o que você acha do menino?'. Respondi: 'Bem, tem uma coisa, ele é bonito, e as mulheres vão garantir o sucesso dele. Não vai ter que trabalhar tanto'. Deu uma estrondosa gargalhada. E ficou rindo por um bom tempo."

No dia seguinte, num domingo, voaram rumo a Las Vegas.

O SHOW DE LAS VEGAS parece ter sido algo de ocasião, pois não houve anúncio antecipado na mídia. Elvis ia tocar nas duas primeiras semanas de uma temporada de quatro semanas com a banda de Freddy Martin, no Venus Room, com mil lugares, no New Frontier Hotel, a 7.500 dólares por semana. O Coronel exigiu o pagamento em espécie, pois, como declarou à revista *Time*: "Cheque nenhum presta. Estão testando a bomba atômica lá no deserto. E se algum cara apertar o botão errado?". Bill Randle, o DJ de Cleveland, continuava seu trabalho colaborativo (em março, Steve Sholes tinha salientado ao Coronel o grande trabalho que Randle estava fazendo por eles, e a resposta do Coronel, um tanto ácida, foi a de que sabia enxergar as coisas), e ocasionalmente reivindicava o crédito pelo contrato. Ele pode muito bem ter ajudado, mas o Coronel tinha lá seus próprios contatos, e mesmo com pouco tempo hábil, não dava ponto sem nó. Quando Elvis chegou a Las Vegas, em frente ao hotel e ao lado da entrada do cassino havia um cartaz de sete metros de altura com sua imagem – a mesma fotografia dele em ação, tirada na Flórida no verão de 1955, que foi estampada na capa de seu primeiro álbum e também do *songbook*, além de vários itens publicitários adicionais. Seu nome estava na marquise, logo abaixo do nome do comediante Shecky Greene, como "Atração especial, Elvis Presley", e os anúncios impressos o chamavam de "O cantor de energia atômica".

Foi o primeiro show de sua carreira com o público sentado às mesas. Como escreveu o colega promotor de eventos Gabe Tucker, até o Coronel parecia enlevado por essa nova elevação de status; teria declarado a seus colegas que precisava encontrar um novo tipo de local adequado ao sucesso fenomenal de Elvis. O líder de banda, Freddy Martin, especializado em tocar clássicos com arranjos pop (começou com Tchaikovsky, mas se ramificou para Grieg, Rimsky-Korsakov, trilhas de filmes e Khachaturian também), fazia sucesso consistente desde 1933 e oferecia um show de US$ 40 mil, incluindo orquestra de dezessete peças, coro de vinte e oito cantores, pianos gêmeos, dançarinos, patinadores no gelo e atrações de Oklahoma! Na noite de estreia, o vice-presidente do New Frontier, T. W. Richardson, que de acordo com Gabe Tucker tinha ouvido pela primeira vez Elvis em sua cidade natal, Biloxi, e entrado em contato com o Coronel no mês anterior para reservar a data, convidou um grupo de amigos de Houston para assistir ao show. Elvis foi a atração final, e enquanto a Freddy Martin Orchestra tocava seu arranjo de "Rock Around the Clock", a cortina subiu para revelar um quarteto de hillbilly muito nervoso e deslocado. O uniforme de Scotty, D.J. e Bill consistia em blazer claro, calça social, gravata-borboleta e camisa branca; Elvis, sofisticado como sempre: mocassins, calça social, gravata-borboleta preta, blazer claro de corte western e camisa escura. Desde os primeiros acordes da música que ele anunciou como "Heartburn Motel" até os gaguejos de agradecimento a Freddy Martin pelas palavras gentis, era possível ouvir um alfinete cair. Quando Elvis começou a cantar, relatou Tucker, um dos convidados de Richardson "pulou da mesa ao lado do palco e berrou: 'Mas que gritaria é essa? Não aguento, vamos jogar no cassino'".

"Era a primeira vez em meses que conseguíamos ouvir quando um de nós saía do tom", murmurou Bill Black pensativo. "Após o show, nossos nervos estavam em frangalhos, e nos reuníamos em duplas para falar de quem não estivesse por perto para se defender." "Não era o meu tipo de público", disse Elvis. "Só tinha gente adulta na plateia. Na primeira noite, em especial, fiquei muito assustado, [mas] depois relaxei um pouco e enfim conquistei o público." "Nem sabíamos que éramos um fracasso", disse Scotty, mas depois daquela noite, informou a *Billboard*, não coube mais a eles arrematar o show.

No entanto, Elvis persistiu. Tocou as duas semanas completas, e como escreveu o repórter local Bob Johnson: "Elvis, que já havia tocado diante de plateias difíceis, continuou lá arrebentando as cordas do violão, balançando as pernas e abalando as estruturas... E o gelo começou a quebrar". Bill Randle, que encarava aquele compromisso quase como um "constrangimento" social, providenciou para que algumas das performances fossem filmadas, e Hal Wallis apareceu para prestigiar seu novo contratado. Judy Spreckels, de vinte e quatro anos, a atraente sexta esposa – divorciada – do rei do açúcar, Adolph Spreckels, II, que Elvis tinha conhecido superficialmente na Califórnia, apareceu e atuou como sua "secretária" e ajudante de ordens. Celebridades como Ray Bolger, Phil Silvers e Liberace despertavam a curiosidade no meio da plateia, e existe até um filme de Elvis e Liberace fazendo palhaçadas para as câmeras. Liberace, um dos artistas favoritos de dona Gladys (Elvis garantiu um autógrafo do extravagante showman), finge tocar a guitarra de Scotty, enquanto Elvis embarca na brincadeira, jogando a cabeça para trás e rindo fácil, cantando, talvez, "Blue Suede Shoes". Sem intenção de ser ofuscado, Liberace desenha um quadrado imaginário no ar, apontando para seu irmão George. A cena é, sob muitos aspectos, a imagem da perfeita inocência.

Pelos cálculos de Elvis, fizeram vinte e oito shows de doze minutos (dois shows por noite, às 20h e à meia-noite, ao longo de quatorze noites). O resto do tempo ele tinha livre para fazer o que bem entendesse. Ele e o primo Gene, descrito por Elvis como seu "faz-tudo" e que substituiu Red nesta turnê, dirigiam os bate-bates, ou carrinhos de batida no parque de diversões local, quase todos os dias. Em duas semanas, Elvis estimou ter gasto mais de cem dólares em passeios para ele e seus amigos. Ficava à beira da piscina, flertava com as garotas, ia ao cinema, assistia ao máximo de shows que conseguia, ficava acordado a noite toda e, se tinha alguma dúvida, guardava para si mesmo. "Uma coisa em Las Vegas que agradou a Elvis", escreveu Johnson, que fez a cobertura do evento, "era não ter hora para dormir. Tinha companhia para varar a noite em claro, e a noite se tornou dia para ele". Era como estar em uma cidade onde você brincava de estar o tempo inteiro vestido a rigor. Toda vez que ele entrava num salão, criava um alvoroço, as dançarinas o bajulavam, nunca se sabia o que ia acontecer depois. Mas não bebia, não apostava ("Não me agrada", disse ele, explicando por que "nunca coloquei um centavo sequer numa máquina caça-níquel"). Tudo que ele fazia refletia o que a mãe dele o ensinara a fazer e a não fazer. Ele não estava prejudicando ninguém. Uma vez, ele não compareceu a um compromisso marcado com Aline Mosby, repórter da United Press. Tinha ido ao cinema para assistir a um faroeste de Randolph Scott, mas depois se redimiu com ela. Foi rever os Four Lads e conheceu a ex-sensação adolescente Johnny Ray (ambos foram descobertos por Bill Randle; Elvis tinha conhecido os Four Lads no show de Cleveland que Randle tinha filmado). Assistiu a um pouco do show do Liberace no Riviera, e retornou várias vezes para ver o show de Freddie Bell and the Bellboys, no lounge do cassino Sands.

The Bellboys, grupo altamente visual que fornecia simultaneamente ação e alívio cômico, teve certo sucesso no ano anterior com uma canção de rhythm & blues, com a qual a cantora Big Mama Thornton, da Duke/Peacock, atingiu o topo das paradas em 1953. "Hound Dog" foi composta por dois adolescentes brancos, Jerry Leiber e Mike Stoller, especialistas em rhythm & blues, e era uma escolha estranhíssima para um artista masculino, já que foi escrita do ponto de vista feminino. Contudo, era o ápice do show de Bell, mesmo trazendo um pouco da batida original, com sabor de rumba, e faiscou em Elvis a vontade de incorporar a canção em seu próprio show. "Roubamos direto deles", disse Scotty. "Ele já conhecia a música, mas quando vimos os caras fazendo aquilo, ele disse: 'Está para nós'. Nunca a tocamos em Las Vegas, mas queríamos usá-la como alívio cômico, ou, se preferir, uma alternativa a mais para usarmos no palco."

No primeiro sábado do compromisso, o New Frontier agendou uma matinê adolescente especial para os fãs de Elvis Presley. Os lucros do show seriam revertidos para a iluminação de um parque de beisebol juvenil, e enfim houve algo semelhante à normalidade de Elvis Presley. "Fantástica carnificina", escreveu Bob Johnson num artigo chamado "O garoto dourado busca o estrelato enquanto a música vira e revira...": "O público disputou palmo a palmo o espaço na sala de mil lugares, e centenas de jovens frustrados zumbiam como vespas furiosas lá fora. E depois do show, que tumulto! A idólatra turba, aos gritos, aos risos, cercou o cantor... Arrancaram e dilaceraram a camisa dele. Uma moça agarrou um botão, com triunfo no olhar, como se fosse um diamante".

Tocaram nos shows restantes com confiança crescente. O senhor Martin era super-respeitoso, embora adotasse uma atitude de quem estava se divertindo muito com aquilo tudo. "Agora vamos fazer cinco minutos de silêncio", anunciou ele após o show de Elvis. "Vou ter de meditar por que será que desperdicei o meu tempo nos últimos vinte anos." Um dos donos do cassino, o senhor Frank Williams, de Osceola,

Arkansas, presenteou Elvis com um relógio de oitocentos dólares com números lapidados em diamante, e Elvis retribuiu com meia dúzia de cartinhas de agradecimento. Até mesmo o Coronel, inicialmente desanimado com o que representava o primeiro passo em falso numa série de movimentos perfeitamente calculados, parecia enfim ter visualizado o lado bom da experiência. Na opinião de Scotty: "Acho que em certo sentido foi bom, porque foi totalmente diferente. É isso que Vegas tem de engraçado. O pessoal que estava lá, se você o levasse a San Antonio, no grande coliseu, eles iam enlouquecer. Simplesmente é outra atmosfera. Nós nos divertimos muito. Muito mesmo".

Na última noite, gravada por um membro da plateia e lançada pela RCA vinte e cinco anos depois, Elvis ainda parece nervoso, constrangido, feliz por estar acabando aquilo – mas com a sensação do dever cumprido. "Muito obrigado, senhoras e senhores", diz ele em meio aos polidos aplausos que vão morrendo. "Quero falar uma coisa, foi um grande prazer estar em Las Vegas. Foram duas semanas aqui, e hoje é a última noite, e foi um desafio... ah, uma diversão estar aqui." Ele anuncia "Blue Suede Shoes" e brinca: "Esta música aqui é chamada 'Saia do estábulo, vovó, você é muito velhinha para dar pinotes'". Uma parte da plateia dá risada, então ele pergunta ao líder da orquestra: "'Conhece essa, senhor Martin? A que diz *Devolve minha cinta-liga dourada, minha perna está ficando verde*'". Quando Martin o chama graciosamente para um bis, ele diz: "Obrigado, amigos, eu ia voltar de qualquer maneira".

"Aguardente de milho numa festa de champanhe", declarou a *Newsweek*. "Elvis Presley tenta surfar na crista da onda, mas encontra um mar liso", relatou a *Variety*. A *Life* estampou a seguinte manchete em seu artigo na edição de 30 de abril: "O hillbilly dos sucessos uivantes". Toda publicidade, dizia o Coronel, é boa publicidade. "Heartbreak Hotel" estava em primeiro lugar; "I Want You, I Need You, I Love You", o single recém-lançado, vendeu 300 mil cópias antecipadas; a RCA Victor informou que os discos de Elvis Presley representavam metade de suas vendas pop; e ele ia para Memphis conhecer a casa nova que tinha comprado para si e os pais com seus ganhos. Podiam escrever o que quisessem, não havia como detê-lo agora. Ele realmente acreditava nisso.

Dois dias depois, de volta a Memphis, passou na redação do jornal terça à noite. "Cara, gostei mesmo de Vegas", anunciou. "Volto para lá na primeira chance que eu tiver." Ficou irritado com o relato de que uma estação de rádio de Halifax teria dado todos os seus discos de Elvis Presley na esperança de não os ouvir mais. "Eu não sabia que havia estações de rádio na Nova Escócia", foi sua primeira reação, informou o jornal. "Quanto mais tentarem proibir as coisas, mais terão de ouvi-las. Quero dizer, muita gente gosta, amigo, está muito badalado agora." Então se lembrou do seu início no ramo apenas dois anos antes. "Eu dedilhava o violão em Mississippi antes de vir a Memphis", contou. "Meu pai comprou um por doze dólares... foi o melhor investimento que ele já fez." E saiu noite afora em sua "camisa verde Kelly, ao estilo homem da fronteira, calça preta e mocassins de camurça", seja em sua Harley, um de seus três Cadillacs, ou no triciclo alemão Messerschmidt que havia comprado recentemente – o jornal não relatou. Seria a atração principal do grande show "Festival do Algodão" no Ellis Auditorium uma semana depois, e tinha apresentações agendadas em Minnesota e Wisconsin, começando no fim de semana, mas por enquanto ele só ia dar um passeio na cidade.

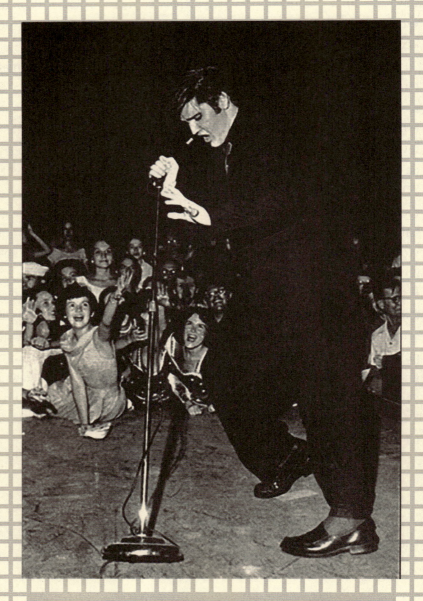

Russwood Park, 4 de julho de 1956
(Robert Williams)

"AQUELE PESSOAL DE NOVA YORK NO VAI ME MUDAR EM NADA"

Maio a julho de 1956

PARA O SHOW DE ELVIS EM 15 DE MAIO, os dois lados do Ellis Auditorium foram abertos. A última vez que isso havia sido necessário foi no show de Liberace. Agora, o mesmo acontecia na noite de abertura da vigésima segunda edição do Festival do Algodão de Memphis. Um passeio central foi montado na Front Street para a coroação do rei e da rainha. O show seria às 19h30, mas foi preciso esperar o desembarque da Royal Barge no começo da rua Monroe, onde os monarcas reinantes deveriam participar das cerimônias de abertura antes de ir ao auditório próximo e começar o show. Bob Neal foi o mestre de cerimônias, Hank Snow e os Jordanaires foram destaques. Por sua vez, Eddie Fisher marcou presença na Royal Barge, e as Carter Sisters, George Morgan e outros protagonizaram o evento com grandes estrelas country na tenda do festival no passeio central. Mas o ápice da noite seria, é claro, o show do cantor local, "uma atração nova e aberta ao público dá um toque de emoção à noite de abertura do Festival deste ano". A humorista country Minnie Pearl compareceu a pedido do marido dela, Henry Cannon, um piloto de voos fretados que recentemente tinha levado Elvis país afora e que o trouxera de La Crosse, Wisconsin, naquela manhã. "Henry me apresentou a ele, e ele era um moço tão bonzinho. Eu sempre brincava que Elvis me tratava como uma professora solteirona, ele era muitíssimo bem-educado – mas ele sempre foi."

Para Elvis, porém, essa volta ao lar foi uma chance de se autoafirmar. "Mais do que qualquer outra coisa", disse ele honestamente ao repórter Bob Johnson, do *Press-Scimitar*, em Las Vegas, apenas duas semanas antes, "quero que meus conterrâneos pensem bem de mim. Só porque consegui ser alguém na vida, não quero que fiquem pensando que isso subiu à minha cabeça". "Ele deseja quase desesperadamente ser respeitado em sua cidade", frisou Johnson.

Chegou com escolta policial e se deparou com a habitual multidão à espera em frente ao auditório. Uma garota falou: "Agarrei a mão dele, e ele sorriu e disse: 'Me solte', então eu o soltei. Foi celestial". Vernon e Gladys já estavam a postos, sentados num camarote na galeria norte do salão, ansiosos para assistir a mais uma apresentação do filho, coisa que não faziam havia meses. Em seu papel de mestre de cerimônias, Bob Neal provocou a multidão com alusões astuciosas sobre a tão esperada apresentação de Elvis. Chegou até a focar os holofotes nos pais de Elvis, que fizeram uma reverência e sorriram nervosos. Os outros artistas tiveram muita dificuldade para tentar descobrir como lidar com os dois lados do auditório ao mesmo tempo, problema que Hank Snow resolveu de modo pragmático: cantando uma música para um lado, e a seguinte para o outro. Quando Elvis veio saltitando, no entanto, de calça preta, camisa branca e jaqueta verde Kelly, parecia nem se importar com o assunto, mas, nas palavras de um espectador de treze anos: "O show estava uma droga até Elvis subir e aproveitar cada centímetro do palco", lembrou Fred Davis, aluno do 8º ano da Messick High School, onde Elvis, Scotty e Bill haviam tocado na campanha de Sonny Neal para o grêmio estudantil, no ano anterior. "Em novembro, ali mesmo no Ellis, eu tinha assistido ao show de Elvis com Carl Perkins. Andou no palco inteiro, montou no baixo de Bill, arrebentou três ou quatro cordas, mas não houve clímax, só uns gritinhos. Dessa vez foi diferente. Do começo ao fim, um barulho enorme, meninas histéricas, não escutei uma palavra do que ele disse. Ninguém correu ao palco, ninguém ficou no corredor, mas os flashes disparavam do início ao fim, e só me lembro de pensar: 'O que foi isso que eu vi?!'."

Abriu com "Heartbreak Hotel", anunciou "Long Tall Sally" como a canção de um amigo seu que nunca tinha conhecido (Little Richard), convidou os Jordanaires para acompanhar "I Was the One", incitou Scotty a "enlouquecer" em "Money Honey", introduziu "I Got a Woman" fingindo dar um arroto que Bill ecoou com um uivo agudo, viu sua introdução de "Blue Suede Shoes" ser recebida com aplausos selvagens e, em seguida, anunciou que voltaria à cidade, semanas depois, no show beneficente para o Cynthia Milk Fund do jornal *Press-Scimitar*. E se alguém da plateia não planejava estar lá, "lembrem-se de uma coisa, amigos, se não estiverem lá, amigos, lembrem-se duma coisa...", e dedilhou os primeiros compassos da música que fechou o show, a ainda não gravada "(You Ain't Nothin' But a) Hound Dog". Quando terminou, mais aplausos ensandecidos, e ele se virou para D.J. e repetiu com irreverência: "Senhoras e senhores, lembrem-se de uma coisa", e emendou o trecho final, repetindo a singela mensagem da música. Foi uma performance curiosa, bem distante da livre espontaneidade de seus shows no Hayride, apenas seis meses antes, mas após vinte minutos ele e os fãs estavam exaustos. Na última vez que tocara no Ellis, após o show voltou ao palco e pacientemente distribuiu autógrafos, mas isso já não era possível. Dessa vez, escapuliu rapidamente do palco e, antes de os aplausos terem morrido, já havia desaparecido na noite.

No dia seguinte, tocou em Little Rock, e depois em Springfield, Missouri; Des Moines; Lincoln e Omaha, Nebraska. Em Kansas City, houve um tumulto: a banda foi atropelada, a bateria de D.J. e o baixo de Bill foram esmagados, e D.J. foi jogado ao fosso da orquestra, mas todos escaparam com vida e incólumes. Em Detroit, ele foi anunciado como "a explosão atômica", mas em casa, em Memphis, a resenha da apresentação no Jamboree da Colheita do Algodão declarou, muito significativamente: "Poucos artistas (Billy Sunday, Eddy Arnold, Liberace em seu auge) reuniram um público tão grande em Memphis, mas nunca um cantor local teve uma receptividade tão incendiária e entusiasmada".

Por sua vez, Hank Snow concluiu algo de que já desconfiava havia muito tempo: nunca seria recompensado financeiramente naquele negócio. O contrato com a RCA vigorava havia seis meses. Recebeu parte do dinheiro da turnê por meio da agência de reservas Hank Snow Enterprises – Jamboree Attractions, mas não tinha visto a cor do dinheiro referente ao contrato com a RCA nem das vendas fenomenais da RCA. Meses antes, consultou o seu advogado, que ficou chocado ao descobrir que não havia documentos formais de incorporação e recomendou a Snow que insistisse nisso, como primeiro passo para deixar claros os termos confusos da sociedade. Mas, quando se aproximou de seu sócio e o interpelou, "Parker ficou indignado, andando para lá e para cá no meu escritório. Falou que era melhor rescindirmos o nosso contrato... Analisei a possibilidade por uns minutos. Perguntei a ele: 'E como fica o nosso contrato com Elvis Presley?'. O Coronel rodopiou o charuto na boca, bateu no peito e afirmou: 'Você não tem contrato nenhum com Elvis Presley, Elvis tem vínculo exclusivo com o Coronel'".

A DATA DE 5 DE JUNHO estava reservada para a nova apresentação no *The Milton Berle Show*. Elvis passou a maior parte da semana anterior em casa. Seis dias. Foi o seu período de folga mais longo desde o início do ano. Estava muito agitado para ficar em casa – depois de tanto tempo na estrada, ele realmente não conseguia dormir mais do que três ou quatro horas por noite, e Gladys tinha uma preocupação constante, a de que Elvis podia sofrer um esgotamento. "Que orgulho eu tenho de meu filho", repetia ela, e levantava cedo de manhã para espantar as fãs que não deixavam Elvis dormir. Ainda assim, não havia como escapar: de sol a sol, elas se alinhavam educadamente na entrada da garagem no bem--cuidado bairro residencial para onde os Presley haviam se mudado no fim de março. Tudo o que elas queriam era vislumbrar Elvis, ou algum membro da família, que fosse. Tocava a campainha, e a senhora Presley ia atender de roupão e chinelos; às vezes, até emprestava o telefone para uma ou outra fã que precisasse falar com os pais. Em dias mais quentes, ela até mandava a nova empregada, Alberta, oferecer um copo de água gelada para as fãs – afinal de contas, dizia Gladys: "Elas gostam do meu filho". Às vezes, ela desabafava com a senhora Faye Harris, antiga vizinha de Tupelo. Como ela queria que Elvis desistisse agora! Ter uma vida boa, comprar "uma loja de móveis... casar com uma boa garota e ter um filho – que a vovó coruja veria crescer. E ela seria a pessoa mais feliz do mundo, se ele [simplesmente] desistisse da carreira, voltasse para casa e ficasse com eles lá em Memphis".

O senhor Presley, em termos gerais, mostrava-se menos animado com aquilo tudo. "Como eu queria", disse ele ao empreiteiro Carl Nichols, um amigo dele que foi realizar um serviço na casa, "que elas todas fossem embora." "Você não estaria aqui se elas fossem", ponderou o amigo dele. Mas ele ainda tinha a sensação de que todos se aproveitavam dele – dele e da sua família. Gostava de jogar sinuca na sala de jogos com seu filho ou seu irmão, Vester, ou os vários cunhados e primos, que tinham virtualmente se mudado para a casa quando eles progrediram de vida. Estava em vias de contratar Nichols para construir uma piscina lá atrás, porque Elvis pensava que seria ótimo se refrescar no verão quente de Memphis. Mas ele cuidava de cada centavo e perscrutava cada recém-chegado com suspeita. Às vezes, Elvis tinha de explicar aos amigos que esse era o jeito do pai.

Ele até que se sentia em casa – Gladys decorou o lar com o que Elvis chamou de "um museu de mim", e comprou tanta mobília que precisaram empilhar muitas bugigangas velhas na varanda. Ao analisar sua vida, ele gostava do que via. Gostava da casa de campo verde-clara, de sete quartos, ali "no lado leste", no tipo de bairro rico onde ele jamais teria imaginado viver, na época em que cursava a Humes High. Tinha orgulho da mãe e do pai dele – a mãe não mudava nunca, nunca quis nada para si mesma, se contentava com um canil e uma hortinha no quintal. E se os moradores daquele bairro esnobe achassem que ela não era tão boa quanto eles, bem, poderiam simplesmente ir catar coquinhos. Elvis imaginava que estava tudo bem com os pais. Porém, cada vez mais, a sua vida pública se entremeava com a vida privada. Bob Neal tinha feito um alerta sobre isso. Elvis não acreditou, mas agora não sabia se dava importância àquilo. Não era muito diferente, frisou ele ao senhor Johnson no jornal, do que de costume. "Não aconteceu tudo de repente", explicou. "Desde o início, quando comecei, era a mesma coisa. A única diferença é que agora as plateias são mais numerosas."

De certa forma ele gostava daquilo. As fãs eram a representação viva de seu sucesso. Ele acompanhava nas revistas sobre cinema que outras estrelas se ressentiam das exigências da fama, mas ele não conseguia entender isso. Os fãs, repetia ele, eram a essência de sua vida. Às vezes, ele ficava horas a fio na entrada da garagem, assinando autógrafos – a maioria dos fãs era bem-educada. Além disso, contou ele a Edwin Miller, repórter da *Seventeen*, enviado especialmente a Memphis naquela semana para fazer um artigo sobre Elvis, "se você disser 'não' a alguém porque teria cem autógrafos para assinar, as pessoas simplesmente percebem que você disse 'não' para elas. Nunca me recuso a atender aos fãs, por mais cansado que eu esteja". Às vezes, Gladys tinha de chamá-lo duas ou três vezes até ele ir jantar.

No segundo dia em que estava em casa, quase por capricho, parou na casa de Dixie, na Lucy Street. Ela acabava de chegar do ensaio para sua formatura do Ensino Médio naquela noite e estava usando o vestido de formatura, mas, quando ele sugeriu que fossem dar uma volta, ela vestiu rapidinho um jeans, pulou na traseira da moto dele e deixou para os pais o pepino de explicar onde ela estava quando o namorado chegasse. Naquela noite, ele participou da formatura de Dixie, e na sexta-feira ele foi ao Overton Park Shell para assistir ao show que

"Aquele pessoal de Nova York não vai me mudar em nada"

Sam Phillips e Bob Neal estavam promovendo com a recém-formada parceria, Stars, Inc., com os artistas da Sun, Carl Perkins, Johnny Cash, Warren Smith e o recém-assinado Roy Orbison. Elvis foi chamado para receber os aplausos da plateia. Depois do show, assinou autógrafos com Carl, que já estava plenamente recuperado de seu acidente automobilístico.

Então, no sábado, 2 de junho, ele voou à Califórnia com o primo Gene, e se encontrou com Scotty, D.J. e Bill, que tinham viajado de carro no início da semana. No caminho, ouviram uma canção chamada "Be Bop A Lula" no rádio pela primeira vez e estavam convictos de que Elvis tinha gravado a música sem eles saberem. Assim que o avistaram, reclamaram com veemência. Como é que ele entrou no estúdio sem eles? Mas Elvis garantiu que não era a voz dele, era de um novato chamado Gene Vincent. Havia shows programados em Oakland às 15h e 20h no domingo, e então voaram ao aeroporto de Inglewood às 4h da manhã, sobrando pouco tempo para dormir antes do ensaio para mais uma apresentação no programa de Berle, marcada para as 10h30.

Dessa vez, Elvis se sentiu bem mais à vontade com o senhor Berle e ensaiou com confiança. Entre as tomadas, descansou nos assentos da orquestra com Irish McCalla, a exótica atriz protagonista do popular seriado televisivo *Sheenah Queen of the Jungle* e conheceu a lindíssima Debra Paget, com quem contracenaria em *Love Me Tender*, meses depois. Aproveitou a oportunidade para conversar sobre negócios com o Coronel – a música "Heartbreak Hotel" receberia da *Billboard* a "dupla Tríplice Coroa": o single liderou em três quesitos (vendas, jukebox e listas de disc jockey) em duas categorias musicais (pop e c&w). Ficou agendada também, dentro de um mês, a participação dele no recém-anunciado show dominical noturno de Steve Allen, lançado para concorrer com o programa de Ed Sullivan. Naquele momento, Elvis Presley aparecia em primeiro lugar em três paradas das lojas: pop ("I Want You, I Need You, I Love You"), r&b ("Heartbreak Hotel") e country (ainda "I Forgot to Remember to Forget").

O olhar gélido do Coronel o fitou; era como se ele pudesse ler sua mente. "Se algum dia você fizer algo que me faça passar vergonha, está acabado", disse-lhe o Coronel mais de uma vez, e ele temia que Parker trouxesse à tona o assunto da linda bailarina loira que havia prometido acompanhar Elvis na estrada pelo resto da semana. Informado sobre o sucesso que estavam tendo, e sentindo a mão reconfortante do Coronel em seu ombro, ele deixava de lado as suas dúvidas – sabia a diferença entre uma boa menina e uma menina levada, e a maneira como tratar cada uma delas. O Coronel era só um velho rabugento que, às vezes, se preocupava demais. Ultimamente, tudo estava indo tão bem que nada poderia dar errado.

ABRIU OS TRABALHOS COM "Hound Dog", a canção que, desde Las Vegas, arrematava seu show. De jaqueta clara, calça escura, camisa polo em dois tons e meias brancas, e – surpresa – pela primeira vez, sem o violão. Talvez para compensar a ausência do violão, coreografou cuidadosamente novos movimentos, pulsos abertos meio soltos, em aparente contraste com a ferocidade de seu ataque vocal, os dedos tremulando, os braços estendidos. No solo de Scotty, ele recua e cambaleia no que pode ser interpretado como uma adaptação otimista, um dar de ombros, um tartamudear da desesperança existencial de um James Dean, o nervoso mexer na boca e no nariz... A canção se aproxima do fim, ele arrasta o microfone até o chão, cambaleando de modo a quase tocar os joelhos no palco. Com os olhos fixos nele, Scotty, D.J. e Bill não se surpreendem muito quando ele aponta para o público e declara enfaticamente: "Você não passa de um cão de caça". Então, engrena o final, com sua marca registrada: reduz o andamento pela metade, agarra o microfone, gira-o sensualmente, balança os joelhos, e o público reage num misto de gritos e risadas, e ele ri, também – claramente tudo é uma grande diversão.

"Que tal o meu garoto?", diz Milton Berle com sincero orgulho e carinho enquanto bagunça os cabelos do cantor. "Que tal?" Elvis está obviamente satisfeito, mas se esforça para não demonstrar: boceja, faz caretas, toca o lábio superior com a língua, coça a orelha, o nariz, inclina a cabeça como se dissesse: 'Quem é esse cara?', fazendo tudo o que pode para não rir das palhaçadas intermináveis de Berle. Para terminar essa parte do show, Berle, como se fosse a voz da razão, tenta convencer Elvis de que ele, mesmo com seu *sex appeal*, jamais poderia conquistar uma estrela de cinema "ultrassofisticada" como Debra Paget ("Ela está em outro nível. Contente-se com o Heartbreak Hotel, e fique longe do Waldorf"). Então chama Debra ao palco e a "apresenta" a Elvis Presley. E a atriz, para o deleite e a surpresa de Berle, dá um grito, abraça o novo ídolo adolescente, agarra Elvis e lasca um beijo nele.

Pela primeira vez em toda a temporada, o *Milton Berle Show* superou em audiência Sergeant Bilko, do *Phil Silvers Show*. E a *Variety* informou que "foi um descontraído e, portanto, mais eficaz Milton Berle que finalizou a temporada na semana passada com um de seus melhores programas na NBC". A resposta imediata foi essencialmente favorável. Elvis fez shows extremamente bem-sucedidos em San Diego, Long Beach, e no Shrine Auditorium em Los Angeles. Porém, uma reação se formava havia algum tempo e agora culminava em ataques pessoais e gritos de indignação moral, uma reação distinta de qualquer coisa que Elvis tinha enfrentado até então. "As habilidades vocais do senhor Presley são limitadas", disparou Jack Gould no *New York Times*. "Assistir ao senhor Presley, de vinte e um anos, miando suas letras ininteligíveis em sua voz inadequada, com uma exibição de movimentos físicos primitivos difíceis de descrever em termos adequados em um jornal de família, vem causando as reações mais acaloradas desde os primórdios da TV, quando os decotes de duas celebridades televisivas, Dagmar e Faysie, caíam no esquecimento", escreveu Jack O'Brian no *New York Journal-American*. "[A música pop] atingiu suas mais abismais profundezas nas micagens 'resmunga-rebola' de um Elvis Presley", fulminou Ben Gross no *Daily News*. "O público da TV teve uma desagradável amostra disso no programa de Milton Berle uma noite dessas. Musicalmente horrendo, Elvis gira a pélvis. Seu show foi sugestivo e vulgar, colorido com o tipo de animalismo que deveria ser restrito a espeluncas e lupanares. O que mais me espanta é que Berle e a NBC tenham permitido essa afronta."

E, sob a manchete "Cuidado com Elvis Presley", o semanário católico *America* sugeriu que

> Se o seu "entretenimento" pudesse ser limitado aos discos, talvez não exercesse uma influência tão prejudicial sobre os jovens, mas infelizmente Presley faz muitos shows. Recentemente, fez dois shows no Municipal Auditorium de La Crosse, Wisconsin. De acordo com o jornal da cidade, seus movimentos e mímicas durante a performance, descrita como um *"strip-tease* com roupas", não foram apenas sugestivos, mas absolutamente obscenos. As jovens nos shows (4.000 em um, cerca de 1.200 no outro) literalmente "enlouqueceram", algumas delas praticamente rolavam nos corredores...
> Na noite de 5 de junho, porém, a National Broadcasting Company não pensou duas vezes: trouxe Presley para as salas de estar de toda a nação. No programa de Milton Berle, Presley felizmente não foi tão longe quanto em La Crosse, mas sua apresentação foi "de um terrível mau gosto" (segundo o *San Francisco Chronicle*) e "sua única especialidade é um movimento acentuado do corpo primordialmente utilizado no repertório das loiras eróticas dos cabarés" (*New York Times*).
> Se as agências (de TV e outras) parassem de lidar com essas coisas nauseantes, todos os Presley de nosso país logo seriam engolidos no esquecimento que merecem.

A imprensa nacional escolheu Elvis Presley e o rock'n'roll como bode expiatório para a delinquência juvenil, o colapso generalizado da moralidade e dos valores culturais, a "mistura racial", tumultos e a falta de religião. Aparentemente, a imprensa despertou para a ameaça, a popularidade da nova música entre os jovens e, claro, o aumento nas tiragens que a polêmica poderia causar. Numa época que atribuía pouco ou nenhum valor às raízes do vernáculo e sempre tratava o Sul com o mais feroz desprezo ("onde o diabo perdeu as botas" era a concepção mais sofisticada na apreciação da cultura sulista), esse nível de afronta talvez não devesse ser uma grande surpresa. Mas surpreendeu, principalmente levando-se em conta o modo caloroso com que Elvis era recebido em quase todos os lugares por onde havia passado em todo o Sul e o modo geralmente tolerante com que tinha sido recebido em outras regiões. A senhora Presley estava fora de si de tanta raiva e vergonha ("Às vezes, ela ficava brava e xingava, soltava uns palavrões", contou Vester, o irmão de Vernon), e até Elvis parecia atônito com a virulência dos ataques. "Não faço nenhum movimento vulgar", protestou timidamente para Aline Mosby, a repórter da UP que ele deixara esperando em Vegas. "Não estou tentando ser sexy", garantiu ele a Phyllis Battele, do International News Service. "O jeito de expressar o que sinto é me movimentando. Só isso. Meus movimentos, senhora, são todos movimentos de pernas. Não faço nada com o meu corpo."

Só o Coronel manteve a calma. De volta a Madison, um caminhão de cartas chegava, a maioria acompanhada de notas de um dólar para pagar os pacotes de fotos oferecidos pelos fã-clubes. Após a apresentação no programa de Berle, Charlie Lamb, o veterano relações-públicas que o Coronel Parker tinha deixado no comando, contratou vinte moças para cuidar da transbordante correspondência: "Contratei a esposa de um médico para cuidar do dinheiro e manter os registros do que está chegando pelo correio, e liguei para o banco e disse: 'Tenho tanto dinheiro que não consigo levá-lo'." Aline Mosby termina a coluna escrevendo que Elvis tinha um empresário "que é o oposto exato do cantor sério". E perguntou ao Coronel o que ele achava disso tudo. "Vou comprar um requebrômetro para medir as requebradas", respondeu Tom Parker imperturbável, o sorrisinho malicioso escondido pelo charuto. "Quando Elvis parar de cantar, vamos colocá-lo no palco e apenas deixá-lo requebrar!"

ELVIS VOOU PARA MEMPHIS no amanhecer de 11 de junho, uma segunda-feira. O motivo: o enterro de seu primo Lee Edward Smith, irmão de Gene e de Junior, que tinha se afogado. Do funeral, voltaram de carro à casa dos pais. Diante da residência, fãs se aglomeravam. Elvis logo reconheceu no meio delas uma linda jovem que ele tinha namorado uma noite em que tocou na Keesler Air Force Base, em Biloxi, quase um ano antes. O nome dela? June Juanico. Ele a reconheceu imediatamente e começaram a conversar, e, quando descobriu que ela ia passar a semana em Memphis com algumas amigas, prometeu que ia ligar para ela no hotel em que estava hospedada. Talvez pudessem se encontrar mais tarde.

Nos dois dias seguintes, mostrou a June um mês inteiro de paisagens de Memphis – Humes, Memphis Recording Service, estação de rádio no Hotel Chisca, onde a apresentou a Dewey, mostrou a ela o condomínio de Lauderdale Courts, onde passou a adolescência, e a Crown Electric, do outro lado da rua, com o caminhão que ele tinha dirigido e agora estava estacionado no pátio. Ele a apresentou a Bernard e Guy Lansky e a presenteou com um boné de motociclista igual ao dele. Em seguida, foram à Mud Island, onde pilotou sua moto tão rápido que os dois ficaram assustados, e Elvis a fez colocar a mão no peito dele para que sentisse o bater de seu coração. Foi como na primeira noite em que se conheceram, em junho do ano anterior, em Biloxi, e ficaram sentados no píer do White House Hotel até as 3h ou 4h da manhã, "e fiquei muito nervosa – com medo de mim mesma. Minha mãe costumava me dizer: 'Mantenha a cabeça acima dos ombros. Se estiver numa situação comprometedora, pense: O que a minha mãe pensaria de mim se me enxergasse agora? Ali está aquele menino lindo roçando os lábios carnudos na minha nuca, e ele me faz virar gentilmente, e não sei se vai começar a me tocar e, trêmula, senti que deixaria, então ele me dá um abraço, e sinto que ele também está trêmulo. Então rimos, e ele diz: 'Quem está mais nervoso, você ou eu?' e depois rimos disso".

O senhor e a senhora Presley foram muito simpáticos. June sentiu-se em casa com a senhora Presley, que mostrou a ela como preparar o frango do jeitinho que Elvis gostava. Súbito, o pai dele veio avisar que o novo Cadillac estava pronto para ser retirado. June não se surpreendeu, é claro, com o convite de Elvis para acompanhá-lo. Mas ficou surpresa ao descobrir que teriam de ir a Houston para retirá-lo. Corajosamente, June pediu às amigas que arrumassem uma sacola de roupas e a levassem até a casa. Foi sua primeiríssima viagem de avião, mas primeiro teve de jurar à senhora Presley que realmente tinha dezoito anos. Em Houston, se hospedaram em quartos (e andares) separados, mas ela ficou com ele depois que ele garantiu que não lhe iria causar mal. "Confie em mim, baby", ele disse, e ela concordou. Levaram o Cadillac El Dorado branco de volta a Memphis no dia seguinte. Quando entraram na garagem, "a senhora Presley saiu e deu um abraço nele, como se não o visse havia semanas". Antes de se despedirem na sexta-feira, June o fez prometer que a visitaria em Biloxi, e ele falou que ia tirar férias em julho, então achava que seria possível. Trocaram votos de amor eterno. Por um lado, June ficou preocupada, "talvez nunca mais o visse". Por outro, confiava no caráter dele com a mesma intensidade que em seu sucesso contínuo.

Mas a NBC tinha lá suas dúvidas. Sem saber como reagir ao furor causado pela mais recente participação dele no *Milton Berle Show*, a rede lançou comunicados de imprensa conflitantes, e Steve Allen, que já tinha assinado com Elvis para uma participação única por US$ 7.500 (ele havia recebido US$ 3 mil e US$ 5 mil respectivamente pelas duas apresentações no programa de Berle), afirmou em seu programa *Tonight*, no final da noite, que "houve pedidos para que eu cancelasse a participação dele no programa. Por enquanto, ele continua agendado para 1º de julho, mas não bati o martelo. Se ele for confirmado, fiquem certos: não permitirei que faça algo ofensivo". Um porta-voz da NBC declarou: "Achamos que este rapaz tem um grande futuro, mas não vamos tolerar nada de mau gosto, sob circunstância alguma". Em 20 de junho, um acordo foi alcançado quando a NBC anunciou que Allen apresentaria um novo, "repaginado, purificado e um tanto sintético Presley. De gravata branca e fraque. Quem viver, verá", escreveu a colunista Harriet Van Horne com ceticismo compreensível. "E vai tentar ficar razoavelmente parado enquanto canta... Com tanta censura, ele bem poderia cantar 'Come, Sweet Death' no que diz respeito à sua carreira."

Era, comentou Allen, refletindo sobre a experiência, "uma maneira de dizer algo cômico". Também uma forma, claro, de contornar a carolice da nação com uma piscadela. Pena que a ironia se perdeu em Elvis, desconcertado com a força e a ferocidade das críticas a ele e à sua música. Era como se todas as forças reprimidas do puritanismo e da repressão tivessem sido liberadas simultaneamente, só para descobrir no rock'n'roll a principal fonte da crescente decadência moral da América e dos males do mundo. O que mais lhe causava mágoa eram as denúncias dos púlpitos, mas até os artigos de jornal incomodavam. Declarou uma vez que os críticos tinham direito a suas opiniões, estavam fazendo seu trabalho, e Elvis era sempre o primeiro a menosprezar a si mesmo e seus talentos, mas não era justo. Ele não bebia, não fumava (exceto as pequenas cigarrilhas Hav-a-tampa que ele apreciava cada vez mais, mas não em público), fazia o seu melhor para garantir que os meninos sempre se comportassem como cavalheiros. A aparência de alguém não deveria ser tão importante.

Era como no Ensino Médio – ele dava a impressão de ser uma coisa, mas era outra completamente diferente. Sempre acreditou que o importante era quem você era de verdade, mas agora começava a ter suas dúvidas. Tratava com o devido respeito todas as moças que mereciam ser tratadas dessa forma, não tratava? Tentava não praguejar muito em público e em geral dava um bom exemplo. Mas quando em Charleston ele mordiscou os dedos de uma repórter só para chamar a atenção dela, isso ganhou as manchetes nacionais – "Repórter do sexo feminino é mordida por Elvis" – e Gladys ficou chateada por ele estar sendo acusado de uma nova forma de degeneração moral, até que Elvis a tranquilizou dizendo que não era nada disso. Em Charlotte, em 26 de junho, na mesma turnê, de modo inesperado, fez um desabafo contra todas as críticas que andava recebendo no último mês e falou seriamente sobre o que sua música significava para ele.

Elvis Presley é um sujeito preocupado. Quer dizer, isso para um sujeito com quatro Cadillacs e salário semanal de quarenta mil dólares. Os críticos estão falando coisas ruins sobre ele. As últimas três semanas foram muito difíceis. Então rejeitou as ordens do seu empresário: ficar longe de jornalistas em Charlotte, terça-feira, até a hora do show. Por isso abandonou a reclusão do quarto de hotel.
Às 16h10 não aguentou mais, e com "o primo Junior" saiu do quarto.
A passos rápidos, foi até um restaurante ali perto comer churrasco, flertar com as moças e jogar sinuca.
"Claro que vou falar. Sente-se. Mas a maioria de vocês tem escrito coisas ruins sobre mim!"
Sentou-se, mas os joelhos dele não paravam quietos. Tamborilou uma marchinha militar no tampo da mesa. Olhos, sob cílios compridos, dardejavam de cabine privativa em cabine privativa, atirando piscadelas rápidas para as garotas que o espiavam. "Oi, baby", suspirou ele para uma delas, que se encolheu na cabine privativa, toda abalada. "Esse tal de Crosby [crítico do *New York Herald Tribune*], quem quer que seja, diz que fui obsceno no show de Berle. Nojento. Ele não sabe da missa a metade. Viu o programa? Debra Paget está no mesmo programa. Usa uma roupa justa, enfeitada com plumas atrás, onde elas mais se remexem. Nunca vi nada parecido. Sexo? Cara, ela rebolou e sacudiu o tempo inteiro. Eu, muito bem-comportado. E quem rotulam de obsceno? Eu! É porque ganho mais dinheiro que a Debra. Os críticos não gostam de ver ninguém fazendo sucesso com qualquer tipo de música de que eles não entendem nada."
E começou a comer. A garçonete trouxe o café dele. Elvis estendeu a mão e brincou com o lacinho do avental dela.

"Namoro ou amizade?"

"Namoro, baby!"

Presley diz que faz o que faz porque é isso que o faz ganhar dinheiro. E aquela música já existia antes de ele nascer.

"As pessoas de cor têm cantado e tocado como estou fazendo agora, cara, há um tempão. Tocavam assim em seus barracos e barzinhos, e ninguém dava a mínima até eu fazer o mesmo. Peguei isso deles. Lá em Tupelo, Mississippi, eu costumava ouvir o velho Arthur Crudup botando para quebrar como faço agora, e falei que, se um dia eu chegasse ao lugar onde eu pudesse sentir tudo o que o velho Arthur sentia, eu seria um músico como ninguém jamais viu."

Ele concorda que parte da música é simples.

"Mas não do jeito que Crosby descreve. Tem gente simples e gente importante e todas captam o sentimento que o rock'n'roll transmite."

Elvis diz que não sabe quanto tempo o rock'n'roll vai durar. "Quando passar, eu mudo para outra coisa. Gosto de cantar baladas ao estilo de Eddie Fisher ou Perry Como. Mas o estilo que estou cantando hoje é que dá dinheiro. Você mudaria se fosse eu?...

Quando eu cantava hinos religiosos em casa com mamãe e papai, ficava parado, é o que se espera de quem canta um hino. Quando canto rock'n'roll, os meus olhos não ficam abertos e as minhas pernas não ficam paradas. Não me importo com o que dizem, nojento não é."

Tudo era estranhamente familiar e, ao mesmo tempo, incrivelmente revelador, o tipo de entrevista que ele poderia ter dado no Ensino Médio, talvez, se alguém tivesse pensado em entrevistar o garoto quieto e esquisito que tinha frequentado a Humes High, e permeava a mesma e bizarra mescla de crueldade e sensibilidade, truculência e dor. Aparentemente, ele continuava apreciando a anomalia criada pelo abismo entre caráter e aparência, mas não funcionava mais do jeito que ele queria. Talvez estivesse pensando nisso quando confidenciou a Bob Johnson no mês anterior: "Senhor Johnson, o senhor sabe que algumas coisas mudam quando algo assim acontece. Não posso simplesmente fazer como eu fazia".

Chegou ao estúdio de ensaio da NBC, no centro da cidade, na manhã de sexta-feira, 29 de junho. Tinha tocado em Charleston, Carolina do Sul, na noite anterior, com show programado em Richmond na noite seguinte, devendo antes ensaiar para o programa de domingo à noite. Além do Coronel, só o primo dele, Junior Smith, o acompanhou na viagem de trem para o norte, e Junior ficou lá parado, olhando a rua, enquanto Elvis brincava ao piano ao lado dele e o Coronel tratava de negócios com dois agentes da William Morris, representantes da RCA e da Hill and Range. Um jovem fotógrafo chamado Al Wertheimer – que havia tirado umas fotos publicitárias para a RCA na quinta participação de Elvis no programa dos irmãos Dorsey, três meses antes e, na esteira de todas as avaliações negativas da mídia, tinha sido escalado por Anne Fulchino da RCA – perguntou ao cantor se poderia tirar umas fotos. "Claro, vá em frente", disse Elvis, reservado. "Não sei dizer se ele me reconheceu", escreveu Wertheimer, admirador da escola David Douglas-Duncan de realismo eloquente e documental, "ou se apenas respondeu por responder." Elvis continuou a tocar até que Steve Allen entrou, cercado por sua comitiva. Foram apresentados, e o famoso anfitrião lhe deu uma saudação superficial ("Allen lançou a Elvis o olhar que uma águia lança a um pedaço de carne", lembrou Grelun Landon, o representante da Hill and Range, que considerava o excêntrico e irreverente comediante "um dos meus ídolos"). Elvis recebeu um roteiro para um esquete do "Velho Oeste" chamado "Range Roundup". No papel de "Tumbleweed", Elvis ensaiou com Allen, Andy

Griffith e Imogene Coca. "Uma secretária cochichou algo no ouvido de Steve no fim do ensaio", lembrou-se Wertheimer. "Ele se virou para Elvis, que folheava atentamente o roteiro, e anunciou: 'O alfaiate chegou'."

Confuso, Elvis ergueu o olhar e respondeu:

"Sim, senhor? Pois não?"
"Não se lembra? Vai usar fraque no número com o cão bassê."
"Ah, sim, eu me lembro."
Elvis entrou num closet e reapareceu com calça larga e fraque. Com o mesmo charuto, sempre apagado, no canto da boca, o Coronel Parker deu um passo à frente para garantir que seu garoto tivesse um atendimento personalizado. Assim que o alfaiate traçou a última marca de giz, Elvis se virou para o espelho no outro lado do cômodo, sacudiu as lapelas e conferiu o cabelo com aquele olhar meio lascivo, meio sorridente, que me intrigava. A sala retornou à serenidade de uma capela quando a porta se fechou atrás do último membro do grupo de Allen. O Coronel instruiu Junior sobre as acomodações em hotéis e os horários de trem para o show em Richmond, Virgínia, no dia seguinte. Elvis nem prestou atenção. Estava de volta ao piano tocando outra canção gospel.

Por impulso, Wertheimer o acompanhou até Richmond. Assim como em Nova York, não só no ensaio de Steve Allen, mas numa ocasião anterior, quando Wertheimer o fotografou penteando e esculpindo seu cabelo ("Claro, por que não?", respondeu Elvis quando o fotógrafo perguntou se não tinha problema tirar umas fotos no banheiro), Elvis era "o tema perfeito para um fotógrafo, não tinha medo e era indiferente, alheio à invasão da minha câmera". Talvez por se entediar fácil, mas principalmente por sua ágil inventividade e humor sarcástico, "bastava ficar perto dele por cinco minutos que algo acontecia".

Em Richmond estavam programados dois shows, às 17h e às 20h, e, após um café da manhã com bacon e ovos, leite e batatas fritas rústicas, com *cantaloupe à la mode* de sobremesa, Elvis subiu para o quarto. Wertheimer não o viu novamente até cerca de uma hora antes do início do primeiro show, quando o encontrou comendo uma tigela de chili no café do Jefferson Hotel.

> Eu estava com calor e suado, e ele estava frio e impecável, quase digno num traje cinza ardósia, camisa branca bem passada e gravata de tricô branca. Foram os sapatos brancos de camurça que o entregaram.
> Estava com uma mulher. Ela não estava interessada num sanduíche de alface com tomate. Estava vestida para um sábado à noite... Tentava parecer casual, tarefa nada fácil na presença de um fotógrafo. Elvis foi legal comigo. "Ah, ele é o fotógrafo, tudo bem, ele está comigo", como se dissesse que é natural ter um fotógrafo num encontro... Ela cruzou as pernas e com um suave sotaque sulista perguntou o que ele estava lendo. Alegremente, Elvis informou que era o roteiro do *Steve Allen Show* – "Vai ser amanhã à noite, você vai assistir?" – e falou em aprender suas falas... Elvis deixou o roteiro de lado, terminou seu chili e dedicou sua atenção total para ela, falando que o cabelo dela era sedoso e como os brincos dela eram bonitos. Foi doce e natural.

Junior, sentado na outra ponta do balcão o tempo todo, fez uma cara feia, batucou com os dedos impacientemente e avisou que era hora de ir. "Ir aonde?", disse Elvis. Mas Junior não estava com espírito para piadinhas.

Quando chegaram ao teatro, Elvis avaliou o palco, sentindo seu tamanho como um construtor inspeciona um terreno. Moças gritavam de uma janela aberta enquanto Elvis e os Jordanaires tentavam ensaiar. O assistente do Coronel, Tom Diskin, cuidava da bilheteria enquanto o Coronel estava "curvado [no saguão] no meio da multidão, abrindo um pacote com suvenires, como livretos da apresentação e fotos em papel brilhante, adequadas para emoldurar. Entregou um maço para um rapazinho: 'Tem troco contigo, filho? Leve troco suficiente'".

O saguão, observou Wertheimer, estava forrado de fotos em papel brilhante. "Não vi foto de outro artista. De parede a parede, só Elvis."

Como sempre, circulavam nos bastidores os demais artistas do line-up: Phil Maraquin, o mágico; a trupe de dançarinos de Doris e Lee Strom; um grupo local de *"square-dancing"*, dança western para quatro casais; e os Fliam Brothers, músicos e comediantes. Foi com esse show que o Coronel substituiu a mais tradicional caravana de country e western de somente dois meses atrás. Um apagado naipe de metais ensaiava no palco, e Wertheimer viu nisso a ocasião ideal para ir ao banheiro, mas, quando ouviu algo que lhe pareceu o som de show começando, disparou escada abaixo rumo à área do palco. Na plataforma, avistou Elvis e a loira do café absortos num dançante ritual de sedução, com Elvis "lento, natural, insistente. Escorregou as mãos em volta da cintura dela. Ela jogou os braços ao redor do pescoço de Elvis, prendendo a bolsa entre eles. Ele avançou, ela recuou". O fotógrafo tirou foto após foto, até que, por fim, numa imagem destinada a se tornar tão memorável quanto o clássico "The Kiss", de Doisneau, "ela deixou entrever a língua, e ele, brincalhão, espelhou o gesto. As pontas das línguas se tocaram". Nesse ponto, Wertheimer discretamente se retirou e, logo depois, Elvis encarou sua fiel legião de fãs.

No fim do segundo show, Elvis saiu enquanto a banda ainda tocava, e o fotógrafo foi à estação com os outros músicos a bordo de um camburão da polícia. Lá pegaram o trem noturno das 10h50 de volta a Nova York. Elvis já estava no trem, na cama superior do beliche, "mão na testa, olhos no teto, assistindo a seu filme particular".

Chegaram a Nova York no início da manhã de domingo e pegaram um táxi para o Hudson Theater, na Forty-Fourth Street, onde ficaram o dia se preparando para a transmissão ao vivo naquela noite. Num breve ensaio, Elvis cantou seu hit mais recente, "I Want You, I Need You, I Love You", num cenário de colunas gregas (o conceito humorístico de Allen era representar a cultura pop num cenário de cultura elevada). "Ele cantou... sem paixão", observou Wertheimer. "Não se mexeu, não tocou no microfone, ficou estático, os pés afastados e fixos no chão. Depois que terminou, Steve lhe deu um tapinha nas costas e disse que estava ótimo. Elvis arriscou um sorriso e disse com uma voz lenta e modesta: 'Obrigado, senhor Allen'."

Então conheceu a cadela, uma bassê de colarinho, gravata-borboleta e cartola. Seguindo a temática, ele ia cantar "Hound Dog" contracenando com... quem mais? No primeiro ensaio, a cachorrinha o ignorou solenemente. Allen "sugeriu que eles se conhecessem". Elvis a acariciou, cantou para ela, e no final quebrou o gelo, para os aplausos dos assistentes de palco e outros profissionais. Começaram o ensaio do esquete. No ensaio geral, Elvis, desconfortável em seu fraque, interagiu com Milton Berle, que ia fazer uma participação especial no programa. "Boa sorte, garoto", disse ele, endireitando a gravata-borboleta de Elvis. "Obrigado, senhor Berle", disse Elvis com gratidão.

"Bem, sabe, algumas semanas atrás, no programa de Milton Berle, nosso próximo convidado, Elvis Presley, recebeu muita atenção, e parte do público interpretou de uma forma e outros interpretaram de outra. Naturalmente, a nossa intenção é apenas fazer um programa que agrade." Há um som ululante nos bastidores. "Alguém está uivando lá atrás. Queremos fazer um show que toda a família possa assistir e desfrutar, coisa que sempre fazemos, e esta noite vamos apresentar Elvis Presley em sua, hã, digamos, nova roupagem..." – Allen volta a rir, meio constrangido, o público reage com risinhos dispersos – "... e agora tenho o grande prazer de apresentar o novo Elvis Presley."

Se Allen sentia um grande prazer, obviamente Elvis experimentava o oposto. Em meio aos aplausos e à música atmosférica, Elvis entrou com o violão na mão, quase como se estivesse o arrastando. Fez uma reverência formal e distinta, sem mexer a cintura, depois esfregou o nariz na cartola, escondendo o rosto, e a entregou a Steve. "Elvis, você ficou ótimo nesse traje", disse Allen com um semblante sério, enquanto Elvis tirava as luvas brancas, mexendo-se nervosamente e desviando o olhar. "Ótimo mesmo. E eu acho que seus milhões de fãs vão gostar da chance de ver um lado diferente de sua personalidade esta noite."

"Bem, hã", respondeu Elvis em tom quase sonâmbulo, "obrigado, senhor Allen, hã..."

"Posso segurar seu violão?"

"Não é sempre que uso fraque..."

"A-ham", encorajou Allen, imaginando, talvez, se conseguiriam levar ao fim o esquete.

"... e tudo o mais. Mas, ops, acho que estou usando algo que não combina com traje a rigor."

"Não é muito formal? O que é, Elvis?"

"*Blue suede shoes*."

"Ah, sim", disse Steve com uma expressão de surpresa. O público riu e aplaudiu para incentivar.

Na canção de abertura, "I Want You, I Need You, I Love You", pela primeira vez ele aparenta estar, se não à vontade, ao menos envolvido, com fraque e tudo. Cantou a música com sinceridade e sentimento, curvando os ombros, afrouxando a gravata, absorto por um instante no devaneio íntimo que a sua música proporcionava. Atrás dele, os Jordanaires faziam o acompanhamento vocal, só aparecendo em silhueta, assim como os músicos da banda. As últimas notas ainda soavam quando Steve Allen irrompeu no palco outra vez empurrando um carrinho com a bassê, e anunciou que Elvis cantaria "Hound Dog", seu próximo grande sucesso, a ser gravado no dia seguinte. A bassê desviou o olhar, Elvis a puxou gentilmente pelo queixo, e a plateia riu condescendente quando Elvis lançou ao público um olhar de cumplicidade, como o de quem compartilha uma piada com um amigo. Quando Elvis cantava o refrão e apontava para a cadela, a câmera focalizava o animal. Quando ela começou a tremer, ele brincou com ela carinhosamente e, durante a música, inclusive a beijou uma ou duas vezes. A reação do público se limitou a risadinhas nervosas. Mas Elvis levou tudo na esportiva, passava o microfone no campo de visão da bassê sempre que a atenção dela se dispersava, compartilhando seu embaraço de modo aberto e amável. Sobre essa apresentação, Gordon Stoker, dos Jordanaires, comentou: "Ele sempre procurava dar o melhor de si em cada situação que aparecia. E ele nunca, nunca insultou ninguém". Houve uma sensação de alívio quase palpável por parte de todos os envolvidos quando a canção terminou e ele enfim pôde deixar o palco após um longo e solitário momento sob os holofotes.

O embaraço só ficou maior quando, após o intervalo comercial, o esquete "Range Roundup" (com "Big Steve and the Gang") começou com a melodia de "Turkey in the Straw". "Big Steve" segurava um violãozinho de brinquedo, Andy Griffith tinha um violino e usava perneiras felpudas, Imogene Coca vestia uma saia de vaqueira à Dale Evans, e "Tumbleweed" Presley, de semblante extremamente constrangido, apareceu sombreado, como todos os outros, pelo seu chapéu de caubói. No início, literalmente se escondeu no fundo, manifestando-se apenas com esporádicos gritos de concordância, em uníssono, com certa reserva e uma boa dose de dificuldade para dizer suas falas individuais (até mesmo "Pode apostar, Big Steve" saiu num truncado sotaque de Memphis). Mas aos poucos foi relaxando, e quando cantaram a pequena cantiga western no final, com cada ator entoando um verso e todos se juntando no refrão, ele parecia ter embarcado no espírito da diversão, marcando o ritmo facilmente no corpo de seu violão, acrescentando um ou outro de seus movimentos inconfundíveis, autorreferenciais, em sua ginga de caubói, e cantando seus versos com bom humor e quase abandono. "*Well, I got a horse, and I got a gun/ And I'm gonna go out and have some fun/ I'm a-warning you, galoots/ Don't step on my blue suede boots.*"[3] "Yeah!", grita Steve, com o elenco terminando num coro de "Yippy-i-oh, yippy-i-yay, yippy-i-oh-i-yay".

---

[3] Em tradução livre: "De trabuco e montaria/ Vou atrás de folia/ Estou avisando, seus idiotas/ Não pisem na camurça azul de minhas botas". (N. de T.)

"Rumo ao camarim", relatou Wertheimer, "Elvis foi interceptado pelo agente da William Morris com óculos de armação de arame que eu tinha visto sexta-feira de manhã no primeiro ensaio. Apertou a mão de Elvis e disse: 'Acho que o show foi fantástico. Você fez um trabalho maravilhoso. A reação será muito boa'. Tom Diskin, o braço direito do Coronel, abriu um grande sorriso."

De volta ao seu quarto no Warwick, Elvis ainda não tinha terminado seus deveres oficiais. Estava marcada uma entrevista no programa do colunista do *Herald Tribune*, Hy Gardner, *Hy Gardner Calling!*, que passava localmente na WRCA-TV, canal 4. O formato usual do programa era com os dois interlocutores filmados cada qual "em sua casa", e o show era transmitido "ao vivo" às 23h30 como uma conversa telefônica em tela dividida. Essa conversa em particular deve ter sido ainda mais bizarra do que a maioria. Gardner aparentou ser o maior chato da história, enquanto Elvis, talvez refletindo sua experiência naquela noite, estava mais parecido com James Dean do que nunca, meio exausto e, às vezes, genuinamente perdido. Erguia a mão à testa franzida, olhos visivelmente maquiados e, no geral, transmitiu uma desconcertante mescla de imagem rebelde com valores convencionais, hostilidade ressentida e uma ponta de mágoa por não ser compreendido.

Ele estava dormindo o suficiente? Preocupou-se Gardner. Não, na verdade não, "mas estou acostumado, e não consigo dormir mais". O que passava na cabeça dele para mantê-lo acordado? Algumas das músicas que ele ia fazer, "ou alguns dos seus planos, ou o quê?". "Bem, tudo aconteceu comigo tão rápido nesse último ano e meio... Estou muito envolvido, sabe? É difícil equalizar tudo o que aconteceu." Levemente sem jeito, Gardner pergunta a Elvis sobre algumas das críticas dirigidas a ele. Sente alguma raiva dos críticos? "Bem, na verdade, não, esse pessoal tem um trabalho a fazer e faz."

Mas aprendeu alguma coisa com eles?

"Não aprendi, não."

"É mesmo?"

"Porque não sinto que estou fazendo algo errado."

Não eram as palavras, mas o afeto – a postura geracional não tanto de que ele não entende, mas de que ele não é compreendido. Repetidamente ele rejeita o rótulo de rebelde ("Não vejo como o meu tipo de música possa exercer qualquer má influência sobre as pessoas, é apenas música... Quero dizer, como é que o rock'n'roll pode induzir alguém a se rebelar contra seus pais?") e ao mesmo tempo adota a postura. Gardner ficou claramente surpreso com ele e concluiu a entrevista com conselhos paternais, sugerindo que até mesmo a má publicidade pode tê-lo ajudado: "Possibilitou que você fizesse pelos seus pais o que você sempre quis fazer. Eu encararia as coisas assim, Elvis". "Bem, senhor, eu sempre digo", disse Elvis, repetindo palavras que costumava usar muitas vezes, mas em que uma parte dele claramente acreditava, "são os ossos do ofício. Recebo uma publicidade ótima, a imprensa tem sido maravilhosa comigo, e recebo publicidade ruim, mas você tem que esperar isso. Sei que estou fazendo o melhor que posso, e nunca disse não a um repórter, e nunca disse não a um disc jockey, porque são as pessoas que nos ajudam neste ramo... O importante é saber que estou fazendo o melhor que posso." "Bem, não se pode esperar que você faça mais", afirma Gardner de maneira reconfortante. "Quero dizer que foi ótimo falar com você, e o seu discurso é muito coerente." Com isso, a entrevista terminou, e Elvis enfim pôde deixar de lado os sentimentos e as experiências ambivalentes dos últimos dois dias e, talvez, dormir um pouco.

NO DIA SEGUINTE, estava novo em folha. Chegou ao edifício da RCA e se deparou com fãs portando cartazes de protesto com os dizeres: "Queremos o Elvis Real" e "Queremos o Elvis GIRATÓRIO". Em seguida, participou de uma nova conferência de imprensa, na qual anunciou que "Barbara Hearn de Memphis e June Juanico de Biloxi" são as duas moças que ele namora. A senhorita Hearn tinha a vantagem de "gostar de andar de moto". E recontou, nos mínimos detalhes e com a máxima exatidão, a história de sua vida. Então entrou no estúdio, pouco antes das 14h, e pôs mãos à obra.

O estúdio, de acordo com Al Wertheimer,

> parecia o set de um filme de ficção científica da década de 1930. Um vasto espaço retangular com paredes forradas de azulejos acústicos e semicilindros monolíticos. Estes corriam verticalmente nos lados maiores do retângulo e horizontalmente nos lados menores. O teto de pé-direito alto era ondulado com mais cilindros paralelos e dois tubos de luz fluorescente. O piso era feito com tábuas curtas de madeira, cuja textura tinha um padrão em zigue-zague com ângulos retos. No centro do salão havia um tapete sobre o qual os músicos tinham colocado seus instrumentos.

Aquela era uma sessão incomum. Em primeiro lugar, "Hound Dog", a principal música que pretendiam gravar, já fazia parte do show havia dois meses, sendo constantemente melhorada por Elvis e a banda. Além disso, era a primeira sessão com a presença de Freddy Bienstock, o vienense de vinte e oito anos, protegido dos irmãos Aberbach, e novo representante da Hill and Range. Era também, é claro, a primeira vez que todo o quarteto dos Jordanaires estava presente no estúdio. Porém, o mais significativo de tudo: pela primeira vez, o cantor de vinte e um anos estava claramente no comando.

Começaram com "Hound Dog", mas o sucesso tão espontâneo nos palcos se mostrou difícil de gravar em disco. O engenheiro Ernie Ulrich, que, como outras pessoas no prédio, encarava o rock'n'roll com certo cinismo, conseguiu uma boa mixagem de som no início, mas depois fizeram dezessete *takes* sem conseguir o *master take*. A bateria, sempre a força motriz no show ao vivo, não estava funcionando direito, Scotty tateava o solo de guitarra, os Jordanaires estavam com alguma dificuldade para se encaixar, e Shorty Long, o pianista de boogie-woogie que havia participado da última sessão de Nova York, ainda procurava sua deixa. O desânimo começou a tomar conta de Steve Sholes – estava ansioso para obter material para o segundo álbum, e ali estavam eles, desperdiçando um tempo precioso numa única canção –, mas Elvis, que mostrava pouca quietude em outros aspectos de sua vida, manteve uma concentração absoluta. "A seu modo próprio e reservado", escreveu Wertheimer, "ele manteve o autocontrole e assumiu a responsabilidade. Quando alguém cometia um erro, ele cantava desafinado. A pessoa que tinha feito o deslize captava a mensagem. Nunca criticava ninguém, nunca ficava bravo com ninguém, à exceção de si próprio. Ele só dizia: 'OK, amigos, pisei na bola'."

Até que no décimo oitavo *take* enfim conseguiram algo. A essa altura, a levada havia se modificado consideravelmente em comparação com a performance ao vivo, e o fraseado das letras tinha mudado ainda mais. A música se desviou bastante do original sabor latino tipo "rumba-boogie" de Big Mama Thornton. Essa atmosfera se preservou principalmente na repetição das palavras *hound dog* no final dos versos de abertura e tornou-se um rock agressivo potencializado pela "metralha" na bateria de D.J. e um solo que Scotty mais tarde rotulou de "psicodélico retrô". No vigésimo sexto *take*, Sholes deu por pronto, mas Elvis queria continuar. Depois do trigésimo primeiro *take*, Sholes anunciou no alto-falante: "OK, Elvis, acho que conseguimos".

> Elvis esfregou o rosto, passou a mão no cabelo e se conformou. "Espero que sim, senhor Sholes" (...)
> Após duas horas gravando com o ar-condicionado desligado (os microfones teriam captado o ruído), o ar na sala estava pesado e abafado. As portas duplas foram abertas, deixando entrar uma lufada de ar fresco, junto com o ruído de máquinas de venda automática e visitantes elogiosos. Elvis penteou o cabelo, bebeu a Coca-Cola oferecida por Junior e deu de ombros aos comentários sobre como a música era boa. Steve aproximou-se cuidadosamente. "Elvis, está pronto para ouvir a

gravação?" Num ar de que más notícias nunca chegam em boa hora, ele disse: "Tanto faz agora ou depois".
Elvis sentou-se no chão com as pernas cruzadas, em frente ao alto-falante. O engenheiro anunciou o *take* e deu o play na fita. Elvis se retraiu, roeu as unhas e olhou para o chão. No final do primeiro playback, ele parecia não saber se o *take* estava bom ou não. Steve pediu o *take* dezoito. Elvis puxou uma cadeira dobrável, sentou-se nela com o encosto para a frente, abraçou o encosto e ficou olhando para o chão... O engenheiro tocou o *take* vinte e oito.[4] Elvis se ergueu e se acocorou no chão, como se ouvindo numa posição diferente pudesse encarar o assunto de um ângulo diferente. Mais uma vez, imergiu numa profunda concentração, absorto e imóvel. No fim da canção, levantou-se devagarinho de sua posição agachada, virou-se para nós com um grande sorriso e vaticinou: "É este".

Almoçaram tarde. Junior buscou sanduíches e bebidas, e começaram a procurar novo material para gravar. Freddy Bienstock veio com uma pilha de demos em acetatos com partituras cifradas da Hill and Range, e Elvis revirou a pilha, escolhendo várias apenas pelo título. Em seguida, escutou-as no alto-falante do estúdio enquanto Steve as transmitia para fora da sala de controle. Quando ouviu a segunda demo, seu rosto se iluminou. "Deixe-me ouvi-la de novo", pediu ele. "Tem algo nela que eu gosto."
A canção era "Don't Be Cruel", que Bienstock havia adquirido por intermédio de Goldie Goldmark, demonstrador de músicas da Shalimar, a editora musical do promotor de eventos Moe Gale. Era uma composição de Otis Blackwell, cantor de r&b, que havia desfrutado de algum sucesso como artista, mas justamente agora começava a desfrutar de um

---
[4] Wertheimer aparentemente errou a conta; na verdade o *take* escolhido foi o último. (N. do A.)

sucesso bem maior como compositor (sua "Fever" tinha acabado de chegar ao topo das paradas de r&b na clássica versão de Little Willie John). Bienstock, cuja principal experiência era administrar, nos últimos dois anos, a St. Louis Music, a divisão de rhythm & blues da Hill and Range, se apaixonou pela canção. No entanto, explicou a Goldmark a situação bem direitinho. Se ele quisesse que a música fosse gravada pelo mais badalado artista do momento, teria de abrir mão de metade dos direitos de publicação (com a outra metade passando à Hill and Range) e metade dos direitos da composição (com a outra metade passando a Elvis). Como Otis Blackwell mais tarde declarou: "Fui avisado de que precisaríamos entrar em um acordo", mas valeria a pena, disso ninguém parecia ter dúvida.

Elvis pediu para que tocassem a música de novo e começou a trabalhá-la no violão, enquanto os outros a ouviram pela primeira vez. Em seguida, fez um esboço de arranjo no piano e mostrou a Shorty Long, que tomou notas na partitura cifrada. A essa altura, já tinha decorado a letra. Scotty arriscou umas aberturas, e Elvis sugeriu que ele aliviasse para dar um pouco mais de espaço. Pediu para D.J. "entrar ao fundo de Scotty numa batida mais lenta", e os Jordanaires configuraram os *backing vocals*. Vinte minutos depois, estavam prontos para ensaiar. Após um único ensaio, Sholes estava pronto para gravar, mas Elvis queria ensaiar um pouco mais, e foi o que fizeram. A canção continuou a evoluir ao longo de vinte e oito *takes*. Foi assumindo uma atmosfera cadenciada, improvisada e casual; a guitarra de Scotty ficou praticamente à margem, exceto no começo e no fim; Gordon Stoker dos Jordanaires fez um dueto com Elvis no refrão; e D.J. pôs no colo o violão envolto em couro de Elvis e tocou na parte de trás dele com uma baqueta do tipo *mallet* para suavizar a levada. A abordagem nada tradicional deixou o diretor titular de a&r claramente confuso. Quando enfim conseguiram o som que ele buscava, Elvis declarou: "Ficou boa". Já estava tarde, mas pediu novo playback de "Anyway You Want Me", balada suplicante que tinha ouvido no início da sessão. Fizeram um ensaio apenas. "No quarto *take*", escreveu Wertheimer, "Steve disse que estava pronto. Elvis repetiu: 'Ótimo, senhor Sholes. Vamos tentar de novo'."

"No começo não me impressionei tanto com ele, como cantor", disse Gordon Stoker. "Quero dizer, eu me diverti e tal com 'Don't Be Cruel', mas com 'Anyway You Want Me', o sentimento que ele passou naquele som específico me provocou uma reação bem diferente. Os pelos de meus braços se arrepiaram. Falei: 'Ei, pessoal, esse cara sabe cantar!'."

Às 21h a sessão terminou, e logo o estúdio estava deserto. O pessoal combinou de voltar para casa na manhã seguinte, de trem. Fariam aquele show beneficente do Milk Fund no estádio da cidade, e depois teriam o resto do mês para descansar, a primeira folga prolongada em seis meses. Todos mal podiam esperar por isso, inclusive Junior. Com sua risadinha maligna, fitava o primo famoso com olhos semicerrados e uma pontinha de ciúme velado. Steve Sholes queria mostrar algumas músicas a Elvis, mas este disse que teria de levá-las para casa com ele para conseguir ouvi-las. Seja como for, ele queria os acetatos das três músicas que tinham gravado naquele dia – queria aprender as músicas exatamente da maneira gravada, para que pudesse reproduzi-las assim nos shows. "Claro", respondeu Sholes, um tanto relutante, "vou enviar um pacote ao hotel pela manhã."

Alguns fãs ainda esperavam lá fora quando eles saíram do estúdio, e Elvis deu autógrafos pacientemente enquanto os outros aguardavam. A essa altura, o programa de Steve Allen parecia ter acontecido havia um milhão de anos, e a mídia havia muito tempo tinha chegado ao veredito. Allen superou Ed Sullivan nos índices de audiência, as resenhas a respeito do Elvis estacionário não foram mais bondosas do que sobre o Elvis giratório ("Um garoto acuado", declarou o *Journal-American*, "está na cara que não consegue ser cantor nem ator"). Por sua vez, Sullivan tinha afirmado reiteradamente que não ia trazer o cantor a seu programa, por mais lucrativo que fosse ("Não faz meu estilo"). Porém, em segredo, abriu a negociação com o Coronel. "Ei, Elvis, temos que voltar ao hotel", disse Junior. Elvis entrou no carro. Nada como um longo dia para abrir um buraco no estômago.

"Aquele pessoal de Nova York não vai me mudar em nada"

Topou com Gene Vincent na manhã seguinte, na Penn Station, quando se preparavam para deixar a cidade. Um dos rapazes apontou a nova estrela do rock'n'roll para ele, e Elvis se aproximou, se apresentou e deu os parabéns sinceros pelo sucesso de "Be Bop A Lula". Para surpresa de Elvis, Vincent logo começou a se desculpar. "A primeira coisa que ele me disse foi: 'Não tentei copiar você. Não tentei soar como você'. Do nada, sem ter sido interpelado. Falei para ele: 'Sei disso, é apenas o seu estilo natural'." Em seguida os dois jovens de vinte e um anos trocaram figurinhas sobre os sabores e dissabores do sucesso.

Passou a maior parte das vinte e oito horas de viagem de trem para casa descansando e brincando. O fotógrafo Al Wertheimer, convencido de que essa era uma oportunidade histórica que não voltaria a aparecer em seu caminho, pagou do próprio bolso a passagem e tirou fotos de Elvis dormindo um pouco, flertando com as moças, lendo gibis do Archie, admirando o enorme panda de pelúcia (presente do Coronel) e ouvindo os acetatos de suas músicas num toca-discos portátil, repetidamente, com concentração obsessiva. "Como foi ontem na sessão de gravação?", indagou o Coronel no vagão-restaurante, encontro também registrado por Wertheimer.

> Elvis respondeu suave: "Correu muito bem". O Coronel conduziu a conversa. "A reação à participação no programa do Steve Allen foi ótima. Melhor do que eu esperava." Elvis encolheu os ombros. Não pareceu impressionado. "É bom saber." Isso parecia ser uma rotina. O Coronel começava a conversa e Elvis acabava com ela. "Vai ser bom voltar para casa. Tenho certeza de que seus pais ficarão felicíssimos em revê-lo", comentou o Coronel. "Sim, vai ser bom reencontrá-los."
> Esse foi o fim da conversa. O Coronel mirou janela afora. Tom [Diskin] começou a falar em assuntos de trabalho. Junior conversou com Elvis, e o cantor comeu seu sanduíche. Duas gerações sentadas em mesas separadas.

Quando enfim chegaram aos arredores de Memphis, Elvis desembarcou numa pequena parada chamada White Station, atravessou um terreno baldio, indagou como chegar a Audubon Drive e, "ainda de terno e gravata de malha branca", Wertheimer observou, "acenou para nós e, com um sorriso que poderia ser visto a cem metros, Elvis caminhou para casa sozinho".

Passou o resto da tarde em casa, dando autógrafos às fãs, indo passear de moto, mergulhando na piscina nova (que Vernon estava justamente enchendo com a mangueira do jardim) e tocando os acetatos da RCA para sua "namorada de Memphis", Barbara Hearn, dezenove anos, redatora do ramo de publicidade que ele já conhecia desde os tempos de South Memphis (ela namorava Ron Smith, o amigo de Dixie, quando ele a conheceu) e com quem havia voltado a se encontrar no início da primavera. Wertheimer tirou fotos de Vernon fazendo a barba, de Gladys dando ao filho uma nova cueca samba-canção e do álbum de família, e o único a fazer objeções foi Vernon, que disse: "Mas eu estou com creme de barbear". "Falei a ele que estava tudo bem. Enxaguou a navalha e sorriu... 'Bem, se isso é o que você quer, OK'... Eu me perguntava como uma casa com tão pouca privacidade permanecia um lar", escreveu Wertheimer.

O CORONEL CHEGOU pouco depois das 21h com uma escolta policial. Escalou Tom Diskin para cuidar da família e de Barbara, enquanto ele e Elvis foram ao estádio central, a casa dos Memphis Chicks, a bordo de uma viatura policial branca. Fazia um calor de 36 °C, e o show já tinha começado havia quase três horas no antigo estádio feito de madeira, quando enfim a viatura policial deixou Elvis na tenda dos artistas, na terceira base. Para garantir um bom lugar, o público começou a chegar às 9h30 da manhã, trazendo marmitas com o almoço e o jantar, e agora atingia a lotação máxima de sete mil. (Em termos de comparação, um comício anti-integração liderado pelo senador do Mississippi, James

O. Eastland, no Overton Park Shell naquela tarde, reuniu trezentas e cinquenta pessoas). "O bramido era tão alto e interminável", relatou o *Commercial Appeal,* "que uma dose extra de pílulas para dormir foi distribuída aos pacientes de quatro hospitais próximos ao estádio." Antes de Elvis chegar, o nome dele foi mencionado vinte e nove vezes pelo mestre de cerimônias, sempre provocando gritos e guinchos incontroláveis.

Houve um concurso de dança "bop"; o anel de diamantes (14, para ser mais exato) em formato de ferradura, marca registrada de Elvis (avaliado em seiscentos dólares na época) foi ganho em um sorteio por Roger Fakes, de dezessete anos; o Coronel vendeu como suvenir os cinco mil programas que pessoalmente havia doado ao evento. Al Wertheimer indagou a ele por que os programas não vinham com o preço impresso, e o Coronel salientou: "Você nunca deve colocar preço em nada". Por sua vez, Dewey Phillips estava "para lá de bonito", informou o jornal, e "trabalhou como um troiano" como mestre de cerimônias. Entre os mais de cem artistas – incluindo quatro bandas, as Dancing Dixie Dolls, o Confederate Barbershop Quartette, a Admiral's Band of Navy Memphis, e a apresentação surpresa dos Jordanaires, que tinham vindo de Nashville – estavam Jesse Lee Denson, que cantou "Wayward Wind", de Gogi Grant, e com seu irmão Jimmy disse aos quatro ventos nos bastidores que ele tinha ensinado Elvis Presley a tocar violão em Lauderdale Courts.

Enfim chegou a hora de Elvis, e Dewey fez uma boa imitação do "velho" Elvis e do "novo" Elvis, enquanto um esquadrão de policiais, bombeiros e guardas da Marinha o escoltava ao palco. Da cabeça aos pés, trajava preto, à exceção da gravata e das meias vermelhas, que ele e o pai tinham escolhido pouco antes do show. Enquanto cumprimentava Dewey com a graça casual, saudando os fãs e reconhecendo os familiares na primeira fila, o ambiente literalmente explodiu. Os fãs "pularam de suas poltronas e avançaram como uma onda até o palco... Com toda a educação, Elvis implorou para que se sentassem, mas foi como o rei Canuto ordenando que as ondas parassem... O mais notável de tudo", refletiu Bob Johnson no *Memphis Press-Scimitar*, "era que ele já havia lotado o Ellis Auditorium no Festival do Algodão, dois meses antes". O adolescente Jack Baker, na época com dezesseis anos (vizinho dos Presley até a mudança, nove meses antes), narra o tumulto: "Não dava para ouvir nada além daquele som forte, daquela resposta aguda, ululante e forte, e eu me lembro de ter pensado: 'Que som incrível!'. De repente me caiu a ficha: eu também estava gritando". Quando enfim o furor arrefeceu, Elvis, lisonjeado, aceitou uma proclamação oficial designando aquele 4 de julho, quarta-feira, como "Elvis Presley Day". Em seguida, virou-se ao público e anunciou, com aquela mistura inescrutável de charme juvenil e calculismo adulto: "Sabe, aquele pessoal de Nova York não vai me mudar em nada, esta noite vou mostrar a vocês como é o verdadeiro Elvis".

E mostrou. Ao longo dos meses anteriores, Elvis passou por muitas mudanças na vida pessoal e uma drástica evolução na carreira. Por isso talvez não causasse tanta surpresa notar que o "verdadeiro Elvis", na descrição de Bob Johnson, fosse "um meio-termo entre o 'velho' Elvis e o 'novo' Elvis". Na realidade, isso significava uma coisa apenas: ele sabia controlar, instigar e manipular a plateia com muito mais domínio que nos shows de poucas semanas atrás. "Ele agitava o público", escreveu Johnson, "sem rodeios, provocava gritos de prazer enquanto seu sensacional estilo de música individualista pulsava no estádio frenético." Abriu com "Heartbreak Hotel", disparou "Mystery Train" e "I Got a Woman", chamou os Jordanaires para "I Want You, I Need You, I Love You" e "I Was the One", voltou a rugir com "Blue Suede Shoes" e "Long Tall Sally", e terminou, claro, após meia hora, com "Hound Dog".

"Quando chegou a hora de ir", observou Johnson, "enveredou rápido num corredor de policiais e guardas da Marinha até uma viatura estacionada ao lado do palco. Uma onda de fãs entusiasmados engolfou o veículo. Dois guardas da Marinha foram puxados para trás como se fossem plumas, mas o capitão Woodward conseguiu embarcar Elvis ileso na viatura que atravessou a multidão com o sorridente cantor."

Foi um momento de triunfo, um momento de puro e imaculado esplendor que ficaria para sempre congelado no tempo. Tudo que Elvis queria, Bob Johnson havia escrito, era ser "respeitado em sua cidade". E agora ele fazia sucesso diante de sua família e sua cidade, num estilo e numa escala absolutamente inimagináveis.

Com June Juanico, 505 Fayard Street, Biloxi, verão de 1956
(Cortesia de June Juanico)

ELVIS E JUNE
Julho a agosto de 1956

NA SEGUNDA-FEIRA SEGUINTE, 9 de julho, ele chegou a Biloxi, sem aviso prévio e meio inesperadamente. A bordo de seu El Dorado conversível branco, apareceu na casa de June Juanico na Fayard Street, na companhia de Red, o seu primo Junior e o amigo Arthur Hooton, cuja mãe tinha trabalhado com Gladys na Britling's Cafeteria. Esperaram na entrada da garagem enquanto uns garotos da vizinhança procuravam June. Quando ela apareceu, os dois combinaram um encontro para aquela noite, e ele foi fazer o check-in no Sun'N'Sand Hotel, cujo pátio rapidamente se encheu de fãs quando a notícia de sua chegada se espalhou.

Naquela noite, foram dar um passeio pela cidade com a mãe de June, Mae, e o namorado dela, Eddie Bellman. Mais tarde, os dois sozinhos revisitaram muitos dos pontos turísticos que June tinha mostrado a ele em sua visita no ano anterior. Ficaram fora até tarde, conversando empolgadamente e fazendo planos. Elvis não tinha certeza de quanto tempo ficaria dessa vez, disse a ela; ele imaginava que June teria de esperar para ver. Tudo o que ele sabia era que ia tirar três semanas de férias, só para descansar e curtir. Não sabia exatamente o que queria fazer, mas queria fazer algo. Poucos dias antes, num ímpeto, foi rodando de carro até Tupelo, visitou a tia dele e a professora do 5º ano, a senhora Grimes, a pessoa responsável por inscrevê-lo no concurso de canto na Feira Mississippi-Alabama. Agora – acabava de ser anunciado – ele voltaria a cantar na feira em setembro. Recebia elogios em todos os principais jornais e revistas nacionais, e em breve estrelaria um filme. Ele podia comprar para a mãe e o pai tudo o que precisassem, tudo o que quisessem.

Passou o dia seguinte inteiro na companhia de June. Naquela tarde, ouviram relatos em uma estação de rádio de Nova Orleans de que Elvis Presley tinha noivado com a senhorita June Juanico, de Biloxi, e no afã do momento pularam no carro e foram a Nova Orleans para desmentir o boato. Elvis conseguiu o endereço da estação em um telefone público, e visitaram de surpresa a WNOE, no Hotel St. Charles, grudaram o nariz no vidro até serem notados pelo atônito diretor do programa, Larry Monroe, que anunciou aos seus espantados ouvintes que "o homem do momento" tinha acabado de entrar no estúdio e de forma ágil criou um formato de entrevista.

A única coisa que ele estava levando a sério nesse momento era sua carreira, Elvis disse ao público da rádio. Não tinha tempo nem de pensar em noivar, agora só estava pensando nas férias, que ele planejava passar na Flórida. "Não vai ser fácil tirar férias", atalhou o DJ, "com tantos adolescentes e fãs ao redor..." "Bem, eu não me importo", declarou ele. "Sem eles eu estaria... perdido." Quando saíram do estúdio, o saguão do hotel estava lotado, e uma moça desmaiou pela empolgação e pelo calor.

De lá, o grupo de sete pessoas foi à Pontchartrain Beach, onde caminharam no calçadão à beira-mar. Elvis foi presenteado com vários bichos de pelúcia que se juntariam ao panda que ele ganhara em junho no parque de diversões de Memphis e foi batizado de "Pélvis". No jantar, a imprensa informou, Elvis consumiu três metades de frango frito e June três caranguejos. Ao longo da noite, a caminho de casa, pararam para um lanche, e Elvis pediu ovos duros com bacon tostado. Os ovos vieram com a gema ainda mole, e ele mandou o pedido de volta. A garçonete trouxe de volta e ainda não estava no ponto que ele queria. Então ela disse: "O que você quer, tratamento especial porque é Elvis Presley?". "Não", respondeu ele, "só quero ser tratado como um cliente habitual", e despejou o prato aos pés da garçonete. Chegaram em casa às 3h45 da manhã e, no dia seguinte, June respondeu de sua cama às perguntas de um repórter do *New Orleans Item*. "Se eu dei um beijinho de boa-noite nele? O que você acha? Claro que eu dei um beijo de boa-noite nele. Estávamos na varanda. Não no portão do jardim, na varanda. Ele é maravilhoso!"

ELES SE VIAM todas as noites e passavam quase todos os dias juntos. Elvis dizia à imprensa que estava prestes a ir para a Flórida, mas nunca ia. Na quinta-feira, saíram para uma pescaria em alto-mar com a mãe de June e Eddie Bellman, e se divertiram tanto que ele ligou do píer para seus pais em Memphis e os convidou para se juntarem a eles. Nesse meio-tempo, com o auxílio de Eddie Bellman, alugou uma *villa* no Gulf Hills Dude Ranch, no exclusivo balneário de Ocean Springs. As multidões no hotel à beira-mar tornaram-se impossíveis; quase quinhentas pessoas esperavam por eles quando voltaram de sua expedição de pesca, e o Cadillac de Elvis ficava sempre coberto de endereços, telefones e bilhetes românticos escritos em batom. Indagado pelo mesmo repórter que o entrevistara no início da semana sobre quando planejava ir para a Flórida, "com um sorrisinho sardônico nos lábios", Elvis respondeu: "Bem, se isso continuar, provavelmente esta noite". Na sexta-feira, quando Vernon e Gladys chegaram em seu Cadillac rosado e fizeram o check-in no Sun'N'Sand, não importava que Elvis não estivesse mais por perto; a multidão cercou o carro enquanto a senhora Presley encarava aquele povo todo em silêncio, num misto de curiosidade e medo. Quando foram pescar em alto-mar no sábado, os pais de Elvis não cabiam em si de alegria. O senhor Presley adorava estar na água, sem ninguém para incomodá-lo ou dilacerar as roupas do filho. Por sua vez, a senhora Presley preparou sanduíches de manteiga de amendoim e banana para Elvis enquanto ele fazia pesca oceânica, modalidade "corrico". Terminou de comer e limpou as migalhas dos lábios. Um dia de sol radiante, sem nuvens no céu azul profundo.

Na segunda-feira, todos rodaram de carro a Nova Orleans. Foram ao zoológico, caminharam num cemitério tomado de bromélias (da espécie barba-de-velho), visitaram os avôs de June, que antigamente gerenciavam o Astor Hotel na Royal Street, e viram algumas das belas mansões neoclássicas (*antebellum*) em Pass Christian. De mãos dadas com o marido, Gladys perguntou a Vernon se ele não gostaria de morar num casarão daqueles um dia. A senhora Presley simpatizou com June. Falou: "Sabe, nunca vi meu filho tão deslumbrado com uma garota. Vocês dois estão planejando se casar logo, não é?". Não precisam responder, Gladys disse. Ela sabia, tinha um pressentimento. "É melhor não deixar o Coronel Parker saber que você está levando a sério o namoro com June", avisou ela ao filho. "Sabe como ele se sente, em especial quanto a casamento." Gladys chamava June de "Satnin'", mas June não conseguia chamar a senhora Presley de "Gladys" mesmo após ter sido autorizada. Então, começou a chamá-la de "Lovey", menção ao nome do meio da mãe de Elvis, Love. "Sabe, meu filho vai me deixar com muito orgulho dele" – como se ela já não tivesse orgulho de Elvis!

Os pais dele retornaram a Memphis, e Elvis alugou uma casa de quatro dormitórios da família Hack em Bayview Drive, pertinho do resort Gulf Hills, que proporcionava mais privacidade do que a *villa*. Um idílio de verão que nem ele, nem June tinham experimentado antes. As semanas seguintes passaram como se nunca fossem terminar – e como se tivessem terminado antes mesmo de começar. O senhor e a senhora Presley vieram de novo, um ou outro assistente aparecia para cuidar de assuntos variados, e uma vez Elvis retornou a Memphis, supostamente para tratar de negócios, também. Às vezes, June suspeitava que seus negócios tinham a ver com a "namorada de Memphis", Barbara Hearn, mas não se importava. Não mesmo. Para Elvis e June, um momento era uma eternidade: quando ele estava com a jovem, dedicava-se a ela de corpo e alma. E uma vez ela declarou a um repórter, com um quê de malícia: "Seria um pecado desperdiçar isso".

Em Gulf Hills, eles passeavam, esquiavam na água, jogavam *shuffleboard* numa quadra de concreto e davam mergulhos no mar. À noite, na "Casa dos Hack", faziam batalhas de fogos de artifício atrás da sebe alta e no campo de golfe do outro lado da rua, com todos correndo ao redor, cada qual com um pequeno charuto na boca para acender as bolas de fogo que jogavam uns contra os outros. Mesmo no resort, eram praticamente deixados em paz, então, após uma sessão de esqui aquático, podiam jantar no restaurante do hotel com a mãe de June e o senhor Bellman, depois caminhar até o Pink Pony Lounge e se reunir ao redor do piano, onde Elvis entreteria a todos, e todos cantariam juntos velhos clássicos até ele arrematar a noite com uma canção gospel. Queria June com ele o tempo todo e reclamava quando ela ficava longe. "Ele dizia: 'Moça que eu namoro sempre está a meu lado. Mostra orgulho de estar comigo. Se eu digo alguma coisa, ela ouve. E quando eu quero dizer algo a você, primeiro preciso descobrir onde é que você está'." Ela sabia exatamente do que ele estava falando. Às vezes, June ficava para trás de propósito, só para ver se Elvis a procurava – e ele sempre o fazia. Ela respondeu: "Não sou como suas outras namoradas, Elvis, não presto atenção em cada palavra sua. Quando nos conhecemos, você disse: 'Eu gosto de você, June, você é diferente'. Agora, de repente, quer que eu seja como todas as outras". Não é isso, protestou ele, mas o que tanto ela falava com o instrutor de esqui em vez de vê-lo esquiar? "Sério?", disse June. "Você só se importa em saber com quantos caras eu já saí. Sabe, eu saí com um monte de caras, mas realmente nunca fiz nada."

"Ele disse: 'Isso significa que você continua uma cereja?'. Respondi: 'Não sou só uma cereja, querido. Sou a torta inteira'."

OS DOIS COMBINAVAM PERFEITAMENTE. June adorava se comportar mal e se divertir, e ele ficou surpreso ao descobrir que ela adorava cantar também. Quando saíam para andar a cavalo, cantavam "Side By Side", "Back in the Saddle Again" e "Let the Rest of the World Go By", e June fazia a voz harmônica de tenor. Quando iam nadar, sempre havia um toca-discos ao lado da piscina. Elvis colocou "My Prayer", sucesso dos

Platters naquele verão, várias vezes. Daí, quando o vocalista se aproximava da nota clímax, "Elvis sempre dizia: 'Vou conseguir aquela nota, um dia desses, vou conseguir a aquela nota, aí vem ela...' E tentava relaxar e acertar a nota, mas não conseguia, e gritava e mergulhava". Ele cantava o tempo todo – às vezes parecia que preferia cantar a respirar. June não era particularmente fã de seus discos, então tocavam principalmente músicas antigas como "That's My Desire" e "Over the Rainbow" ou sucessos de r&b como "Ebb Tide" e "Unchained Melody". Elvis sabia muito bem que June tinha certas reservas sobre seu estilo musical. "Eu achava que na maioria de seus discos ele parecia estar cantando numa latinha de estanho. Falei: 'Por que não deixa uns desses caras que fazem seus discos ouvirem você cantar assim e ver se encontram material parecido? Sabe, a sua voz é maravilhosa'."

Eles compartilhavam, antes de tudo, um senso de humor. Quase todas as fotos daquele tempo mostram um Elvis sorridente, risonho, descontraído, sem constrangimento, só orgulho e juventude. Saudável, inocente, repleto de energia, da sensação de que chegou lá. Faz palhaçadas nessas fotografias de uma forma que o jovem sisudo de Tupelo nunca faria e o jovem astro em ascensão jamais poderia, o chapéu inclinado para trás em sua cabeça, o cabelo revolto, tentando sorver o mundo inteiro como o deus grego Pã.

A *Newsweek* publicou uma coluna de John Lardner em 16 de julho criticando Steve Allen por sua tentativa de "civilizar" Elvis: "silenciar e frustrar Presley, para o bem da humanidade... A ética de Allen", declarou Lardner, "era questionável". No dia 12, Ed Sullivan anunciou que havia mudado de ideia e estava agendando com Elvis, ao valor inédito de cinquenta mil dólares, três participações no programa, ao longo do outono e do inverno. O Coronel também estava costurando um acordo com a Twentieth Century Fox após Hal Wallis informá-lo de que não teria um veículo pronto para Elvis até o início do ano seguinte. O contrato foi de US$ 100 mil para coestrelar um filme, com a opção de dois filmes adicionais a US$ 150 mil e US$ 200 mil. As filmagens do faroeste

The Reno Brothers (que depois teve o título mudado para *Love Me Tender – Ama-me com ternura* –, a música-tema do filme), começariam no final de agosto. Enquanto isso, a RCA estava recebendo uma resposta quase inacreditável ao single de "Hound Dog" e "Don't Be Cruel" – mesmo levando em conta a estrondosa reação a todos os outros discos de Elvis Presley lançados naquele ano pela gravadora. Lançado em 13 de julho, uma semana depois já era disco de ouro.

Nesse meio-tempo, Elvis ficou tão queimado do sol que teve de fazer esqui aquático de calça comprida e camisa de manga longa por um ou dois dias (apesar do traje incongruente, "sua habilidade", de acordo com o instrutor de esqui aquático Dickie Waters, "era quase profissional"). June entrava e saía da água tantas vezes que acabou desistindo de arrumar o cabelo e, por sugestão de Elvis, fez um corte radical. O mundo parecia longínquo, e quando ele se intrometia de forma indesejada, a resposta só podia ser espontânea. Elvis, por algum motivo, detestava "Sweet Old Fashioned Girl", de Teresa Brewer, popular naquele verão. Uma vez, após andarem a cavalo, sentaram-se ao lado de uma gigantesca jarra de água gelada, e essa música começou a tocar no rádio. Com um olhar travesso, June "disse a ele: 'A sua música favorita!'", e aumentou o volume. "Ele pegou a jarra de água gelada e derramou todinha na própria cabeça! Uma coisa bem típica do Elvis."

A felicidade quase perfeita só era importunada por duas únicas notas tristonhas: a partida quase iminente de Elvis no início de agosto para mais uma turnê na Flórida e a intromissão ocasional de outras pessoas – Red e Junior e, às vezes, Arthur, a quem June chamava de "Artrite". Não era que June não gostasse dos amigos dele, embora tenha sentido certa maldade da parte de Junior, para não mencionar uma grosseria em Red, que floresciam na ausência do senhor e da senhora Presley. Certamente poderia conviver com aquilo – estava confiante de que poderia pagar na mesma moeda. O que mais a perturbava era o efeito deles em Elvis: parecia que ele precisava tanto da aprovação dos amigos que se tornava um deles. Os amigos de June não exerciam esse efeito sobre ela nem sobre ele; apenas eram uma companhia divertida. Mas Elvis parecia perder sua confiança, bem como seu temperamento, quando estava perto da gangue dele. Por um lado, queria desesperadamente dar um bom exemplo, fazia um olhar de repreensão se eles saíssem da linha, e era bonzinho com eles, também, sempre mostrando aquela maravilhosa generosidade de espírito que June tanto amava em Elvis. Por outro lado, ela odiava quando ele se exibia na frente dos amigos, quando se esforçava tanto para agir como os outros que deixava de ser ele mesmo. Ela era uma pessoa, também, disse a Elvis. Não era uma propriedade. Ela não pertencia a ninguém.

"Ele sempre queria me manter ali, na rédea curta. Sempre estava atrás de mim e, quando me encontrava, sempre dizia: 'Por onde diabos você esteve? Quem diabos você pensa que é?'. Tudo isso na frente dos rapazes. Ele perdia o controle bem rápido, e eu também sei ser teimosa quando eu quero! Então, uma vez ele veio me dizendo: 'Não fale comigo assim, não me trate assim', e dei uma bronca em Elvis na frente de todo mundo. Bem, ele me agarrou... 'Ah, vem cá!' e me pegou pelo braço como se fosse me dizer poucas e boas e me puxou ao banheiro. Mas, quando entramos lá, ele só pegou meu rosto entre as mãos, me beijou e disse: 'Baby, eu sei. Sei que você está certa... e eu sinto muito'. Mas ele não mostrava esse lado para os caras. Os caras simplesmente não conheciam a ternura do coração dele."

Mas June conhecia. Desde o começo, ela sentiu seu lado espiritual, e o presenteou com um exemplar de *O profeta*, de Khalil Gibran, presente de formatura de um ex-namorado no ano anterior. "Ele adorou. Eu falava quais eram meus capítulos favoritos – o meu favorito era sobre amor e amizade, e tinha uns trechos até sobre casamento." Leram, releram, conversaram sobre o assunto longamente, e June pensava que isso o acalmava um pouco – embora duvidasse de que algo realmente tivesse esse poder. Uma noite, pararam no hospital para visitar uma menina com leucemia cuja mãe June conhecia, e então voltaram ao mesmo píer onde, na noite em que se conheceram, ficaram sentados quase até o amanhecer. Elvis pediu para June fitar a lua, relaxar por completo e não pensar em mais nada, apenas flutuar no espaço entre a lua e as estrelas. Se você relaxar o suficiente, disse ele, pode subir lá bem pertinho delas. "Há quanto tempo faz isso?", perguntou ela. "Desde que eu era pequeno", revelou ele. Mas não contava a ninguém sobre isso. "Há muito tempo aprendi a não falar sobre isso. As pessoas pensam que você é louco quando fala sobre coisas que elas não entendem." Contou que só confiava numa pessoa para entendê-lo: a mãe dele.

June entendia. Ela entendia que quando estava com ele os dois criavam um vínculo inquebrantável. E ela entendia que quando Elvis estava em público havia algo nele que ela não tinha permissão de ameaçar. Mais três anos, projetou ele, em tom de desculpas, para ter uma vida própria. Então poderia fazer o que bem entendesse. Estaria livre para se casar, ter filhos, admitir publicamente que não pertencia só ao público, mas até então havia prometido ao Coronel – esse personagem misterioso que ela nunca conheceu – não fazer nada prejudicial à sua carreira.

Apesar de tudo, a vida em Biloxi era isolada o bastante para que eles quase pudessem fingir que levavam uma vida normal, e a própria cidade estava tão acostumada com celebridades que após um tempo simplesmente fingia ignorá-las. Foram assistir ao filme *O rei e eu* no Saenger Theatre, no centro da cidade, e saíram no meio da sessão. Elvis alegou que achava ridículos os musicais, as pessoas do nada começavam a cantar, bem quando as coisas estavam ficando sérias. Passearam com a turma de June, Patty Welsh, Patsy Napier e Buddy Conrad, que dirigia um Lincoln Continental verde-hortelã novinho em folha. Foram ao Gino's Pizza e ao King William's Cellar em Ocean Springs e, claro, ao Pink Pony, como qualquer adolescente em busca de diversão. Todos os amigos dela adoravam Elvis e não aceitavam que alguém o criticasse. Uma vez, para fazer um favor a Eddie Bellman, Elvis apareceu na loja de roupas de Dave Rosenblum, onde o senhor Bellman cuidava do setor de sapatos femininos com Lew Sonnier, e a multidão foi tão grande, informou o jornal, que parou o trânsito no centro. Outra noite, foram ao famoso Supper Club de Gus Stevens, "a boate do litoral", porque Elvis queria ver o comediante Brother Dave Gardner, e o senhor Gus fez um grande alvoroço ao recebê-los, instalou-os numa sala de jantar privada e fez questão de tirar uma foto ao lado do jovem astro em ascensão.

No final de julho, Elvis teve de retornar a Memphis por uma semana, e voltou ao volante de um Lincoln Premier lilás de capota branca, que, segundo ele, seria "menos chamativo". A "Casa dos Hack" estava ocupada, então alugou os dois lados de uma *villa* normalmente compartilhada por duas famílias, permitindo que ele e June mantivessem sua privacidade em relação à turma. Quanto mais se aproximava a hora de Elvis partir, mais os dois ficavam grudados um ao outro – nenhum deles parecia imaginar que um dia aquilo acabaria. Por fim, ele indagou: por que ela simplesmente não ia junto com ele? June pediu à mãe, e esta disse não, mas Elvis falou para deixar tudo com ele. Pediu a Gladys que ligasse para a senhora Juanico e garantisse a ela que June seria devidamente acompanhada. Em seguida, foi à Keesler Air Force Base e persuadiu o sargento Napier, pai de Patsy – a amiga de dezessete anos de June –, a deixar que a filha os acompanhasse (numa cartada surpreendente que June nunca teria imaginado). Então, quando o sargento concordou, ele convocou o amigo delas, Buddy, para dirigir.

Na última noite na *villa*, com os pais de Elvis presentes para uma derradeira visita, June passou a noite ali e adormeceu nos braços do namorado. Acordou cedo e começou a se vestir, ele a puxou de volta para a cama, e os dois começaram a brincar, como de costume, lutando, rindo e se demorando. "Passávamos noite após noite dormindo nos braços um do outro sem nada além de muitos beijos e carinhos. Elvis respeitava as mulheres, talvez porque respeitasse tanto a mãe dele, e sempre parava antes de eu precisar dizer não. Mas uma vez eu não queria pedir que ele parasse, e acho que ele também não queria parar, então engatei um riso histérico – eu faço isso quando fico nervosa – e a minha risada o contaminou, e lá estávamos nós rolando na cama sem parar, um em cima do outro, totalmente nus, quase morrendo de rir, de puro medo do que estávamos prestes a fazer. E então paramos, e de repente houve uma batida na porta, e era a senhora Presley. Ela disse: 'Primeiro vocês estavam quietos, depois ouvi risadas e ficou quieto de novo. Daí pensei que era melhor ver se está tudo bem. Sabe, talvez seja melhor darmos uns anticoncepcionais à June para evitar que ela tenha muitos nenéns'.

"Nenhum de nós falou nada do tipo 'Me desculpe por quase ter ido longe demais'. Era mais algo assim: 'Puxa vida, quase fizemos isso, June, não é?'. Este foi o comentário de Elvis: 'Quase fizemos isso, não é mesmo, baby?'. E eu disse: 'Quase fizemos'. Ele falou: 'Foi por um triz, não foi?'. Como se fosse divertido para ele, e fosse divertido para mim, também, e foi por um triz. Depois disso, não tivemos muitas outras oportunidades de ficar totalmente a sós. Houve só algumas vezes – mas nunca chegou tão perto quanto naquela noite."

Então ele partiu. Ele as encontraria em Miami, disse Elvis. Era só procurar Red, Junior ou Gene – qualquer um dos três cuidaria delas.

ELAS CHEGARAM a Miami na sexta-feira, 3 de agosto, bem na hora em que Elvis estava indo para o primeiro dos três shows diários no Olympia Theatre, um reduto de vaudevile da década de 1920 ainda resplandecente com pavões empalhados e teto crivado de estrelas cintilantes no céu pintado. June foi imediatamente levada aos bastidores, onde uma equipe de reportagem do *Miami News* a descobriu e registrou que

> ela teria acariciado a testa [de Elvis] entre um show e outro... Além disso, June Juanico, dezoito anos, a beldade de Biloxi que Presley evidentemente prefere à aspirina, admitiu que Elvis era tão instável no amor quanto no palco. "Seria bom se Elvis me amasse tanto quanto eu o amo", suspirou June. "Mas agora ele está casado com sua carreira e não está pensando em casamento." June, que tem um corte de cabelo de estilo italiano, bem curto e reto, disse que vai acompanhar a turnê de Presley em [mais] seis

cidades da Flórida e Nova Orleans. Mas quando ele retornar a Memphis? "Não sei exatamente o que vou fazer."

Entrevistada no túnel embaixo do palco do Olympia, June contou a história do namoro, desde o começo.

"Bem, sabe como é o amor. Oito meses se passaram sem receber notícias dele." (...) Lá em cima, enquanto June conversava conosco e posava para as fotos nos bastidores do palco, Presley se preparava, e ela não queria perder nem uma performance... Perguntamos por que as meninas, especialmente as mais jovens, ficavam tão histéricas – e por que ela não gritava. Sem pestanejar, June respondeu: "Se você fosse um membro do sexo oposto, você também o apreciaria. E eu também sinto vontade de gritar".

Voltaram ao Hotel Robert Clay após o último show. O Lincoln de Elvis, de apenas duas semanas de idade, estava coberto de nomes, mensagens e números de telefone. Havia repórteres em seus calcanhares o dia todo, e Elvis ficava irritado com ele mesmo e com os repórteres. Na coletiva daquela tarde, ele se engasgou numa pergunta sobre a crise do Canal de Suez, e sentiu que tinha feito papel de bobo. Disse a June: "Bem, eu não deveria ter dito nada. Eu deveria ter esperado e pensado um pouco mais para não falar algo tão estúpido". June e Patsy tinham seu próprio quarto, é claro, e, após tomar um banho, Elvis voltou para vê-las e se afastar do Coronel e dos rapazes. Deitou-se na cama de solteiro com June, acariciou-a como se não acreditasse que ela estava realmente lá, brincou com Patsy, uma irmãzinha travessa, tão sensata e de língua tão afiada quanto June, murmurou coisas doces no ouvido de June e, antes que ela percebesse, dormia profundamente.

No dia seguinte, a entrevista de June saiu no jornal, e o Coronel irrompeu no camarim antes do primeiro show. Primeiro encarou June, depois Elvis, com o jornal na mão. "Meu filho, não podemos ter esse tipo de publicidade", declarou ele, o rosto vermelho, o olhar faiscante, batendo o jornal ruidosamente na palma da mão. "Tem que fazer algo em relação a isso, meu filho", anunciou ele enfaticamente. Pela primeira vez desde que June o conhecera, Elvis pareceu muito assustado. "O que houve, Coronel?", gaguejou ele, como sempre fazia quando estava agitado. "Leia você mesmo, filho, e dê um jeito de remendar isso."

Elvis continuava chateado após o show – parecia culpá-la por ter dado a entrevista, parecia sentir que, se June não tivesse falado com "aquele maldito repórter", ninguém jamais teria notado a presença dela em Miami. Obviamente frustrado e chateado, enfim se acalmou e decidiu ir comprar um carro com seu empresário, enquanto June voltava ao hotel. Por impulso, desembolsou US$ 10.800 por um Lincoln Continental branco igual ao de Buddy, colocando no negócio seu novíssimo Premiere coberto de batom. Um repórter o rastreou enquanto ele permanecia no *showroom* e perguntou sobre June. "Anota aí uma coisa", declarou Elvis nervoso. "Tenho vinte e cinco namoradas com quem eu saio com frequência. Ela é apenas uma das garotas." "Às vezes, aparecem oito delas de uma só vez", disse o Coronel, aparentemente de bom humor restaurado, "e todas alegam que são suas 'namoradas fixas'. Uma garota até alegou que era minha filha, e eu não tenho filha."

Mais tarde, o Coronel foi ao quarto de Elvis no hotel e mal dirigiu o olhar a June. "Ei, acho que você vai querer dar uma olhadinha nisto", disse ele, entregando a Gene uma cópia do roteiro para o filme que começaria a ser gravado em Hollywood em três semanas. Então girou nos calcanhares e bateu a porta atrás de si. Elvis agarrou o roteiro ansiosamente, e ele e June começaram a folhear o texto, mas ele ficou impaciente e não resistiu: pulou para o fim para saber como terminava. Ficou muito decepcionado ao descobrir que o personagem que interpretava ia morrer. "Falou: 'June, não quero morrer no meu primeiro filme'. Indaguei: 'Por que não? Acho que é uma boa ideia. Eu sempre me lembro do personagem que morre. Final feliz a gente esquece fácil. Final triste gruda na gente por mais tempo'."

Para o show final, Elvis alertou a todos para se certificarem de já estar nos carros quando ele começasse a última música, não quando ele terminasse. Avisou a June para ela ficar longe do Coronel, que, de qualquer forma, estaria envolvido vendendo suas fotos e lembranças; afinal, ele precisava ter a impressão de que estava fazendo algo. Viajaram a noite abraçadinhos. Colocou um charuto apagado na boca e zombou do Coronel, declarando em tom de bravata: "Você está saindo muito com essa mocinha de Biloxi. Ela não é boa para você, meu filho. Você não pode estar vinculado a nenhuma garota. Pelo amor de Deus, não a engravide. Se isso acontecer, sua carreira está acabada, isso é certo". Choraram de tanto rir, mas June sabia que a coragem dele no escuro nunca veria a luz do dia. Ele tentava cuidar de todos eles, Red, Junior, Gene, June e os amigos dela, a família dele, os fãs, todo mundo contava com ele, todo mundo o admirava, e algo lhe dizia que nada disso teria sido possível, ou tudo aquilo poderia terminar num piscar de olhos, não fosse o Coronel. Então Elvis tentava cuidar dos problemas que estavam a seu alcance, fazia de tudo para manter Red e Junior na linha. Ele queria, pensava June, que tudo desse certo.

No dia seguinte, em Tampa, a imprensa jogou a merda no ventilador. O jornal de Miami entrevistou a mãe de June pelo telefone e depois comparou as afirmações dela com as de Elvis e as do Coronel. O artigo, sob a manchete "Elvis nega que a beldade de Biloxi é sua *namorada fixa*", trazia uma entrevista com a mãe de June, em que ela declarava, "com todas as letras: o 'Pélvis' tinha feito um pedido para que a filha dela fosse 'permanentemente dele' em três anos... 'Não sou contra que ela faça a viagem', disse a senhora Juanico. 'Ele é um bom rapaz, e June é uma boa menina. Falei com os pais dele e me disseram que Elvis cuidaria bem dela. Ele disse que não pode se casar ainda, só daqui a três anos, e pediu que ela esperasse por ele'." O Coronel ficou lívido de raiva, e os meninos reagiram à suposta declaração de Elvis de que ele tinha outras vinte e quatro namoradas, dizendo: "Sim, é por isso que ele nos leva junto, nós cuidamos da oferta excedente". E Elvis pediu para

June ligar para a mãe dela imediatamente e pedir que ela não falasse com mais ninguém – não é que Elvis não quisesse que ela defendesse a honra da filha, simplesmente não queria mais prolongar aquele assunto.

Naquele dia fizeram dois shows no Fort Homer Hesterly Armory, patrocinados pelo Seratoma Civic Club, com ingressos a 1,50 e 2,00 dólares. O palco era feito de uns caixotes improvisados. Sistema de som, inexistente. Microfones, dois. Amplificadores, dois. Al Dvorin, o empresário de Chicago responsável pelo line-up, escalou a usual e incongruente procissão de artistas de vaudevile, a mesma que tinha escalado ao longo da primavera, totalizando uma hora e meia de shows medíocres, antes do show principal, de vinte minutos. *"Fuck you very much"*, disse Elvis em meio ao barulho, mas ninguém pôde entender as palavras, a música ou os comentários. "Era mais do que óbvio", escreveu Anne Rowe, repórter do *St. Petersburg Times* que foi entrevistá-lo, "que ele amava cada gritinho, cada urro... e cada minuto naquele palco. Lutou com o microfone e desmanchou dois em seu frenesi, e por fim, o suor escorrendo pelo rosto, praticamente arrancou o casaco e cantou mais duas músicas."

Quando estava no palco, ele se sentia uma pessoa diferente, contou ele a June: "Não sei, é difícil de explicar. É como se o seu corpo inteiro ficasse arrepiado, mas não é um arrepio. Também não é um tremor. É como uma explosão elétrica passando por você. É quase como fazer amor, mas é ainda mais forte do que isso". Acontecia com todos os artistas? June perguntou a ele. "Não sei. Um ou outro me disse que fica nervoso e empolgado, mas acredito que não tenham as mesmas sensações que eu. Se tivessem, falariam mais no assunto, não acha? Dizem que ficam nervosos, mas depois de cantarem uns versos se acalmam. Eu só consigo me acalmar duas ou três horas após sair do palco. Às vezes, acho que meu coração vai explodir."

Tocou em Lakeland, St. Petersburg e Orlando, usando Tampa como base para as duas primeiras cidades. No show de Lakeland, na segunda-feira, deu uma entrevista nos bastidores ao repórter do *Tampa Tribune*, Paul Wilder, a ser publicada no mês seguinte na *TV Guide*. Wilder trabalhava no jornal havia vários anos e, de fato, tinha escrito sobre Tom Parker em sua coluna "In Our Town", quando o Coronel era apenas um inventivo oficial do controle animal em Tampa. Resenhou o show de Elvis em Tampa com relativa indiferença (a filha dele, Paula, teve uma reação bem mais fervorosa), mas começou a entrevista com uma falta de sensibilidade quase inimaginável: fazendo a leitura de longos trechos de um dos artigos mais cruéis escritos sobre Elvis.

No caso, a coluna de Herb Rau, do *Miami News*. Wilder leu com sua voz monótona: "'A maior aberração da história do show business. Elvis não sabe cantar, nem tocar violão ele sabe... e muito menos dançar. Atrai uns dois mil idiotas por show, mas toda vez que abre a boca, dedilha o violão ou sacode a pélvis como qualquer gata de strip-tease na cidade...' Você agita sua pélvis como qualquer gata de strip-tease da cidade?", indagou ele ao atônito cantor.

Foi uma das poucas vezes na carreira que Elvis realmente transpareceu raiva, não só para se defender, mas para defender seus fãs. Primeiro deu uma alfinetada, dizendo que Wilder provavelmente entendia bastante sobre "gatas de strip-tease" porque esse devia ser o tipo de lugar que ele frequentava. Depois protestou em defesa de seu público. "Meu senhor, os adolescentes que vêm aqui e pagam para ver o meu show querem se divertir. Não quero criticar o senhor Rau, mas não concordo que ele fique chamando os meus fãs de idiotas. Porque eles são filhos de alguém. São filhos decentes de alguém, provavelmente, que foram criados numa casa decente, e ele não tem o direito de chamar esses adolescentes de idiotas. Se eles querem gastar o próprio dinheiro para sair, pular, gritar e berrar, é problema deles. Um dia, eles vão crescer e vão deixar isso de lado. Enquanto são jovens, deixe que se divirtam. Não deixe um velho, tão velho que não consegue nem sair de casa, ficar lá sentado e chamá-los de idiotas. Porque eles são apenas seres humanos como ele é."

Certo, disse Wilder, voltando às leituras. Mas o que ele achava da sugestão de Rau de que suas fãs do sexo feminino realmente precisavam era de "'uma forte bofetada na boca?' Tem algo a comentar sobre isso?". "Sim, mas é melhor não dizer." "OK, OK, mas diga para os leitores da *TV Guide*", insistiu Wilder inexplicavelmente, mas Elvis continuou a mostrar notável grau de moderação. Ele continuava achando que não deveria expressar sua reação. "OK", disse Wilder. "Porque sou cantor, não boxeador", disse Elvis, e risos sardônicos soaram ao fundo. E toda essa conversa sobre o jeito que balançava o corpo? Wilder perguntou a ele. "Li num recorte de jornal que você teria usado a expressão 'Holy Roller'..."

"Nunca usei essa expressão", Elvis explodiu de raiva. "A história é outra. Pertenço à Assembleia de Deus, uma igreja ligada ao Movimento da Santidade. Fui criado numa pequena igreja da Assembleia de Deus, e alguém os rotulou de 'Holy Rollers'."

"Ah, entendi. Bem, você..."

"E foi aí que essa história começou. Sempre frequentei uma igreja onde as pessoas cantavam, se levantavam e cantavam no coro e adoravam a Deus, sabe? Nunca usei a expressão 'Holy Roller'."

E a música na igreja dele? Wilder se perguntou inocentemente. "Acha que você transfere um pouco daquele ritmo para a sua..."

Pela primeira vez Elvis perdeu completamente a compostura. "Não é nada disso. Não tem nada a ver com isso", praticamente gritou, irritado com aquela insinuação, muito mais abrangente que a rejeição à sua música. "Saiu um artigo dizendo que a minha agitação no palco vem da minha religião. Bem, a minha religião não tem nada a ver com o que eu faço agora. Porque o tipo de coisa que eu faço agora não é música religiosa, e a minha formação religiosa não tem nada a ver com a maneira como eu canto."

Depois disso, até Wilder parecia ter entendido, e ele amenizou seu interrogatório, tanto que no final da entrevista parecia estar totalmente vencido. Então, com o show acontecendo ao fundo, entrevistou seu velho amigo, o Coronel, mas obviamente não teve chance alguma. Havia a possibilidade de aparições mais frequentes na televisão? "Acho que uma das principais razões para eu não agendar o senhor Presley na televisão com mais frequência é que, no meu ponto de vista, muitos artistas hoje em dia sofrem de superexposição na TV... Talvez minha maneira de pensar esteja errada. Seja como for, ano que vem, terei muito tempo para isso. Se não funcionar assim, vamos tentar alguma novidade." E as gingas, e as críticas que isso provocava? "Tentei analisar por vários prismas. Inicialmente, a nossa turnê atravessou o país, e Elvis nunca tinha aparecido na televisão. A única maneira de as pessoas conhecerem Elvis era por meio dos discos. E tentei repetidamente tocar seus discos e descobrir um jeito de vê-lo requebrar enquanto ouvia seus discos. O que é impossível." O futuro de Elvis como ator? "Bem, senhor Wilder, quando o senhor Presley fez o teste de ator com o senhor Hal Wallis nos estúdios da Paramount em Hollywood, ele foi testado num papel de cantor, e depois, enquanto ele estava lá, deram a ele uma história curta ou alguma peça (seja lá como você chama), e o senhor Wallis decidiu depois de ver o teste que o senhor Presley era capaz de estrelar uma produção dramática. Quando e como, eu não sei, mas o senhor Presley não tinha treinamento em arte dramática, e eu vi o teste, e vou ser sincero com você, ser empresário de Elvis Presley é uma dádiva... A capacidade dele como ator é incrível... Acho que Elvis Presley pode interpretar qualquer papel que ele decidir interpretar."

Fez três shows em Lakeland, três em St. Petersburg (rebatizada "St. Presleyburg), dois em Orlando e dois em Daytona Beach. Quando chegou a Jacksonville na sexta-feira, 10 de agosto, a cidade parecia enfeitada para um festival de renascimento religioso. No dia do primeiro show, os fiéis, como sempre, já formavam uma fila comprida em frente à bilheteria antes da aurora. Um pastor orava por Presley na Trinity Baptist Church após declarar que o cantor tinha "alcançado um novo nível de degeneração espiritual". Repórteres de duas revistas nacionais, a *Life* e a *Collier's*, estavam a postos para acompanhar todos os seus movimentos. Vencedora de um concurso de redação promovido pela revista *Hit Parader*, Andrea

June Stephens veio de Atlanta de avião com a mãe dela para encontrar-se com Elvis. Foi dela o ensaio vencedor intitulado "Por que eu quero conhecer Elvis". June Juanico era alvo de vaias, fofocas e xingamentos (como "prostituta") pelas meninas que tinham lido sobre ela ou simplesmente não aprovavam o modo confiante com que ela ficava ao lado "dele". Por sua vez, o juiz Marion Gooding estava determinado a evitar uma reprise da performance do ano anterior, quando "fãs fervorosas arrancaram quase todas as roupas de Elvis". Apoiado pelo Optimist Club, preparou mandados acusando Presley de causar danos à moral dos menores. Avisou que executaria os mandados caso o cantor agisse de forma a "expor obscenidade e vulgaridade na frente de nossos filhos".

O juiz Gooding compareceu à primeira apresentação, às 15h30, na sexta-feira. Na sequência, convidou o cantor para uma reunião a portas fechadas. Lá, Elvis expressou seu espanto com a reação do magistrado. "Não entendo o que pode haver de errado no que estou fazendo", disse ele aos repórteres. "Sei que a minha mãe aprova o que estou fazendo." O juiz reiterou sua determinação em executar os mandados se o show não fosse atenuado. Um meio-termo foi alcançado, e o juiz Gooding ficou satisfeito por Presley ter cumprido o acordo, "a julgar pelos relatos dos shows posteriores". Enquanto isso, informou o *Jacksonville Journal* a seus leitores, um representante do American Guild of Variety Artists fez mais uma notificação a Elvis Presley. Por causa de seus sugestivos movimentos corporais, de agora em diante ele seria obrigado a estabelecer um vínculo e se tornar membro do sindicato (que representava dançarinos exóticos, entre outros), caso contrário, o show seria obstruído. O Coronel cuidou disso, e Presley, observou o jornal, "manteve uma atitude despreocupada ao longo do dia". Respondeu às perguntas dos repórteres. Levou Andrea June Stephens para comer um hambúrguer (mas Andrea June preferiu não comer o lanche). E, em vez de balançar o corpo, requebrou o dedo mindinho lascivamente, provocando êxtases frenéticos na plateia. De volta ao quarto de hotel, contou a June: "Querida, você deveria ter ido. Sempre que o D.J. fazia sua mágica na bateria, eu mexia o dedo, e as garotas enlouqueciam. Nunca ouvi gritos assim em toda a minha vida. Mostrei àqueles filhos da mãe que ficaram me chamando de vulgar. Baby, você não me acha vulgar, acha?". E saiu deslizando pelo quarto com a calcinha de June na cabeça.

Com o triunfante fim da turnê em Nova Orleans, ele voltou a Memphis, enquanto June retornou para casa em Biloxi. A equipe da revista *Life* continuava na sombra de Elvis, e ele nunca ficava longe das perguntas de um repórter ou dos flashes de um fotógrafo. O fotógrafo da *Life* tirou uma foto da grade de ferro instalada semanas antes, decorada com motivos musicais, como pautas e notas. A grade realmente não impedia a entrada das fãs – a *Life* também publicou a foto de garotas arrancando a grama, e o jornal relatou filas de carros tão compridas que os vizinhos chamaram a polícia. O irmão de Vernon, Vester, ainda trabalhando em tempo integral na Precision Tool, agora fazia a segurança da propriedade dos Presley, como segundo emprego. Em geral, só conversava com as fãs ou tentava manter o barulho em nível baixo, para que a vovó e Gladys pudessem descansar um pouco. Nem se concebia a ideia de expulsá-las. Elvis não aceitaria isso. Sabia a quem devia o seu sucesso.

Faltavam apenas quatro dias para a tão aguardada viagem a Hollywood, e ele tinha muitas coisas a fazer até lá. Na primeira noite, foi ao parque de diversões em Fairgrounds, e Red novamente se meteu numa briga. No dia seguinte, Vernon disse a Red que não o queria mais por perto, que Red não iria a Hollywood com Elvis, porque não precisavam desse tipo de má publicidade. Red ficou chateado e disse que ia entrar para os fuzileiros navais, ficou bravo porque Elvis não o defendeu, e o que mais ele podia fazer, afinal? Elvis se encontrou bastante com Barbara Hearn, e passava para falar com Dewey na estação de rádio quase todas as noites – eles davam risada e falavam sobre os velhos tempos. Dewey estava prestes a começar um programa de TV, que seria transmitido nas noites de sábado, às 20h, logo após o programa de Lawrence Welk. "É melhor avisar os espectadores do Welk para mudarem de canal rápido", disse Dewey a Bob Johnson no jornal, "porque se não o fizerem, vão se apaixonar pelo meu programa."

Todo mundo falava sobre Hollywood, e todo mundo que conhecia Elvis apostava que ele seria um grande sucesso. Sam Phillips disse a Elvis que ele se tornaria um novo James Dean, e Dewey imaginou que ele ia passar o rodo em todas as lindas estrelas que viesse a conhecer. O Coronel o avisou lá de Hollywood que haveria uma ou duas músicas no filme; sem problemas, desde que elas não tirassem o impacto dramático do papel. Ele ia fazer aulas de interpretação? Indagavam os repórteres. Elvis sempre respondia que não. Em sua vida, nunca havia subido num palco para recitar falas. Mesmo assim, declarou: "Ninguém aprende a se tornar ator, acho que você tem um pouco de talento e o desenvolve. Se você aprende a ser ator, em outras palavras, não é um ator de verdade... você é falso". À beira de um precipício – algo que nunca havia experimentado antes –, parecia estranhamente sereno. Mas por que não estar, afinal? Tudo com o que ele sonhou se tornou realidade, até aquele momento. "Estudei Marlon Brando", confidenciou a Lloyd Shearer quando Shearer foi a Memphis fazer um artigo para a *Sunday Parade* no mês anterior. "Estudei o pobrezinho do Jimmy Dean. E me estudei, e entendi por que as meninas, pelo menos as mais jovens, gostam de nós. Somos soturnos, taciturnos, somos uma espécie de ameaça. Não entendo exatamente o porquê, mas é isso que as moças gostam nos homens. Não sei nada sobre Hollywood, mas sei que para ser sexy não se deve sorrir. Não existe rebelde risonho."

Estudando as falas com a coestrela Richard Egan
e o diretor Robert Webb, à direita
(Arquivos de Michael Ochs)

LOVE ME TENDER
Agosto a outubro de 1956

ELVIS CHEGOU A HOLLYWOOD na sexta-feira, 17 de agosto. Ao descer do avião no aeroporto de Los Angeles, avistou cartazes de "Elvis para Presidente", mas, quando os repórteres lhe perguntaram sobre isso, declarou não ter nenhum interesse no cargo: "Eu apoio o Stevenson. Eu não gosto muito da parte intelectual, mas escreve o que estou dizendo, cara, ele sabe das coisas". O Coronel já o esperava no hotel Hollywood Knickerbocker, na Ivar Avenue, a uma quadra do Hollywood Boulevard. Elvis e o primo Gene ocuparam uma espaçosa suíte no décimo primeiro andar.

No início da semana seguinte, ele compareceu ao estúdio para reuniões e ajustes no figurino. Sem saber exatamente quais preparativos eram necessários, ele havia memorizado todo o roteiro, não só as falas de seu personagem, mas também a de todos os outros. "Decorar não é problema para mim", disse ele com orgulho a um repórter. "Uma vez decorei o discurso de despedida do General MacArthur, e na escola aprendi na ponta da língua o Discurso de Gettysburg de Lincoln." Conheceu colegas do elenco, Richard Egan e Debra Paget (a Egan, confidenciou que era seu primeiro trabalho como ator e estava "muito assustado"), e também o diretor Robert Webb. Aos cinquenta e três anos, o veterano da indústria cinematográfica estava compreensivelmente apreensivo: com a entrada tardia de Elvis, o filme, um modesto faroeste "B", podia se transformar num show à parte. Para Mildred Dunnock, a atriz que interpreta a mãe dele no filme, Elvis era um bom moço, muito educado e respeitoso, e claramente interessado em aprender. Foi apresentado a muita gente, mas ficou empolgado ao conhecer uma pessoa em especial: David Weisbart, o produtor de quarenta e um anos que havia realizado o filme *Rebelde sem causa*, com James Dean, no ano anterior. Weisbart falava em contar a vida de James Dean em estilo de documentário, algo que Elvis deixou escapar para Weisbart que gostaria de fazer "mais do que qualquer outra coisa". Sentado com as pernas cruzadas, mascando chiclete e coçando o queixo nervosamente, disse: "Eu gostaria de tentar isso. Acho que eu teria facilidade para fazer".

Parecia um reino mágico, com estrelas famosas circulando, caubóis e índios batendo papo na lanchonete, e todos espiando com o rabo do olho o recém-chegado no estúdio. Gene, um tanto perplexo com tudo aquilo, bateu em retirada para o camarim onde o Coronel fazia negócios, deixando Elvis no set. Por sua vez, Elvis queria mais e mais – era como vivenciar uma fantasia de infância. Tentou conter as palavras, mas a empolgação brilhava em seu olhar.

Em seu segundo dia no set, conheceu Nick Adams, vinte e cinco, esforçado ator de Hollywood que, dois anos antes, conseguiu uma vaga no elenco de *Mister Roberts* ao ter a petulância de imitar o astro Jimmy Cagney para o diretor John Ford. Adams, filho de um minerador de carvão de Nanticoke, Pensilvânia, tinha feito um papel coadjuvante em *Rebelde sem causa* e anunciou aos quatro ventos: estava escrevendo um livro sobre seu "melhor amigo", Jimmy Dean. Louco por sucesso e reconhecimento, mantinha cadernos meticulosos sobre a vida social de Hollywood e sempre mandava notas de agradecimento e mensagens de felicitações a produtores, diretores e pessoas influentes na indústria. Perambulava no set para tentar estabelecer conexões e ganhar o papel de "vilão" em *The Reno Brothers*, vago com a saída de Cameron Mitchell.

Então foi apresentado a Elvis. "Não é segredo na cidade que Nick é um cara batalhador", escreveu Army Archerd na *Photoplay*, mas "antes de Nick se dar conta, Elvis falou: 'Cara, você é um ótimo ator'. Logo Nick disse a Elvis o quanto ele gostaria de estar no filme. Contou a Elvis que tinha interpretado um dos vilões no western *A última carroça*. 'Vou pedir ao senhor Weisbart para ele assistir ao filme *A última carroça*'", prometeu Elvis. Isso não deu em nada, além de um princípio de amizade, que foi selada quando Nick se ofereceu para apresentar Elvis a uns amigos seus e de Jimmy. Elvis não conhecia Natalie Wood? Precisava conhecer Natalie. E, claro, em se tratando de Hollywood, sempre havia muitas garotas...

Era difícil manter o controle de tudo, tudo estava acontecendo tão rápido. Todas as noites, ele ligava para casa para contar à mãe dele as novidades. Quase todas as noites ele ligava para June. Três músicas agora estavam escolhidas para o filme, e o Coronel fazia acordos para elas serem gravadas pela RCA, resolvia assuntos de publicação e conseguia garantias para que Elvis obtivesse coautoria. O Coronel Parker passava as noites acordado, revelou Elvis a um repórter, "pensando em maneiras de me promover". Nisso, Scotty, Bill e D.J. chegaram de carro após atravessar o país desde Memphis. Havia a promessa de um teste para o filme e a sessão de gravação da RCA com o senhor Sholes, agendada para o fim de semana seguinte.

O teste foi realizado no bangalô musical na ponta oeste do estúdio de filmagem em que Elvis estava ensaiando suas três músicas com o senhor Darby, o diretor musical. Disseram-lhes para apresentar seu show habitual, mas quando terminaram foram informados de que não eram "hillbilly" o suficiente para o filme. Furioso, Scotty esbravejou: se soubessem que o diretor musical queria "hillbilly", teriam tocado banjos, instrumentos improvisados e músicas de Roy Acuff. Afinal de contas, cresceram fazendo isso. A cabeça de Elvis estava em outro lugar, porém, e o Coronel com certeza não os defenderia. Scotty sabia que, se dependesse do Coronel, eles nem teriam aparecido por lá.

Era um pequeno contratempo – no próximo filme, Elvis prometeu, ele ia dar um jeito de eles participarem. Enfim, teve a oportunidade de rever Debra Paget, contou ele a June pelo telefone. Ela era ainda mais bonita do que ele havia achado na primeira vez, muito simpática, e... bem, quem mais ele tinha conhecido?, June perguntou. Quando Elvis não respondeu, June perguntou: "Bem, sobre o que você conversou com Debra?". Após um longo silêncio, ele enfim disse que não se lembrava, mas tinha conhecido Richard Egan. "Ah, eu amo Richard Egan", suspirou June. "Ah, sério? E o quanto você ama Richard Egan?" Com a mesma intensidade que ele amava Debra Paget, supôs ela. E quem mais ele tinha conhecido?

Na quarta-feira, as filmagens começaram, mas Elvis estava se preparando para a sessão de trilha sonora no dia seguinte. No dia da sessão, ele estava ansioso para mostrar a balada que seria a música-tema do filme (inclusive podia se tornar o novo título do filme) a Army Archerd, repórter da *Photoplay*. Levou Archerd ao bangalô musical, onde Ken Darby o acompanhou no piano de cauda. "Ereto, como se estivesse num coro", defronte a um vitral alto, Elvis cantou "Love Me Tender". Archerd ficou surpreso com a placidez de seu gestual e a simplicidade com que abordou a canção, inspirada na balada "Aura Lee", dos tempos da Guerra Civil. "Quando ele terminou", escreveu Archerd, "não esconde-mos o nosso espanto. 'O pessoal acha que eu só sei mexer a cintura', disse ele. 'Antes de me tornar profissional, eu só cantava baladas. Adoro baladas'", garantiu ao colunista de Hollywood com sinceridade. Aos poucos, ele ia começar a acrescentá-las nos shows. Crescera entoando esse tipo de música na igreja.

A sessão em si transcorreu sem empecilhos. No começo, talvez, o cenário de estúdio de cinema tenha sido um pouco intimidante. O maestro e arranjador Lionel Newman conduziu o ritmo do grupo ao longo do pequeno combo. Na música de Brother Claude Ely, "There's a Leak in This Old Building" (rebatizada com direitos autorais renovados como "We're Gonna Move"), contou com o apoio do trio vocal de Ken Darby, mas não se comparava à qualidade dos Jordanaires. Elvis mergulhou em "Love Me Tender", e quando a sessão acabou, saiu contente com os novos amigos, Nick Adams e o colega de quarto de Nick, Dennis Hopper.

Foi um alívio quando o verdadeiro trabalho de ator enfim começou. Um trabalho como qualquer outro – acordava às 5h30 todas as manhãs, contou a Dewey ao telefone, e às vezes adormecia à noite conversando com June pelo telefone. "Este lugar não passa de uma oficina", declarou Elvis ao DJ de Memphis. "Passei o dia inteiro lavrando a terra com tração animal. Cara, isso foi cansativo!"

Richard Egan orientou: o truque é ser você mesmo. David Weisbart insistiu que aulas de interpretação provavelmente estragariam o maior trunfo dele: sua naturalidade. O diretor, Robert Webb, teve muita paciência. Falava com ele a sós antes do início de cada tomada e repassava a cena com Elvis para ele visualizar a ação e a emoção. Webb também decupava as falas, dando ao ator novato pontos de ênfase e pontos de respiração, conversando com Elvis em particular e mostrando a ele o tipo de respeito que sempre estimulava os outros a seguirem suas diretrizes. Todo mundo gostava do rapaz – todos tinham pensado que ele seria uma espécie de aberração hillbilly, mas ele os conquistou. Mostrou a mesma combinação de humildade e charme respeitoso que tinha funcionado em todas as outras situações de seus vinte e um aninhos. "Um dia tive uma boa conversa com ele", relatou Mildred Dunnock ao escritor Jerry Hopkins, "e Elvis me contou um pouco sobre como ele começou. Gostava de tocar violão e estava muito ansioso para fazer uma gravação... Isso foi em Memphis. Tentou se aproximar do dono [do estúdio], mas não tinha jeito. Uma noite, o homem ficou com pena dele, ou cansou dos pedidos dele, e resolveu enfim lhe dar uma chance... [A noite que o disc jockey tocou o disco na rádio] Elvis me disse que de tão nervoso foi ao cinema e disse à mãe dele: 'Não posso ouvir isso, simplesmente não posso'. Então escapuliu, e lá pelas onze e vinte, a mãe dele apareceu no cinema, veio pelo corredor até o assento onde ele estava e disse: 'Elvis, venha para casa, o telefone não para de tocar'. E assim começou sua autêntica popularidade."

"Antes de eu o conhecer, eu imaginava que ele podia ser meio babaca", contou Debra Paget. Esse era o pensamento corrente no set. Quando o conheceu, ela também o achou "muito doce, muito simples", mas não o tipo de rapaz que ela gostaria de namorar. Trude Forsher, imigrante vienense, mãe de dois filhos e parente distante dos Aberbach, que tinha começado a trabalhar como secretária do Coronel na Costa Oeste, agendou reuniões informais no camarim de Elvis, nas quais o Coronel e Abe Lastfogel, chefe de William Morris, falavam de negócios enquanto Elvis tomava leite e conversava com Gene. Entre uma tomada e outra, Gene e Elvis atormentavam Forsher pedindo que ela ensinasse alemão a eles ou ficavam relembrando da infância, quando brincavam no porão da casa em Tupelo com um carrinho de brinquedo. "Gene ficava tão feliz por estar com Elvis." Os dois a seguiam pelo estúdio entoando a paródia "Trude Frutti".

Ele andava sempre ocupado com visitantes e repórteres no set. Flertava abertamente com as repórteres e confiava nelas para enxergar além de sua fachada exibicionista. "Se eu tentasse, poderia fazer você gostar de mim", declarou ele a uma repórter. "Estou apenas provocando agora, mas eu seria um doce, e você ia gostar de mim se eu fosse um doce, não gostaria?" Com os homens, era igualmente sincero, e se abria com todos sobre suas esperanças e medos. "Sou muito nervoso. Sempre fui nervoso, desde criancinha", respondeu ele a uma pergunta sobre roer as unhas. "Bem, desde criança eu sabia que algo ia acontecer comigo", contou ele a outro jornalista. "Não sabia exatamente o quê." Ao repórter da *True Story*, Jules Archer, confessou como tinha sido perturbadora a reação aos shows dele em Jacksonville, com o tal pastor que pediu à congregação que orasse pela salvação de Elvis. "Acho que isso me magoou mais do que qualquer outra coisa no início. Esse homem deveria ser um líder religioso, mas agiu assim sem saber exatamente quem eu era ou como eu era. Eu creio na Bíblia. Acredito que todas as coisas boas vêm de Deus... Não creio que eu cantaria como eu canto se Deus não quisesse que eu cantasse. Minha voz é vontade de Deus, não minha."

De bom grado, dava autógrafos e atenção às filhas dos executivos de estúdio. Num sábado à noite, ele e Gene gastaram 750 dólares num parque de diversões de Long Beach. Enquanto isso, o Coronel não dava tréguas para promover seu garoto, garantir que o título do filme fosse mudado e que a canção-título, com o nome de Elvis nos direitos autorais, viesse estampada no cartaz; para solidificar seu acordo de merchandising com o rei do marketing Hank Saperstein; e, por fim, para garantir o crédito (e o cachê) no seu recém-conferido cargo de "consultor técnico" do filme. Usava um bóton rosa de Elvis Presley por todos os locais do set e, quando um repórter indagou como fazia para obter um, disse: "Temos que verificar isso para você. Não é assim tão fácil, sabe".

Em geral, Elvis retornava ao hotel, exausto, às 20h30 ou 21h. Às vezes, ele e Nick saíam juntos. Geralmente, ele e Gene pediam serviço de quarto. Foi mantendo June atualizada sobre o andamento do filme. Uma noite, contou a ela, admirado: William Campbell, que interpretava Brett, irmão dele na história, não obedeceu às ordens do diretor para usar um chapéu. O motivo: ele era muito vaidoso quanto ao seu cabelo. "Ele fica penteando o cabelo ainda mais tempo do que eu", relatou – como se ela pudesse acreditar nisso. Estava sozinho, sentia falta dela, queria que ela aparecesse. Ele arranjaria um teste de atriz para ela. O que ela fazia em Biloxi, o que fazia sem ele?

Tudo transcorria de acordo com os planos. Ele imergia nas cenas como imergia na música. Ouvia atentamente as falas dos outros atores, e então reagia – o personagem dele (Clinton Reno) era inocente, quase uma criança, e a interpretação de Elvis transmitia a dor, a raiva e a indignação de Clint. A única coisa que denunciava seu nervosismo? As mãos. Se não tivesse algo para fazer, as mãos o traíam. No copião, era possível perceber os dedos inquietos, como ele fazia no palco, enquanto esperava o outro ator terminar as falas, revelando a mesma falta de treinamento que o senhor Weisbart disse aos repórteres que era uma virtude. "Presley exerce a mesma e ardente atração nos adolescentes, tem a mesma natureza impulsiva [que James Dean tinha]. Como cantor, Elvis muitas vezes expressa a solidão e o anseio de todos os adolescentes, que precisam deixar para trás a infância e se tornar adultos... Elvis é simplesmente um rapaz emocionalmente honesto, e honestamente emocional."

Na sexta-feira antes do feriadão do Dia do Trabalho, o senhor Sholes visitou o set. Para registrar a ocasião, o Coronel providenciou um chapéu de palha de abas largas para o visitante e, para si, bigode e cavanhaque falsos, momento eternizado numa fotografia com outros executivos da RCA. Sholes tinha vindo de avião no dia anterior com Bill Bullock, gerente da divisão de singles da RCA, para a tão aguardada sessão de gravação pela qual desde a primavera a RCA importunava o Coronel. Era imperativo, argumentou Sholes, que tivessem material para o segundo álbum, agendado para novembro, e o Coronel, enfim, relutante, concordou e agendou o feriadão para isso. As sessões aconteceriam sábado, domingo e segunda-feira, feriado do Dia do Trabalho. Na comitiva da RCA também estava Freddy Bienstock, e os três homens da RCA, o Coronel e seu assistente, Tom Diskin, tomavam o café da manhã, todos os dias, juntos no salão do hotel. Sholes, em seu terno escuro e gravata, e o Coronel, devidamente aparamentado para o sol da Califórnia num colorido traje western ou com uma camisa havaiana que saía para fora das calças por causa de sua cintura roliça.

Sholes tinha enviado várias músicas e combinado com Henri René, produtor e arranjador da RCA no escritório da Costa Oeste, para garantir que Elvis tivesse à disposição uma vitrola. Mas, sempre que indagava se Elvis tinha ou não selecionado material, a resposta era uma piadinha brega ou uma conversa ambígua e enigmática. Freddy Bienstock, o mais novo do trio e o representante de Hill and Range que havia trazido "Don't Be Cruel" à última sessão, veio com o seu próprio material. A impaciência ficou estampada no rosto de Sholes ao notar o quanto Bienstock e o Coronel se divertiam, com evidente bom humor, falando dos primos de Freddy, os Aberbach, com quem Steve fazia negócios havia longa data. Situação constrangedora, mas teria de se acostumar: era preciso superar toda e qualquer conversa fiada, afinal de contas, ele era o responsável pela entrega do produto, e ele o entregaria a qualquer custo.

A RCA não tinha instalações de estúdio próprias em Hollywood, por isso as sessões aconteceriam no Radio Recorders, estúdio independente em Santa Monica. Houve um probleminha com a agenda dos Jordanaires, mas isso foi resolvido, e quando Elvis entrou pela porta pouco depois da 13h, todos estavam lá, de prontidão. O engenheiro de áudio encarregado da sessão era Thorne Nogar, de vinte e nove anos, natural de Dundee, Michigan, que trabalhava na RCA havia um ou dois anos. Calmo, de origem escandinava e aspecto sorumbático, tinha um temperamento meio semelhante ao de Scotty. Mesmo com sua indiferença típica, a sua primeira impressão sobre o garotão de Memphis foi positiva: "Ótimo menino... chegou ali despretensioso, como um jovem normal". Elvis, por sua vez, logo simpatizou com o estilo igualmente despojado do engenheiro de som. Gostou também do assistente de Nogar, um jovem baterista de jazz de fala suave chamado Bones Howe, recém-contratado do estúdio, que fazia tudo o que fosse preciso, desde pegar café para Thorne até colocar fita na bobina.

Começaram com "Playing for Keeps", canção que Elvis tinha conseguido com Stan Kesler em Memphis (Kesler tinha escrito "I Forgot to Remember to Forget" e "I'm Left, You're Right, She's Gone" para ele na Sun). Então, Freddy entregou a Bones as demos de acetato que ele reproduziu no estrondoso sistema de som do estúdio. Freddy tinha uma nova canção "assinada por" Otis Blackwell e, após o grande sucesso de "Hound Dog", ele também havia solicitado uma canção da dupla de compositores Leiber e Stoller. A música enviada pela dupla era a antiga melodia "Love Me", originalmente escrita como música hillbilly, algo que "a dupla Homer e Jethro poderia ter adaptado a uma letra legítima". Nesse primeiro dia, Elvis também respondeu favoravelmente a "How Do You Think I Feel", que já conhecia da versão "meio rumba" de Jimmie Rodgers Snow (Snow também havia gravado uma versão perfeitamente sincera de "Love Me"), e uma bela balada de Eddy Arnold, "How's the World Treating You?". Quando gostava de uma canção, ele tocava o topo da cabeça para ouvi-la de novo. Quando não gostava, simplesmente passava o dedo na garganta. No final do dia, tinham três canções prontas e uma quarta ("Paralyzed", de Blackwell) bem encaminhada. E o mais significativo: havia um espírito geral de otimismo e uma nova hierarquia de comando no estúdio.

Não havia mais dúvida sobre quem estava no comando. O senhor Sholes continuava a chamar os números dos *takes*; registrava meticulosamente todas as informações da sessão em seu caderno; podia até solicitar outro *take* ou suavemente dar uma sugestão aqui e ali – mas o ritmo, o impulso, a atmosfera da sessão, era tudo com o menino. Talvez Sholes estivesse se sentindo um pouco deslocado (fazia quase todas as suas gravações em Nashville e Nova York), talvez fosse a presença de Freddy Bienstock na sala de controle, e o papel central que este tinha assumido. O fato é que as coisas tinham mudado de um jeito substancial. Pode ter sido uma combinação de fatores. As eternas alfinetadas do Coronel. E a percepção sobre o papel que ele exercia. Tentava dissimular a si mesmo a verdade completa: exercia o limitado, humilhante e periférico papel de um cão de guarda empresarial. Seja lá qual fosse a razão, Steve Sholes parecia, naquele momento, mostrar um quase amável desinteresse.

Nesse meio-tempo, Elvis analisava o material com os músicos da mesma forma que sempre fazia, trabalhava o arranjo para as músicas fazendo Freddy tocar a cópia da gravação original repetidamente, ouvia com atenção a mixagem final com Thorne – a quem chamava de "Stoney", como piada, ou por um mal-entendido que ninguém queria se arriscar a corrigir no caso de ser uma piada –, mas fazia tudo num ritmo, e de um jeito diferente, de qualquer outra sessão da RCA até o momento. Como Bones Howe observou: "O foco era a música. Ele continuava trabalhando na música, ouvia a gravação, e seu critério era sempre: ela causava boas sensações? Não se importava com errinhos, estava interessado que o disco transmitisse algo mágico. As sessões eram sempre divertidas, havia muita energia, ele sempre estava fazendo algo inovador. A música provocava em você um sentimento? Você sentia o mesmo que ele sentia? Esse era o foco. É por isso que ele gostava tanto de Thorne.

Thorne era um sujeito genuíno, sincero, e queria que Elvis ficasse completamente feliz com os discos. O truque era que não havia truque. Lá estava Thorne, lá estava o estúdio: as condições ideais. Bastava Elvis chegar e fazer aquilo que o fazia se sentir bem".

No segundo dia, gravou duas das músicas que o senhor Sholes tinha trazido para a sessão de "Hound Dog": "Too Much" e "Anyplace Is Paradise", bem como "Old Shep", de Red Foley, sobre um menino e seu cachorrinho, com a qual ele ganhou seu primeiro reconhecimento público, na Feira Mississippi-Alabama, em 1945. Pela primeira vez numa sessão da RCA, insistiu para tocar piano nessa música, e você pode ouvir nos acordes hesitantes, no ritmo vacilante, a emoção inconfundível, e a igualmente inconfundível decisão de valorizar mais a emoção do que a técnica. Acertou em cheio, no primeiro *take*, "Old Shep". Para compensar, quando tentaram encaixar "Too Much", agradável canção de r&b, de batida "boogie-woogie", na fórmula de "Don't Be Cruel", foram necessários doze *takes* até conseguirem um solo de guitarra satisfatório ("A afinação estava meio esquisita", confessou Scotty, "mas soava bem"). "Anyplace Is Paradise", uma canção com levada blues, alegre e otimista, precisou de vinte e dois. Gravou três músicas de Little Richard (para as quais Freddy tinha garantido copublicação), uma antiga parceria de Wiley Walker e Gene Sullivan chamada "When My Blue Moon Turns to Gold Again", que, com seu pulsante ritmo country e fervor natural, lembrava os primórdios na Sun, além de uma nova canção de Aaron Schroeder e Ben Weisman, dois dos mais promissores compositores contratados pela Hill and Range. Entoou algumas canções gospel com os Jordanaires e cantou "Love Me Tender" várias vezes.

Para Elvis, a expressão "perder tempo" era inócua no estúdio. Quando sentia vontade de cantar músicas gospel, seguia o coração e cantava. Era assim que ele encontrava o seu lugar; tudo fazia parte do processo criativo que ele havia aprendido no estúdio da Sun. Se o sentimento não aflorava, você o esperava aflorar, não tentava defini-lo nos mínimos detalhes – e se por acaso surgisse algo nesse meio-tempo, então, você aproveitava a oportunidade. "Ele comandava a sessão", disse Thorne. "Ele estava no centro de tudo. Quando ele cantava com os Jordanaires, instalávamos um microfone unidirecional para ele e outro para o quarteto. Elvis cantava de frente para os Jordanaires. Podiam ensaiar duas horas uma canção e depois descartá-la." Se a banda não acertasse exatamente como ele queria, contou Scotty, ele falava: "Bem, façam como puderem, então". "Ele era muito leal", observou Thorne. E ele era uma estrela de cinema.

Na terça-feira, estava de volta ao set, trabalhando primeiro na trilha sonora, depois no filme, que agora tinha sido oficialmente rebatizado conforme os planos de marketing do Coronel. Ele fez várias cenas difíceis, carregadas de emoção, mas se saiu muito bem em todas. Numa delas, teve de usar da violência com Debra, e Webb, o diretor, trabalhou intensamente com ele as motivações do personagem. A cena também servia para preparar o público para a inevitável morte de Clinton. (O enredo, um tanto confuso, se desenrolava no fim da Guerra Civil. Elvis interpreta o mais novo de quatro irmãos, o único que ficou em casa. Acaba se casando com a noiva do irmão mais velho, Vance, pensando que este tinha morrido. Mas quando Vance retorna, naturalmente...) Em outra cena, Mildred Dunnock, que interpretava a mãe dele, diz: "Abaixe a arma, filho". De acordo com Dunnock, Elvis estava tão envolvido em seu personagem que deixou a arma cair. "O que diabos você está fazendo?", reclamou o diretor. "Era para você continuar." "Bem, ela me disse para abaixar a arma", disse Elvis, que podia estar brincando – mas Dunnock não encarou assim. Na opinião dela: "Pela primeira vez ele tinha me ouvido e acreditado em mim. Antes, ele ficava pensando no que faria e em como faria. Acho que é uma história engraçada. E também é a história de um iniciante que aprendeu um dos fundamentos da interpretação, que é acreditar".

Ao mesmo tempo, ele se acostumava cada vez mais com a vida de Hollywood. Mudou de hotel: foi para Beverly Wilshire, com o Coronel, porque as fãs tinham simplesmente tomado conta do Hollywood Knickerbocker. Saía frequentemente com Nick e seus amigos e, por meio de Nick, conheceu Natalie Wood, mais uma do grupinho "Rebel".

Os colunistas de fofocas classificaram aquilo de romance escaldante, e Natalie, que o presenteou com camisas de veludo vermelho e azul de seu guarda-roupa, teria declarado à mídia: "Ele é um verdadeiro elfo e tem as maravilhosas qualidades de um menininho". Por um lado, ele continuava – infrutiferamente – a convidar Debra Paget para sair. Por outro, precisava ficar de olhos (e ouvidos) atentos em Gene, o seu primo que ainda agia como turista. Com Natalie, Nick e, às vezes, Dennis Hopper, ele se sentia parte de uma verdadeira gangue; andavam juntos, compartilhavam entusiasmos inocentes, apreciavam o trabalho um do outro, desprezavam a pretensão e os "lugares pomposos". Uma noite, invadiram a casa de Louella Parsons, que tentava entrevistar Elvis havia algum tempo e que relatou com surpresa agradável: "Até que enfim conheci Elvis Presley, que me visitou acompanhado de Natalie Wood, Nick Adams e o primo dele, Gene Smith, que mais parece um personagem saído direto das páginas dum livro. Elvis e sua gangue só tomam refrigerantes...". Anos mais tarde, em uma entrevista a Albert Goldman, Natalie contou que ela, nascida e criada em Hollywood, ficou intrigada com os modos formais de Elvis. "Foi a primeira pessoa de minha faixa etária a me dizer: 'Por que você usa maquiagem? Por que quer ir a Nova York? Por que quer ficar sozinha?'. Era como ter o namorado que nunca tive no Ensino Médio. Eu achava aquilo realmente intenso!

"Eu nunca tinha andado com alguém [tão] religioso. Ele sentia que tinha recebido esse dom, esse talento, de Deus. Ele valorizava esse dom. Achava que era algo que ele precisava proteger. Tinha que ser legal com as pessoas. Caso contrário, Deus retomaria tudo de volta."

Em 9 de setembro, estava programada a sua presença no *The Ed Sullivan Show*, o primeiro daquela temporada. Sullivan, no entanto, tinha sofrido um acidente automobilístico em agosto e ainda estava em recuperação. Por isso, o programa teve outro apresentador para recepcionar Elvis nos estúdios da CBS em Los Angeles. Elvis enviou a Sullivan um cartão de melhoras e uma foto autografada para "Sr. Ed Sullivan" e ficou emocionado ao saber que o anfitrião convidado seria ninguém menos que Charles Laughton, o astro de *O grande motim*. Steve Allen, o *host* do último programa televisivo de que Elvis tinha participado, nem sequer concorreu com Sullivan na noite em questão: a NBC ia simplesmente passar um filme.

Elvis abriu com "Don't Be Cruel", emergindo sozinho da escuridão dos bastidores no palco decorado com silhuetas de violões e contrabaixos. De blazer xadrez nada discreto e camisa aberta no colarinho, cantou com relativa moderação. Cada encolher de ombros, cada pigarro e estalo de língua evocavam gritos e descontrolados paroxismos de emoção. Súbito anunciou uma música nova: "Bem diferente de tudo que já fizemos. A canção-título do nosso novo filme da Twentieth Century Fox e também do meu mais novo lance... hã... lançamento na RCA Victor". Encolheu os ombros, como quem pede desculpas, enquanto o público ria. Agradeceu ao estúdio, ao diretor e a todos os membros do elenco, e "com a ajuda dos maravilhosos Jordanaires", cantou "Love Me Tender". Momento curioso. Logo após começar a música, ele entrega o violão a um invisível ajudante de palco, e por um instante há o embaraço de quem não sabe direito o que fazer sem o seu adereço. Dá de ombros, ajusta a gola, mas os gemidos que saúdam a canção – de surpresa?, de choque?, de prazer?, talvez todos os três — claramente o agradam, e no final da canção ele se curva e faz gestos graciosos para os Jordanaires.

Quando volta para a segunda sequência, a banda aparece, com Gordon Stoker, dos Jordanaires, ao piano, e os outros Jordanaires em jaquetas xadrez tão espalhafatosas (mas nem de longe tão legais) quanto a de Elvis. Agitam com "Ready Teddy", de Little Richard, mas, quando Elvis começa sua dança, a câmera se afasta e, de acordo com os comentários nos dias seguintes, "censura" seus movimentos. Isso é o de menos. Mesmo com ele parado, as meninas gritam, e quando entoa dois versos de "Hound Dog" para terminar a performance, o público do estúdio da Costa Oeste enlouquece. Apesar disso, Jack O'Brian, do *New York Journal-American*, não perdoou o "blazer ridiculamente insípido e o (des)penteado de Presley", frisando que "Elvis acrescentou a seus parcos recursos a capacidade de envesgar os olhos", mas reconhecendo que o público de Nova York "riu e se divertiu". "Bem, como é que disseram mesmo?", observou o anfitrião Charles Laughton, com bom humor, na conclusão da performance. "A música tem encantos para serenar o coração mais selvagem?"

O show alcançou o índice de 43,7 no Trendex (com 82,6 pontos de audiência). Na visão do Coronel, alegremente compartilhada com Steve Sholes, pela primeira vez a TV impulsionou o prestígio de Presley em meio ao público adulto. Vários disc jockeys em todo o país gravaram a performance e começaram a tocar a fita da nova balada no ar, e isso, sem dúvida, acelerou o lançamento do single, três semanas depois. Enquanto isso, as encomendas de pré-lançamento beiravam um milhão de cópias, e o Coronel incitou a RCA a encontrar esse milionésimo cliente não só para confirmar a bem estabelecida popularidade de Elvis, mas para coroar o poder do programa de Ed Sullivan, que poderia ser agraciado com o simbólico presente.

Só mais duas semanas de filmagens, e a agenda de Elvis mostrava o show em Tupelo, aquele marcado desde julho. As filmagens deveriam ter acabado, mas ele precisou voltar para mais uns dias após o show. Tudo certo. Agora ele estava se divertindo. Tinham filmado a morte de Clinton, e o diretor disse que a cena realmente emocionaria o público mundo afora. O Coronel estava ocupado fechando negócios e desestabilizando todo mundo no set, de um jeito que irritava alguns, mas divertia Elvis. "Somos a combinação perfeita", dizia Elvis muitas vezes aos amigos. "O Coronel é uma fera do entretenimento, e eu, um tanto excêntrico." Chegou ao ponto em que os produtores de um pastiche de rock'n'roll chamado *Do Re Mi* sondaram o Coronel para uma participação de Elvis no filme, cantando umas músicas pelo cachê de US$ 75 mil. O Coronel mostrou-se insultado e falou que, caso a proposta fosse dobrada, ele estudaria o assunto. Outros membros do elenco de *Love Me Tender* alegaram estar chocados, e William Campbell estava convencido de que a falta de reação de Elvis enquanto o Coronel contava a história indicava uma aceitação de seu papel de escravo, ou coisa pior. Mas, na visão de Elvis, o Coronel era apenas um homem inteligentíssimo. "É um cara superdivertido. Planeja coisas nas quais ninguém mais pensaria." Ele deixou bem claro para mais de um repórter que tentou rotular o Coronel como "Svengali", o maléfico hipnólogo: "Nós meio que nos escolhemos um ao outro". O que as pessoas não entendiam era que na maior parte do tempo o Coronel não ficava pegando no pé de Elvis. Ele cuidava dos negócios, e deixava que Elvis cuidasse de sua vida privada. Ah, o Coronel podia ser um chato às vezes, e ele esperava que Elvis ficasse longe de encrenca para manter sua parte do acordo. Mas, na maior parte do tempo, ele apenas o deixava em paz – e fez o possível para ajudar Nick, também. O Coronel gostou de Nick, e isso deixou Elvis contente. Como Nick não tinha nada melhor a fazer, combinou de ir a Tupelo com eles. Elvis estava ansioso para mostrar Memphis ao amigo, que não conhecia a cidade.

Voaram para Memphis no sábado, 22 de setembro, e fizeram uma rápida visita à Feira na mesma noite. Na segunda-feira, visitaram a Humes, onde Elvis apresentou Nick à sua antiga professora, senhorita Scrivener, que tinha organizado o concurso de talentos em que Elvis se apresentou pela primeira vez na frente de todos os seus colegas, no último ano do Ensino Médio. Nick fez imitações na aula de senhorita Scrivener, e Elvis sorriu quando a turma caiu na gargalhada. Doou novecentos dólares à equipe de ordem unida do ROTC (Corpo de Treinamento de Oficiais da Reserva) para a compra de uniformes e deu a outro professor um aparelho de televisão "a ser usado para fins educacionais". Visitaram os ex-patrões dele, os Tipler, na Crown Electric, também, e Nick colocou os pés na mesa do senhor Tipler enquanto Elvis explicou a seu antigo empregador "como tinha organizado sua vida financeira de modo a não ganhar tudo de uma vez só". Foram à casa de Dixie uma tarde, e ela disse a Elvis que ia se casar, e ele a parabenizou e desejou felicidades.

Na quarta-feira, partiram a Tupelo por volta do meio-dia: o senhor e a senhora Presley, Nick e Barbara Hearn, todos a bordo do Lincoln branco, com Elvis ao volante. Não presenciaram o desfile promovido em sua honra, mas não perderam todo o rebuliço. A Main Street estava enfeitada com bandeirolas e uma faixa gigantesca onde se lia "Bem-vindo, Elvis Presley, a Tupelo, seu lar". As vitrines das lojas, por iniciativa do gerente da feira, James M. Savery, estavam decoradas com "temática Elvis". O fato de ser no Dia da Criança, também, a mesma data em que, onze anos antes, as crianças de East Tupelo tinham sido transportadas à feira para ver um trêmulo Elvis cantar "Old Shep", só tornava o simbolismo ainda mais completo.

Vernon e Gladys estavam muito emocionados. Ela usava um vestido de brocado e um medalhão com a fotografia de Elvis. "Eu me senti mal", confessou ela a uma amiga depois, "por voltar lá assim e lembrar de como éramos pobres." Vernon, por outro lado, estava simplesmente exuberante. Terno escuro, camisa branca e gravata meio solta e torta no dia estorricante. Fora do grande pavilhão de lona, atrás do palco, Vernon avistou Ernest Bowen, que estava em sua rota de entrega quando trabalhava para a L. P. McCarty and Sons, o último emprego de Vernon em Tupelo. Agora, Bowen era o gerente-geral da estação de rádio WELO e tentava sem sucesso entrar no pavilhão para conseguir uma entrevista para seu locutor, Jack Cristil. "De repente, chega esse cara gritando comigo... Eu nem o reconheci, mas era o Vernon, todo bem-arrumado e me cumprimentando como um amigo de longa data. Perguntou-me se podia ajudar em algo e eu disse: 'Sim, pode me dar acesso ao pavilhão'. Ele disse: 'Siga-me', e as águas se abriram. Perguntei a Vernon: 'Como estão todos?'. Ele disse: 'Ah, estamos indo muito bem. O menino está cuidando muito bem de nós'. E eu disse: 'Ótimo!'."

Dentro do pavilhão, June Carter estava tocando, ou talvez fosse Rod Brasfield, o primo de Mississippi Slim, contando piadas para a multidão local a respeito de suas experiências no Opry ou sobre sua aventura de ir a Hollywood para fazer um filme. Enquanto isso, Elvis dizia a James Savery, com certo exagero – mas talvez não muito –, que foi a primeira vez que ele tinha cruzado o portão principal; quando criança, ele sempre tinha de pular a cerca. "E pensar que estou sendo pago por isso, também!" Uma série de amigos, parentes e conhecidos (e pretensos conhecidos) queria se aproximar para relembrar os velhos tempos, aparentemente, para lembrar Elvis do quanto eles tinham sido pobres, de como também tinham entrado de penetras na feira com ele. Graciosamente, Elvis atendeu a todos, creditando seu sucesso, em sua maioria, a uma simples reviravolta do destino. Súbito se aproximou o pai de um ex-colega de escola e disse que o filho dele cursava Farmácia na Universidade do Mississippi "para ser alguém na vida". O comentário de Elvis foi um pouco mais revelador. De acordo com o relato de um repórter de Nova York, "Presley abriu um sorriso e respondeu: 'Puxa vida, por que não diz a ele que basta conseguir um violãozinho? Não vai precisar de mais nada'".

Antes do show vespertino, aconteceu uma coletiva de imprensa informal, e Elvis ficou batendo na mesma tecla. "Nem me lembro direito de minha aparência trajando macacão", declarou. "É maravilhoso", respondeu com bom humor a outra pergunta. "Eu estava ansioso para voltar para casa. Quando eu era criança, pulei a cerca para entrar na feira e fui escoltado portão afora. Esta é a primeira vez que sou escoltado para entrar." E quanto a Natalie? Alguém gritou. "Quando estou lá fora eu me preocupo onde é que ela pode estar", respondeu Elvis indiferente. "Quando não estou lá, não fico pensando nela." Em vão, os repórteres tentaram convencer o Coronel Parker a dizer algo. O senhor e a senhora Presley, conforme o *Tupelo Daily Journal*, pareciam "um pouco desconcertados com toda a agitação... mas sorriram agradavelmente para os fotógrafos". Expressaram sua gratidão primeiro a um redator do jornal e, mais tarde, a um repórter de outra estação de rádio local, a WTUP. "Quais eram suas músicas prediletas?", quis saber o radialista. "That's All Right", disse o senhor Presley. "Baby, Play House", disse Gladys. "Eu gosto dessa", disse o senhor Presley. "E 'Don't Be Cruel'", acrescentou a senhora Presley. "São tantas que não me lembro dos nomes", disse Vernon. "Foi incrível", contou o radialista ao descobrir que eles tinham perdido o desfile. "E todos se divertiram a valer, e sei que estão arrependidos por terem perdido o maravilhoso desfile... Bem, fiquem certos de que a cidade inteira está de braços abertos para a família Presley."

O governador do Mississippi, J. P. Coleman, cujo carro tinha sido cercado por fãs que confundiram a chegada dele com a de seu ídolo, ficou nos bastidores e, enquanto tiravam uma foto juntos, Elvis confidenciou ao governador que achava possível se arriscar na política. "Ah, e vai tentar chegar até onde?", indagou o governador. "Até os limites da cidade", disse Elvis em tom afável. Um patrulheiro rodoviário pediu que Elvis autografasse uma pilha de fotos, e ele assinou. Chegou a hora do show, e ele foi andando corajosamente rumo ao mar sonoro.

Naquele calor, usava a grossa camisa de veludo azul, presente de Natalie. Por iniciativa do Coronel, no palco havia uma surpresa à espera de Elvis: Nipper, o cão mascote da RCA, feito de cerâmica. A Fox Movietone News filmou o show e, desde os primeiros acordes de "Heartbreak Hotel", as cinco mil pessoas (principalmente adolescentes do sexo feminino) enlouqueceram. Quarenta guardas municipais e patrulheiros rodoviários faziam o policiamento, mas "repórteres e fotógrafos tiveram de se aglomerar no palco, por questões de segurança", informou o *Journal*, "quando Elvis abriu a boca pela primeira vez e uma onda de adolescentes avançou rumo ao rei do violão". Depois de "Long Tall Sally", o governador Coleman foi chamado. Elvis acalmou a multidão ("Desculpe-me, governador", disse ele ao aturdido chefe do executivo estadual). Em seguida, Coleman leu um texto que proclamava o jovem nascido em Tupelo "artista número um dos Estados Unidos da América no campo da música popular americana, filho da [nossa] terra". Depois, o prefeito de Tupelo, James Ballard, entregou a Elvis a chave da cidade (uma escultura metálica em formato de violão) e declarou: "As pessoas de nossa comunidade, de nossa cidade, o admiram e com certeza sentem muito orgulho de você". "Obrigado, prefeito, e muitíssimo obrigado, senhoras e senhores, e, hã, hã..." Os gritos da multidão soterraram quaisquer comentários que ele tivesse em mente.

"Eu estava bem atrás do palco", disse Ernest Bowen. "Vi quando ele provocou e levou aquela multidão à histeria. Sabia explorar o palco, se inclinava o suficiente para que as fãs o tocassem com a ponta dos dedos." Uma vez ele se inclinou demais, e alguém arrancou um botão prateado de sua reluzente blusa de veludo. Durante "Don't Be Cruel", Judy Hopper, de quatorze anos, de Álamo, Tennessee, escalou o palco de 1,80 m de altura e se lançou ao pescoço do ídolo, que achou tudo muito divertido. Depois disso, seis policiais ficaram no palco com Elvis. Arrematou com "Hound Dog", naturalmente, e nesse ponto tudo virou um pandemônio. "Elvis", gritavam as meninas da primeira fila, entre elas Wynette Pugh, de quatorze anos, que mais tarde se tornaria famosa como a estrela country Tammy Wynette. "'Elvis', gritavam elas", relatou o *Journal*, "arrancando os próprios cabelos em meio a soluços histéricos. 'Por favor, Elvis'."

Após o show, fotógrafos tiraram mais fotos de Elvis com a mãe e o pai dele, e um jornalista britânico chamado Peter Dacre, do *Sunday Express*, de Londres, registrou que ele gostaria de ir à Inglaterra, desde que não tivesse de ir voando ("Se algo der errado no avião, não há terra debaixo de você. É uma distância longa para fazer a nado"). Em seguida, quatro patrulheiros rodoviários fizeram a escolta até o hotel, onde ele pretendia descansar um pouco até a hora da apresentação noturna.

Cinquenta homens da Guarda Nacional reforçaram a segurança para o show noturno. Previa-se um público 50% maior que o da tarde. Naquele dia, perto de cinquenta mil pessoas visitaram a cidade, entre turistas e espectadores, a maior aglomeração desde a visita de Roosevelt no auge da Depressão. Descontraído, Elvis mascava chiclete, um pouco decepcionado consigo mesmo. Não se sentia muito bem naquele dia. "Tanto ansiei por este dia", comentou ele, "mas o diabo é que hoje estou doente." Pediu para conhecer a garota que tinha invadido o palco naquela tarde e foi apresentado a Judy Hopper. Tirou uma foto ao lado da fã, que declarou: "Foi ainda mais emocionante do que eu sonhei".

O público noturno, na verdade, foi ainda mais ousado do que o da tarde. Uma hora Elvis teve de parar o show para advertir a multidão, de forma bem-humorada, que as crianças estavam se machucando e que não iria continuar se não se sentassem novamente. Retomaram a execução de "Don't

Be Cruel", mas no final o público estava praticamente fora de controle. "Enquanto as sirenes uivantes levavam Elvis para longe, a turba de adolescentes gritava na feira", declarou o *Journal*, "e lutava pela chance de dar uma última olhada no garoto que trouxe o burlesco de volta em grande estilo."

No fim de semana, Elvis e Nick já estavam de volta a Hollywood, e as filmagens terminaram dentro de uma semana, com a data de lançamento marcada para o Dia de Ação de Graças, com estreia em mais salas (575) do que qualquer outro filme na história da Twentieth Century Fox. Sem demora, voltou à estrada, levando Nick na turnê. Com a bênção do Coronel, o novo amigo abria o show fazendo imitações. Em Dallas, Nick foi até intimado num processo de quebra de contrato por um oficial de justiça de Fort Worth que o confundiu com Elvis Presley.

O show de Dallas, que abriu a turnê de quatro dias no Texas em 11 de outubro, foi um divisor de águas para o grupo. No Cotton Bowl, 26.500 pagantes foram ao show. Conforme o Dallas Morning News, o estádio só testemunhou histeria igual "num dia de dezembro de 1949, quando um alucinado *halfback* dos Mustangs, Kyle Rote, empatou a pontuação contra o franco favorito Fighting Irish de Notre Dame". Foi a maior multidão pagante que já viu um artista se apresentar em Dallas (Elvis embolsou US$ 18 mil de US$ 30 mil brutos). Desde a hora em que Elvis apareceu, acenando para o público do banco traseiro de um Cadillac conversível que deu a volta ao redor do campo, uma espécie de ululação sísmica, ensurdecedora, foi crescendo, um misto de "gritos de angústia" e "guinchos de êxtase", relataram os jornais, que nunca amenizou nem parou. Os músicos não ouviam nada além da multidão, e Elvis, em seu casaco verde Kelly e calça azul-marinho com faixa dourada e preta, cantou por puro instinto. De vez em quando, caía de joelhos, e arrematou o show pulando do palco com o microfone sobre a linha de cinquenta jardas antes de ser conduzido para fora numa limusine. "Parecia um cenário de guerra", disse o baterista D.J. Fontana. "Foi quando me caiu a ficha. Contornamos o estádio no banco traseiro daquele Cadillac, e tudo o que você podia ver eram milhares de flashes disparando.

Pensei: 'O que é que esse cara fez?'. Sentei-me no palco, olhei em volta e pensei: 'Esse cara atrai mais público que os jogadores de futebol americano'. Um cara e, sabe, o estádio está lotado."

Foi a mesma coisa em todos os lugares naquela turnê. Havia tumultos mesmo quando eles não apareciam, quando adolescentes em Temple invadiram o Hotel Kyle porque tinham ouvido que talvez ele pudesse estar hospedado lá (estava a 56 quilômetros de distância, em Waco, naquele horário). Na noite seguinte, em Houston, implorou à multidão três vezes que se acalmasse e ouvisse, com pouco sucesso.

Enquanto isso, o single de "Love Me Tender" recebia o disco de ouro e entrava nas paradas da *Billboard*, e o próximo filme de Elvis, com produção de Hal Wallis, chamado *Lonesome Cowboy* (mais tarde, rebatizado *Loving You*; no Brasil, *A mulher que eu amo*), vinha sendo anunciado na mídia, com início das filmagens em dezembro ou janeiro. Repórteres o importunavam sobre o seu status de alistamento militar (havia recebido seu questionário de pré-arregimentação em Hollywood no comecinho do mês, mas, explicou, não sabia o que isso significava em termos de ser convocado, ou quanto tempo isso poderia demorar a acontecer). Todo mundo queria saber de sua vida amorosa, claro. Admitiu que dormia só quatro horas por noite, mas quando os repórteres perguntaram por que ele não diminuía o ritmo, sugeriu que "Deus pode dar ..., mas pode tirar. Ano que vem eu posso muito bem estar cuidando de ovelhas". Chegou em casa exausto na segunda-feira, 15 de outubro, e logo foi ver Barbara; depois telefonou a June e a convidou para vir passar o fim de semana com ele. "Sem mais delongas", gracejou pela milésima vez, repetindo a piada de Richard Egan ao expressar o mesmo sentimento no set. "Você me faz lembrar daquele maldito macaco", disse Egan. "Que macaco, senhor Egan?", indagou Elvis, inocente. "O macaco sentou nos trilhos, veio o trem e atorou a cauda dele. Foi isto que ele disse: 'Sem mais delongas'." Elvis deu risada – adorou a piada e adorou ser tratado com intimidade por Richard Egan, a ponto de ser alvo de suas piadas. Disse para June ficar de sobreaviso; enviaria o dinheiro para o voo dela em alguns dias.

FOI A MESMA COISA EM TODOS OS LUGARES NAQUELA TURNÊ. HAVIA TUMULTOS MESMO QUANDO ELES NÃO APARECIAM.

Todo mundo em Biloxi sabia sobre a viagem de June, e todo mundo estava empolgado com isso. A dona da Rosie's Dress Shop presenteou June com uma roupa nova, e o salão de beleza ofereceu um corte, bem curtinho, grátis. Na quinta-feira, ela e Patsy foram à Western Union, a empresa de serviços financeiros e de comunicação. Orgulhosamente anunciaram que aguardavam uma ordem de pagamento de Elvis Presley, mas todos ali já sabiam que ela era namorada do cantor: o serviço de transmissão de telegramas da Western Union havia entregado a ela várias mensagens direto de Hollywood. Ela e Patsy esperaram, esperaram, foram à padaria ao lado, a Klein's, tentando esconder o crescente desconforto com folheados de creme e café. Por fim, June voltou para casa, humilhada. Pouco depois, o telefone tocou. Era Elvis. Contou que tivera um probleminha, mas enviaria o dinheiro assim que pudesse. Ela não sabia o que pensar – num misto de agonia e irritação – e, quando Buddy Conrad apareceu mais tarde, os três amigos, June, Patsy e Buddy, resolveram se embriagar.

Só no dia seguinte ela ficou sabendo o que havia ocorrido. Saiu em todos os jornais. Elvis tinha se envolvido numa briga com o gerente de um posto de gasolina. Parou para abastecer o Lincoln no posto Gulf, na esquina da Second com a Gayoso. Pediu ao frentista que verificasse se havia um vazamento no tanque – ele estava sentindo cheiro de gasolina pelas aletas do ar-condicionado. Uma multidão se formou, e o gerente, Edd Hopper, pediu a Elvis que fosse andando, ele tinha outros clientes para cuidar, também. Pelo relato de Elvis, ele não podia movimentar o carro, cercado pela multidão. Explicou isso ao senhor Hopper, mas Hopper se irritou, enfiou o braço dentro do carro e deu uma pancada na nuca de Elvis. Nisso, Elvis teria saltado do veículo e esmurrado Hopper. Ato contínuo, o gerente de quarenta e dois anos puxou uma faca. A essa altura, dois policiais chegavam ao local, um deles bem a tempo de segurar Aubrey Brown, o auxiliar de 1,93 m de Hopper, que tentava atingir Elvis depois de também ter sido alvejado com um soco. "Vou me arrepender deste dia enquanto eu viver", teria declarado Elvis.

"Chegou ao ponto em que não posso nem sair de casa sem que algo aconteça comigo." A caminho da delegacia de polícia, onde os três foram acusados de agressão e conduta desordeira, Elvis disse: "Talvez seja melhor você colocar Carl Perkins", quando solicitado a dizer seu nome.

A Western Union ligou para June logo depois que ela leu o artigo no jornal: enfim o dinheiro estava lá. Quando ela foi assinar a ordem, percebeu que tinha sido enviada por Vernon. No dia seguinte, ela e Patsy chegaram ao aeroporto de Memphis, e quem estava à espera delas no Cadillac cor-de-rosa? Não Elvis, mas os pais dele. Elvis foi absolvido de todas as acusações e recebeu o seguinte conselho do juiz interino Sam Friedman: por causa de seu "hobby" e do fato de que "por onde você anda atrai um grande séquito de seguidores... Seja atencioso e tente cooperar com os empresários. Evite formar multidões que possam atrapalhar os negócios". Os dois empregados do posto de gasolina foram multados em vinte e seis e dezesseis dólares cada, mas, para a senhora Presley, as coisas não terminaram por aí. Ficava com medo sempre que Elvis saía de casa, disse ela. Ela conhecia o filho, sabia que ele podia cuidar de si mesmo, mas e se um louco fosse atrás dele com uma arma? Ela perguntou a June, as lágrimas escorrendo pelo rosto. "Ora, ora, mamãe, vai ficar tudo bem com ele", tranquilizou o senhor Presley, com batidinhas na perna dela. "Foi o maior olho roxo que já vi", declarou Patsy sobre a foto de Edd Hopper no jornal, e isso quebrou um pouco o gelo. O senhor Presley deu uma risadinha, mas a senhora Presley continuava visivelmente abalada.

Nos primeiros dois dias, basicamente ficaram em casa. Jogavam dardos e sinuca, e Elvis brincava com June de boxe imaginário na piscina vazia, com uma das mãos atrás das costas. Claramente sentia-se preso, inquieto, e sua mãe ficou irritada com ele quando, por frustração pura, arremessou uns dardos para cima, que ficaram cravados no teto até serem derrubados por ela com uma vassoura. "Da próxima vez vou usar a vassoura em você", avisou ela com soturno afeto, mas todos sabiam que Gladys só estava preocupada com o filho. Ela preparou para Elvis o frango como ele gostava, bem fritinho, e guloseimas como biscoitos de manteiga de amendoim em padrão cruzado, inspiradas no livro de receitas *Better Homes and Gardens New Cookbook*. Às vezes, June e Patsy se aproximavam da grade, onde as fãs esperavam, pacientes, e numa dessas ocasiões avistaram Bitsy Mott, o cunhado do Coronel, que tinham conhecido na Flórida, trabalhando ali como segurança. Do lado de dentro da cerca, elas eram autorizadas a falar com o pessoal, mas não a sair na rua e se misturar com os fãs. "Você é muito sortuda", disse uma das garotas. Todas queriam saber como ele era, queriam saber como era beijá-lo. Atencioso, Elvis saía duas ou três vezes por dia para conversar e dar autógrafos, e Gladys tinha de chamá-lo duas ou três vezes para fazê-lo entrar.

Enfim, no domingo à noite, ele não aguentava mais: dariam uma volta, não importava o que a mãe dele pensasse. Em cartaz em um dos cinemas locais passava o noticiário da Fox Movietone sobre o show na feira de Tupelo, e ele não ia virar um prisioneiro. Nada podia acontecer.

Pegaram a limusine Cadillac preta da banda para não dar muito na vista, e June comprou os ingressos antes de entrarem correndo para assistirem ao filme em uma sala privada. Menos de vinte minutos depois, dois policiais entraram no cinema para pegar as chaves do carro de Elvis. Lá fora, uma multidão cercara o veículo e começara a vandalizá-lo, escrevendo nomes na pintura, quebrando os vidros, arrancando a estofaria e amassando os para-lamas. Os policiais retiraram o carro, depois voltaram para buscar Elvis e as duas moças, escoltando-os em meio à multidão inflamada que tentava rasgar as roupas deles. Pela primeira vez, June ficou assustada. Elvis não quis que os pais soubessem do ocorrido, então deixaram o carro na casa de Dewey, e Dewey os levou para casa. Gladys ficou surpresa ao vê-los de volta tão cedo, e na manhã seguinte Vernon recortou a coluna do jornal que contava a história – de forma equivocada, com Barbara Hearn como a acompanhante de Elvis e um Cadillac branco vandalizado – na esperança de que a esposa não descobrisse sobre o incidente.

Naquela tarde, Scotty, Bill e D.J., com os Jordanaires, vieram fazer um breve ensaio para a nova apresentação no programa de Ed Sullivan, no próximo fim de semana. Após uma rápida passada nas quatro músicas que iam tocar na TV, todos se sentaram num pequeno círculo no chão entoando canções gospel, para o deleite de Gladys no sofá. De vez em quando, ela cantava suavemente um verso, enquanto June, que de tímida não tinha nada quando o assunto era cantar, entrava na voz de contralto em "In the Garden", que a turma dela havia entoado na cerimônia de formatura do Ensino Médio. Mais tarde, naquela noite, ela e Elvis rodaram de carro até Mud Island, onde, na primeira viagem dela a Memphis, os dois tinham andado na motocicleta de Elvis a altíssima velocidade.

Dessa vez, a visita foi mais contemplativa, mais triste de alguma forma. June sentiu que pairava no ar uma sensação de mau agouro. Ela não duvidava de que Elvis a amava, sabia que ele estava lá com ela – mas ainda assim June não sabia se poderia recuperá-lo. Elvis contou que Nick havia acabado de ligar avisando que chegaria à cidade amanhã ou no dia seguinte. Começou a contar tudo sobre os amigos de Nick, sobre Nick e Jimmy Dean, mas ela não queria ouvir. No caminho de casa, passaram por um furgão de leite fazendo entregas. Elvis parou o carro e ficou esperando o leiteiro voltar ao furgão. Perguntou ao homem se podia comprar leite, mas nisso descobriu que não tinha dinheiro. O leiteiro disse que estava tudo bem, e Elvis autografou uma promissória. Tomaram o leite frio da garrafa, e Elvis limpou o bigode de leite com as costas da mão, assim como James Dean, pensou June, em *Juventude transviada*.

Quando Nick chegou, ficou tudo bem, mas meio diferente, uma diferença nada sutil, aliás. Rodaram pela cidade juntos e conversaram sobre muitos dos mesmos assuntos. Mas ela sentiu que, sem sequer se preocupar em disfarçar tanto, ela e Nick estavam disputando a atenção de Elvis. Nick falava em Natalie o tempo todo – tinha até trazido um vestido dela como uma espécie de suvenir e fez questão de contar como a peça caía bem em Natalie. "Bem que você poderia tê-lo convidado em outra ocasião", confessou June a Elvis num raro momento de privacidade, mas Elvis insistiu que não tinha convidado Nick, ele praticamente tinha se autoconvidado. "Ele é apenas um moço solitário lutando para vencer em Hollywood", disse Elvis sobre o amigo, com uma ponta de compaixão. Mas a senhora Presley pareceu se solidarizar com June. "Com certeza é um amiguinho insistente", vaticinou Gladys; como ela queria que Elvis fosse mais cuidadoso ao escolher os amigos.

Uma noite foram até a estação de rádio visitar Dewey e encontraram Cliff Gleaves, um DJ de Jackson, que conhecera Elvis sete meses antes. Ele tinha acabado de voltar à cidade e estava rondando a rádio na esperança de rever Elvis. Depois, todos foram à casa de Dewey, em Perkins, e jogaram sinuca por um tempo, mas então os homens foram para o escritório, onde um projetor de filmes tinha sido montado, enquanto Patsy e June ficaram na sala de estar com a senhora Phillips. Um dos homens saiu e deixou a porta entreaberta; June deu uma espiadela de relance e viu bruxuleantes imagens de corpos nus. Furiosa, foi até a porta, bateu e depois a escancarou. Ficou lá parada na "posição de Elvis". Era assim que ela chamava a posição em que ela cruzava os braços e olhava fixo à frente. "Que diabos você está fazendo, June?", disse Elvis num pulo de intensa vergonha. "Não quero que você assista a essas coisas."

"Por mim pode assistir a este lixo o tempo que você quiser, Elvis", disse ela, "mas antes nos leve, a Pat e eu, para casa." E se ele achava que isso era puritanismo dela, "então todos vocês podem se catar".

Na noite anterior à data programada para o retorno de June a Biloxi e a viagem de Elvis a Nova York para o programa de Ed Sullivan, todos saíram para jantar com conhecidos dos pais de Elvis, um pessoal abastado, que queria proporcionar uma ocasião especial para Gladys e Vernon. Gladys fez o maior espalhafato para que eles se arrumassem e se comportassem. Durante o jantar, porém, Elvis pediu para June guardar suas novas coroas dentárias provisórias. Só que June começou a brincar com elas, fingindo que era uma vampira. Sem demora, os anfitriões entraram na onda e se divertiram tanto quanto eles. "Estava na hora de vocês relaxarem e se divertirem", disse o marido polidamente, enquanto Gladys chorava de tanto rir. Em seguida, foram assistir a uma exibição privada de uma montagem inicial de *Love Me Tender*. Todos acharam maravilhoso, menos Elvis. Ele não tinha noção do quanto estava bem no filme, June tentou convencê-lo. Mas ele deixou claro que "estar bem" não era suficiente. "Pare de ser tão exigente consigo mesmo", murmurou Nick, "e dê tempo ao tempo." Trabalhava havia anos, contou ele, para tentar chegar ao ponto em que Elvis estava agora. "Você provou que é um ator. Não se preocupe com isso." Elvis ficou lisonjeado com os elogios de Nick, mas June os atribuiu mais a uma inveja por parte de Nick.

No final, Elvis queria que ela fosse a Nova York com ele. E se ela não quisesse, por que não ficava ali em Memphis na casa dos pais dele? Em poucos dias estaria de volta, e Natalie faria uma visitinha na semana seguinte: ele queria que ela conhecesse Natalie. Espere um minuto, protestou Nick. Se June fosse ficar, ele simplesmente ligaria para Natalie e diria para ela vir outra hora – não havia espaço suficiente na casa para todos. "Não se preocupe, Nick, não vou ficar", anunciou June, deixando a sala. Elvis foi atrás dela. June garantiu que queria voltar para casa e, seja lá como fosse, não estava interessada em conhecer Natalie mesmo. "Baby, eu não convidei Natalie", protestou Elvis, foi Nick quem convidou Natalie, e ele poderia facilmente desconvidá-la.

A semana terminou com esse gostinho amargo. Quando voltou a Biloxi, foi ao estúdio fotográfico tirar a foto prometida a Elvis. Só que pediu ao fotógrafo para fazer uma foto bem diferente. Trocaram ideias por um tempo e enfim decidiram fazer um tipo de foto que o fotógrafo nunca tinha feito antes: a pessoa com lágrimas no rosto. A foto ganhou o segundo lugar num concurso, um tempo depois.

Com Natalie Wood na frente do Hotel Chisca, 31 de outubro de 1956 (Robert Williams)

THE TOAST OF
THE TOWN

Outubro a novembro de 1956

DESCONTRAÍDO, confiante e muito à vontade. Foi esse Elvis Presley que fez sua segunda apresentação no *The Ed Sullivan Show*, ainda popularmente conhecido como The Toast of the Town,[5] na noite de domingo, 28 de outubro. A explosiva energia nervosa, os maneirismos involuntários, os trejeitos que tinham dominado suas aparições televisivas de poucos meses antes, agora eram coisa do passado. A postura meio atabalhoada e constrangida de sua estreia no programa de Sullivan foi substituída por um ar brincalhão, amável, meio perplexo, meio calculado, uma espécie de bem-humorado reconhecimento da cumplicidade com o público e com o anfitrião. Sullivan anunciou a próxima atração em seu estilo característico, formal, quase inexpressivo. Elvis entrou no palco, topete no cabelo, olhar de satisfação, só com um ligeiro constrangimento. Era como se pela primeira vez realmente tivesse tomado as rédeas de si mesmo – não transparecia raiva oculta atrás da máscara, não havia um tigre enjaulado ansioso para sair. Agradeceu os aplausos com a res-

---

[5] Expressão idiomática que, no contexto, pode ser traduzida como "O orgulho da cidade". (N. de T.)

peitosa displicência de um lorde. Era um cantor de sucesso, um ator de sucesso, um servo de Deus e o dono de seu próprio destino. Nem sequer um sinal de impostura cruzou sua mente.

Tinha passado o dia primordialmente cumprindo deveres profissionais e fazendo boas ações. Após algumas noites na cidade com Nick, Dewey, o primo Gene e o novo amigo, Cliff Gleaves, todos convidados para ir a Nova York às custas dele, apresentou-se para o ensaio ao meio-dia. Por sua vez, o Coronel distribuía bótons de "Elvis para Presidente" na inauguração de uma "estátua" de doze metros de altura do novo astro de Hollywood, acima da marquise do Paramount Theatre na Times Square, onde *Love Me Tender* estrearia em pouco mais de duas semanas. "O ídolo juvenil do rock'n'roll também surpreendeu na entrevista à imprensa da tarde, mostrando aos repórteres adultos que é um jovem educado, simpático, arguto e charmoso", informou o *New York Times*. "Os adolescentes são a minha vida e o meu triunfo", declarou aos repórteres reunidos. "Sem o apoio deles eu não teria chegado a lugar algum." Ele queria ter a oportunidade de se sentar com alguns desses pais que o encaravam como má influência, "pois acho que eu poderia mudar a opinião e o ponto de vista deles. Desde que adquiri certa fama, fiz um exame de consciência e analisei se tinha levado alguém ao mau caminho, mesmo indiretamente. Estou em paz com a minha consciência". Alguém perguntou se não tinham sido esses mesmos adolescentes que recentemente haviam destruído o carro dele. "Isso não significa nada para mim, meu senhor. É apenas um carro e tenho outros carros, mas procuro sempre tratar os outros como eu gostaria de ser tratado, isso não sai de minha cabeça. Está na Bíblia... Leio a Bíblia, e essa história não foi inventada agora. A Bíblia diz: a pessoa colhe o que plantou. Se eu semear o mal e a maldade, é isso que vou colher. Tenho certeza disso, meu senhor, e não acho que eu seja um mau exemplo. Se eu achasse isso, voltaria a ser motorista de caminhão, e estou falando sério."

No finzinho da tarde, numa cerimônia pública com ampla cobertura da mídia, ele recebeu uma dose da recém-desenvolvida vacina Salk contra a pólio. Ele fez isso, explicou numa propaganda de utilidade pública que gravou para a organização March of Dimes, porque "tantas crianças e adultos, também, sofreram um dos piores reveses que podem acontecer a uma pessoa... Podemos ajudar essas pessoas. E a maneira é participar da March of Dimes de 1957". "Auréola, pessoal, auréola: o mais novo lance de Presley", estampou a *Variety* na manchete de um artigo recente, denunciando um tanto cinicamente uma "construção institucional para recriar o cantor de rock'n'roll e transformá-lo numa influência para o bem" – mas o texto realmente ignorava o principal: Elvis não precisava de um impulso institucional! Ele acreditava realmente nisso, que estava destinado a fazer o bem, e era essa a verdadeira função da fama.

As ruas naquela noite estavam tão abarrotadas que mal se podia chegar ao estúdio. A polícia montada fez um cordão de isolamento para milhares de fãs loucos para ultrapassar as barricadas, mas apesar disso Elvis insistia em dar autógrafos, para o intenso desconforto de seus companheiros de viagem. O senhor Sullivan elogiou o comportamento dos jovens na plateia, pediu que não gritassem durante as canções, relatou ele, e o público cumpriu a promessa. Uma série de resenhas sugeriu que Elvis havia sido pressionado a amenizar seu show, que tanto ele quanto as câmeras tinham sido instados a conter seus movimentos corporais. No programa, porém, não há evidências disso: o que vemos é um bom humor do começo ao fim, uma postura que exala plena confiança e um sentimento de quem está se divertindo muito consigo mesmo e, carinhosamente, com a plateia. Seguidamente, ele entrepara no meio de um gesto estudado, encolhe os ombros, suspira, revira os olhos, paralisa – só esperando que a onda momentaneamente congelada volte a engolfá-lo. Com um brilho no olhar, abre um sorriso, se contém com ar de (afável) deboche e escuta o senhor Sullivan dizer que Elvis vai retornar em poucos minutos para uma segunda participação no programa. Com um jeitinho travesso, Elvis parece hesitar, mas após um breve colóquio concorda que, sim, ele vai voltar. Na conclusão de seu terceiro e último segmento, anuncia a estreia de seu novo filme e sua próxima participação no *The Ed Sullivan Show*, em janeiro. "E, hã", continua, momentaneamente engasgado, mas logo se recupera com um sincero: "Até a próxima, e que Deus os abençoe como abençoou a mim".

Os índices de audiência não foram tão espetaculares quanto no primeiro programa, mas Sullivan ainda derrotou o principal competidor (Mary Martin e Paul Douglas na adaptação da peça teatral *Born Yesterday*, feita especialmente para a TV) por uma margem de dois para um e alcançou no Trendex o índice geral de 34,6 (equivalente a cinquenta e sete pontos de audiência).

No dia seguinte, Elvis gravou um novo final para o filme, no Junco Studio, na East Sixty-Ninth Street. A pressão aumentava desde que tinha sido anunciado que ele morria em seu primeiro papel como ator. Ao longo da semana, fãs organizaram piquetes em frente ao Paramount Theatre com cartazes (todos tão uniformes que dava até para desconfiar) que imploravam: "Não morra! Elvis Presley". Pressionado pelo público ou apenas aproveitando o valor publicitário da ocasião, o estúdio validou o protesto. Convocou o diretor Robert Webb, o cinegrafista Leo Tover e uma equipe de técnicos. Seria uma tomada única da imagem de Elvis Presley sobreposta à triste cena do enterro de Clint Reno, entoando a canção-título do filme, com ar sério, mas com um sorriso enternecedor ao dizer "I Always Will". Ele nem precisou trocar os sapatos, e fez a cena com os sapatos brancos de camurça que tinha usado no programa de televisão na noite anterior.

No dia seguinte, foi anunciado o novo contrato da RCA que o Coronel negociava havia dois meses: os pagamentos de royalties seriam distribuídos de forma a garantir a Elvis o pagamento semanal de US$ 1 mil nos próximos vinte anos. A essa altura, ele já tinha ultrapassado a marca de dez milhões de singles vendidos na RCA (totalizando royalties no valor recorde de US$ 450 mil), representando cerca de dois terços do volume de singles vendidos pela RCA. Justamente uma semana antes, a revista *Variety* havia conferido a Elvis o rótulo de "milionário", com base em cálculos não oficiais de royalties de discos, renda de filmes (US$ 250 mil, computando a participação no filme novo em poucos meses), publicação de músicas, apresentações na TV e shows ao vivo. A situação praticamente sem precedentes na indústria fonográfica rivalizava com tudo o que já tinha acontecido no mundo maior do show business, isso sem levar em conta o merchandising.

Apenas três meses antes, o Coronel tinha feito um acordo com um publicitário californiano, Hank Saperstein, de trinta e sete anos, que adquiriu os direitos exclusivos de explorar e promover comercialmente a imagem de Elvis Presley. Saperstein, que tinha escritórios em Beverly Hills, estava no negócio havia dezessete anos e antes promovera campanhas altamente bem-sucedidas para programas e seriados como *Super Circus, Ding Dong School, Lassie, The Lone Ranger* (*O Cavaleiro Solitário*) e *Wyatt Earp,* mas, como a *Variety* observou, esta seria a primeira campanha de merchandising sem restrições na história cujo público-alvo eram os adolescentes, não os "fedelhos". Quando as filmagens de *Love Me Tender* começaram, a campanha de Saperstein já estava de vento em popa. Em torno de dezoito licenciados, com vinte e nove produtos. Muitos deles (cintos, cachecóis, saias, jeans, batom, medalhões, pulseiras com berloques, publicações e gravatas western) foram expostos no capô do carro de Saperstein em uma foto publicitária tirada no set do filme. No fim de outubro, o esquema publicitário estava em pleno andamento, com trinta licenciados e cinquenta produtos à venda em lojas como Sears, Montgomery Ward, W. T. Grant's e Woolworth's, entre outras, e a *Variety* endossava a previsão de Saperstein de US$ 40 milhões em vendas no varejo nos próximos quinze meses. Isso chegaria a US$ 18 milhões no atacado, o que, com os royalties de 5% do licenciante habitual, significaria US$ 900 mil, a serem divididos igualmente entre Saperstein e a Elvis Presley Enterprises.

O futuro acenava com "Hound Dogs" e "houndbúrgueres"... Saperstein, embora adepto da "promoção em profundidade", obviamente tinha os pés no chão. Na previsão dele, esse mercado ia durar dois anos. Era o tipo de acordo que o Coronel amava, e o tipo de situação que ele sabia como explorar para si e para o seu representado. Em um artigo da revista *Look* sobre o fenômeno de Elvis Presley, o autor, Chester Morrison, citou a canção-título do filme e depois comentou:

> Dois homens adultos sentem por Elvis um amor terno e genuíno e esperam nunca precisar deixá-lo ir embora. Esses dois operam a grande indústria Elvis Presley e, meu Deus, é uma mina de dinheiro! Hank Saperstein e Tom Parker são uma dupla bem afinada, donos de uma alegria sardônica como a de Fred Allen. Às vezes, o Coronel deixa cair cinzas distraídas do seu bom charuto sobre as rechonchudas dobras de seu corpo. Hank é mais jovem, mais bonito, mais alto e parece que não tem ponto fraco. Ambos veneram o dinheiro e trabalham arduamente para ganhá-lo. Mas os dois passam a impressão de que o importante é ganhar dinheiro, mesmo que não se divirtam no processo.

O Coronel tinha suas origens no mundo dos parques de diversões itinerantes, frisou Morrison, um sujeito "feliz, mas não simplório, que conheceu a Dama Tatuada. Sente um amor autêntico pelo povo que frequenta os parques, porque todos sem exceção acabam comprando ingressos. Está escrevendo uma autobiografia que merece um lugar na estante de todas as casas. Ele a chama de *O picareta benévolo*, mas o título alternativo e mais sugestivo é *Quanto custa um cafezinho grátis?*

NATALIE CHEGOU a Memphis na noite de Halloween. Elvis e Nick a buscaram no aeroporto, mostraram a ela os pontos turísticos, depois a levaram para casa, onde Elvis prometeu às fãs que voltariam em meia hora para conversar e dar autógrafos. Após o jantar, rodaram pela cidade um pouco mais, compraram sorvetes de casquinha e acabaram no Chisca, onde foram ao mezanino falar com Dewey. Na saída, centenas de fãs se aglomeravam na rua, e Elvis e seus amigos quase não conseguiram retornar ao Lincoln branco.

No dia seguinte, Elvis comprou uma moto nova, e naquela noite fizeram um longo passeio, com Natalie agarrada a Elvis e Nick "se arrastando", relataram os jornais, na antiga Harley de Elvis. Nos dias seguintes, Elvis fez com Natalie o roteiro padrão: conhecer a família dele, conhecer seu amigo George Klein, visitar a Humes, visitar o parque de exposições, bater o ponto na Sun, ser apresentada a seus amigos policiais e inclusive visitar Bob Neal na Stars Inc., a nova empresa que Bob tinha criado em parceria com o senhor Phillips. Para Natalie, acostumada ao mundo das celebridades, foi uma experiência ao mesmo tempo monótona e reveladora. Ela declarou numa entrevista, anos depois: "Desde que saí do avião foi como se um circo estivesse na cidade. Uma galera cercava a casa dele, dia e noite. Uma pessoa vendia cachorros-quentes e sorvetes num carrinho... Quando fomos passear na moto de Elvis, uma comitiva instantânea se formou atrás de nós. Senti como se estivesse puxando o desfile do Rose Bowl". Elvis era doce, revelou ela a amigos e repórteres, mas, deu a entender, talvez doce até demais. Lana, a irmã dela, conta que Natalie teria ligado para casa no meio da visita e implorado para que a mãe dela a tirasse de lá. "Ele sabe cantar", mais tarde confidenciou Natalie a Lana, fato registrado nas memórias de Lana, "mas quase nada além disso." No sábado, Nick e Natalie voltaram a Hollywood. A visita de Natalie durou apenas quatro dias.

Para Elvis, no entanto, foi bom ter um tempo só para ele. O Coronel disse que as gravações do novo filme só começariam em dois meses. Em Nova York, a estreia de *Love Me Tender* aconteceria dali a dez dias, em 15 de novembro. Em Memphis e nos demais locais, o filme estrearia na véspera do Dia de Ação de Graças (em 1956, caiu no dia 22). Por isso, com alegria se dedicou a assuntos mais mundanos, como a inauguração da Beginner Driver Range, "primeira autoescola do país patrocinada pela polícia". Elvis participou da cerimônia na segunda-feira, 5 de novembro, na condição de finalista do concurso anual de direção segura da Road-E-O, quatro anos antes. "'Se houver algo que eu possa fazer para dar o exemplo, eu quero fazê-lo', declarou Presley à nova turma de trinta e um alunos, principalmente adolescentes. Ninguém gritou ou desmaiou", relatou o *Press-Scimitar*. "Pareciam sérios e determinados... Era um projeto comunitário para tornar Memphis um lugar mais seguro para viver."

Paralelamente, Cliff Gleaves retornava à cidade após a breve temporada em Nova York, fantasia tão improvável que até Cliff, acostumado a encarar tudo com um otimismo incorrigível, a sagacidade de um DJ, o talento de um comediante e a propensão de um filósofo para o pensamento positivo, teve dificuldade em acreditar. Quando voltou, porém, não conseguiu se encontrar com Elvis de novo, nem sequer teve a oportunidade de agradecê-lo. Foi ao Chisca várias vezes, mas nunca o viu lá. Sentiu falta dele enquanto Natalie esteve na cidade. Começou a aparecer na WMC todas as tardes, na hora em que George Klein terminava seu turno de apresentador do *Rock'N'Roll Ballroom*, e dava boas indiretas a George sobre conseguir um encontro com Elvis algum dia. Mas George saía apressado para jantar quase todas as noites e nunca captava as indiretas.

Ultimamente Lamar Fike, um jovem encorpado e rechonchudo, andava com George e mostrava interesse em entrar no ramo do rádio. Pilotava um Chevy 56 novinho em folha, falava como se soubesse de tudo sobre qualquer assunto e estava louco para conhecer Elvis. Cliff estava prestes a mandá-lo embora quando Lamar rapidamente mostrou o conteúdo de sua carteira, e Cliff, sempre rápido e rasteiro, falou: "Pode jantar conosco". Depois disso, deixou Lamar alugá-los para conseguir dicas sobre o mundo do rádio, de modo frequente (e remunerado). Mas isso não serviu para que eles conseguissem se aproximar de Elvis. Por fim, Cliff chegou à conclusão: se aquilo fosse acontecer, teria de acontecer por conta própria. Estava quase perdendo as esperanças – e sua hospedagem na Associação Cristã de Moços –, quando enfim topou com Elvis de novo, e dessa vez deu tudo certo.

A caminho do Chisca numa segunda-feira à noite, decidido a falar com Dewey, avistou um Cadillac cor-de-rosa vindo em sua direção pela Union. "Ei, Cliff, siga-me", disse Elvis, inclinando-se para fora da janela e o levando até a Madison Cadillac, a poucas quadras dali.

"Naquele instante, a minha vida mudou. Elvis fez a minha vida dar uma guinada de 180 graus. Entenda: paramos o carro. Ele diz: 'Comprei este carro para a minha mãe, e ela não tem carteira de motorista, e não quero mais dirigi-lo, mas queria mantê-lo ajustado. Acabei de comprar um El Dorado, mas ainda está com a fita adesiva, e quero saber se você pode me fazer um favor'. Falei: 'Elvis, está falando sério?'. Eu já tinha agradecido a ele pelo fim de semana, e ele disse: 'Se você não puder se divertir, que graça tem? Se o prazer não estiver lá, vale a pena?'.

"Ele disse: 'Cliff, pode me levar a alguns lugares?'. Bem, não faz sentido entrar em detalhes, mas por volta das 17h30 ele diz: 'Cliff, quero convidá-lo para conhecer meus pais. Gostaria que jantasse conosco'. Buum! Eu disse: 'Ótimo!'. E rodamos até Audubon Drive, onde ele morava. Depois do jantar, ele disse: 'Cliff, você conhece Red West?'. Eu disse: 'Não, não conheço'. Elvis continuou: 'Ele me acompanhava e agora se alistou no Corpo de Fuzileiros Navais. Agora estou sozinho. Eu gosto de você, minha mãe e meu pai gostam de você'... Sabe, o jantar tinha acabado, então estávamos na sala de estar. 'Estou sozinho agora, e eu realmente queria que você estivesse comigo. Quando eu o convidei para Nova York, a minha ideia não era aquela'. Eu disse: 'Elvis, vou te dizer uma coisa. Tenho umas obrigações aqui e ali'. Falei: 'Fazer isso, sabe... esse fator de obrigação, eu realmente não posso aceitar essa oferta. Tenho que ser um agente livre, espírito livre, não posso ser obrigado. Mas como amigo... a conversa muda'.

"Ele disse: 'Quer dizer que essa é a única coisa que impede você de me acompanhar?'. Falei: 'Basicamente isso'. Ele disse: 'Cliff, vamos pegar suas roupas'. Naquela noite, eu me mudei para o meu quarto em Audubon Drive. O quarto de Elvis ficava no fim do corredor, e antes havia o 'quarto da Natalie', porque foi ali que a Natalie Wood ficou quando se hospedou lá; a mãe e o pai de Elvis dormiam na outra ala da casa. Três quartos, dois banheiros – sem problema nenhum. Mudei-me de mala e cuia. A mãe dele falou: 'A Natalie ficou neste quarto, agora é seu'. Desse dia em diante, ele sempre quis a minha presença lá."

Para Cliff, morar com a família Presley era encantador. Elvis, na opinião dele, era "um inocente. Não conhecia as manhas, os 'truques mundanos'. Agia com base no puro instinto. Nunca mostrou qualquer arrogância – sempre que alguém tentava ter acesso a ele, simplesmente não deixava que esse acesso fosse negado. Ele não teve a 'escolaridade informal' de quem morou sozinho por muito tempo. Não tinha nenhuma experiência de vida quando entrou na Sun Records. Da casa dos pais para a Sun, e dali para o dinheiro e a fama. Não foi apresentado ao mundo". Os pais dele? "Vernon não era inocente, porque já tinha sido marcado pelo sistema. Vernon era afinado com o mundo, um dólar era um dólar para Vernon, e uma moeda de vinte e cinco centavos, uma moeda de vinte e cinco centavos. Uma noite, no jantar, Elvis disse: 'Papai é durão, mas você não pode culpá-lo. Tem de saber o que aconteceu com ele'. Depois me explicaram tudo. Vernon disse: 'Ei, Cliff, eu me ofereci para trabalhar e pagar com o suor de meu trabalho... mas ele se recusou'. Ele disse: 'Cliff, isso foi difícil'."

Gladys, por sua vez, sentia apenas muito orgulho do filho – nem mais, nem menos do que sentiu quando ele ganhou o prêmio de cantor na feira. "Não era como se [ela soubesse que] Elvis fosse aparecer e conquistar o mundo, isso simplesmente era algo que estava nele. Vester veio e ensinou a ele uns acordes, ninguém prestou muita atenção, foi só um evento isolado, mas ela sentia muito orgulho dele. Gladys dizia: 'Eu só espero que a gente consiga sobreviver a tudo isso'. Porque o sucesso a incomodava, ela não ficou entusiasmada com o grande sucesso do filho, não ficou enlevada pela fama, a única coisa que importava era Elvis."

À noite, sentavam-se para escutar música gospel: Blackwood Brothers, Sister Rosetta Tharpe, Clara Ward Singers, Statesmen Quartet – Elvis sempre assinalava quando a voz de Jake Hess se sobressaía. Muitas vezes ele se sentava ao órgão e cantava as músicas, enquanto o senhor e a senhora Presley balançavam a cabeça afirmativamente. Para Cliff foi uma espécie de educação, porque, embora se considerasse uma pessoa "espiritual", nunca tinha ouvido música gospel antes.

PORQUE O SUCESSO
A INCOMODAVA,
ELA NÃO FICOU
ENTUSIASMADA COM
O GRANDE SUCESSO
DO FILHO, NÃO
FICOU ENLEVADA
PELA FAMA, A
ÚNICA COISA QUE
IMPORTAVA ERA ELVIS.

Para ele, também foi uma provação. Não era permitido fumar ou beber na casa, e Cliff não era, por natureza, uma pessoa abstêmia, mas cumpria as regras. "Elvis não queria estar perto das pessoas quando elas estavam bebendo. Ele tinha uma enorme força de vontade, e não suportava gente descontrolada. Sempre me dizia: 'Cliff, eu simplesmente não posso me dar ao luxo de ficar perto de alguém sem autocontrole'."

Uma noite, foram convidados para tomar uns "coquetéis" na casa de um jovem e rico casal, com antigas "raízes em Memphis", que morava na parte alta da rua. Frank Pidgeon, cuja família era proprietária da Pidgeon-Thomas Iron Company, tinha feito o seguro da casa, e Betty Pidgeon era neta de E. H. "Boss" Crump, que praticamente governou Memphis desde sua eleição como prefeito em 1910 até sua morte em 1954. No começo, Elvis relutou em aceitar o convite – afinal de contas, os vizinhos tinham mostrado uma rejeição inflexível não só em relação a ele e sua família, mas também em relação a seus fãs. Ele entendia que os vizinhos pudessem estar chateados com a perturbação que sua presença havia causado a uma pequena rua antes tranquila, mas fez tudo a seu alcance para levar em conta as preocupações da vizinhança. Inclusive enfrentou uma discussão pública sobre oferecer dinheiro para que os Presley fossem embora, insinuação que Elvis rebateu dizendo que poderia fazer o mesmo em relação aos vizinhos. Como um morador de Memphis escreveu à biógrafa de Elvis, Elaine Dundy: "Do ponto de vista do mundo em que nasci e cresci, o mundo do country club etc., ele era considerado... um constrangimento".

Cliff relembrou vividamente essa ocasião social. "Elvis falou: 'Mamãe, não quero ir, esse pessoal tem muita grana, e eu não me encaixo, não fico à vontade, eu simplesmente não quero fazer isso'. Ela disse: 'Filho, essas pessoas não querem nada de você. Já deixaram sua marca no mundo, é gente proeminente de duas famílias proeminentes daqui... Você sabe que ela é uma Crump. O que estão fazendo é dar as boas-vindas pelo bairro, isso é tudo. Não precisa dar mais nada, apenas estão orgulhosos de você, outra pessoa de Memphis que está deixando sua própria marca no mundo'."

Rodaram de carro a curta distância rua acima, chegaram um pouco tarde, recusaram polidamente os coquetéis de bourbon e soda, regando os biscoitos salgados crocantes a Coca-Cola. Na época com oito anos, Pallas Pidgeon achou Elvis "um pouco nervoso no início, mas muito legal, muito simpático. Papai perguntou se ele não se importava em telefonar para a prima dele, que morava em Plainfield, Nova Jersey, e era uma grande fã dele. Então fizemos a chamada de longa distância para ela. Depois telefonamos para a minha tia, a filha mais nova de meus avós... Ela estava na Escola St. Catherine em Richmond, e todo o dormitório ficou louco. Então perguntei se ele não se importava de ligar para minha melhor amiga, Louise, e ele fez a mesma coisa. 'Louise, é o Elvis!' Foi simplesmente incrível. Então fui mostrar a casa para eles, e fomos ao meu quarto, ele, Cliff, minha mãe e eu, e eu tinha um montão de bichos de pelúcia na cama, e ele me perguntou quando era meu aniversário e disse que me mandaria um ursinho de pelúcia, o que acabou não fazendo, mas pelo menos eu pude sonhar com isso por alguns meses".

Ele ficava magoado quando as pessoas o julgavam sem conhecê-lo, contou ele a Marion Keisker um dia, quando passou para fazer uma visitinha na Sun. O senhor Phillips estava quase sempre muito ocupado – a carreira de Johnny Cash estava explodindo – e ele estava tentando colocar Carl de volta nos trilhos. Além disso, alguns novos talentos surgiam, coisa que o deixava muito animado. Mas Elvis sempre se sentia à vontade para fazer uma visitinha e conversar com Marion. O sol batia nas persianas, as imagens e o sons das sessões de gravação permeavam através da janela na parede divisória. Continuava chateado com aquele pastor de Jacksonville que tinha sido entrevistado na revista *Life*, Elvis contou a ela. "A única coisa que posso dizer é que eles não me conhecem."

À medida que se aproximava a data da estreia do filme, ele sentia-se cada vez mais nervoso, cada vez mais exposto, mesmo em sua própria cidade natal. Enfim, aceitou o conselho do Coronel e saiu da cidade por um tempo, tirando férias em Las Vegas, o que o poupou de ter de inventar desculpas quando os repórteres inevitavelmente perguntassem sua reação às críticas. Tudo estava de acordo com a nova estratégia de afastá-lo do escrutínio público (o Coronel indicou que, em breve, talvez fosse necessário cobrar pelas entrevistas com Elvis). Ao mesmo tempo, entretanto, adequava-se ao mesmo tipo de impulso que o tinha levado a se enfurnar no escurinho do Cine Suzore 2 na noite em que Dewey tocou seu disco pela primeira vez.

Em Vegas, ele era uma celebridade no meio de outras celebridades. Suas idas e vindas eram notadas, mas a certa distância, com desinteresse casual, deixando-o praticamente a sós. Ele se hospedou no New Frontier com o primo Gene e não perdia nenhum dos shows. No início da estadia, namorou Marilyn Evans, dançarina do New Frontier, e a convidou para conhecer Memphis, em dezembro. Então conheceu a loirinha Dottie Harmony, dançarina de dezoito anos do Brooklyn, que viera à cidade para fazer um show no Thunderbird e cuja amiga, hospedada no Frontier, iria se casar. Enviou emissários à mesa dela para ver se a jovem queria se juntar a eles, mas Dottie os mandou ver se ela estava na esquina. "De repente me virei e lá estava Elvis de joelhos, dizendo, 'Madame, você é a mulher mais bonita que já vi em minha vida. Quer tomar uma bebida comigo?'." Começaram a sair juntos direto, e ele foi ver o show dela. "Passávamos quase todos os dias e noites juntos, exceto quando eu trabalhava." Em 14 de novembro, na noite anterior à estreia de *Love Me Tender* em Nova York, ele foi ao show de abertura da temporada de Liberace no Riviera. Ficou na primeira fila, e o extravagante artista em seu traje de lantejoulas douradas o apresentou ao público. Mais tarde, trocaram de jaquetas e instrumentos, posaram para as câmeras, cantaram e tocaram canções como "Girl of My Dreams" e "Deep in the Heart of Texas". "Elvis e eu somos umas figuras", comentou Liberace, "mas podemos nos dar ao luxo de sermos."

Ele e Dottie eram unha e carne. "Ele era superlegal. Ligava para a mãe dele todas as noites, e me obrigava a ligar para a minha. Contava histórias sobre a família dele, quando moravam num só cômodo. O pai dele costumava rezar todas as noites para que as coisas melhorassem.

Agora ele estava feliz por poder ajudar os pais. É meio difícil de acreditar, mas só passeávamos juntos. Íamos ao aeroporto para ver os aviões decolando. Uma noite, paramos e ajudamos um senhor de idade a trocar um pneu. Sabe, éramos apenas crianças." Brigavam de vez em quando, geralmente pela atenção que Dottie recebia de outros homens ("Eu conhecia todo mundo na cidade, e acho que isso incomodava Elvis, mas eu disse: 'Não me venha com dois pesos e duas medidas'"). Às vezes, quando brigavam, Elvis arrancava o telefone da parede, "mas logo depois estava consertado de novo". Uma noite, foram assistir ao show de Billy Ward and His Dominoes, um dos grupos de r&b favoritos de Elvis, cujo jovem vocalista, o não creditado Jackie Wilson, além de reprisar os vários sucessos dos Dominoes ("The Bells", "Rags to Riches", "Have Mercy Baby"), também fez um medley de Elvis Presley. Cantou "Hound Dog" e um ou dois outros números que não impressionaram muito o cantor original, mas a versão dele para "Don't Be Cruel", mais lenta e com efeito mais dramático do que a do disco, fez Elvis voltar para vê-lo por quatro noites seguidas. Nick apareceu na cidade, com outros amigos de Hollywood, também, mas principalmente eram apenas Nick, Gene e Elvis saindo com suas respectivas namoradinhas. Antes de Elvis partir, fez Dottie prometer que ela passaria o Natal com ele em Memphis.

June tinha lido sobre Natalie e ele nos jornais de Memphis. Ele havia telefonado para ela no dia em que Natalie partiu, mas, quando June ligou de volta, Gladys disse que Elvis estava em Las Vegas e não tinha certeza de quando voltaria para casa. Seja como for, os dois tiveram uma demorada conversa, mas Elvis não ligou quando o filme estreou, esqueceu-se do aniversário dela em 19 de novembro e, cada vez mais, June estava menos inclinada a culpar o Coronel.

O filme estreou com grande pompa no dia 15. Uma fila de 1.500 adolescentes esperava as portas do New York Paramount se abrirem às 8h da manhã para a primeira sessão, e esse número seria ainda maior se os inspetores escolares não tivessem fiscalizado a fila. Quando o filme estreou em 21 de novembro no cinema Loew's State de Memphis e em outras 550 salas em todo o país, colecionou recordes e, até o final do mês, de acordo com a *Variety*, desfrutava de "rendas enormes", que "sublinhavam a necessidade de a indústria desenvolver produtos para atrair o segmento de público juvenil". *Love Me Tender* superou nas bilheterias os mais recentes filmes de Marilyn Monroe, *Nunca fui santa* (1956) e *O pecado mora ao lado* (1955), nos mesmos locais ou similares, e rivalizou com *Assim caminha a humanidade* e *Os dez mandamentos*, lançados na mesma época. Também foi relatado que o negócio de concessão tinha resultados "surpreendentes".

Na maioria das resenhas, notava-se uma extrema condescendência e, às vezes, a interpretação de Elvis era mencionada com respeito – e uma pontinha de rancor. A *Time* foi especialmente irônica, perguntando: "É uma salsicha?", sobre a nova e elegante imagem de Hollywood. Por sua vez, o *New York Times* deu crédito a Elvis por ignorar as limitações do filme e proporcionar uma interpretação vívida em um veículo sem brilho. "Richard Egan está praticamente letárgico como o irmão que volta para casa da guerra", escreveu Bosley Crowther, "e Debra Paget está imersa em melancolia", enquanto "o senhor Presley se deixa levar como se estivesse em *E o vento levou*." Talvez a resenha mais interessante tenha sido a do *The Reporter*, que fez um amplo ataque à cultura popular e a Elvis Presley ("Presley parece uma criança obscena") e sua assim chamada "música" ("oscilação entre grito e lamento"), mas propôs uma questão pertinente: "Quem é o novo herói? Qual é sua aparência, como ele se move, fala e se veste?". E continuou a responder, estabelecendo comparações de Elvis com Brando e James Dean, caracterizando o novo herói como possuidor de

> maneirismos de um Brando de fora do Actors Studio, a associação de atores de Nova York... Em primeiro lugar, ele não anda: ele se arrasta, vagueia, quase na ponta dos pés. Seus gestos são todos indecisos, incompletos, com os braços na frente como se estivesse tateando numa

passagem subterrânea de paredes úmidas, ou curvado em si mesmo como quem se esquiva de um golpe... O novo herói é um adolescente. Não importa se tem vinte, trinta ou quarenta anos, aparenta ter quinze anos e tem muita pena de si mesmo. Em essência, é um lobo solitário em busca de uma alcateia.

O único comentário público do Coronel foi o seu conselho aos gerentes dos cinemas para se certificarem de esvaziar as salas após cada matinê. Caso contrário, disse o Coronel, os fãs de Elvis estocariam comida e acampariam no cinema o dia todo, privando os donos da sala de uma valiosa fonte de receita.

Conforme Cliff, o próprio Elvis ficou envergonhado com o seu desempenho e com a reação das fãs. "Disse: 'Nunca vou conseguir. Isso nunca vai acontecer, nunca vão me ouvir, ficam gritando o tempo todo'. Ele falava sério." Ao mesmo tempo, ele era o que sempre quis ser: um astro do cinema. Os críticos poderiam destruí-lo, disse Elvis aos repórteres na coletiva de imprensa de Ed Sullivan, vinte dias antes da estreia do filme. Se isso acontecesse, ele talvez repensasse sua abordagem, mas visualizava uma carreira vitalícia no cinema, mesmo após parar de cantar. "Não vou desistir", afirmou ele, "e não vou fazer aulas porque quero ser eu mesmo."

Com B. B. King, WDIA Goodwill Revue, 7 de dezembro de 1956
(Ernest Withers. Mimosa Records Productions Inc./Arquivos de Michael Ochs)

O FIM DE ALGUMA COISA

Dezembro de 1956 a janeiro de 1957

───────────

TARDE DE TERÇA-FEIRA, comecinho de dezembro. Cliff e Elvis passeavam pela Union Avenue com Marilyn Evans, a dançarina de olhos escuros de Las Vegas com quem ele namorou antes de conhecer Dottie Harmony. O carro passou pelo número 706 e, nas palavras de Marion Keisker, mais parecia um "galinheiro aninhado num Cadillac". Elvis notou que uma sessão estava acontecendo, e num impulso fez o retorno e estacionou em frente ao estúdio. Lá dentro, encontrou Carl Perkins e seus irmãos Jay e Clayton, o baterista "Fluke" Holland e um loirinho novo no piano, trabalhando em novas músicas de Carl. Logo a sessão se desfez – já estavam na fase de ouvir os playbacks – e, depois das saudações gerais, o senhor Phillips o apresentou ao pianista. O nome dele: Jerry Lee Lewis, de Ferriday, Louisiana, com single recém-lançado pela gravadora Sun. Mas ele não precisava de apresentações: de tímido não tinha nada. Na verdade, teria falado com Elvis se o cantor já não estivesse falando com Carl e o senhor Phillips sobre Hollywood, Las Vegas e o novo single da RCA que estava saindo em janeiro: o lado B certamente seria a música de Stan Kesler, "Playing for Keeps", da qual o senhor Phillips detinha os direitos de publicação. Sam ficou feliz em ouvir isso, e Elvis e Carl conversavam alegres sobre os velhos tempos, mas o pianista estava impaciente com tanto lero-lero – só queria voltar ao piano.

Aos poucos, a conversa foi evoluindo para uma *jam session*, e Sam disse a Jack Clement – que estava na sala de controle com ele – que gravasse tudo. Seja como for, estava tudo pronto para uma sessão, e ele notou logo que aquela ocasião poderia ser histórica. "Falei ao Jack: 'Vamos gravar isto. É o tipo de atmosfera, um momento que... sabe-se lá? Talvez esse pessoal nunca mais volte a se reunir'." E não se esqueceu do potencial de publicidade: chamou Johnny Cash, a maior estrela da Sun, que logo apareceu com a esposa dele, e Bob Johnson do *Press-Scimitar*, que veio com um repórter da UP e um fotógrafo a reboque. No jornal do dia seguinte, Johnson escreveu um tanto dissimuladamente: "Nunca me diverti tanto quanto ontem à tarde". E acrescentou: "Se Sam Phillips fosse esperto, teria acionado o gravador quando esse grupo mal ensaiado, mas talentoso, começou a cantar junto. Esse quarteto poderia vender um milhão". O próprio Phillips enviou aos DJs uma nota intitulada "A única coisa que lamentamos!", cujo teor lastimava que "vocês, maravilhosos DJs responsáveis por esses cantores estarem entre os mais conhecidos e apreciados do show business, não puderam estar aqui também!".

Se pudessem, teriam ficado espantados. "Ouvi esse cara em Las Vegas", fala Elvis cativando o pessoal logo de início, "tinha um vocalista [do Billy Ward and His Dominoes] que fazia uma paródia de 'Don't Be Cruel'. Ele se esforçou tanto que ficou muito melhor, mas muito melhor do que aquele meu disco." Ouvem-se bem-educados murmúrios de objeção. "Sabe, ele era magrinho, um cara de cor, subiu lá e fez assim..." E aqui Elvis começa a tocar a música imitando o cantor. "Cantou mais lento do que eu... Entrou o coro, o quarteto inteiro, pegaram o clima, o menino mandou bem. Agarrou o microfone, e na última nota foi até o chão, meu amigo, olhando direto para o teto. Ele arrasou. Eu estava debaixo da mesa quando ele terminou de cantar... E todo o tempo em que ele estava cantando, os pés dele deslizavam de um lado para o outro, assim... Ele é um ianque, sabe", disse Elvis, com espanto pelo modo estranho como o vocalista pronunciava "tellyphone". Tentou imitá-lo de novo, e depois arriscou "Paralyzed", a canção de Otis Blackwell que ele havia gravado em setembro, no mesmo estilo. "Tudo o que ele precisava era de um prédio ou algo parecido de onde se atirar", comenta alguém, entusiasmado com a animada descrição de Elvis. "Era tudo o que ele precisava", concorda o maior admirador do cantor desconhecido, "seria um grande final."

Cantaram "No Place Like Home" e "When the Saints Go Marching In". No piano, Smokey Joe Baugh, tecladista do Snearly Ranch Boys e eventual musicista de estúdio. Aquilo desencadeou uma sucessão de canções gospel, com Elvis fazendo a primeira voz e o loirinho fazendo a segunda voz em todas as músicas e até assumindo o vocal principal em algumas. "Isto é divertido!", exclama Jerry Lee em certo ponto. "Vocês deveriam formar um quarteto", alguém sugere, e uma mulher – talvez Marilyn – pede "Farther Along", de um tal de Rover Boys Trio. Elvis faz imitações de Bill Monroe e de Hank Snow cantando uma música de Ernest Tubb. Já ouviu o novo single do Chuck Berry?, alguém pergunta. Sim, ele prefere "Brown Eyed Handsome Man" a "Too Much Monkey Business", e sem demora começam a tocá-la. Carl tinha acabado de voltar de uma turnê com Berry, contou ele. É um gênio no palco, diz, encolhendo os ombros diante da prolífica criatividade de Berry. O que os lança de novo em outra rodada de "Brown Eyed Handsome Man".

Em seguida, Elvis dá uma palhinha de "Don't Forbid Me", o novo single de Pat Boone. E conta que a música tinha sido oferecida a ele primeiro. Depois emenda "Is It So Strange?", a canção oferecida por Faron Young meses antes, adotada por ele e June como um símbolo distorcido do amor deles. Revelou que não sabia se ia gravá-la; Faron não queria conceder a ele parte dos direitos de publicação. Ao cantar "That's When Your Heartaches Begin", a mesma música que gravou naquele mesmo estúdio no verão após o fim do Ensino Médio, disse: "Gravei a filha da mãe e perdi a cópia". Achava que ainda poderia ser um sucesso. Com o arranjo certo e a mesma voz de barítono profundo que se destacava no original dos Ink Spots, tinha potencial.

Ao longo da sessão, pessoas entram e saem, e o violão vai trocando de mãos, enquanto Smokey Joe Baugh contribui com seus comentários sérios e harmonias rústicas. É possível ouvir comentários de mulheres e crianças não identificadas, portas batendo e músicos se despedindo (os irmãos Perkins saem bem cedo no processo), o que deixa o campo livre para cantores e pianistas quase exclusivamente. No final do dia, Jerry Lee Lewis, que esperou a sua vez impacientemente, enfim tem sua chance de emendar uma canção após outra, para apreciação de todos. "Esse garoto tem futuro", Elvis já tinha informado Bob Johnson. "A maneira como ele toca piano me emociona." E agora ele prova isso. O papo continua, todos fazem planos para um novo encontro em breve. "Por isso que odeio começar estas *jam sessions*", diz Elvis. "Sou sempre o último a sair..."

"Jerry, foi bom te conhecer", diz ele ao ousado novato, convidando-o para aparecer em sua casa um dia, enquanto todo mundo se despede. "Foi totalmente improvisado", disse Sam Phillips, o orgulhoso progenitor, "tudo foi gravado fora do microfone, só por acidente foi no microfone... Acho que esse pequeno encontro por obra do acaso significou muito para todos os envolvidos, não porque um era maior que o outro, mas como se todos tivessem nascido daquele mesmo útero." "Elvis mostrou toda a sua cordialidade", escreveu Bob Johnson, "brincando com outros caras que tinham os mesmos interesses que ele."

Três noites depois, Elvis estava com outros sujeitos com os mesmíssimos interesses, mas sob circunstâncias bem diferentes – para não dizer notáveis. A WDIA, que desde 1949 tinha uma programação voltada exclusivamente à população negra de Memphis, mas com gerentes, anunciantes e engenheiros brancos, havia estabelecido um Fundo de Boa Vontade quase desde a sua criação com o objetivo de ajudar "crianças negras carentes". Todos os anos, a estação fazia um "revue", isto é, um show de variedades, na primeira sexta-feira de dezembro, que nos últimos anos vinha acontecendo no Ellis Auditorium. Em 1956, as atrações principais eram Ray Charles, o ex-disc jockey da WDIA, B. B. King, The Magnificents e The Moonglows, juntamente com um segmento gospel que trazia o Spirit of Memphis Quartet e The Happyland Blind Boys. Cada ano o show apresentava um tema encenado pela atual equipe de DJs. Naquele ano, o enredo envolvia a sofisticada tribo de "Choctaws", liderada pelo cacique Cavalo Agitado (Rufus Thomas) e a noiva dele, a princesa Coisa Mais Linda (Martha Jean, a Rainha), determinada a introduzir o rock'n'roll numa recalcitrante tribo rival, irremediavelmente careta.

Um dos engenheiros da estação, Louis Cantor, também atuava parte do tempo como locutor de gospel e r&b, sob os nomes de Deacon e Cannonball Cantor. Graduando da Humes um ano antes de Elvis e George Klein e colega de turma de Klein na Memphis State, bem como colega na congregação do Temple Beth El Emeth, ele teve a ideia: não seria fabuloso, sugeriu aos líderes da WDIA, se Elvis Presley aparecesse no programa? Louis abordou Klein, que falou com Elvis sobre isso. Seria emocionante, disse ele, comparecer ao evento, mas claro que não poderia cantar – o Coronel deixou isso bem claro desde o início de sua colaboração.

Ele e George apareceram na noite do show e ficaram quietinhos nos bastidores enquanto alguns de seus maiores heróis se apresentavam no palco. Ray Charles cantou "I Got a Woman" para a princesa Coisa Mais Linda; Phineas Newborn, sênior, liderou uma banda composta de músicos de renome com trajes indígenas. Por sua vez, o onipresente professor Nat D. Williams, mestre de cerimônias desde shows de calouros no Palace Theatre até eventos como aquele, além de popular colunista na imprensa negra, coroou a "Miss 1070", a rainha da rádio, como fazia todos os anos. "Eu tinha quatorze anos", disse Carla Thomas, filha de Rufus, membro dos altamente disciplinados Teen Town Singers, que faziam backing vocals para muitos dos cantores do show, "e cochichei para minha amiga: 'Aquele ali nos bastidores é o Elvis Presley'. Estávamos do outro lado, mas eu vi que era o Elvis. A minha amiga respondeu: 'Não pode ser, Elvis Presley não vai cantar no show'. Eu disse: 'Eu sei'. Ele só estava observando dos bastidores. Perto do fim do show, Elvis foi chamado ao palco. Os organizadores tinham esperado esse momento para evitar uma comoção do público. 'Como vocês estão?' E todo mundo pediu: 'Mais! Faça algo mais para nós'. Então ele balançou a perna, e a plateia enlouqueceu."

"Eu avisei: se vocês colocarem Elvis no começo, o show acabou", contou o pai de Carla, ou melhor, cacique Cavalo Agitado, naquela noite. "Então seguiram o meu conselho e chamaram Elvis perto do final. Peguei Elvis pela mão e o acompanhei ao palco. Eu usava um grande cocar de penas, e quando estava na frente de todo mundo, Elvis fez aquele pequeno movimento que não o deixavam fazer na televisão, e a multidão ficou ensandecida. Invadiram os bastidores, batendo nas portas e tudo mais!"

Fim de show, ele ficou nos bastidores, tranquilo, posando para uma foto com B. B. King e a senhorita Claudia Marie Ivy, recém-coroada rainha da WDIA. "Quem estava ali perto", relatou orgulhosamente o jornal *TriState Defender* a seu público essencialmente negro, "escutou Presley dizendo a King: 'Obrigado, meu amigo, pelas primeiras lições que você me deu'. Arthur Godfrey certamente chamaria isso de 'humildade'."

"O show terminou e ele ficou um tempão por ali", disse Carla. "Minha irmã Vaneese e eu tiramos fotos com ele, e havia um piano velho nos bastidores e ele tocou umas canções. O público tinha ido embora, o pessoal trocava de roupa, até que o gerente de palco avisou: 'Agora deu, vocês precisam ir embora'. Ficou até o fim, e nos divertimos bastante. É essa a lembrança que eu tenho de Elvis."

Os informes da imprensa negra nas semanas e nos meses seguintes foram igualmente positivos, com uma exceção. Vários artigos realçaram que Elvis reconhecia abertamente não só sua dívida com B. B., mas, implicitamente, com a música negra em geral. O *Memphis World* citou um relato de seis meses antes em que Elvis "ignorou as leis de segregação racial de Memphis [em 19 de junho] ao frequentar o parque de diversões no Fairgrounds de Memphis, na East Parkway, na data designada como 'noite de cor'." No geral, pouca gente duvidava de que Elvis era um herói na comunidade negra. Somente Nat D. Williams nadou contra a corrente. Em sua coluna, na edição de 22 de dezembro do *Pittsburgh Courier,* ele escreveu:

Talvez seja a sofisticação blues-blasé da Indigo Avenue, a nativa ignorância sobre o que é importante, ou apenas pura maldade, mas normalmente ninguém empolga os frequentadores da Beale Street o suficiente para levá-los a formar uma fila a fim de comprar ingressos ou pedir autógrafos... Mas Elvis Presley virou assunto. E o assunto não é a "arte" dele. Sabe, uma noite dessas aconteceu algo que o frequentador comum da Beale Street não gosta nem aprecia nem um pouco.

O que o frequentador comum da Beale Street não gostava ou apreciava, prossegue Nat D., parecia ser uma variação da mesma coisa que tanto perturbava a convencional classe média (e de meia-idade) branca.

Mil moças pretas, marrons e beges na plateia misturaram suas vozes de contralto e soprano num selvagem *crescendo* sonoro que balançou a estrutura... e dispararam como gatos escaldados na direção de Elvis. Levou um tempo e vários policiais brancos para apaziguar o ataque e proteger Elvis. A carga adolescente deixou o pessoal da Beale Street se perguntando: "Como é que as moças de cor estavam tão caídas por um branquelo de Memphis... quando mal deixavam escapar um guincho no show de B. B. King, um menino de cor de Memphis?" (...) Mais do que isso, o pessoal da Beale Street está se perguntando se a demonstração dessas adolescentes em relação a Presley não reflete uma integração básica, na atitude e nas aspirações, que está supurando na mente da maioria das mulheres do seu povo o tempo todo. Hein?

Seis dias depois, em 13 de dezembro, chegou ao aeroporto da cidade um visitante ilustre: Hal Kanter, roteirista e diretor de *Lonesome*

Cowboy, a primeira produção de Hal Wallis com Elvis, cujas filmagens iniciariam em meados de janeiro. Kanter, natural de Savannah, tinha trinta e sete anos e estava na indústria desde os primórdios da TV, quando escrevia esquetes de comédia. Trabalhou em filmes de Bob Hope e dirigiu o famoso programa televisivo "George Gobel Show". Tinha no currículo recente os roteiros de *A rosa tatuada*, de Tennessee Williams, e *Artistas e modelos*, com Dean Martin e Jerry Lewis, com produção de Hal Wallis. O filme com Elvis marcaria sua estreia como diretor. Em dois dias, Elvis tinha um show agendado: justamente a sua despedida do Louisiana Hayride, a apresentação beneficente no Hirsch Coliseum que o Coronel tinha marcado em abril como pagamento (além de dez mil dólares em dinheiro) para desvencilhar Elvis de todas as obrigações contratuais. Wallis pensou que seria uma boa ideia Kanter acompanhar Elvis e ter uma noção do sabor da vida de seu astro, já que a ideia de *Lonesome Cowboy* era ser uma espécie de *biopic* rock'n'roll.

Elvis conheceu Kanter no aeroporto, com Cliff, Gene e também Freddy Bienstock, de vinte e oito anos, o garboso representante da Hill and Range com pronunciado sotaque vienense. Bienstock não tinha bem certeza do que fazia ali, mas sentiu que Elvis estava um pouco nervoso em relação à vinda de Kanter e queria causar uma boa impressão ao "diretor de Hollywood". Chegando à casa de Elvis, a primeira coisa que ele fez foi convidar Kanter a sentar-se na mesma cadeira vibratória em que havia instalado Bienstock ao chegar: acionou o interruptor que colocava a cadeira em movimento sem aviso prévio, dando um susto em Kanter. Então, orgulhosamente mostrou a casa antes de sua mãe anunciar que era hora do jantar. O cardápio incluiu frango frito, quiabo e verduras, mas Alberta, a empregada, esqueceu de servir água na mesa, e Kanter estava com sede, então pediu se poderia, por favor, tomar um pouco de água. Elvis, naturalmente meio envergonhado, "começou a chamar a empregada", lembrou Freddy, "aos gritos de 'Alberta, um pouco d'água, por favor!'. Então ela entra com um jarro d'água e coloca no meio da mesa, mas sem trazer copos. Então Kanter ficou olhando para a água, e

Elvis grita, 'Alberta, você se esqueceu dos copos!'. E Kanter diz: 'Está tudo bem, um canudinho já resolve', o que achei muito engraçado, mas Elvis se ressentiu. Ele não se aproximava facilmente de estranhos, e mais tarde, quando eu me preparava para voltar a Nova York, ele me abordou e disse: 'Ouça, você tem de ir comigo [a Shreveport]. Esse diretor, não sei direito como me aproximar dele... ele vai dirigir o meu próximo filme, mas na verdade é um maldito comediante!'".

Nem tudo estava perdido, porém – Elvis só estava encabulado, e Kanter, compreensivelmente, tentava ser simpático. Após o jantar, foram à sala de recreação jogar sinuca e falar sobre o filme. Hal Wallis havia proibido expressamente que o diretor trouxesse um roteiro, mas depois de Elvis explicar sua teoria sobre interpretação no cinema (os atores que duravam eram os que não sorriam muito), Kanter se apressou em tranquilizá-lo. Aquele não seria mais um filminho "alegre" em que Elvis ficaria sempre sorrindo. Na verdade, ele nem precisava sorrir se não quisesse. Sabe, Elvis é mesmo um excelente ator, Gene disse a Kanter. Tenho certeza que sim, afirmou Kanter, em tom agradável. Ele tinha visto o teste de ator que Elvis fizera e achou muito bom. "'Amigo, esse teste de ator não é nada. Precisa ver a imitação que ele faz. Elvis, faça a sua imitação para ele'. Elvis disse: 'Não, não quero, eu não...' Eu insisto: 'Vá em frente, faça a imitação'. E ele pergunta: 'De que imitação você está falando? Ah, é uma coisinha que eu aprendi'. E eu perguntei: 'Como é?'. Ele explicou que era o discurso do General MacArthur ao Congresso, o discurso de despedida. Perguntei: 'Por que você aprendeu isso?'. Ele disse: 'Não sei. Só queria ver se eu conseguia memorizar, e consegui'."

No dia seguinte, Elvis levou Kanter aos pontos turísticos de Memphis, e naquela noite eles partiram a Shreveport no Lincoln, com Scotty e Bill levando os instrumentos na grande limusine Cadillac amarela. Kanter foi com Elvis na frente, enquanto os primos Gene e Junior e o cunhado do Coronel, Bitsy Mott, iam no banco de trás. Em certo momento, todos estavam dormindo, exceto Elvis e o diretor, "e passamos por um cachorro, um velho cachorro uivando na noite, e ele falou que invejava muito aquele cachorro. Aquele cão tinha vida própria. Ele disse: 'Ele sai à noite, faz isso, faz aquilo, e ninguém dá bola para o que ele está fazendo, mas ele está se divertindo à beça... E quando o sol nasce, ele volta para debaixo da varanda, na dele, e ninguém sabe a vida que ele viveu durante a noite'".

Entraram em Shreveport às 5h da manhã e fizeram o check-in no Captain Shreve, onde os fãs já estavam aglomerados, fazendo barulho suficiente para que Elvis colocasse a cabeça para fora da janela do quarto e pedisse, por favor, que o deixassem dormir um pouco. "Acordou no final da tarde e fez um lanche com dois companheiros de viagem", escreveu Kanter num artigo intitulado "Inside Paradise" ("No paraíso") publicado na *Variety*, cerca de três semanas depois. A história não tinha nenhuma referência específica a Elvis Presley, mas não poderia ter sido sobre mais ninguém. O protagonista anônimo era assim descrito: "O jovem de olhar de ancião e boca de criança... [que] despertou do pesadelo da pobreza para ver o sol brilhante da Fama subitamente explodir em seus olhos...

> No lobby do hotel, equipes com câmeras esperavam sua breve escapada ao auditório; a polícia tinha sido chamada para manter a ordem; um guarda ficou de sentinela no corredor, na frente do quarto dele... As horas se arrastam para o jovem. Lê uma revista, escuta uns discos, conversa com os companheiros de viagem, confere os jornais, dá uns autógrafos para o gerente do hotel.
> Agora é hora de se vestir. Ele utiliza todo o tempo, ampliando a duração de cada movimento, para consumir mais minutos, para a hora restante escoar mais rápido.
> Na hora marcada, o gerente-adjunto chega com dois robustos policiais que o escoltam até a viatura à espera. Descem pelo elevador de serviço, atravessam a cozinha, embrenham-se no beco onde a viatura acelera para a fuga imediata...

Outro esquadrão de polícia espera na entrada do palco do auditório, fazendo um cinturão humano contra a multidão de fãs que se esforça para vislumbrar seu herói. O alarido aumenta quando o carro surge. A balbúrdia se transforma em barafunda, gritos penetrantes cortam o ar noturno, suplicantes, fanáticos. Ele salta do carro e se esgueira rumo à relativa segurança do auditório, esquivando-se das garras dos fãs.

Nos bastidores, muita gente se aproxima para dar um tapinha nas costas, apertar a mão dele, perguntar um inocente "Não se lembra de mim?". Depois, a tropa de repórteres, fotógrafos, disc jockeys com seus gravadores, autoridades municipais, gente importante, presidentes de fã-clubes, colaboradores. Conversar. Rir. Agitar. Sorrir. Posar. Responder. Escutar. Sentar. Levantar. Andar. Ver. Autografar. Ouvir. Dar atenção. Dizer que não.

Uma hora de arrebentar com os nervos até a hora de aparecer no palco. A fala do apresentador é abafada pela gritaria que sobe com a mera indicação de que ele é o próximo. Os gritos estridentes ensurdecem e parecem que vão levantar o telhado.

"Nessa noite o meu carro foi pisoteado", disse Horace Logan, o chefe do Hayride. De chapéu Stetson na cabeça e revólver de cabo perolado na cintura, chamou Elvis ao palco. "Estacionei bem atrás do camarim, nos fundos do Coliseum, e as moças subiram no teto do meu carro para tentar espiar Elvis lá dentro. Naquela noite a frente do palco foi isolada, uns oito metros mais ou menos. Ninguém deveria estar ali, mas quando chegamos lá, elas estavam pressionadas contra o palco. E o chefe dos bombeiros avisou: 'Faça elas se afastarem ou não tem show'. Bem, estamos falando de oito mil pessoas na pista, elas teriam que mover suas cadeiras para trás, todas as oito mil teriam que se mover. Mas e agora, como é que eu faço isso? Falei ao chefe dos bombeiros: 'Vou dizer a elas que não vai ter show, mas vou dizer quem foi que cancelou. E elas vão te matar!'. Então tive uma inspiração. Temos uns fãs lá fora com respiradores (pulmões de ferro). Falei para as moças: 'Sinto muito ter que fazer isso, mas esse pessoal dos pulmões de ferro são os únicos que vou permitir aqui embaixo. Vocês têm que recuar e abrir espaço, para que a gente consiga trazer aqueles fãs aqui para a frente'. Dito e feito."

O show em si durou cerca de meia hora, e houve gritos do início ao fim. Hal Kanter, que sabidamente tinha ido para debochar, foi embora como um verdadeiro convertido. Antes, nesse mesmo dia, foi ao Coliseum com Bill. As fãs cercaram o carro, pensando que era Elvis, e ele achou que ia ser dilacerado. Então elas notaram o equívoco, e ele viu algo em que mal pôde acreditar. "Uma jovem abriu a bolsa, tirou um lenço de papel, passou a mão no carro, pegou um pouco de poeira, colocou-a no lencinho, dobrou-o e guardou na bolsa. Pensei: 'Meu Deus, nunca vi esse tipo de devoção em lugar nenhum, em relação a qualquer coisa'."

No show daquela noite, presenciou mais evidências desse mesmo estranho senso de transe que beirava o devaneio. Viu uma jovem prestes a se sufocar engolindo a própria mão. "Enfiou a mão na boca até o pulso, e fiquei pensando, como uma garota daquelas consegue enfiar a mão inteira na garganta? E então, súbito, ela puxou a mão da boca, e descobri que ela não tinha mão. Estava só chupando o coto. E pensei, 'Deus, tenho que colocar isso no filme!'." Viu gêmeas aplaudindo a música, uma com a mão esquerda, a outra com a direita. Acima de tudo, viu histeria em massa e adulação em massa jamais vistas antes nem depois. "Já vi Al Jolson no palco, e era incrível como o público recebia Al Jolson. Mas hoje eu vi Elvis Presley, e ele fez Al Jolson parecer um capricho fugaz."

Ninguém tinha visto algo parecido antes. Elvis Presley havia se tornado maior que o Hayride, agora ninguém mais duvidava disso. Foi, de certa forma, o fim do próprio Hayride. Embora continuasse mais alguns anos, como poderia superar um show daqueles? Webb Pierce foi o sucessor de Hank Williams, Slim Whitman e Faron Young sucederam a

Webb Pierce, e o sucessor de todos era Elvis Presley. Mas quem seria o sucessor de Elvis Presley?

Os bastidores fervilhavam de atividade. Paul Kallinger, da estação XERF, de 150 mil watts, no México, que transmitia sem obstáculos, e essencialmente não regulamentada, do outro lado da fronteira de Del Rio, Texas, pediu a Tillman Franks para ser apresentado, mas Elvis dedicou metade de seu tempo à filha de Tillman, Darlene. Até Sandi Phillips, repórter do jornal estudantil da Broadmoor Junior High School, conseguiu uma entrevista. Estava lá com um grupo de colegas da Broadmoor, e todas foram aos bastidores depois do show. "Falei que era repórter da *Bulldog Bark*, e tinha um montão de guardas que não queriam me deixar entrar, e de repente ouvi uma voz dizendo: 'Deixe-a entrar', e era ele... Fico arrepiada só de lembrar... E Elvis disse algo assim: 'Ei, mocinha, quer me entrevistar?'. Desgrenhado, suado, toalha no pescoço... E eu de bloquinho, lápis, jeans, camisa Levi's e rabo de cavalo. Fiz umas perguntas (vai saber o que diabos perguntei a ele?), e ele respondeu tudo direitinho e me deu uma beijoca na bochecha. Eu me lembro de ir para o corredor e todas as minhas amigas gritavam até explodir os pulmões e eu caí nos braços delas e, claro, não deixei ninguém me tocar nem lavei o local por semanas a fio."

DOTTIE HARMONY VOOU de Hollywood na semana seguinte para passar o Natal com a família Presley. Uma tempestade de neve atrasou a chegada do voo, e quando ela aterrissou em Memphis não havia ninguém no aeroporto para recebê-la. Ela adormeceu, desconsolada, ao lado de um aquecedor. "A próxima coisa de que me lembro é escutar um alarido de crianças ao meu redor. Abro os olhos num susto e estou cercada de mocinhas segurando cartazes dizendo: 'Volte para casa, Dottie Harmony'. Então ouço gritos, e lá vem Elvis, que me pega pela mão e me leva ao Lincoln. Fomos à casa dele, onde me apresentou à mãe e ao pai dele."

Dottie achou Gladys uma pessoa simpaticíssima – Gladys a abraçou e fez um grande rebuliço ao recebê-la – e, embora Vernon não tivesse uma personalidade tão forte, "eram muito carinhosos um com o outro, e ele também era muito parecido com Elvis". Uma hora depois de sua chegada, Gladys a havia entrouxado de roupas quentinhas e dado a ela uma lista de Natal. "Claro que eu não conhecia ninguém daquela lista e não sabia por onde começar. Peguei a lista feminina, e Elvis ficou com a masculina. Fomos a uma grande loja de departamentos no centro, entrei, e ele me disse: 'A gente se encontra aqui quando terminarmos'. Fui cumprir a missão, comprei presentes a torto e a direito, até que fiquei com uma pilha de presentes, à espera dele. De repente, ele passou correndo por mim, saiu porta afora e entrou no carro, perseguido por uma tropa inteira de fãs. Uns vinte minutos depois, Cliff voltou para me buscar, e fomos para casa e jantamos."

Dottie ficou hospedada na casa dos Presley pouco mais de duas semanas, dormindo no quarto de Elvis enquanto ele ficou em outro quarto. Ele telefonou para os pais dela no Brooklyn várias vezes para tranquilizá-los de que ela estava bem. Passearam pela cidade com roupas de motocicleta combinando, e ele a apresentou aos amigos e mostrou a ela onde tinha crescido e ido à escola. O Coronel veio em várias ocasiões, mas praticamente ignorou a presença dela. "Agia como se eu não estivesse lá. Lembro-me de uma vez, ele queria falar com eles sobre algum tipo de negócio de dinheiro e ele me pediu para sair, e a mãe de Elvis disse: 'Não precisa sair, Dorothy' (ela sempre me chamava de Dorothy). 'Dorothy faz parte da família'. Ele não gostou nada daquilo."

A senhora Presley falava sobre a horta ("Dorothy, temos uns tomates bem grandes") e cozinhava feijão-fradinho, verduras e um bolo de coco para Elvis quase todas as noites. As revistas de fãs deitaram e rolaram, mas a nossa rotina não era, disse Dottie, "como as pessoas imaginam. A gente lia a Bíblia toda noite, acredita? Ele costumava ler em voz alta para mim e depois comentar. Ele era muito religioso... Não havia nada de artificial naquilo. À noitinha, por volta das 18h, ele me fazia sair e dar autógrafos com ele, o que eu achava meio ridículo. Falei: 'Quero dizer, por que é que as pessoas vão querer o meu autógrafo, Elvis?'. Ele respondeu: 'Apenas assine'. Disse que não estaria onde estava se não fosse por sua legião de fãs. Ele realmente se sentia assim."

Elvis tentava convencer Dottie a parar de fumar ("Eu sabia que não tinha que me preocupar com isso, porque ele prometeu parar de roer as unhas se eu parasse de fumar"), e muitas vezes lhe deu sermão dizendo que "tinha visto muitas vidas arruinadas pela bebida". Uma vez, ela e Gladys conseguiram tirá-lo de casa "e abrimos uma cerveja. Uma cerveja!". No dia 25 de dezembro, todos trocaram presentes sob uma árvore de Natal de nylon branco. Gladys usou seu vestido de brocado e uma touca vermelha de Papai Noel. Os jornais estamparam fotos de Elvis e Dottie, de Elvis olhando os presentes (incluindo vários ursinhos e outros bichos de pelúcia), de Dottie abrindo os presentes dela. No dia 27, os dois foram a uma partida de futebol de toque, variante do futebol americano, no Centro Comunitário Dave Wells. O jogo teve a participação de Red (de folga no quartel para as festas natalinas). Elvis dobrou a barra da calça escura e foi se divertir com os amigos, cabelo revolto e semblante determinado.

June viu as fotos no jornal e ficou indignada. "Aqui estou eu, estou sendo boazinha, estou sendo fiel, não estou fazendo nada... Muita gente me convidou para sair. E no dia de Natal ficamos em casa até meio-dia, mas fomos convidados à casa de uma amiga. Eu até tinha feito um vestido novo, de veludo azul, para usar no Natal, e estava me achando linda. Fiquei pensando, é Natal, e ele tem de ligar. Quando acordei no dia 25, eu estava pensando em Elvis Presley... mas ele não estava pensando em mim. Porque Dottie Harmony estava lá. Bem, foi um choque para mim, realmente partiu meu coração, eu não tinha ideia de que tudo era apenas esse joguinho. Ele me ligou depois e disse que tinha ligado e ninguém atendeu, e provavelmente seja verdade, mas logo depois conheci alguém e comecei a sair com ele, e ele simplesmente me arrebatou, aliviou minha dor e me pediu em casamento, e eu disse sim."

Scotty e Bill também viram as fotos, e isso só reforçou a crescente sensação de que eram espectadores privilegiados. Naquele ano, o

Natal foi uma época sombria para os dois musicistas. A agenda cheia do primeiro semestre se transformou em penúria no segundo. Desde agosto, só tinham trabalhado o equivalente a duas semanas, e no período sem shows recebiam um adiantamento de cem dólares por semana. Quando trabalhavam, esse valor subia para duzentos dólares por semana, no máximo, mas eram proibidos de promover produtos ou aceitar quaisquer mercadorias gratuitas. "Estávamos falidos, totalmente falidos", contou a esposa de Scotty, Bobbie. Após morar na antiga casa de Elvis na Getwell por alguns meses, o casal foi morar com as três irmãs dela e um cunhado, num casarão na Tutwiler Avenue, perto da Sears. Bobbie escondia de Scotty o dinheiro numa caixa de joias, a fim de garantir o suficiente para pagar as contas. Scotty e Bill (e D.J., também, em papel secundário, mas bem-humorado) deram uma entrevista ao *Press-Scimitar* em meados de dezembro, na qual falaram em termos apenas levemente velados sobre suas circunstâncias financeiras e sociais. Não viam tanto Elvis como antes, reconheceram – "e nem podia ser diferente". Mas a companhia dele ainda era muito divertida; "[ele] está sempre animado, gosta de tagarelar e brincar", disse Bill. "Não acho que ninguém deveria criticá-lo antes de tentar se colocar no lugar dele e descobrir o que fariam." Costumavam dividir o dinheiro em três partes antes de D.J. entrar no grupo, relatou o jornal, mas "quando o sucesso [de Elvis] alcançou uma proporção inimaginável, perceberam que o arranjo financeiro precisava ser refeito, e ficaram felizes por terem se saído tão bem". O verdadeiro propósito de sua "coletiva de imprensa" era anunciar que tinham acabado de receber permissão da administração (a qual explicitamente não lhes permitia trabalhar com mais ninguém, tampouco "aparecer como um grupo sem Elvis entre as turnês") para fazer um disco próprio, um instrumental que a RCA lançaria em janeiro. Estavam entusiasmados com essa nova oportunidade. "Ainda nem sabemos como será o título", disse Bill. "Talvez 'Os meninos de Elvis'."

Em 4 de janeiro de 1957, o novo single de Elvis foi lançado, e ele se apresentou para o teste de aptidão física pré-arregimentação militar. Perguntou a Dottie se ela poderia ficar e ir com ele, então ela e Cliff o acompanharam até o centro de testes, no Kennedy Veterans Hospital, na Getwell, onde Elvis tocara na sala de recreação logo após lançar o primeiro disco. Normalmente, quarenta ou cinquenta candidatos eram examinados por dia, mas o exército decidiu que Elvis deveria ser colocado em um "dia de folga", sozinho. Aquilo devia ser sigiloso (avisaram pelo telefone, não pelo correio), mas uma legião de fotógrafos e repórteres os esperava quando estacionaram debaixo de chuva. Primeiro, Dottie esperou no carro, depois se juntou a Cliff lá dentro, e Elvis anunciou aos dois com um grande sorriso que achava que tinha sido aprovado no teste de inteligência. Então ela voou de volta à Califórnia, e Elvis partiu para Nova York no trem daquela noite a fim de tocar no *The Ed Sullivan Show* pela terceira e última vez.

A participação no programa de Sullivan poderia ser descrita como o triunfo da inclusão sobre a exclusão, o abraço atrevido e a declaração de respeitabilidade que a civilização inevitavelmente tem a oferecer. Com o colete de lamê dourado (presente de Natal de Barbara) sobre a camisa de veludo azul do show em Tupelo, Elvis parecia um paxá do Oriente Médio, enquanto os Jordanaires, em seu uniforme de "caixeiros-viajantes" (blazer xadrez), fizeram um show à parte. No primeiro segmento, fez um medley de seus maiores sucessos. Uma pausa, e anunciou que ia cantar seu maior sucesso (e brincou com a plateia extasiada, erguendo as duas mãos em concha para mostrar que o disco não era de fato maior do que os outros) até o momento: "Don't Be Cruel". A performance de Elvis trazia muitos elementos – do gestual à pronúncia de "tellyphone" e o final pomposo – da versão de Jackie Wilson, testemunhada por ele em Las Vegas. Em seguida, entoou "Too Much" e "When My Blue Moon Turns to Gold Again", o hit de 1941 incluído em seu segundo álbum, e agradeceu ao público completamente hipnotizado pelo melhor Natal que ele já teve (e pelos 282 ursinhos de pelúcia que havia recebido!).

Após nova pausa, voltou, agora num de seus blazers espalhafatosos e, de olhos fechados, na ponta dos pés, cantou a música que Ed Sullivan introduziu como "uma espécie de clima que ele gostaria de criar", a gospel "Peace in the Valley".

"Elvis, senhoras e senhores", disse Ed, "agora que ele vai para a Costa Oeste fazer seu novo filme, esta será a última vez que vamos nos encontrar por um bom tempo, mas eu..." Gritinhos do público. Elvis dá risada. "Agora esperem um minuto." Ed levanta a mão. "Quero dizer a Elvis Presley e ao país que este é um moço decente e legal, e aonde quer que você vá, Elvis, todos vocês... queremos dizer que já recebemos muitos astros no programa, mas com nenhum deles tivemos uma experiência tão agradável. E agora, uma grande salva de palmas para uma pessoa muito legal." Elvis está claramente grato e, num gesto generoso, inclui a banda e os quatro Jordanaires em seu círculo de aclamação, enquanto Ed aperta a mão do quarteto vocal. Não haverá mais apresentações no programa, o Coronel deixou claro, definindo um valor proibitivo para as três redes: se quisessem Elvis no futuro, teriam de pagar um cachê de US$ 300 mil, abrangendo duas participações em programas e um especial de uma hora. Mas o gesto de Ed não parece ser motivado pelas questões normais do show business; parece autenticamente enlevado com o jovem. E Elvis, por sua vez, está igualmente entusiasmado – confessa isso a amigos e colegas musicistas – por ter seu trabalho reconhecido e legitimado por alguém tão respeitado e experiente no show business. "É um bom menino, e quero que vocês saibam disso", repetiu Ed naquela mesma noite numa entrevista na televisão com Hy Gardner, no *Hy Gardner Calling*! "Seria bem fácil ele ficar de cabeça virada com tudo o que aconteceu. Mas não ficou..."

A essa altura, porém, Elvis já estava a bordo do trem, na longa jornada de volta para casa. Queria passar seu vigésimo segundo aniversário com a mãe e o pai antes de partir para a Costa Oeste em alguns dias. Na terça-feira, comemorou tranquilamente em casa e convidou os pais para se juntarem a ele na Califórnia, semanas depois. A equipe de recrutamento militar anunciou naquele mesmo dia que ele era do "perfil A", ou seja, adequado ao serviço militar, ou alistável, tão logo o conselho local recebesse o relatório, embora ele provavelmente não fosse ser convocado nos próximos seis ou oito meses. Isso não importava, disse Elvis aos repórteres que telefonaram, ele estava feliz por cumprir o serviço militar, ele simplesmente iria quando fosse chamado. Nos dias seguintes, perambulou em Memphis, cortou o cabelo na Jim's Barber Shop, na esquina da Beale com a Main e parou na delegacia de polícia só para jogar conversa fora. (Em dezembro, um jornal publicou, tendo como fonte "seus amigos policiais de Memphis", que Elvis achava Debra Paget a mais bonita das estrelas de Hollywood, mas Kim Novak tinha o rosto e a silhueta bonitos, e Rita Moreno era um estouro.) Visitou Dewey e George em suas respectivas estações de rádio e deu uma passadinha no lugar onde Dixie trabalhava. Ela contou que agora estava casada. Ela se casou pouco depois da última vez que o viu com Nick. "Bem, a gente se vê por aí", disse ele, e embarcou no trem para a Califórnia com Cliff e Gene, abastecido com chocolates Reese's com creme de amendoim, gibis e revistas de cinema, ansioso por fazer aquilo que na percepção dele poderia ser a sua verdadeira estreia no cinema, a primeira chance de ser o autêntico protagonista.

Com Yvonne Lime, em frente a Graceland, fim de semana de Páscoa, 1957 (Robert Williams)

A MULHER QUE EU AMO

Janeiro a abril de 1957

No dia 11 de janeiro, Elvis chegou a Los Angeles de trem. A essa altura, o título do filme já tinha sido mudado para *Loving You* (*A mulher que eu amo*), a nova balada de Leiber e Stoller, composta especialmente para o filme. Planejada ao estilo característico de Hal Wallis, com todo o cuidado e atenção aos detalhes, a produção tinha no elenco estrelas (Wendell Corey e Lizabeth Scott) suficientemente experientes para não roubarem a cena da nova "sensação musical". O filme tinha outros trunfos: a novíssima musa do produtor Hal Wallis: Dolores Hart (nascida Dolores Hicks), de dezoito anos, descoberta por Wallis na peça universitária *Joan of Lorraine,* semanas antes; atores engraçados que tinham contrato com o estúdio, como James Gleason, nos papéis coadjuvantes; um roteiro bem trabalhado e uma equipe de estúdio experiente. Frescor e alegria permeavam o filme, que parecia deslocado no tempo. O tipo de filme que um grande estúdio teria feito há vinte ou até mesmo cinco anos para lançar um novo e empolgante astro, a anos-luz de distância da enxurrada de filmes de "rock'n'roll explícito" do ano anterior, a fim de preencher o vazio que a *Variety* tinha apontado em sua resenha sobre *Love Me Tender.*

A mulher que eu amo, pela duração das filmagens (dois meses, o tempo habitual em estúdio) e pela trilha sonora especialmente encomendada, já se diferenciava muito de *Rock Around the Clock* ou *Don't Knock the Rock*, as duas produções de 1956, feitas a toque de caixa, por Sam Katzman, o mestre dos filmes apelativos, que estabeleceu uma tendência de exercícios fílmicos cada vez mais rudimentares como *Rock, Rock, Rock* (rodado em menos de duas semanas). Estrelavam esses filmes Bill Haley e o DJ Alan Freed que, enfrentando a oposição de adultos, conspiram para fazer um show que inevitavelmente incluía uma panóplia de roqueiros – Little Richard, The Platters, Fats Domino e ídolos de Las Vegas como The Treniers, Freddie Bell e The Bellboys – subindo em palcos sonoros para dublar os seus últimos sucessos.

O que o Coronel e Hal Wallis tinham em mente era algo bem diferente. A ideia deles (interligada por uma conveniente parceria e uma astúcia compartilhada em desafios semelhantes no passado) era construir uma carreira duradoura, uma carreira que sobrevivesse ao inevitável vaivém das tendências musicais e, ao mesmo tempo, prolongasse o brilho de um talento incandescente. Para alcançar esse objetivo, o Coronel sabia que era necessário afastar seu garoto do tumulto. Cada vez mais, preocupava-se com o fato de que a controvérsia que originalmente havia alimentado a fama de Elvis agora pudesse servir para limitá-la. Trabalhou com afinco para levar seu menino ao programa de Ed Sullivan e apontava com orgulho não só para os índices de audiência, o que refletia claramente um substancial e crescente público adulto, mas o apoio público e o aval de Sullivan – e agora estava determinado a trabalhar com o mesmo afinco para alcançar sucesso nos filmes.

O Coronel sempre prestava muita atenção à opinião dos jornais e levava em conta as críticas. No caso de Elvis, ele as explorou por um tempo, garantindo à RCA que sabia o que estava fazendo e que, se eles não gostassem, poderiam simplesmente saltar fora daquela ciranda. Chegou a hora de todos pularem fora. As críticas simplesmente se tornaram ácidas demais, e ficou muito claro que o rock'n'roll agora servia de bode expiatório de uma sociedade cada vez mais dividida. Denunciado nos púlpitos, ridicularizado na imprensa, vinculado cada vez mais a questões raciais, até alvo de audiências no Congresso, o estilo musical estava sendo usado para estigmatizar uma geração. O congressista de Nova York, Emanuel Celler, presidente do Subcomitê Antitruste do Comitê Judiciário da Câmara, que estava investigando a questão do "jabaculê" (ou "jabá", esquema de suborno entre gravadoras e emissoras), declarou: embora "o rock'n'roll tenha o seu lugar e dê grande impulso ao talento, especialmente entre as pessoas de cor", a música de Elvis Presley e suas "convoluções animalescas (...) violam tudo o que se enquadra no bom gosto".

Para o Coronel, tudo eram cifras. Os ataques, a emoção acirrada, a indignação moral – eram simplesmente medidas de empresários, religiosos ou não, determinados a proteger seus investimentos na sociedade. Mas o Coronel não estava menos determinado a proteger o seu próprio investimento. Para isso, sem nunca anunciar sua política com todas as letras, estava pronto para tirar Elvis da briga, estava comprometido com a ideia de tirá-lo da estrada e dos holofotes de uma desnecessária publicidade negativa. Afinal de contas, o negócio de Elvis era comunicação, e qual a melhor maneira de se comunicar com o público do mundo inteiro se não a indústria de cinema, onde as imagens sempre cintilavam nas telonas, a chama tremulava, mas nunca se extinguia – e a fama, carinhosamente acalentada, nunca precisava desaparecer?

Enquanto isso, Wallis, veterano que tinha no currículo sete dos primeiros oito filmes da dupla Dean Martin e Jerry Lewis, e um dos mais cuidadosos "lustradores" da imagem e da fama, por mais improvável que fosse a fonte, não estava interessado em ignorar seu próprio investimento. Reconhecia no Coronel uma espécie de alma gêmea. "Ele era genial", disse ele sobre Parker em uma citação que poderia muito bem ter sido aplicada a si mesmo, "na arte de aproveitar ao máximo as possibilidades financeiras de seu fantástico protegido", e ficou um pouco surpreso com a relativa indiferença com que Hal Kanter abordou o fenômeno como um todo. Ao relatar as experiências de Elvis na estrada, Kanter tinha mencionado a garota que ele imaginou ter engolido a própria mão. Durante as filmagens, ele sugeriu que encontrassem uma atraente amputada para repetir a cena no filme. Wallis, que estava apreciando a leitura até aquele ponto, protestou horrorizado. "Ah, meu Deus, você não pode colocar isso no filme", ele disse. Deixe a sátira para Frank Tashlin, cujo *Sabes o que quero* (*The Girl Can't Help It*) da Twentieth Century Fox era uma abordagem inteligente do rock'n'roll, em que Edmond O'Brien, na pele de um gângster apaixonado, entoava canções como "Rock Around the Rock Pile", e Jayne Mansfield disputava a atenção de Gene Vincent e Little Richard. Hal Wallis não estava apenas no negócio de explorar modinhas: estava tão decidido quanto Tom Parker em tornar a carreira de Elvis Presley longa e mutuamente lucrativa. Na opinião dele, *A mulher que eu amo* deveria ser um bom entretenimento, uma típica produção hollywoodiana com o "nome acima do título", isto é, com foco mais no astro do que na obra em si, e com o melhor da "nova música", roteiro inteligente (mas não demais) e uma saudável aura de Hollywood se infiltrando em todos os detalhes reconhecíveis da vida real. Seria um filme para ser assistido por toda a família.

SEM COMPROMISSOS NA PARAMOUNT STUDIOS até o começo da semana, Elvis apareceu na Radio Recorders, ao meio-dia de sábado, 12 de janeiro, um dia após chegar a Hollywood, para sua primeira sessão de gravações para a RCA desde setembro. Facilmente poderia ter gravado em Nashville durante sua folga em novembro e dezembro, mas era terminantemente contra trabalhar naquelas condições de falta de inspiração, a menos que fosse muito necessário. Com o segundo álbum lançado e nada substancial de reserva, Steve Sholes implorou ao Coronel por mais tempo de estúdio, e Parker, a contragosto, enfim concedeu os dois fins de semana que emolduravam o início das filmagens – a menos que a Paramount mudasse de planos. O objetivo principal da sessão era gravar um "inspirador" EP (*extended-play*) de quatro ou cinco músicas gospel, ambição que Elvis havia declarado publicamente desde sua estreia no show business, junto com um single a ser lançado na esteira de "Too Much", então o número dois nas paradas. Além disso, a RCA queria gravar versões de estúdio para as músicas do filme, para evitar o problema enfrentado em *Love Me Tender* e ser capaz de oferecer a trilha sonora em uma gravação de qualidade.

Claro, Steve Sholes estaria presente. Mas agora passou o bastão a Freddy Bienstock, que assumiu como verdadeiro chefe de a&r. Sholes, por sua vez, passou a atuar praticamente como mero cronometrista, farto que estava de ser o alvo constante das piadas do Coronel. Por questão de princípios, ele se recusava a se referir a Parker por qualquer outro título além de seu nome de batismo. Ainda assim, ele era um bom executivo corporativo, e esse era o limite de sua rebelião pessoal, até que, no segundo ou terceiro dia de sua visita, disse ao Coronel que no outro dia não tomaria café da manhã com ele, Bienstock e Tom Diskin, pois teria uma inadiável reunião na RCA, de manhã cedo. "Aquele filho da mãe não quer tomar o café da manhã com a gente", declarou o Coronel indignado a Freddy Bienstock. Na manhã seguinte, o Coronel fez todo mundo chegar uma hora e meia antes, e pegaram Sholes em flagrante, esgueirando-se no refeitório. "Deve ter sido uma reunião bem curta, Steve", comentou o Coronel, cáustico. "E, claro, Steve teve de sentar-se à nossa mesa", recordou Bienstock, "mas odiou aquilo. Talvez se sentisse um executivo muito importante para andar com o Coronel Parker. Sabe, o Coronel fazia muitas pegadinhas e coisas parecidas, era um homem difícil, sempre fazendo toda sorte de exigências e pedidos. Steve não tinha paciência para aturar tudo isso."

As sessões em si transcorreram de forma tranquila. Além das músicas gospel e da trilha do filme, Elvis gravou "That's When Your Heartaches Begin", a canção dos Ink Spots que ele havia mencionado em dezembro na sessão do "Million-Dollar Quartet" (Quarteto de Um Milhão de Dólares, como ficou conhecida a *jam session* na gravadora Sun), bem como a mais nova de Otis Blackwell, "All Shook Up", que Elvis considerava um ótimo refrão. Por essa canção, recebeu um crédito de coautoria, após um tempo sem obter essa vantagem (nas outras vezes, recebeu um terço de Mae Axton em "Heartbreak Hotel" e a parte do compositor exigida pela Hill and Range em "Don't Be Cruel" e na trilha sonora de *Love Me Tender*).

Agora, a Hill and Range tinha fixado seu próprio acordo, que contornava a questão do crédito: simplesmente recebia um terço de cada compositor que quisesse ter sua música gravada por Elvis Presley. Na prática, isso significava que o compositor assinava um documento abrindo mão de um terço de seus royalties de compositor que seriam pagos pela gravadora ao editor musical. O editor recebia esse valor e o dividia, em circunstâncias comuns, na porcentagem de 50-50 com o(s) compositor(es), mas, nesse caso, um terço era reservado a ser "pago pessoalmente a Elvis Presley". Consequentemente o(s) compositor(es) recebia(m) 33,3%, em vez de 50%, desses "royalties mecânicos". Os royalties sobre a performance, por outro lado (que eram calculados com base na performance ao vivo, vendas em jukebox e reproduções na rádio) não eram afetados. Eram coletados pelas sociedades de direitos sobre performance, ASCAP e BMI, e pagos diretamente ao compositor e editor. O entendimento era que esse acordo se aplicaria apenas a canções gravadas pela primeira vez por Elvis Presley e apenas em sua versão original. Isso driblava o constrangimento de Elvis receber o crédito por algo que não fez ("Nunca compus uma canção em minha vida", Elvis vociferava em diversas ocasiões públicas, insistindo numa entrevista: "É tudo uma grande farsa... Recebo um terço do crédito por gravá-la. Isso me faz parecer mais inteligente do que sou") e, ao mesmo tempo, driblava cuidadosamente o contrato dele com a RCA, que dava à gravadora uma reduzida taxa editorial por todas as músicas compostas por ele ou em parcerias com ele.

Nessa situação, seria praticamente impossível uma canção não pertencente ao catálogo da Hill and Range entrar na lista para ser gravada – a menos, é claro, que Elvis quisesse. Nesse caso, a Hill and Range era obrigada a garantir uma fatia substancial da edição para que então a RCA a liberasse para ser lançada. Ainda assim, a empresa editora cobria todas as apostas e, no segundo dia da sessão, após Elvis ter gravado "Peace in the Valley" e "Precious Lord, Take My Hand" – dois sucessos do catálogo gospel da Hill and Range, de Thomas A. Dorsey, pai da moderna música gospel negra –, surgiu uma sugestão de Jean Aberbach, o mais novo dos dois irmãos fundadores da empresa. Já que Elvis estava gravando música gospel, opinou o charmoso Aberbach, de quarenta e cinco anos, por que não arriscar "Here Comes Peter Cottontail", canção de Páscoa que foi um grande sucesso na gravadora? Freddy, um pouco mais sintonizado com o gosto musical de seu jovem parceiro de sucesso, ficou horrorizado, mas Jean, pela primeira e única vez naquela que seria uma associação muito longa, insistiu. "Quero dizer, você tinha que estar louco para pensar que Elvis gravaria 'Peter Cottontail'", lembrou Freddy, "e expliquei isso a ele, mas Jean não tinha senso musical e insistiu. Então trouxe uma partitura cifrada para o estúdio da Radio Recorders e a colocou no porta-partitura de Elvis enquanto ele fazia um lanche. Elvis volta, olha aquilo e dispara: 'Quem é que trouxe esta porcaria de Coelhinho do Rabinho de Algodão?'." Nisso, Jean reconheceu a derrota ("Jean tinha senso de humor e conseguia rir de si mesmo. Quando viu a reação de Elvis, morreu de rir... e depois simplesmente sumiu"). Seja como for, quem ri por último ri melhor: ele deu um jeito para que uma versão instrumental da música aparecesse na trilha sonora do filme.

Na segunda-feira, Elvis passou no estúdio para fazer os testes de maquiagem e figurino. Seria seu primeiro filme em Technicolor, e sempre pensou que atores de cabelos escuros, como Tony Curtis, tinham carreira mais longa e aparência melhor. Com os olhos dele, disse o maquiador, Elvis ficaria bem de cabelo preto, então tingiram. O senhor Wallis gostou do visual e foram em frente com a tonalidade escura. Desde o início, sentiu-se mais confortável nos estúdios da Paramount do que nos da Fox. O senhor Wallis tratou-o com respeito carinhoso, e ficou claro que ele não era visto apenas como a mais recente aberração, para ser observado e encarado de forma suspeita pelo resto do elenco e da equipe até provar suas habilidades. Hal Kanter o saudava com a familiaridade que só a experiência compartilhada pode trazer, e ele simpatizou logo com o diretor musical, um sujeito descontraído, de bigode fininho, chamado Charlie O'Curran, casado com Patti Page (após ter se divorciado de Betty Hutton), que arregaçou as mangas e trabalhou junto com Scotty, D.J. e Bill.

Passaram a semana ensaiando, e depois gravando, a trilha sonora do filme no "palco sonoro" (*soundstage*) dos estúdios da Paramount. Logo se tornou evidente que Elvis não se sentia à vontade naquele grande espaço aberto, com gente entrando e saindo. Mas, seja porque a Radio Recorders estava sem escala, ou porque Hal Wallis realmente acreditava que dispunha das melhores instalações para gravar as trilhas sonoras dos filmes, com um sistema de som de trinta e cinco milímetros e duas faixas que lhe permitiam facilmente trazer a voz para a frente, abafar a instrumentação e introduzir sons ambientes, continuaram na Paramount a semana inteira. Houve momentos de exasperação quando, por exemplo, a sensual Lizabeth Scott, a heroína de voz brumosa, trinta e quatro anos, estrela do cinema *noir*, entrou durante um *take*, talvez para dar uma olhada mais de perto em sua coestrela. O compositor Ben Weisman também apareceu sem avisar numa sessão. Weisman, protegido de Jean Aberbach, cuja música "First in Line" Elvis tinha gravado meses antes, havia composto "Got a Lot O' Livin' to Do" especialmente para o filme. Foi avisado da sessão de gravação por Aberbach e voou de Nova York – com o dinheiro do próprio bolso – com seu parceiro de composição, Aaron Schroeder, para ter certeza de que a música seria gravada. Na tarde em que Weisman e Schroeder chegaram, Elvis tentava gravar a canção-título do filme, e parecia que jamais chegaria à canção deles. Ele já havia gravado uma versão dela na Radio Recorders, mas Weisman ficava cada vez mais preocupado com a possibilidade de a música ser descartada no filme.

"Por isso, às vezes, faço coisas nada ortodoxas. Aprendi que de vez em quando temos de fazer coisas um pouco fora da caixa. Aaron e eu estávamos lá sentados na cabine de controle esperando que a nossa música fosse gravada, e disse ao Aaron num intervalo que eu ia até lá falar com ele. Aaron avisou: 'Não faça isso. Não é o seu lugar'. Mas fui mesmo assim, e Elvis estava lá sentado no canto do grande estúdio sem ninguém perto dele, tocando violão, e havia um piano ao lado. Então me sentei ao piano (ele estava tocando blues) e improvisei com ele, que nem olhou para cima. Depois de um estribilho ou dois, ele ergue o olhar e pergunta: 'Quem é você?'. Respondo: 'Ben Weisman'. Ele diz: 'Ben Weisman. Não é sua aquela música... Uau'. Ele ficou muito impressionado. Gostou do jeito que toquei com ele. Levantou-se e gritou: 'Pessoal, venham cá', e na mesma hora todos se reuniram novamente, e eu ali assistindo. Voltei à sala de controle, e eles gravaram a música."

Wallis não colocava muita fé nos músicos de Elvis ("Para mim, são cartas fora do baralho", disse Wallis). Elvis insistiu, precisava de sua banda com ele. Mas Wallis fez questão de chamar músicos de estúdio experientes para a sessão. Entre eles, Hilmer J. "Tiny" Timbrell, trinta e poucos anos, afável guitarrista rítmico nascido em British Columbia, e Dudley Brooks, quarenta e três, diretor musical assistente na Paramount e ex-aluno da banda de Lionel Hampton, que tocou piano e na prática foi quem fez o arranjo das músicas. "Dudley era baixinho, atarracado, preto retinto", contou o engenheiro da Radio Recorders, Thorne Nogar, que o conheceu no estúdio de gravação dias depois. "Por alguma razão, Elvis simpatizou com ele, sentava ao piano e Dudley dizia: 'Bem, El, toque assim... Use este dedo'. Ele meio que ensinou Elvis."

A banda tomou forma, mas as sessões não. Até mesmo Wallis teve de admitir: o palco sonoro da Paramount não era o cenário ideal para uma gravação de Elvis Presley. Na semana seguinte, voltaram ao estúdio da Radio Recorders para consertar a trilha sonora (no final acabaram usando uma mistura criteriosa das gravações do palco sonoro e do estúdio), mas Wallis já estava envolvido e foi assistir a algumas sessões. "Era fascinante a forma como Elvis gravava", escreveu ele em sua autobiografia. "Nunca se preocupava com os arranjos, ele e os rapazes ficavam ali, no improviso, e trabalhavam nas músicas por horas a fio.

Por fim, ele ensaiava a música de cabo a rabo. Várias noites, até tarde da noite, fiquei assistindo e ouvindo, fascinado." Não citou na autobiografia, porém, a pressão quase diária feita pelo Coronel, a fim de aumentar o salário de Elvis a níveis mais adequados. No final das contas, Wallis, relutante, deu um bônus de US$ 50 mil além dos US$ 15 mil combinados, o que não igualava o salário de Elvis na Twentieth Century Fox, mas certamente provava a convicção do Coronel de que tudo era negociável.

A ESSA ALTURA, as filmagens tinham começado. A fé que Wallis tinha em Elvis e a fascinação que sentia por ele se confirmaram durante as filmagens. Hal Kanter tinha revestido o tradicional musical hollywoodiano ("Ei, pessoal, vamos fazer um show") num espirituoso retrato da fama e da insatisfação. Aqui, o gerente ardiloso fumando charuto foi metamorfoseado numa bela e quase inacessível dama (Lizabeth Scott); os músicos fiéis, que poderiam ter sido deixados para trás, mas no final são calorosamente reintegrados, foram representados, nessa versão, apenas por Wendell Corey; e o personagem de Elvis foi moldado com fiel perplexidade como um perturbado inocente em universo Technicolor. A música foi incorporada ao roteiro de forma a celebrar a sua alegria saudável, a própria "espiritualidade" de que Sam Phillips falava desde o início, sem confrontar nenhuma de suas problemáticas implicações sociais ou geracionais. A canção de Ben Weisman e Aaron Schroeder, "Got a Lot O' Livin' to Do", permeia o filme como um tema despreocupado, mas ao longo da narrativa alguns dramas da vida real afloram em tiradas espirituosas. *O problema de Jacksonville*, por exemplo, é colocado na tela na forma de uma campanha para proibir a música de Deke Rivers. *A briga no posto de combustível em Memphis* – ou talvez *A briga no hotel em Toledo* – é transformada numa briga de restaurante em que Elvis é incitado a fazer uma incrível interpretação de "Mean Woman Blues", para depois com um murro lançar seu importunador sobre o jukebox, o qual, miraculosamente, dá o fundo musical ao nocaute.

Ao longo do filme inteiro, Elvis parece bem adaptado ao personagem, algo que apenas esporadicamente ele havia alcançado no filme de estreia. As suas performances musicais eram representações maravilhosas de seus shows, não exatamente a coisa real, mas semelhantes o suficiente para não deixar ninguém na plateia ter alguma dúvida de como era o alvoroço. O mais marcante, no entanto, não era sua energia, que era considerável, nem sua representação muito convincente de emoção (em essência, tumulto interior e orgulho ferido, à maneira de James Dean), mas a indicação ocasional de uma quietude no âmago, esses raros momentos de genuína facilidade que guardavam a promessa do tipo de carreira de longo prazo de que um Spencer Tracy, ou mesmo um Bing Crosby, poderia desfrutar, e que Hal Wallis poderia muito bem imaginar para sua mais recente descoberta.

Também se sentiu à vontade com seus colegas atores. Gostou de Wendell Corey, de quem aproveitou as dicas de interpretação e até o nome (com o qual, mais tarde, batizou um gato de estimação), e se sentiu completamente à vontade com Dolores Hart, mais jovem e menos experiente que ele na indústria do cinema. O romance dele com Dottie parecia estar arrefecendo, com a ajuda de um óbvio ceticismo do Coronel sobre as intenções dela ("O Coronel nunca quis que ninguém se aproximasse", pressentiu Dottie, embora ela continuasse em contato com a mãe de Elvis), e o Coronel interveio em uma ou duas outras ocasiões, também, quando sentia que algum conhecido de Elvis em Hollywood poderia ser "inadequado". Mas, apesar de tudo isso, não havia dúvida de que ele se sentia mais em casa em Hollywood, namorando estrelas como Rita Moreno, com quem foi assistir ao show de Dean Martin em uma boate de Hollywood, e Yvonne Lime, atriz da Paramount que fez uma ponta no filme e que lembrava as moças de sua cidade natal, "uma companhia divertidíssima", revelou Elvis ao repórter do *Press-Scimitar*, Bob Johnson. "Em geral, íamos ao cinema ou só rodávamos por aí olhando as coisas. Às vezes escutávamos discos."

Menos idílica era a situação que parecia estar acontecendo com Scotty e Bill, e com D.J. em menor grau. Não gostavam de Hollywood, achavam um tédio ficar lá, sentados, à espera de serem chamados. E não podiam deixar de sentir o desdém, real ou imaginado, em relação a eles. Para aliviar o tédio no set, tocavam de improviso com Elvis entre as tomadas. Um eletricista conectava os instrumentos, e sempre atraíam uma plateia, até chegar ao ponto em que Kanter implorou: "Querem fazer o favor de parar? Estamos tentando trabalhar aqui!". Fora do set, andavam com Charlie O'Curran, sujeito que apreciava álcool e os convidava para ir à casa dele em Santa Monica sem ao menos avisar Patti, sua esposa. Na maior parte do tempo, porém, ficavam sozinhos, quase sem contato com Elvis, embora estivessem apenas dois ou três andares abaixo dele no Hollywood Knickerbocker e, especialmente no caso de Scotty e Bill, magoados e ressentidos com a separação. O aspirante a cantor de rockabilly Glen Glenn (nome artístico de Orin Glenn Troutman), que já conhecia Elvis desde San Diego em abril de 1956 e mais tarde se tornou um bom amigo da banda, veio muitas vezes para conversar com Scotty e Bill, e muitas vezes Bill o levava para falar com Elvis, que era sua principal inspiração.

"Bill subia conosco, batia na porta e depois voltava para baixo. Não era tão fácil entrar, mas ele sempre fazia questão. Sempre tinha um monte de garotas sentadas no sofá, batendo papo e tal. Uma noite, lembro que Elvis estava com todos os acetatos da trilha sonora de *Loving You*, inclusive a velha canção de Smiley Lewis, 'One Night' – que não estava no filme, mas foi gravada na Radio Recorders na mesma época –, e disse com orgulho que era dele o solo de guitarra. Estávamos lá, sentados, ouvindo essas músicas, as meninas em volta... Ele continuou tocando 'One Night' sem parar e disse: 'Isso que chamo de um bom disco'.

"Uma vez, Bill ficou indignado, porque não nos deixaram subir. Basicamente, acho que o Coronel não queria que ninguém importunasse Elvis naquela noite, mas Bill falou: 'Eu deveria ir lá e acertá-lo bem no nariz'. Ele sabia que eu amava Elvis, e significava muito para Bill poder me levar até lá para que eu me encontrasse com ele. Ficou inconformado, porque achou que Elvis poderia ter se esforçado mais. Scotty nunca falava muito, mas Bill sentia que ele e Scotty eram a banda, deveriam estar com Elvis, esses outros caras estavam só a passeio."

Mas, afora isso, nenhuma nuvem no horizonte. Cliff e Gene ("Cuz") estavam começando a se sentir mais em casa em Hollywood, ao ponto de às vezes deixarem Elvis envergonhado e compelido a restringir o linguajar e o comportamento sem filtros deles, em particular de seu primo. O pai dele tinha enviado seu novo Cadillac branco para que Elvis pudesse passear pela cidade em grande estilo. Em suma, apesar de "um pouquinho de saudade de casa", ele tinha a sensação de estar se adaptando bem.

Três semanas após o começo das filmagens, Vernon e Gladys Presley vieram com seus amigos, os Nichols, para uma longa estadia. Pelo cronograma, chegariam um tempo antes, mas Gladys não se sentiu bem e foi ao hospital (o Baptist Hospital de Memphis) para fazer um *checkup*. Uma doença indefinida, uma espécie de mal-estar geral, talvez gerado pela preocupação. "Meus sintomas eram náuseas e dor no ombro esquerdo", descreveu ela ao jornal, mas, após a batelada de exames, ela anunciou aliviada: "Nenhuma cirurgia à vista". A visita dos pais de Elvis aos estúdios na manhã seguinte foi relatada em um comunicado de imprensa um tanto dissimulado: "O segurança do portão foi abordado por um senhor de sotaque sulista: 'Olá, seu guarda, sabe como é que eu faço para entrar neste lugar? O nosso filho trabalha aqui'". Vernon trajava terno claro, chapéu de abas redondas erguido na frente e gravata curtinha ornamentada por um prendedor, enquanto Gladys usava chapéu com enfeite simples atrás e um novo e elegante casaquinho sobre o vestido escuro. Após ser apurado o que exatamente o filho deles fazia no estúdio, a entrada deles foi cerimoniosamente permitida. Elvis mostrou-lhes tudo ao redor e, dias depois, eles e os amigos compraram poodles, batizados de Pierre e Duke (em homenagem a John Wayne). Gladys passeava com Duke na guia e uma coleira de diamantes falsos. Vernon apresentava Carl Nichols a todos como seu "decorador", fato que intrigou Hal Kanter, até que lhe caiu a ficha: Nichols era, por profissão, um pintor predial.

Gladys estava encantada. Antes de vir, estava preocupada que seu filho pudesse estar sendo ridicularizado, mas depois contou fascinada a amigos e parentes: "Tem alguém para pentear o cabelo dele e até um figurinista para ajudá-lo a se vestir e outro assistente que pergunta se ele está pronto para trabalhar". Nos fins de semana, eles iam passear, visitando bairros pontilhados de casarões imponentes, e Elvis ia mostrando a casa de Debra Paget, a mansão de Red Skelton, os lares das estrelas. Uma vez, foram ao cinema, e ele levou Joan Blackman, a atriz da Paramount, de dezoito anos, para assistir ao filme *Os dez mandamentos,* mas Gladys ficou o tempo inteiro fazendo "shhh" para o filho, que explicava entusiasticamente cada cena de um ponto de vista bíblico ou "técnico" cinematográfico. A esposa de Scotty Moore, Bobbie, veio passar uma semana, e ela e Scotty levaram o casal Presley a Burbank para as filmagens do popular show semanal de Tennessee Ernie Ford, onde Vernon e Gladys foram apresentados na plateia e mais tarde conheceram Tennessee Ernie e a esposa dele nos bastidores.

Um dia, quando Vernon e Gladys visitavam o set, por impulso Hal Kanter providenciou para que eles fossem filmados e os convidou para voltarem no dia seguinte e verem como tinham ficado no copião. Preocupada, Gladys se achou muito gorda, mas Vernon a tranquilizou dizendo que ela tinha ficado bem, e no geral ficaram tão encantados com o resultado que Kanter teve a ideia de incluí-los na plateia na culminante cena do show final. Contou a ideia a Elvis, que teve certeza de que os pais iriam adorar. Então, na transmissão final de costa a costa que arremata o filme e refuta todos os críticos mesquinhos do rock'n'roll, Elvis está balançando no palco, e Gladys está sentada no corredor – com Vernon ao lado dela, e os Nichols ao lado dele – batendo palmas no ritmo da música, sem prestar atenção em mais nada, a não ser no filhote dela. É talvez o ponto alto musical da carreira de Elvis no cinema, uma nova reprise de "Got a Lot O' Livin' to Do", que combina ilusão e realidade de forma a acentuar a atração de ambas. Elvis gira a perna abruptamente, e então, sorridente, a joga para trás. Fica à beira do palco e, com os Jordanaires, em trajes de caubóis, convida o público a bater palmas, depois salta do palco e vem dançando pelo corredor. Gladys nem pisca.

Por um breve instante, ele para à esquerda da mãe, e ela, batendo palmas, não tira o olhar de cima do filho. Então ele se afasta, volta a subir no palco, e a música acaba, o público no estúdio ainda aplaude, Gladys também – mas para ela é diferente, diferente até mesmo do que para o homem a seu lado. Para ela, é o ápice de tudo o que ela sonhou ou imaginou. O olhar dela é transformado pelo amor.

Voltaram para casa em meados de março com os Nichols, após a estadia de um mês em Hollywood. Elvis voltaria para casa dali a uma semana, onde ficaria até maio, o mês previsto para iniciar o novo filme que, segundo anúncio conjunto do Coronel e da MGM, alçaria Elvis Presley à condição de estrela mais bem paga na história do cinema. O cálculo era simples. Pelo novo filme, provisoriamente intitulado *The Rock*, Elvis receberia US$ 250 mil adiantado mais uma série de benefícios adicionais (bilheteria, viagens, funcionários, sem mencionar a taxa do Coronel pela assistência técnica), com 50% dos lucros líquidos do filme atribuídos a Elvis no cômputo geral. Algo "inédito", comentou em maio a revista *Time*.

Elvis lidava com tudo isso com suprema desenvoltura e graça. Todos no set concordavam que ele permanecia o mesmo jovem simples, pensativo, quase anormalmente controlado e educado que qualquer um poderia esperar conhecer – mas ao mesmo tempo a pressão transparecia em sinais inconfundíveis. Perdeu a compostura com Gordon Stoker, dos Jordanaires, que tinha vindo a Hollywood para gravar com ele e aparecer no filme. É que Stoker, sem o conhecimento de Elvis, tinha gravado um disco com Tab Hunter (cuja canção "Young Love" acabava de desbancar "Too Much" no topo da parada pop). Isso apesar de sempre ter afirmado que os Jordanaires eram livres para gravar com qualquer um que os aprouvesse. No dia seguinte, desculpou-se – e desculpou-se profusamente. Não precisa se desculpar, disse Stoker, um pouco surpreso. "'Não precisa se desculpar comigo nem com ninguém', eu disse a ele. 'Preciso, sim', disse Elvis. Eu jamais vou me esquecer enquanto viver. Ele disse: 'Está vendo aquele senhor varrendo o chão ali?'. Estávamos no set do filme. 'Se eu ferisse os sentimentos dele, eu ficaria incomodado até eu ir lá e pedir desculpas a ele. Acho que sou um cara estranho'." Imaginou que era só uma inquietude. Começava a sentir falta das turnês; estava ansioso para voltar à estrada e dissipar um pouco desse excesso de energia.

Na festa de encerramento, Hal Kanter se esmerou – e também desembolsou uma boa soma – para agradecer ao elenco e à equipe que na visão dele tinha se dedicado ao máximo naquele projeto, seu primeiro filme como diretor. Devido a um compromisso de última hora envolvendo uma tomada dupla com Elvis e Lizabeth Scott, chegou atrasado para a festa, e ao chegar se deparou com o Coronel instalado num estande decorado com material promocional da RCA e um banner com os dizeres "Elvis e o Coronel lhe agradecem". Coronel Parker distribuía álbuns de Elvis Presley que tinham sido fornecidos pela gravadora e fotos publicitárias do cantor com o autógrafo dele impresso, e faria o sorteio de uma vitrola RCA, dando a todos um número. "Investi milhares de dólares, mas ele tomou conta da festa!", comentou Kanter. O Coronel o cumprimentou efusivamente, dando as boas-vindas à festa, e Kanter foi lembrado mais uma vez do livro que Parker lhe pedira para ajudar a escrever. "Tenho apenas o título", disse o Coronel, recapitulando um tema familiar, "mas garanto que será um best-seller." Qual é o título? indagou Kanter, mordendo a isca. *Quanto custa um cafezinho grátis?*, foi a resposta. Tinha certeza de que seria um best-seller. O motivo? O Coronel apressou-se a esclarecer ao diretor de cinema: a RCA garantiu que ia comprar dez mil cópias assim que o livro fosse publicado.

ELVIS FALOU COM OS PAIS por telefone no sábado, pouco antes de embarcar no trem para casa. Os dois não escondiam a empolgação. Tinham acabado de visitar uma casa, uma propriedade, na verdade, e achavam que Elvis também ficaria animado com ela. Tinham marcado um horário para voltar ao lugar na terça-feira, depois que ele chegasse em casa. Enviou um telegrama a June para que ela fosse encontrá-lo quando o trem parasse em Nova Orleans. Ela foi com alguma relutância, com a intenção de retribuir a dor que Elvis havia causado a ela, e quando ele a convidou para que o acompanhasse a Memphis (Elvis tinha uma surpresa que ela iria adorar), June contou que estava noiva. Ele não acreditou nela no começo, mas nunca contou a ela sua surpresa, só a encarou com um olhar inexpressivo enquanto o trem se afastava.

Graceland revelou estar além de suas expectativas mais selvagens. Construída em 1939 em Whitehaven, uns treze quilômetros ao sul do centro de Memphis, foi destacada por Ida Clemens, em artigo no *Memphis Commercial Appeal*, no outono de 1940, como a nova casa de campo do doutor e da senhora Thomas D. Moore. "Localizada bem atrás da Highway 51, rodeada por um bosque de carvalhos imponentes, ergue-se orgulhosamente em terreno que pertence à família há quase um século... Ao subir pela entrada da propriedade, você capta sua encantadora herança do passado impregnada na atmosfera de gentileza e serenidade aristocráticas." A fachada de calcário Tishomingo e as colunas coríntias do pórtico foram elogiadas. "Esculpido com a discrição característica da beleza contemporânea, o palacete é um exemplo notável do estilo colonial georgiano", com uma "sutil atmosfera de luxo que permeia o exterior, infiltra-se nas paredes e penetra em todos os cômodos da casa..."

"A música é o centro de nossa casa", afirmou a senhora Moore à repórter do *Commercial Appeal*, aludindo à filha dela, de quatorze anos, que seguia uma carreira distinta como harpista na Orquestra Sinfônica de Memphis. Mostrou orgulhosamente à senhorita Clemens os dezoito cômodos da residência. O salão de festas de vinte e dois metros de comprimento abria-se para o pátio contíguo de lindo paisagismo, com bosque plantado, em uma área de 7,5 hectares. Era o remanescente da fazenda de gado Hereford da família da senhora Moore, de 200 hectares, após sua tia-avó Grace (o nome da propriedade era em homenagem a ela) vender grande parte da área para fazer um loteamento e um shopping center. Mais tarde, a própria senhora Moore doou mais 2 hectares para a Graceland Christian Church, pouco antes de pôr a casa à venda.

Elvis chegou depois da meia-noite na segunda e foi conhecer a propriedade na terça, com os pais e um repórter. Acompanhando a família estava a jovem senhora Virginia Grant, corretora de imóveis que Gladys havia conhecido no início de fevereiro, no estacionamento da loja de departamentos Lowenstein's East. A senhora Grant tinha várias propriedades para lhes mostrar, mas os Presley partiram para a Califórnia no dia seguinte e só entraram em contato de novo ao regressarem da viagem. Não gostaram da primeira casa, um rancho de sete hectares, e a senhora Grant já estava meio desanimada quando Gladys disse: "Não tem para nos mostrar uma casa no estilo colonial?". Súbito, a imagem de Graceland, recém-chegada ao mercado, na qual ela nunca havia entrado, lampejou em sua mente. Vernon estava pensando em se mudar para a Califórnia, mas a vontade de Gladys prevaleceu, e lá foram eles visitar a propriedade.

"Vai ficar muito melhor do que a casa de Red Skelton quando eu a deixar como eu quero", disse Elvis, entusiasmado, ao repórter do *Press-Scimitar*, após visitar a casa pela primeira vez. Antes mesmo de o contrato ser assinado, ou de uma oferta concreta ser oficializada, todo mundo em Memphis já sabia que Elvis Presley ia pagar cem mil dólares pela bela mansão sulista da senhora Moore. "Encontramos uma casa de que gostamos muito, e vamos comprá-la se chegarmos a um acordo", disse Vernon, sempre cauteloso e consciente de que o preço só baixaria caso mostrassem alguma relutância. Mas Elvis não se preocupava com isso. Sabia o quanto a mãe dele ficaria feliz ("Acho que vou gostar da casa nova", anunciou Gladys. "Teremos mais privacidade e muito mais espaço para colocar as coisas que acumulamos nos últimos anos"), e em uma semana o negócio estava fechado. O preço: US$ 102.500,00. Hugh Bosworth, o corretor de imóveis, aceitou a casa de Audubon Drive pelo valor de US$ 55 mil e os Presley pagaram US$ 10 mil em dinheiro e assumiram uma hipoteca de US$ 37.500. Na verdade, o único empecilho para lucrar de verdade com o negócio foi a decisão do Coronel de que eles teriam de recusar a "fabulosa" oferta de um fabricante de chicletes para tirar os painéis de madeira recém-instalados na casa em Audubon, cortá-los e distribuí-los como prêmios com seu chiclete. O Coronel disse que isso entraria em conflito com negócios de merchandising já existentes.

As reformas na casa nova começaram em poucos dias. No início do ano, Sam Phillips tinha se mudado para sua nova casa, na parte leste dos subúrbios de Memphis, onde os preços dos imóveis eram mais altos. Por recomendação de Sam, Elvis entrou em contato com seu decorador, George Golden, quarenta e três, ex-vendedor de chá Lipton, com gosto pelo eclético e talento para autopromoção. Para fazer publicidade, Golden tinha várias caminhonetes tipo plataforma atravessando Memphis, dia e noite, enfeitadas com "salas em miniatura de um metro de largura, iluminadas, construídas em escala, perfeitinhas, com carpete, papel de parede e sofá de 0,60 m, estofado em cetim verde-limão. Aquele sofá de cetim brilhante realmente chamava a atenção de todo mundo". Obviamente chamou a atenção de Elvis, ou pelo menos os toques futuristas e o ousado estilo de "vida exuberante" que marcava a casa de Sam, e ele queria algo parecido, só que em escala ainda maior, para a sua nova residência. O quarto dele, revelou Elvis aos jornais, seria decorado com "o azul mais escuro que existe... e um grande espelho na parede. A suíte do quarto acho que será preta, com detalhes em couro branco, e um tapete branco [de lhama] [como o de Sam]". O hall de entrada, continuou ele, seria decorado em um efeito celestial, com luzinhas para as estrelas e nuvens pintadas no teto. Além disso, pretendia construir "uma piscina no lado sul da casa com um vasto pátio rebaixado que conduzisse até a piscina", um muro de um metro e oitenta centímetros em pedra rosada, paredes roxas com guarnições douradas nas salas de estar e jantar e uma série de outros toques resplandecentes.

Quando chegou a hora de decidir, ele desistiu do roxo em prol do azul-pavilhão, a pedido da mãe (o filho dela, como a maioria dos jovens, disse Gladys, compreensivelmente, gostava de "cores escuras e aconchegantes"). De acordo com Golden, Elvis não abria mão de duas prioridades. "Uma era que a mãe dele tivesse o quarto mais bonito de Memphis. A segunda era a fonte de refrigerante – com Coca-Cola e dispensador de sorvete –, junto à qual seus amigos pudessem se sentar e tomar um refrigerante." Para ele, mandou fazer uma cama quadrada de 2,5 m por 2,5 m, e um sofá de 4,6 m feito sob medida para a sala de estar. Com isso e todos os outros detalhes planejados – piscina, portões customizados com motivos musicais que Golden mandou fazer, o galinheiro que Gladys queria, a pintura geral que o senhor Nichols ia fazer na casa, além dos reparos estruturais que eram necessários – ele parecia disposto a desembolsar pelas renovações um valor semelhante ao pago para adquirir a propriedade. Só queria que tudo estivesse pronto no verão, quando chegasse em casa após as gravações do novo filme.

Por enquanto, ele mal tinha tempo para pensar. Envolveu-se em outro confronto perturbador no centro, quando foi acusado de apontar uma arma a um fuzileiro de dezenove anos cuja esposa teria sido assediada por Elvis. Ficou comprovado que a arma não passava de um adereço que o cantor havia trazido de Hollywood e que Elvis nunca tinha sequer visto a esposa do soldado Hershel. Tudo foi resolvido no tribunal do juiz Boushe um dia antes de Elvis voltar à estrada, mas parecia que ele não podia ir a lugar algum em Memphis sem que algo acontecesse.

No mesmo dia do incidente com o fuzileiro, saiu no jornal que Elvis voltaria a Tupelo para se apresentar na Feira Mississippi-Alabama no outono. "A feira quer Elvis de volta", informou o *Press-Scimitar*, "[e] ofereceu ao seu empresário, o Coronel Tom Parker, US$ 10 mil por sua presença. Parker recusou. 'Elvis tem pensado em voltar a Tupelo desde o ano passado', explicou Parker. 'Falou sobre isso várias vezes. Vamos a Tupelo, mas todo o valor do cachê, menos as despesas, será destinado a construir um centro de recreação juvenil para os meninos de East Tupelo, onde Elvis cresceu'." Ele estava empolgado com isso e também com a próxima turnê. Cliff permaneceu na Califórnia para tentar promover sua "carreira", e Elvis estava cada vez menos inclinado a levar junto seu primo Junior, cujo comportamento se tornava cada vez mais errático. Mas, como sempre, é claro, Gene estaria com ele. Arthur Hooton se juntaria ao grupo após um bom tempo, e George Klein, pela primeira vez na história, faria parte da comitiva.

"Fui demitido da WMC porque resolveram parar de tocar rock'n'roll. Uma noite eu estava na WHBQ visitando Dewey, quando Elvis apareceu e disse: 'O que você está fazendo, GK?'. Respondi: 'Bem, fui demitido, Elvis'. Ele disse: 'Quer trabalhar para mim?'. Falei: 'O que é que eu faço?'. Ele disse: 'Nada'. Insisti: 'Realmente, o que é que eu...' Explicou: 'É apenas meu companheiro de viagem'. Então eu disse: 'Elvis, sabe que vou junto pelo prazer do passeio'. Ele só queria uns caras da cidade natal com ele para não se sentir sozinho.

"A senhora Presley sempre gostou de mim, eu realmente não sei por quê... ela gostava da minha mãe, também. Ela me disse: 'George, quando você estiver na estrada com Elvis, ele tem uns maus hábitos, então, por favor, cuide dele porque ele é meu neném'. E acrescentou: 'Confira os bolsos dele antes de mandar as roupas para lavar, porque Elvis sempre deixa dinheiro na calça. E ele tem o mau hábito de andar enquanto dorme'. E me orientou sobre como lidar com isso: 'Ele é um jovem muito nervoso, e quando se levanta para andar enquanto dorme, você precisa falar com ele muito suavemente. Se ele responder, fale em tom bem suave: 'Isso mesmo, Elvis, por que não volta para a cama?'. Então eu aprendi a lidar com isso."

A primeira apresentação da turnê foi em Chicago, no dia 28 de março. À tarde, Elvis deu uma coletiva de imprensa no Saddle and Sirloin Club, no Stockyards Inn, e naquela noite revelou o terno folheado a ouro, com o valor estimado de 2.500 dólares, que o Coronel tinha mandado fazer para ele. A ideia veio do traje dourado que Liberace usava em Las Vegas, e o Coronel contratou Nudie Cohen, alfaiate dos astros de Hollywood (ou talvez de um certo tipo de astro, incluindo famosos cantores de country e western que gostavam de roupas resplandecentes), para ir ao set de filmagens em seu Cadillac decorado com chifres e tirar as medidas de Elvis. Doze mil pessoas lotaram o International Amphitheatre, com um valor bruto arrecadado de 32 mil dólares. Treze meninas desmaiaram durante a apresentação, mas o que mais impressionou o Coronel foi Elvis ter, pela primeira vez, caído de joelhos como Al Jolson – deixando nesse processo uns cinquenta dólares em lantejoulas douradas no chão. Depois do show, pediu a Elvis que não repetisse aquilo. Elvis usou o mesmo traje na noite seguinte no Kiel Opera House, em St. Louis, que vendeu todos os ingressos pela segunda vez em sua história (a primeira foi para Liberace). Depois, na maioria das apresentações, parou de usar a calça do traje, substituindo-a por uma calça escura para combinar com o casaco, às vezes usando mocassins dourados e gravata-borboleta, outras vezes não. Após um tempo, sentiu-se um pouco envergonhado com aquilo – era como se ele estivesse fazendo propaganda para o traje e não o contrário.

Por sua vez, George estava se divertindo à beça. Os shows em si eram ultrajantes, com tumultos e até ameaças de bomba, atmosfera carregada, e após as apresentações sempre havia garotas para "agenciar". George servia como uma espécie de batedor e guia avançado ("Elvis sabia que eu tinha lábia para falar"). Mas, após um tempo, viu-se obrigado a levar uma identificação com ele – uma foto de Elvis e ele juntos – só para provar que ele era quem dizia que era. O Coronel não gostava muito, George sabia. Mas o que é que ele poderia fazer em relação a isso? O Coronel sempre se preocupava com problemas em potencial, e George tentava ser cuidadoso em seu processo de seleção. Dizia às meninas que elas não tinham nada com que se preocupar, era um grupo de caras legais, sem bebedeira ou sexo selvagem, mas, no fim das contas, quem é que ele queria agradar, Elvis ou o Coronel? Isso seria esperar demais de Elvis, e o Coronel entendia a situação, também.

"Gritinhos histéricos saúdam Elvis em seu blazer e sapatos dourados", foi a manchete estampada pelo jornal de Detroit, que reclamou: "O problema de ir ver Elvis Presley é que você corre o risco de ser morto". "Convento suspende oito fãs de Elvis", declarou o *Ottawa Citizen* aludindo à expulsão de oito noviças da escola do Convento de Notre--Dame por terem comparecido ao show de Ottawa. Na Filadélfia, em seu primeiro grande show no Nordeste, foi recebido com uma chuva de ovos por alunos da Villanova University. Numa manchete que resumiu a reação jornalística geral, sob o sarcástico cabeçalho "Resenha musical(?)", o *Toronto Daily Star* trombeteou: "Claramente visível: Elvis é precariamente audível".

No Canadá, Oscar Davis enfim deu sua cartada. Aproveitando-se da divisão que claramente tinha crescido entre Elvis e seus músicos, Davis, que ainda fazia todo o trabalho avançado de seu protegido de outrora, mas sonhava com o dia em que poderia voltar a operar por conta própria, abordou primeiro Scotty e Bill, depois D.J., e por fim os Jordanaires, oferecendo-se para representá-los. Eles não tinham vínculo com o Coronel, argumentou ele, mas estavam claramente sendo explorados... E ele poderia garantir que o moço não se arriscaria a perder toda a sua trupe musical por questão de poucos dólares. Sua insistência surtiu efeito. Scotty e Bill mostraram-se ansiosos para embarcar e, por fim, D.J. também: Presley estava ganhando milhões, e eles continuavam ganhando duzentos dólares semanais no período em que estavam trabalhando, e cem dólares por semana quando não estavam. No final, os Jordanaires ainda resistiam, sem eles simplesmente não haveria alavancagem suficiente. "Ele nos propôs um acordo melhor do que o que o Coronel nos ofereceu", disse Gordon Stoker, "mas acho que não confiávamos nele. Sempre andava bem-vestido, e não tinha a conversa fiada que o Coronel tinha, mas também era um vigarista. Um belo de um vigarista, imaculadamente vestido, astuto como uma raposa... e exatamente por isso não embarcamos nessa."

Tocaram em dez cidades em dez dias – cidades grandes, longe de sua antiga base regional – e a turnê arrecadou mais de trezentos mil dólares, além de uma venda proporcional de programas e lembranças. A turnê gerou cobertura na imprensa, controvérsia e dinheiro e, sob quase todos os prismas, não poderia deixar de ser considerada um sucesso. Mas essa turnê também serviu para confirmar a crescente convicção do Coronel de que esse fenômeno tinha saído da órbita normal ("Todas aquelas menininhas queridas mais parecem uns bichos", teria dito ele a Hal Kanter). Não bastavam os tumultos, o arremesso de ovos e outras coisas ridículas. Não bastava o esforço orquestrado da Igreja Católica para pintar Presley como uma espécie de pária moral (em St. Louis, as alunas católicas queimaram sua efígie e fizeram orações "em reparação pública pelos excessos cometidos por adolescentes"). Estava simplesmente fora de controle – estava se tornando cada vez mais impossível conseguir fazer o show. O *St. Louis Post-Dispatch* descreveu uma cena típica: "As meninas gritam e centenas de flashes espocam, transformando o auditório numa salva de artilharia. Presley se agarra ao suporte do microfone e cambaleia, de um jeito característico e perturbado, esperando o ruído diminuir um pouco...". Ele não conseguia ouvir a si mesmo. Talvez pensando nisso, Gordon Stoker sentiu que ele passou a buscar proteção no grupo. "Em alguns números, ele trabalhava quase de frente para nós, porque se sentia mais seguro assim."

Na Filadélfia, falando a um grupo de repórteres de jornais escolares, Elvis expressou humildade diante de uma enxurrada de perguntas não particularmente respeitosas ("É verdade que você não pode se casar antes dos vinte e três anos... que está no seu contrato?"). Quais foram suas experiências mais memoráveis no Ensino Médio? Foi uma das perguntas. Quando ele não respondeu, a repórter persistiu: "Bem? Você não tem nenhuma?". O que ele achou de seu primeiro filme? "Foi horrível. Interpretar não é algo que se aprende da noite para o dia. Eu sabia que aquele filme era ruim na hora em que foi concluído. Sou o meu pior crítico. Mas o meu próximo filme é diferente. Sei que fiz um trabalho melhor nele." E quanto ao futuro? "Aproveito cada dia como ele é", disse Elvis à repórter adolescente, que se identificou como Rochelle. "Não faço planos. Novos discos, é claro, e novos filmes, também. Sei lá, talvez eu volte a dirigir um caminhão."

E então voltou para casa. O trabalho em Graceland prosseguia, mas a casa não estava nem perto de estar pronta, e os Presley ainda moravam em Audubon quando Yvonne Lime veio passar o fim de semana de Páscoa. A primeira coisa que Elvis fez foi levá-la para ver sua nova casa. No sábado, ele orgulhosamente mostrou a residência e a acompanhante a um fotógrafo de jornal. Uma das fotografias, que foi repassada à grande imprensa, mostra os dois de mãos dadas diante da mansão, os pilares e o pórtico ao fundo. Yvonne veste um traje listrado, que mais parece um pijama, e olha apaixonadamente para um Elvis que parece calculadamente sincero. Em outra foto, eles aparecem brincando com uma moldura de janela na frente deles, Yvonne sempre esfuziante e vívida. Ela ficou surpresa ao descobrir o quanto era pequena a casa em Audubon Drive, relatou a atriz na revista *Modern Screen*, que ficava ainda mais abarrotada com todos os móveis que Elvis tinha comprado e toda a correspondência que chegava diariamente no pórtico. Jantaram rocambole de carne com purê de batatas e depois sentaram-se em cadeiras de jardim, no quintal dos fundos. Elvis pegou na mão de Yvonne e de Gladys e declarou que elas eram suas "duas moças preferidas".

Sábado à noite, foram a uma festa na casa nova de Sam, e Elvis conferiu a decoração. A esposa de Sam, Becky, DJ e autoridade em big bands na WHER, era a anfitriã perfeita. Dot e Dewey Phillips estavam lá. E, claro, os filhos de Sam, Knox, de onze anos, e Jerry, de nove, imaculados em roupas novas compradas na Lansky e penteados "rabos de pato" cuidadosamente esculpidos, acompanhavam cada palavra e gesto de Elvis. Apresentou Yvonne a muitos de seus velhos amigos e conhecidos. Começou a chover, e a festa gravitou para a sala de estar, onde Elvis começou a cantar hinos gospel. "Foi uma experiência emocionante", escreveu Yvonne. Ele "cantou sem parar, até a aurora da manhã de Páscoa". Para Dot Phillips, que conhecia Elvis informalmente desde que o marido dela havia tocado na rádio o primeiríssimo disco do cantor, foi um dos momentos mais emocionantes de uma duradoura amizade. Por fim, voltaram à beira da piscina. A luz do sol começou a iluminar a manhã de Páscoa, com Elvis cantando e Becky servindo ovos mexidos, muito bem fritos, exatamente como Elvis gostava.

Coronel Parker, com fãs.
(Alfred Wertheimer)

O PRISIONEIRO DO ROCK

Abril a setembro de 1957

ELE ESTAVA HOSPEDADO NO LUXUOSO BEVERLY WILSHIRE, ocupando o apartamento da cobertura e a suíte presidencial. Scotty, D.J. e Bill experimentaram o hotel, mas não gostaram – ficava muito longe do agito –, então voltaram ao Knickerbocker, no coração de Hollywood. Seja como for, Elvis tinha muitos amigos para lhe fazer companhia. George, Gene e Arthur ("Artrite") Hooton tinham vindo com ele no trem, e Cliff, é claro, já estava lá para encontrá-los quando eles chegaram. Junior também queria ter vindo, e Elvis o avisou que em breve talvez ele pudesse vir – se prometesse não pisar na bola. O cunhado do Coronel, Bitsy Mott, tinha um quarto de solteiro no final do corredor, e o Coronel e a senhora Parker estavam em outro andar. Um grupo de moças sempre rondava a fonte de refrigerante lá embaixo, à procura de namoro – lindas moças que aspiravam se tornar as mais novas revelações da indústria. Por esse motivo, algumas pessoas chamavam o local de "Fazenda de Peles de *Vison*". Era legal.

A viagem de trem foi longa e tediosa como de costume. Gene e Arthur dormiram a maior parte do tempo, mas George estava empolgado só de ir a Hollywood. Ensaiou o roteiro com Elvis até conhecer a maior parte das falas, e os dois conversaram sobre vários assuntos. O que é o sucesso, Elvis se perguntou em voz alta, se você não pode compartilhá-lo com seus amigos? Parte dele ainda não acreditava que era real. "Uma vez ele se virou para mim e disse: 'Eu me pergunto como as pessoas se sentem, George'. Eu disse: 'Como assim?'. Elvis falou: 'Quando fiz o teste para o programa de Arthur Godfrey, o pessoal me disse para esperar a resposta pelo correio. Dia após dia, por duas semanas, eu esperei ansioso por aquele carteiro... eu mal podia esperar. E a resposta nunca veio. Eu me pergunto como eles...' Atalhei: 'Bem, Elvis, acho que eles devem estar se mordendo de raiva'. Ele meio que achou graça do comentário e me contou sobre outras gafes. Mas falou que tinha tanta força, determinação e energia que sabia que ia conseguir e nada iria impedi-lo."

Apresentou-se no estúdio de gravação na terça-feira, 30 de abril, na presença de Freddy, Steve Sholes, outros funcionários da RCA e executivos da MGM, além da banda (de novo com o acréscimo de Dudley Brooks no piano) e Thorne Nogar. Boa e produtiva, a sessão se estendeu das 10h às 18h e foi diferente das sessões anteriores – ninguém sequer aventou a hipótese de usar o palco sonoro do estúdio de cinema, pois o Coronel vetou e pronto. Além disso, a sessão contou com a presença e as contribuições da dupla de compositores do filme.

Para todos os efeitos, Jerry Leiber e Mike Stoller tinham sido contratados para compor as canções da trilha sonora. Apenas dois anos mais velhos que Elvis, emplacavam hits de r&b (incluindo "Hound Dog") desde a adolescência, e não pareciam lá muito empolgados. Na verdade, Jean Aberbach praticamente teve de trancá-los num quarto de hotel em Nova York, no mês anterior, para que pudessem se concentrar na missão de compor quatro músicas (as outras duas já tinham sido terceirizadas). Hipsters de longa data e convictos, a postura de Leiber e Stoller, em suma, foi: quem era aquele débil branquelo que invadia o território deles? Tinham odiado a performance dele em "Hound Dog". Para piorar, a interpretação de Elvis para "Love Me", a segunda música que deram a ele, parecia uma piada de mau gosto. E também não se entusiasmaram com as duas canções de autoria deles que Elvis cantou no filme *A mulher que eu amo*. Por isso, surpreenderam-se com a pessoa que conheceram nos estúdios da Radio Recorders, onde a versão original de "Hound Dog" tinha sido gravada por Big Mama Thornton havia quatro anos, com a presença dos mesmos compositores e do mesmo engenheiro de som, Thorne Nogar.

"Pensávamos que éramos os únicos rapazes brancos que entendiam de blues", disse Mike Stoller, "mas ele conhecia tudo que é tipo de coisa." "Achávamos que ele era uma espécie de erudito idiota", ecoou Jerry Leiber, "mas ele conhecia muito. Todos os nossos discos. Eddie 'Cleanhead' Vinson. Adorava os primeiros álbuns de Ray Charles. E no estúdio trabalhava com muita seriedade – sem fazer escândalos ou coisas assim." Por um tempo mantiveram a fleuma, sem transparecer muito entusiasmo, até que Elvis e Mike se sentaram ao piano para tocar blues a quatro mãos. Depois, Jerry e Mike repassaram a canção-título do novo filme; Elvis sorriu de modo aprovador para o vocal rouco e esperto de Leiber e disse: "OK, vamos gravá-la".

Gravaram três músicas no primeiro dia, mas, no dia seguinte, a sorte deles acabou. O estúdio de cinema ficou preocupado, é claro, com o tempo gasto na gravação das três canções. Alguém contou isso ao executivo encarregado da produção. Enquanto Elvis se aquecia no piano entoando canções gospel com os Jordanaires ("Uma coisa que realmente nos surpreendeu foi que não havia relógio", disse Mike Stoller. "Era incrível... Jerry e eu simplesmente não estávamos acostumados com isso"), o executivo do estúdio pressionou Thorne e perguntou se ele não poderia fazer alguma coisa. Então, na hora do almoço, conforme as lembranças de Gordon Stoker, Thorne se aproximou dos Jordanaires e disse a eles: 'Parem de brincar. Se Elvis começar a cantar [gospel], não cantem com ele'.

"Então Elvis voltou do almoço, começou a tocar piano e não cantamos junto. E ele indagou: 'Ei, o que há de errado com vocês?'. Tive de explicar: 'Elvis, nos disseram que não podíamos cantar com você'. Levantou-se e disse: 'Se eu quiser trazer vocês aqui e ficar a semana inteira cantando gospel, é isso que faremos'. E simplesmente se retirou do estúdio."

Elvis não voltou ao estúdio no dia seguinte, mas na sexta-feira compareceu, como se nada tivesse acontecido. Exceto que agora Leiber e Stoller estavam no comando, com o consentimento aparente de todos. Para Freddy Bienstock, foi uma evolução bem lógica: "Eles assumiram porque nós os pressionamos, e com certeza eram mais talentosos como produtores de discos do que Steve Sholes". E se Elvis teve alguma reserva, não mostrou: deixou-se contagiar pelo entusiasmo do momento, pelo fluxo insano de ideias de Leiber ("Elvis achava que Jerry era um louco de pedra", disse Bienstock, "com aqueles dois olhos de cores diferentes, um castanho, outro azul"), pelo modo paciente com que Stoller dava instruções a Scotty e aos outros músicos, na inspirada loucura que por enquanto tinha voltado ao estúdio de gravação. "Ele se mostrou totalmente aberto", disse Mike Stoller. "Eu tocava piano para demonstrar (na real, toquei piano em algumas das músicas) e Jerry cantava. E ficávamos lá no chão do estúdio enquanto Elvis gravava, com Jerry meio que conduzindo com linguagem corporal. Às vezes, achávamos que tínhamos conseguido um bom *take*, mas ele dizia: 'Quero tentar de novo', e continuava. Quantas vezes achasse necessário. Às vezes ficava melhor, mas outras vezes sabíamos que já estava bom. Ele simplesmente se divertia e falava: 'Vamos ouvir, então' e concordava. Sob vários prismas, ele era um perfeccionista, mas sentia-se descontraído no estúdio – uma estranha combinação."

Por mais descontraído que ele pudesse estar se sentindo, porém, um incidente no final da sessão revelou algumas das tensões de longa data no grupo. Bill Black se sentia cada vez mais frustrado, não só com a indiferença com que ele e Scotty eram tratados, mas com suas próprias dificuldades para aprender a tocar o baixo elétrico (instrumento que substituiu o baixo acústico e estava sendo adotado quase instantaneamente em todos os estilos musicais, à exceção do bluegrass, porque era compacto, amplificado, e pela precisão dos trastes). Com seu Fender novo em folha, Bill não conseguia fazer a sinistra e rítmica introdução de "(You're So Square) Baby, I Don't Care", da dupla Leiber e Stoller, um dos destaques da trilha sonora do filme. Tentou, tentou e tentou –

sem sucesso. Num misto de cólera e vergonha, jogou o baixo no chão, fazendo-o deslizar, e saiu correndo do estúdio, sob olhares incrédulos. "A maioria dos artistas", disse Gordon Stoker, "teria dito: 'Volte aqui, pegue este baixo e toque, amigão, é o seu trabalho', mas não Elvis. E o que é que Elvis faz? Elvis acha graça. Pega o baixo elétrico e toca ele mesmo. Segura o instrumento, apoia o pé na minha cadeira e toca a música de cabo a rabo."

Ficaram no estúdio sete horas a fio, e quando a sessão terminou a trilha sonora estava praticamente pronta. Ainda havia *overdubs* a fazer (como o vocal para "Baby, I Don't Care"), mas tinham gravado uma coleção de canções por encomenda, mas espirituosas, não meramente cínicas, compostas "principalmente por Jerry Leiber e Mike Stoller", de acordo com os créditos do filme, uma coleção de "peças curtas" autossuficientes, de uma diversidade irônica (escute "Jailhouse Rock" se você duvidar da intenção satírica), do tipo que Leiber e Stoller eram pioneiros, em sua colaboração com The Coasters. Compuseram diferentes versões para as diferentes etapas da evolução musical do personagem (no filme, Elvis interpreta Vince Everett, que aprende a tocar violão na cadeia e depois atinge o estrelato), algumas com afeto intencionalmente seco, outras com o inegável toque Presley. Em suma, um empreendimento emocionante, o tipo de coisa que poderia, ao menos, tornar os interlúdios musicais aceitáveis – já que a inserção de números musicais era quase inevitável.

Na segunda-feira, compareceu ao estúdio para fazer a prova de figurinos e aproveitou para conhecer membros do elenco e equipe. Era um tipo diferente de estúdio, e um tipo diferente de set, em comparação aos do filme *A mulher que eu amo* na Paramount – a MGM parecia um pouco mais imponente, e o set, sem a constante presença de Hal Wallis, um pouquinho mais impessoal –, mas no final as pessoas em todos os lugares eram praticamente iguais, e as semelhanças superavam as diferenças. Elvis foi designado ao camarim Clark Gable, e quando o veículo que trazia Elvis cruzou os Thalberg Gates pela primeira vez, secretárias, executivas e funcionárias saíram de suas salas em massa, criando um problema de segurança no estúdio. O cineasta Richard Thorpe, sessenta e um anos, veterano que desde 1923 tinha realizado dezenas de filmes de baixo orçamento em cronogramas apertados, não revelou grande entusiasmo pessoal (por exemplo, durante o almoço, recusava-se a discutir qualquer coisa que tivesse relação com o filme em andamento), mas foi cordial o suficiente, e Elvis teve poucas dúvidas de que poderia conquistá-lo, seja por charme ou por persistência. Começava a aprender o caminho das pedras. Gladys havia lhe ensinado que essas pessoas não eram diferentes de qualquer outra pessoa, e o Coronel com certeza reforçou a lição.

Foi apresentado ao seu par romântico, Judy Tyler, que havia encarnado a Princesa Summerfall Winterspring no programa infantil *Howdy Doody* e, mais recentemente, era presença frequente no *Caesar Presents*, programa de variedades e comédia de Sid Caesar, além de estrelar no musical de Rodgers e Hammerstein, *Pipe Dream*, no palco da Broadway. A situação de Judy, recém-casada com o jovem ator Gregory Lafayette, eliminava a chance de acontecer algo entre eles, mas Elvis gostava de Judy, e gostava de Mickey Shaughnessy, seu coadjuvante, acostumado a fortes papéis secundários numa série de filmes (incluindo *A um passo da eternidade*) e fazia uma imitação de Elvis em suas apresentações em clubes noturnos. Também conheceu o coreógrafo, Alex Romero, que já estava planejando a grande sequência de dança com filmagem programada para o início da semana seguinte. Para a sequência, Romero tinha uma cópia da gravação original da canção-título, "Jailhouse Rock", e mostrou a Elvis alguns dos passos que ele havia concebido para a coreografia, na linha de um típico número de Gene Kelly ou Fred Astaire.

"Elvis me olhou, e eu olhei para Elvis e Cliff", disse George Klein, que tinha ido à sala de ensaio com os outros, "e... Alex Romero era um cara muito legal, e ele disse?: 'Elvis, quer experimentar?'. E Elvis levantou-se para imitar os passos, mas deu para ver logo de cara que aquilo não ia funcionar. Elvis falou: 'Não combina comigo'. Então Alex, inteligente que era, falou: 'Tem algum de seus discos no camarim?'. E tocamos 'Don't Be Cruel', 'Hound Dog' e 'All Shook Up'. Alex disse: 'Pode me mostrar o que você faz no palco?'. Bem, Elvis abraçava a ideia se achasse que você sabia o que estava fazendo, então mostrou como fazia no show com as três músicas, e Alex Romero disse: 'Já entendi. A gente se vê mais tarde, Elvis'. Elvis disse: 'Como assim, já entendeu?'. Romero disse: 'Elvis, o que vou fazer é ir para casa esta noite, vou pegar o que você faz e criar uma coreografia, e vai ser você, o que você normalmente se sente confortável fazendo no palco, mas vou coreografar'. No dia seguinte, voltamos ao mesmo salão de ensaios, e Alex Romero coreografou a cena, mas parecia que estávamos assistindo a Elvis. Tocou 'Jailhouse Rock', fez pequenas marcas no chão e disse: 'Elvis, só faça o que você se sente confortável fazendo'. Então Elvis obedeceu e foi um arraso. A partir daí, ele mal pôde esperar para fazer a sequência de dança!"

Ele gostava de pessoas do ramo do espetáculo. Gostava de estar de volta a Hollywood. Era bom ter a companhia de Nick de novo. Sempre havia algo acontecendo, e a suíte do hotel era como um clube privado onde você precisava saber a senha secreta para entrar – e ele tinha de mudar a senha todos os dias.

No fim de semana, Nick ligou para seu amigo Russ Tamblyn, que tinha uma casinha na praia (de um só dormitório) na Pacific Coast Highway, ao sul do Topanga Canyon, e perguntou se poderia levar o amigo dele, Elvis. Tamblyn, que aos vinte e dois anos estava no show business desde a primeira infância, como ator e dançarino, e que achava Nick meio intrujão, disse "claro, pode trazer".

"Nunca vou me esquecer. Quero dizer, ninguém poderia esquecer. Primeiro, Elvis era tão grandioso na época. Segundo, chegaram em três limusines, e lá estava Elvis com todos os seus primos, parceiros e garotas... Umas quinze ou vinte pessoas foram saindo daquelas limusines e entrando em casa. Foi uma loucura – eu achava que o Nick ia trazer o Elvis, e lá estavam vinte pessoas na sala. Trouxeram refrigerantes, e eu tinha um disco do Josh White, que Elvis colocou na vitrola. Não me lembro o nome da música, mas era estranha, boa, com um riff de guitarra sutil, audacioso (não dava para saber como tinham feito) – e tocamos umas dez vezes seguidas, até Elvis enfim perguntar se ele poderia levar emprestado. Todo mundo estava meio que festejando na varanda, que era do tipo pé na areia, e Elvis e eu estávamos na frente da vitrola, e enquanto ele escutava a música, começou a balançar os joelhos, como é seu estilo, e eu disse: 'Ótimo, solte esses joelhos'. Acho que, por ser dançarino, percebi que podia dar algumas sugestões úteis, como: 'Solte mais os joelhos'. Então mostrei a ele, e Elvis disse: 'Como é que você fez? Mostre de novo'. Então deixamos a música rolar e ficamos ali dançando na frente do toca-discos, e eu me lembro de que a minha namoradinha da época ia me visitar naquela noite. Mais tarde, ela me disse que entrou e não podia acreditar: 'Lá estava você dançando com Elvis!'. Mas ele estava mesmo interessado. Tecnicamente, eu não sabia tanto, mas eu era um dançarino de rua, e eu entendia o que ele estava fazendo, e de imediato pude notar onde, exagerando um pouquinho os movimentos, ficaria melhor, simplesmente alçaria sua dança a outro patamar e a tornaria um pouco mais forte, e ele conseguiu transparecer um pouco disso em *O prisioneiro do rock*."

As filmagens começaram na segunda-feira seguinte, 13 de maio, justamente com a sequência de dança que Alex Romero havia trabalhado com Elvis na semana anterior. O set era uma estrutura simples com grades nas portas sugerindo celas em dois andares. Havia um poste de escorregar, para uma descida rápida dos presos do pavimento superior, e um elenco de dançarinos profissionais estava perfilado atrás das grades no começo da música. Os dançarinos saem das celas com suas camisas listradas de prisioneiros, jaquetas e calças pretas com costuras brancas. Imitando a história da canção, eles escapam e no final voltam para suas celas, porque a festa promovida pelo diretor da penitenciária – a "Jailhouse Rock" do título – é tão divertida... quem é que gostaria de ir embora? Elvis mergulhou no papel com total abandono ("Ele mal podia esperar para fazê-lo", disse George Klein), tanto abandono, de fato, que na terça-feira chegou a engolir uma de suas jaquetas dentárias de porcelana ao escorregar pelo poste. Relatou ao diretor assistente, Bob Relyea, que sentia algo chacoalhando no peito. Um médico foi chamado ao set, examinou Elvis e tranquilizou a todos: era só fruto da imaginação de Elvis, um chiado e nada mais. "Ato contínuo, toda a equipe e todos os dançarinos ficaram engatinhando procurando [a jaqueta], porque era muito pequena e deveria estar no chão em algum lugar, até que avaliamos que era coisa da cabeça dele. Uma hora depois, ele aparece após uma tomada e me diz: 'Sabe aquele chiado que eu achava estar sentindo? Trocou de lugar. Agora foi para o lado esquerdo'. Falei: 'É imaginação sua'. Cerca de uma hora depois, no fim da tomada, ele se aproximou e disse: 'Ah, é imaginação minha? Então escuta só isto'. E respirou fundo. Deu para ouvir um assobio sibilante!"

Foram ao hospital Cedars of Lebanon, de onde Elvis ligou para George Klein. Constatou-se que ele havia aspirado a jaqueta de porcelana, que se alojou no pulmão. Por isso, no dia seguinte, ele passou por um procedimento cirúrgico (broncoscopia) para retirá-la. Curiosamente, havia uma cena parecida no filme, na qual Vince Everett, o personagem de Elvis, é esmurrado na garganta por seu antigo companheiro de cela, Hunk Hogan, e todos se reúnem ansiosos em torno dele, esperando para ver se ele vai conseguir voltar a cantar. Neste caso, de acordo com Relyea, a cena na sala de recuperação não foi muito diferente, com o Coronel Parker presente e o médico chegando para anunciar que tudo estava bem. "'Conseguimos!', informou. 'Tivemos de separar as cordas vocais e inserir o dispositivo até o pulmão'. E detalhou: 'Então a maldita jaqueta quebrou ao meio, e tivemos de tirar um pedaço (tipo uma artroscopia) e depois o outro'. Quando ele falou em separar as cordas vocais para fazer a sonda passar, o Coronel Parker prestou bastante atenção!"

Por uns dias, Elvis ficou meio rouco, e na volta ao set encontrou-se com Russ Tamblyn, que se preparava para filmar *A caldeira do diabo* (*Peyton Place*) em locações. "Estavam ensaiando, e fiquei assistindo um tempinho. Ele terminou o que estava fazendo, se aproximou e disse: 'Quero te mostrar algo'. E me levou ao camarim dele, entramos, ele fechou a porta e disse: 'Estive trabalhando nisto', e começou a dançar, e realmente soltava mais os joelhos, erguia mais os cotovelos e mexia mais os braços. Quis me mostrar que estava treinando, mas não queria que ninguém mais visse."

Enquanto isso, a comitiva tinha recebido um reforço de peso. Lamar Fike, que tinha acompanhado George e Cliff em Memphis no outono anterior na esperança de ser apresentado a Elvis, estava no Texas visitando a mãe dele quando leu no jornal que Elvis estava no hospital. Telefonava seguido a George nas últimas semanas, sugerindo que gostaria de ir para lá. Por sua vez, George alegava que as coisas andavam meio difíceis, todos muito ocupados. "Em outras palavras, eu não queria ser responsável por ele." Nesse ponto, Lamar tomou as rédeas, pulou em seu Chevy 56 e rodou até o Beverly Wilshire, sem pedir permissão a ninguém. Apareceu com seus nada menos que cento e trinta quilos, bermuda verde-limão e botas de caubói amarelas, mas George não estava lá. Quem se encontrou com Lamar na porta foi Cliff. "Ele tentou enrolar, Cliff tentou desenrolar, e Lamar disse: 'Cara, eu posso entrar?'. Cliff disse: 'Amigo, está meio difícil. Quero dizer, Elvis é muito exclusivo aqui em Hollywood'. Por fim, Cliff vai falar com o cantor: 'Elvis, tem um cara aqui de Memphis. Ele anda comigo e com o George, é meio alegre e engraçado e veio guiando desde o Texas. Pode vir hoje à noite e festejar com a gente?'. Então Elvis disse que sim, e Lamar 'causou' como sempre faz e foi assim que ele entrou no grupo."

TÃO LOGO A SEQUÊNCIA DE DANÇA foi concluída, as filmagens se aceleraram. Não havia nenhum dos complicados *set-ups* (posicionamentos de câmera e luz) de *A mulher que eu amo*, e o ritmo de trabalho de Richard Thorpe era ágil mesmo. Para George, estar no estúdio era uma fantasia que se tornava realidade. "Cliff, Arthur e eu estávamos na folha de pagamento agora... é claro que Gene já estava na folha de pagamento. Nunca vou me esquecer. Ele falou: 'Vou pagar todas as despesas de vocês, se precisarem de grana, é só pedir. Mas o Coronel diz que estamos fazendo um filme, então preciso definir um salário para fins fiscais'. Então estipulou o salário de cinquenta dólares por semana. Gene, Cliff e Arthur ficavam entediados no set, simplesmente iam se deitar e dormir no camarim, mas eu zanzava por todos os lugares que nem louco, eu não queria perder nada. No primeiro dia em que fomos lá, vimos o Glenn Ford, que tinha acabado de fazer um filme para a MGM. Ele estava batendo um papo com o Elvis (era um cara muito legal) e gesticulava como nos filmes. Exclamei: 'Puxa, Elvis, ele faz exatamente como nos filmes!'. Elvis diz: 'Fica quieto'. Não queria que eu mostrasse que estava deslumbrado, mas eu e Cliff estávamos, sabe.

"Sempre que havia uma pausa, eu escapulia de um estúdio e corria para outro para ver Yul Brynner, ou John Ford, ou Kim Novak. Um dia ela estava tirando umas coisas do carro dela, e eu disse a Cliff: "Droga, vou lá falar com ela. Talvez ela nem me dê bola, mas preciso falar com a Kim Novak!'. Lembro-me de que eles estavam fazendo *Irmão contra irmão* (*Saddle the Wind*), com Robert Taylor e Julie London, e um dia fui ao set porque Anne Francis estava lá e eu queria ver como ela era. Então lá estou eu no fundo do set, em pé, assistindo (era um set a céu aberto) e Vince Edwards se aproxima e puxa conversa. Ele disse: 'Ei, cara, você não está com o Presley?'. Acho que todos notaram quem estava com Elvis. Falei que sim, e ele se apresentou, e começamos a conversar, até que ele falou: 'Sou um grande fã dele'. Ele estava só começando em Hollywood, mas tinha sido um grande campeão de natação na Ohio State. Perguntou para mim: 'Quer conhecer a Anne Francis?'. Respondi: 'Claro'. Então, quando fizeram uma pausa, ele me apresentou a ela: 'Este é o amigo de Elvis'. E emendou: 'Eu gostaria de conhecer Elvis'. Então convidei: 'Vamos lá no set'. Vince foi comigo, e imediatamente Cliff gostou dele, Elvis gostou dele, e eu gostei dele. Claro que Elvis o convidou para aparecer no Beverly Wilshire."

Edwards tornou-se membro do grupo e os apresentou a um ator chamado Billy Murphy, que participou de *As areias de Iwo Jima*, com

John Wayne, e também a Sammy Davis Jr., que apareceu uma noite e assustou Elvis com sua imitação de *O médico e o monstro*. Murphy era uma figura hollywoodiana, alguns anos mais velho que os outros, que vagava pelo Hollywood Boulevard (de calça preta, camisa preta, chapéu preto e luvas pretas) levando sempre um roteiro inédito que ele tinha escrito sobre Billy the Kid em um texto ousado e ilegível. "Elvis ficou encantado com ele", de acordo com George, "todos nós ficamos, porque ele era tão animado e interessante. Alguns diretores tinham medo dele, eu acho, porque ele era muito truculento, até ameaçou um ou dois deles. Amigo de Robert Mitchum e Rory Calhoun, chamava-os pelo primeiro nome, e tinha uma ginga no jeito de andar que lembrava Mitchum. Vivia repetindo uma frase que acabamos adotando: 'Pode apostar a sua vida, senhor'. Era de um filme antigo do Clark Gable, na verdade, mas pegamos do Murphy. Nick Adams nos contava umas histórias loucas sobre ele. Acho que ele se tornou um pouco instável demais para Hollywood."

O próprio Mitchum passou lá uma tarde e convidou Elvis para fazer o papel do irmão dele em *A lei da montanha*, a ser filmado no ano seguinte, cujo roteiro, coassinado por Mitchum, abordava a fabricação ilegal de destilados. Entusiasmado com a oferta, Elvis ouviu encantado as histórias reais de Mitchum sobre a infância difícil no Sul e o tempo que cumpriu pena na Geórgia, acorrentado com outros apenados para fazer trabalhos forçados. Russ Tamblyn chegou logo após a partida de Mitchum, e Elvis disse que estava "todo mexido" com a visita.

De vez em quando, iam ao cinema à noite, a gangue inteira. De acordo com Vince Edwards, "o clã de Elvis Presley" saía do Beverly Wilshire em várias limusines cheias de primos e parentes. "Chegávamos ao cinema", disse Russ Tamblyn, "descíamos, comprávamos os ingressos e formávamos uma fila. A essa altura, uma multidão já tinha se formado, sabe? O pessoal enxerga essas figuras estranhas saindo dos carros e se pergunta, quem diabos são esses? Se não havia um problema antes, agora há. Seja como for, duas filas se formavam até entregarem o ingresso ao controlador de entrada. Elvis era o último; saía com a namorada (se tivesse uma) e caminhava entre as duas filas, e todos ficavam tão impressionados que recuavam. Sempre achei que Elvis amava a comitiva e adorava encarnar o papel – ele parecia ter um gosto por entradas triunfais."

Foram à casa de praia de Russ mais uma ou duas vezes, e, com Russ prestes a ir filmar seu novo filme no Maine, Elvis perguntou se ele poderia alugá-la durante os próximos meses. Às vezes, ainda se encontrava com Yvonne Lime ocasionalmente, mas estava namorando Anne Neyland, ex--Miss Texas, que tinha conhecido no estúdio da MGM, e também Venetia Stevenson. No final de maio, correu o boato de que estava prestes a se casar com Yvonne em Acapulco. O Coronel desmentiu oficialmente, e Elvis disse à imprensa: "Quando eu for me casar, não será segredo. Vou me casar na minha cidade natal, Memphis, e toda a cidade estará lá".

Mas, por enquanto, ele não estava namorando sério com ninguém. Estava curtindo a vida de solteiro, e quando ficava entediado, só pedia aos parceiros para procurarem algumas garotas no saguão do hotel. Ele as levava para a suíte, contou um observador, "e Elvis ia para o outro quarto, entrava no quarto ou em algum lugar, e então quando eles voltavam com as moças, as moças se sentavam ali por uns dez ou quinze minutos, até que um dos caras da gangue entrava no quarto. Dez minutos depois, Elvis aparecia. E se instalava um silêncio, e os parceiros anunciavam: 'Ah, Mary Jane, este é o Elvis', e as moças ficavam alucinadas". Para as moças mais experientes, não era como com outras estrelas de Hollywood ou mesmo com outros moços mais sofisticados que elas conheciam. Ofereciam-se para fazer coisas por ele, mas Elvis não estava realmente interessado. O que ele gostava de fazer era se deitar na cama e assistir televisão, comer e conversar a noite toda – a companhia parecia tão importante para ele quanto o sexo – e então, nas primeiras horas da manhã, eles faziam amor. "Tinha uma inocência naquela época", disse um deles. "Tenho certeza de que não durou. Mas o que ele realmente queria era ter um relacionamento, ter companhia. Ele era muito seguro quanto a isso. Tinha um monte de coisas que ele não gostava. Por exemplo, perto dele, você não podia mencionar drogas, ele era totalmente contra isso. O consumo de maconha era corrente em Hollywood na época, mas os amigos de Elvis avisavam: 'Não tragam drogas para perto de Elvis'. Se alguém quisesse usar, tinha de ir embora e não fazer isso perto de Elvis."

Numa improvável reviravolta, o compositor Mike Stoller tornou-se um dos mais novos integrantes da gangue. Stoller tinha conseguido um papel no filme quando Jerry Leiber, que, aos olhos do diretor de elenco do filme se parecia mais com um pianista do que seu parceiro pianista, pediu dispensa das filmagens para ir ao dentista. Para interpretar o papel, Stoller raspou o cavanhaque e ficou muito constrangido na tela sem ele. As esperas para gravar as cenas eram tediosas, mas ele aproveitou a oportunidade para conhecer Elvis melhor. "No estúdio para gravar a trilha, ele se sentiu muito à vontade, já no set não era bem assim. Alguns figurantes jogavam cartas ali perto, e testemunhei essa coisa toda, esses dois caras falando sobre suas famílias, sabe, o bebê, os pagamentos do carro, esse tipo de coisa. Um deles comentou algo e caíram na risada. Bem naquela hora, Elvis apareceu e foi tirar satisfação: 'Rapaz, você se acha um gostosão, hein?'. Eles não sabiam do que ele estava falando, e ele já era em certo sentido onipotente – mas pensou que estavam rindo dele.

"Sei que ele era muito inseguro, e acho que ele usava o Coronel como proteção de um modo diferente do que o Coronel o estava usando. A sensação que eu tinha era que ele ficava à vontade cercado de seus amigos, e acho que isso também combinava com a ideia do Coronel de mantê-lo exclusivo, isolado e protegido para que ninguém tivesse acesso a ele, e Elvis nunca se tornasse um lugar-comum. Eu sentia um pouco de pena dele porque Elvis não tinha a chance de se tornar uma pessoa completa: em vinte minutos, passava de arrogante a autoritário a assustado. Dava ordens às pessoas, e no minuto seguinte dizia: 'Posso te trazer um sanduíche? Aceita uma fatia de torta?'.

"Eu costumava ficar no camarim com a comitiva, e um dia estávamos lá matando tempo, e Elvis disse: 'Sabe, Mike, eu queria muito que você escrevesse uma balada, uma balada lindíssima, para mim'.

Naquela semana, Jerry e eu escrevemos uma canção chamada 'Don't', e gravamos uma demo no Hollywood Recorders com Young Jessie [cantor de rhythm & blues] nos vocais. Voltei ao set, dei a ele o disco e ele adorou e, meses depois, gravou a música. Mas pagamos nossos pecados por não seguir os canais adequados. Eu deveria contar a Jean e Julian [Aberbach] e tocá-la para Freddy, e então Freddy deveria tocá-la para Elvis. O Coronel ficou revoltadíssimo – devia funcionar como sempre funcionou, não queriam nenhuma pessoa imprevisível por perto.

"Um dia, após as filmagens, ele me convidou para ir ao hotel – acho que tomamos uma Coca-Cola lá embaixo, e depois fomos até a suíte dele no último andar. Entramos, jogamos sinuca e comemos amendoins, e estávamos brincando e falando sobre canções e música, e então o Coronel entrou e foi como uma dispersão de passarinhos: todo mundo voou para longe. Eu tinha baixado o olhar para dar uma tacada e quando olhei para cima ninguém estava lá. Quando Elvis voltou, estava com uma aparência horrível. Disse: 'Mike, o Coronel está muito indignado com a sua presença aqui, e acho que você deve ir'. Eu disse que estava tudo bem e vazei. Eles simplesmente não queriam ninguém por perto, principalmente um compositor – tudo bem trabalhar com Elvis num ambiente controlado, mas ser capaz de ter acesso a ele e talvez influenciá-lo, presenteá-lo com uma música... Desse tipo de controle o Coronel não abria mão."

"Não tenho a sensação de ser propriedade de alguém", alegou Elvis ao colunista Joe Hyams, almoçando sozinho no camarim uma tigela de molho de carne, purê de batatas, nove tiras de bacon bem torrado, um litro de leite, um copo grande de suco de tomate, salada de alface, seis fatias de pão e quatro rodelas de manteiga. "Não consigo aceitar a ideia de que sou propriedade. As pessoas me dizem que não posso fazer isso ou aquilo", prosseguiu ele, "mas não dou ouvidos a elas. Faço o que eu quero. Não consigo mudar e não vou mudar." Ele era trabalhador, disse Elvis, trabalhou duro a vida inteira, e embora se sentisse sozinho às vezes ("Muitas vezes fico triste e meio perdido"), ainda amava cada minuto daquilo. "Se eu tivesse de largar tudo, eu poderia fazê-lo, mas não iria gostar." "E o Coronel?", quis saber Hyams. "Quando o assunto é me manter na linha, sei como lidar comigo melhor do que qualquer um", disse Elvis. "O Coronel Parker é tipo uma figura paterna quando estou longe dos meus pais. Ele não se intromete nos meus assuntos. Ninguém pode me dizer 'faça isso ou aquilo'. O Coronel Parker conhece a parte comercial e eu não. Ele nunca dá pitacos nas sessões de gravação, eu não me meto nos negócios. Ninguém pode ficar dizendo como administrar sua vida."

Religiosamente, todas as noites, estudava o copião. Continuava a desdenhar as aulas de interpretação – era como a diferença entre um cantor de ópera e um cantor que cantava com o coração, explicou ele a George Klein; o estudo formal poderia roubar a sua espontaneidade. Mas Elvis era um autodidata, um grande adepto do autoaperfeiçoamento, e nunca saía do estúdio à noite sem antes estudar minuciosamente a sua atuação. "Sempre me critico nos filmes", disse a um repórter meses depois. "Sempre tento parecer natural na frente das câmeras. Isso exige um certo estudo."

Ele estava falando sério e sentia que estava melhorando. O senhor Thorpe não era muito acessível, mas Elvis buscava dicas onde fosse possível obtê-las. Pedia sugestões ao diretor assistente, Bob Relyea, e agradeceu ao ator coadjuvante Glenn Strange por sua paciência numa cena difícil. "Ele interagia com todos", contou Relyea. "Num dos primeiros dias de filmagem, houve uma paralisação, e um membro da equipe falou: 'Bem que podíamos ouvir uma canção'. Então Elvis pegou o violão e cantou uma música. Não disse algo como 'Não, eu não faço isso, ah, não me envergonhe'. Só disse: 'Me passa o violão!'. Tinha tantas qualidades que a gente sabia que ele teria sucesso em tudo o que tentasse fazer. Provavelmente teria sido um bom professor, um bom mecânico. Era muito dedicado e focado, conhecia o cronograma, sabia qual seria o trabalho de amanhã."

Nessa mescla volátil de trabalho e brincadeira, de negociações extremas e recusas dissimuladas, Dewey veio passar uns dias em Hollywood após várias semanas de filmagem, sem esconder a empolgação. A viagem, com todas as despesas pagas por Elvis, foi um convite do cantor, porque, segundo Bob Johnson escreveu no *Press-Scimitar*, "ele queria que

Dewey passasse bastante tempo com ele, e o visse trabalhar na MGM... Ele não o colocou com os outros, mas sim num quarto em sua própria suíte pessoal... Elvis levou Dewey ao dentista e gastou cerca de quatrocentos dólares para presentear o amigo com algumas daquelas extravagantes jaquetas dentárias de porcelana. Mostrou a Dewey vários estúdios e mansões das estrelas, orgulhoso de seu estranho amigo de Memphis."

Infelizmente, "estranho" parecia ser a palavra-chave. Dewey, como Scotty disse, "agia do jeito que costumava agir em Memphis. Claro que todos em Memphis o conheciam, mas ali sentiu-se meio deslocado". Visitou o set no primeiro dia, ficou entediado e saiu quinze minutos depois. Foi expulso de outro set por tirar fotos. Elvis o levou ao estúdio onde estava sendo rodado o filme *Os irmãos Karamazov* e o apresentou a Yul Brynner, e Dewey observou espontaneamente: "Você é baixinho, não é?", e Elvis, mortificado, pediu desculpas por seu amigo. "Foi uma situação bizarra", observou George Klein. "Elvis amava Dewey pelo que ele havia feito, mas ao mesmo tempo ficava envergonhado pelo comportamento de Dewey em Hollywood. Fomos ver Sammy Davis Jr. no Moulin Rouge, e a presença de Elvis foi anunciada. Dewey pulou entre Elvis e o facho do holofote e falou: 'Dewey Phillips, Memphis, Tennessee', enquanto Elvis se erguia para receber os aplausos, com uma reverência. Não ficávamos zangados. Só dizíamos: 'É o louco do Dewey'. Quero dizer, Elvis sabia como Dewey era."

Pouco antes de Dewey voltar a Memphis, Elvis tocou para o DJ uma cópia da gravação de seu novo single, "Teddy Bear", do filme *A mulher que eu amo,* e Dewey ficou entusiasmado. Seria um grande sucesso, disse ele, pedindo para ouvir de novo. Quando entrou no avião, conforme o relato de Dewey a Bob Johnson, "até derramamos umas lágrimas. Falei para ele que nunca poderia recompensá-lo por todas as coisas boas que ele fez por mim. A última coisa que Elvis me disse foi: 'Phillips, não se esqueça de fazer uma prece antes de entrar naquele avião'."

Infelizmente, Dewey tinha levado na bagagem um suvenir clandestino: contra as instruções explícitas de Elvis, ele tinha se apropriado de uma cópia do novo single, cujo lançamento estava previsto para 11 de junho e que, contra todos os protocolos e conselhos, ele começou a tocar na rádio logo após seu retorno. O pessoal da Victor se enfureceu, o Coronel se enfureceu – isso só justificava o que ele sempre dizia o tempo inteiro sobre os amigos de Elvis de Memphis – e Elvis também se enfureceu. A manchete no *Press-Scimitar* foi: "Acredite: relações estremecidas entre Elvis e Dewey".

Enquanto isso, as filmagens chegavam ao fim. Depois de pronto, o filme oferecia uma bonita parábola em preto e branco sobre os efeitos deletérios da fama (que subiu à cabeça de Vince Everett até o destino intervir) e a discrepância entre um exterior truculento e muito criticado e a doçura essencial que poderia estar por baixo. Havia um bom tempo, Elvis batia nessa tecla por meio de atos, não de palavras, um tema que lhe era caro, e a sua performance marcou um avanço ainda maior em comparação ao significativo progresso notado em *A mulher que eu amo*. Você não podia afirmar que ele realmente tinha alcançado um estilo de interpretação, porque em cada cena ele era um pouco diferente: havia vestígios, é claro, de Dean e Brando – Brando especialmente na cena da penitenciária, em que Elvis é açoitado e sofre em silêncio, com o torso nu – mas, não surpreendentemente, a semelhança mais marcante era com um jovem Robert Mitchum, ou talvez fosse em Billy Murphy que ele estivesse pensando. Seja como for, sua performance foi muito convincente, motivo para Elvis se orgulhar quando embarcou para casa, no final de junho.

Nada digno de nota ocorreu na viagem de trem para casa, mas a jornada poderia ter sido menos monótona para Elvis se soubesse do comportamento, cada vez mais errático, de seu primo Junior Smith. Junior viajou na cabine de George, porque ninguém o suportava. "Ele bebia muito e, quando se embriagava, ficava insuportável. À noite, fumava na cama, e todos temiam que ele acabasse incendiando a cabine. Então Elvis disse: 'George, você se incomoda se o Junior ficar com você?'. Falei que não, porque por algum motivo Junior e eu nos dávamos bem, brincávamos e contávamos velhos casos e ficava tudo bem. Bem, naquela noite em especial ele tomou uns tragos, levantou-se e começou a fazer as malas, às três e meia da madrugada. Falei: 'Junior, aonde diabos você pensa que vai?'. Ele disse: 'Vou sair deste maldito trem'. Perguntei: 'Junior, o que você acha que vai fazer?'. Fez as malas, e eu disse: 'Não acorda o Elvis, Junior'. Ele disse: 'Não vou acordar o primo'. Então ele puxa a maldita corda para tentar fazer o trem parar, e o encarregado vem correndo até a nossa pequena cabine, e Junior diz: 'Pare esta droga, eu quero sair'. Começo a falar com ele, e o encarregado fala com ele, e finalmente o acalmamos e o levamos de volta para a cama."

Elvis estava ansioso para chegar em casa, ver as reformas e passar a noite em Graceland com os pais, que já tinham se mudado para lá. Estava tão inquieto que, após tentar um encontro com June em Nova Orleans, só para descobrir que ela havia se casado em 1º de junho, desceu do trem em Lafayette, Louisiana, alugou um carro com Cliff e percorreu o resto do caminho de carro. "Ao chegarmos lá, o muro de pedra calcária não estava terminado, o portão não estava instalado, e umas pequenas estacas guiavam você até a entrada com uns marcos cor de laranja, porque o asfalto ainda não estava pronto. Bem, fizemos a curva suave, saímos, fomos até a porta e ele parou. Eram onze e meia da noite, e ele disse: 'Bem, Cliff, aqui vamos nós'. Abriu a porta, entrou no pequeno foyer e lá estavam, sob o candelabro, na parte ampla do foyer, a mãe e o pai dele. Gladys disse: 'Seja bem-vindo, meu filho'. E conversamos a maior parte da noite. Não era o deslumbramento que você poderia esperar. Não era nada do tipo: 'Ei, nós conseguimos. Estamos no topo do mundo'. Esse sentimento nunca brotou daquela família. Era contra a natureza deles. Só conversaram. 'Ficou bom. Fizeram um bom trabalho'. Vernon explicou ao filho: 'Ainda temos que fazer isso ou aquilo... Acho que esse empreiteiro cobrou um pouco demais. Acho que devemos substituí-lo, arranjar outro...' Esse tipo de conversa." Tinham terminado o chiqueiro e o galinheiro lá atrás? Elvis quis saber. A mãe de Elvis contou que a horta tinha sido plantada.

Não tinha nada planejado, nenhum compromisso a cumprir, nenhum lugar ao qual ele precisasse comparecer. "Teddy Bear" e "Whole Lotta Shakin' Going On", a nova música que Sam tinha lançado com Jerry Lee Lewis, competiam pelo topo das paradas; "Love Letters in the Sand", de Pat Boone, estava indo muito bem; Ricky Nelson, de apenas dezessete anos, fazia sucesso com seu disco de estreia; e ele gostava de Tommy Sands, também... "Tem espaço para todos nós", ele tranquilizava seus amigos quando eles começavam a menosprezar um artista ou outro, embora ele também não gostasse de ser subestimado. A estreia mundial de *A mulher que eu amo* estava programada para Memphis, em 9 de julho, no Strand Theatre na South Main, e ele planejava comparecer. Nesse meio-tempo, Elvis queria ter certeza de que tudo em Graceland estava encaminhado. Tinha ouvido falar que gansos eram bons para cuidar da grama, então pegou um dos Cadillacs, rodou de carro até o Mississippi e encheu o banco traseiro com dezesseis gansos, os quais, não surpreendentemente, deixaram dejetos substanciais. Noutra ocasião, ele substituiu Vernon ao volante do minitrator cortador de grama e fingiu que ia atropelar o canteiro de tulipas de sua mãe. Ele só estava brincando, mas Gladys começou a gritar "Elvis, Elvis, não!", com uma expressão de pânico, o que só aumentou a tentação dele. Tulipas voaram para todo lado, e no fim a mãe dele também achou graça, mas o senhor Presley ficou com medo de ser responsabilizado.

Então, na noite de 3 de julho, ficou sabendo que Judy Tyler tinha morrido num acidente de carro no Oeste. O marido dela faleceu no dia seguinte. Ela havia interpretado a moça da gravadora que se tornou sua empresária e par romântico em *O prisioneiro do rock*, e ele ficou devastado. Apareceu com Arthur na casa de George às 10h da manhã seguinte, num horário inédito. "Eu ainda morava em frente à Humes. A minha mãe entrou no meu quarto e avisou: 'Elvis está na porta'. Falei: 'Não, mãe, Elvis não está na porta'. Ele estava muito sério, então eu disse: 'O que é que houve, amigo?'. Mas ele só queria dar uma volta. Entramos no carro e ele falou: 'Judy está morta, amigo'. Então rodamos por aí por um tempo e ele me explicou, estava se sentindo muito mal."

Mais tarde, nesse mesmo dia, ele disse à imprensa que estava decidido a ir ao funeral, mesmo que isso significasse perder a estreia do filme. "Ela estava no ápice do sucesso", disse Elvis, contendo o choro. "Nunca fiquei tão triste em minha vida... Eu me lembro da última noite que falei com eles. Iam fazer uma viagem. Até me lembro da roupa que ela estava usando." Agora não sabia se ia suportar assistir ao filme, disse ele. "Acho que não vou conseguir." No final, acabou não indo ao enterro. Foi a mãe dele, não o Coronel, que, alguns dias depois, disse aos jornais que Elvis só enviaria flores, pois não queria perturbar a missa e o funeral.

Naquele domingo, conheceu uma garota que ele via aparecer na TV desde que havia chegado em casa. Anita Wood, dezenove anos, vencedora de um concurso de beleza, loira, atrevida e talentosa, estava participando nos últimos meses do programa apresentado por Wink Martindale, *Top Ten Dance Party*, na WHBQ. Nascida em Jackson, Tennessee, como Wink, e Cliff a conhecia de lá, enquanto George a conhecia por meio de Wink. Elvis fez George averiguar a situação e, quando George voltou e disse que ela gostaria de conhecê-lo, Elvis pediu a George que ligasse para ela. Na primeira vez, ela estava ocupada, e quando precisou recusar pela segunda vez, pensou que ele nunca mais ligaria, mas, na terceira vez que George ligou, ela estava disponível. Passearam de carro na frente do cine Strand para ver o display com a silhueta de Elvis que o cinema tinha instalado para promover o filme, cuja estreia aconteceria dali a dois dias. George e Cliff estavam no banco de trás, e Lamar também, e depois foram comer hambúrgueres no restaurante Chenault's. Em seguida, ele mostrou a casa nova para ela, incluindo a piscina, os seis carros, sua coleção de ursinhos de pelúcia, da qual ele alegremente selecionou um como presente. Mostrou o quarto, mas ela disse que não se sentia confortável ali, então desceram e passaram o resto da noite conversando, tocando discos e cantando ao piano. No fim da noite, ele a levou para casa, ou seja, o quarto que ela alugava na casa da senhora J. R. Patty, e eles se despediram com um casto beijinho de boa-noite.

Depois disso, começaram a desfrutar da companhia um do outro constantemente. Elvis não participou da estreia de *A mulher que eu amo*, que quebrou recordes de bilheteria em Memphis e, semanas depois, em todo o país, mas levou Anita e os pais dela para uma sessão especial à meia-noite, da qual todos gostaram. Durante o dia, costumavam passear de carro num velho furgão que garantia o anonimato, e Elvis foi mostrando a ela todos os lugares que significavam algo na vida dele. Era meticuloso, quase compulsivo, na intenção de mostrar a ela o trajeto que fazia até a loja, o parquinho onde brincava quando criança, o bairro onde os amigos e os primos dele moravam, os lugares onde ele havia trabalhado e tocado. Contou a ela que temia ser convocado para o exército e começou a chamá-la de "Little" por causa de seus pés pequeninos. Às vezes, falava com ela do mesmo jeito infantil que falava com a mãe. Era tudo muito pés no chão e lisonjeiro, ele simplesmente a adorava. Elvis não interpretava o grande astro, era como um menino que você ficava conhecendo e por quem se apaixonava e depois esperava casar – e a família dele também era muito acolhedora. "Mal posso esperar", dizia Gladys, logo depois que Anita se tornou uma presença habitual, "para ver o neném andando pela calçada." Ultimamente ela andava muito doente e ficava em seu quarto. "O problema dela era cardíaco, eu acho, e ela estava com sobrepeso, com retenção de líquidos... Os tornozelos e as pernas inchavam muito... Ela nunca deixava de se preocupar com Elvis."

Passeavam de moto, andavam a cavalo e jogavam badminton no gramado. Tinham um local reservado e especial no salão dos fundos do Chenault's Drive-in; de vez em quando, visitavam o McKellar Lake, ou então o Fairgrounds, para andar nos carrinhos bate-bate ou na Pippin, a mais antiga montanha-russa de madeira em operação no país. Quase sempre, a turma – George ou Cliff, Lamar, Arthur, os primos – ia com eles. De vez em quando, Elvis se deparava com um de seus velhos amigos e o convidava para uma visita a Graceland. Buzzy Forbess, ex-vizinho de Lauderdale Courts, veio uma noite, e Elvis o surpreendeu brincando com uma harpa clássica que ele tinha acabado de comprar, mas para Buzzy havia muitas mãos amigas estendidas, e a atmosfera pareceu meio forçada, então passou um tempo sem voltar. George Klein trouxe um amigo chamado Alan Fortas, que derrubava todo mundo no futebol americano na Central High, depois foi à Vanderbilt University e ao Sudoeste antes de largar tudo e vir trabalhar no ferro-velho de seu pai. George, que o conhecia do templo e de várias outras organizações judaicas, pediu carona para ele até Graceland uma noite.

"George não guiava, era uma das poucas pessoas que não sabia dirigir, então me perguntou se eu gostaria de levá-lo e conhecer Elvis. Claro que eu era fã do Elvis, eu o tinha visto em alguns shows no Overton Park Shell e no Russwood Park, e também tinha assistido a alguns shows no Eagle's Nest. Então falei: 'Eu adoraria', passei para apanhar o George, fomos e, claro, Elvis era um grande fã de futebol americano e se lembrou de mim do Ensino Médio e me mostrou a casa toda. Bem, horas depois eu fui embora, eu não queria abusar da hospitalidade. Quando saí, ele disse: 'A gente se vê de novo, Alan'. Então, umas noites depois, George ligou e disse: 'Elvis perguntou por você e queria saber por que você não voltou'. E completou: 'Ah, ele gostou de falar com você. Apareça de novo'. Então eu fui, e ao ir embora naquela noite, Elvis disse: 'Vejo você amanhã à noite'. Uma coisa levou a outra, e todas as noites, quando eu saía, Elvis falava: 'Te vejo amanhã à noite, Alan'."

Elvis parecia realmente gostar dele. Em pouco tempo, começou a chamá-lo de "Orelhas de Porco", assim como chamava Lamar de "Senhor Touro" e George de "GK". Era legal visitar Graceland... Nunca se sabia o que ia acontecer. Onde mais você encontraria jumentos na piscina (cortesia do Coronel Parker) e pavões no gramado? O verão foi passando, Elvis começou a alugar o Fairgrounds, por meio de um amigo de George, chamado Wimpy Adams, e o parque de diversões era só deles da meia-noite até o nascer do sol. Também alugavam o Rainbow Rollerdrome, de Joe e Doris Pieraccini, e promoviam encontros de patinação em que a turma colocava joelheiras e cotoveleiras, se dividia em equipes e disputava violentas partidas de *roller derby*, com um dos companheiros atuando como árbitro. Uma noite, Alan relembrou em suas memórias sobre o período, Elvis estava "mais pilhado que o normal" quando embarcaram no carro para voltar para casa.

Lamar e eu pulamos no banco da frente, e Elvis e Anita sentaram-se no banco traseiro. Estávamos lá rodando de carro, quando súbito a Anita anunciou em voz alta: "Ai que dor na xoxota!". Como é que é? Meu queixo caiu lá nos tornozelos. Talvez eu tivesse entendido mal. Limpei a garganta, Lamar fez o mesmo, e continuamos nosso trajeto. Súbito, Anita explodiu de novo. "Vocês não me ouviram? Eu disse: 'Ai que dor na xoxota!'."
Só quando voltamos a Graceland descobri que Elvis tinha mentido a Anita e dito que "Ai que dor na xoxota" era uma expressão de Hollywood para "Ai que dor no traseiro". E toda vez que ela gritava, era só porque Elvis a cutucava... Ela não tinha ideia do que significava.

Alan não tinha primos, tios e tias em alta conta. Escreveu que eles eram "um pessoal esquisito. Às vezes, eu falava com o Gene e parecia que eu estava falando com um imbecil. Eu não sabia se ele estava representando ou se ele era mesmo assim tão burro". Mas, na maior parte do tempo, só queriam se divertir à beça. Iam a todos os lugares e faziam tudo no impulso. O único lugar aonde não iam era o Hotel Chisca. Desde que voltou, Elvis evitou deliberadamente a estação de rádio, e agora nem atendia os telefonemas de Dewey. Logo depois que Elvis voltou, Dewey pediu desculpas – quase sob coação, parecia – e houve até mesmo um breve período de reaproximação, mas então Dewey começou a se sentir ofendido porque Elvis não aparecia mais trazendo um saco de hambúrgueres Krystal, e começou a falar para todo mundo ouvir que ele achava que o sucesso tinha subido à cabeça de Elvis.

Certa noite, ele apareceu em Graceland às três da madrugada, dizendo que Elvis tinha se esquecido de seus velhos amigos, e quando foi impedido de entrar, ele "pulou o muro", informou o jornal, "entrou e despertou a casa gritando: 'Cansei de você, Elvis'. O cantor não teria gostado nada. Uma pessoa próxima a Elvis declarou: 'O que piorou a situação é que a senhora Presley anda muito nervosa, especialmente desde que a mãe do cantor Liberace foi espancada ao ter a casa arrombada'." A história foi bem diferente, de acordo com um Dewey obviamente arrependido. Era apenas cerca de uma da manhã, calcula ele, e passou lá para resgatar uma câmera Polaroid que Sam Phillips tinha dado a ele no Natal. Ele precisava da câmera porque estava prestes a sair de férias e queria tirar umas fotos. "Não era muito tarde para Elvis", disse ele. "Não me deixaram entrar e até hoje não recuperei a minha câmera. Falei algumas coisas que não devia ter dito... Ainda amo aquele garoto como a um irmão. Ou talvez fosse melhor dizer como a um filho."

É claro, em Graceland as noites eram imprevisíveis. Uma noite, o grande cantor de rhythm & blues, Ivory Joe Hunter, cujo hit antológico de 1950, "I Almost Lost My Mind" (regravado com sucesso ainda maior como "Since I Met You, Baby", em 1956), era um dos favoritos de Elvis, e cuja "I Need You So" Elvis tinha gravado em fevereiro, apareceu por lá.

O comediante "Brother" Dave Gardner, que Elvis tinha conhecido pela primeira vez em Biloxi no verão anterior, estava na cidade gravando uma sequência para seu inesperado sucesso pop, "White Silver Sands". Estava com Ivory Joe, ligou para Elvis e perguntou se podia levá-lo. Elvis ficou empolgado, e todos se sentaram no sofá branco da sala, contando histórias quando, de acordo com George Klein, "Elvis disse: 'Ivory Joe, eu gosto muito de suas músicas. Por acaso não tem uma para mim?'.

"Bem, Ivory Joe era um sujeito muito cordial. O tipo que chega dizendo 'Ei, baby, como você está, baby?'. Era difícil não gostar dele logo de cara. Falou: 'Bem, baby, na verdade eu tenho uma música... e é especial para você'. Então fomos à sala do piano, e ele cantou 'My Wish Came True', e Elvis exclamou: 'Puxa vida, vou gravar isto na minha próxima sessão!'. O que ele fez, mas demorou uns dois anos até entrar num disco. E ficaram lá sentados várias horas, principalmente cantando músicas de Ivory Joe, algumas de Elvis, cara, eu só queria ter um gravador."

"Ele tem uma mente muito espiritual", salientou Hunter, que sentiu certo receio no começo, porque, "para ser franco, eu tinha ouvido dizer que ele tinha preconceito de cor". De fato, naquela primavera e verão, corria o boato na comunidade negra de que Elvis Presley teria declarado: "A única coisa que os negros podem fazer por mim é comprar meus discos e engraxar meus sapatos". Uns diziam que a observação tinha sido feita em Boston (cidade que Elvis nunca tinha visitado), outros afirmavam que tinha sido em rede nacional no programa de televisão de Edward R. Murrow (em que ele nunca tinha aparecido). Após constatar que "rastrear a fonte de um insulto racista era como achar uma agulha no palheiro", a revista *Jet* enviou um repórter para o set de *O prisioneiro do rock* para confrontar o próprio cantor. "Indagado se alguma vez fez o comentário, Elvis, nascido no Mississippi, declarou: 'Nunca falei nada assim, e quem me conhece sabe que eu não falaria isso'." O repórter, Louie Robinson, então falou com pessoas que tinham conhecimento em primeira mão. E coletou vários testemunhos. O Dr. W. A. Zuber, médico negro em Tupelo, declarou que Elvis costumava "cantar com quartetos e comparecer a encontros negros 'santificados'." O pianista Dudley Brooks: "Ele encara todo mundo como ser humano". E do próprio Elvis: ele havia frequentado "igrejas dos negros quando criança, como a do reverendo Brewster", e realmente nunca poderia aspirar igualar as conquistas musicais de Fats Domino ou de Bill Kenny dos Ink Spots. "Para Elvis", concluiu a *Jet* em sua edição de 1º de agosto, "pessoas são pessoas, independentemente de raça, cor ou credo". E para Ivory Joe Hunter, que verificou o assunto por si mesmo, "ele me mostrou toda a cortesia, e acho que ele é um dos maiores."

Em suma, era um tipo de existência peculiarmente mansa e idílica, um sonho adolescente que parecia que podia durar para sempre. No porão, o jukebox tocava o tempo inteiro, e a fonte de refrigerantes sempre estava abastecida. Se quisesse, ele poderia oferecer um milk-shake para um visitante e, sem fãs para observá-lo, poderia fumar os pequenos Hav-a-tampas que ele e a turma desfrutavam sem remorsos – mas sem tragar também. De acordo com Bettye Maddox, DJ da WHER que Elvis conheceu depois de vê-la num comercial do Honeysuckle Cornmeal no programa de TV *Pop Shop* de Dewey, "Era como um feitiço mágico...

Era como se a cada noite você soubesse que algo mágico ia acontecer, mas você não sabia o que era". Algumas noites, Anita ligava e Bettye estava lá, e ele pedia que os rapazes falassem que ele estava ocupado. Venetia Stevenson voou de Hollywood para ficar com ele, e havia um trio de meninas de quatorze anos que ele conhecia desde o outono anterior (o pai de uma delas era dono de uma oficina da qual Vernon era cliente); elas vinham de vez em quando, e ele brincava com elas, fazia guerra de travesseiros, entre beijinhos e abraços ("Fazíamos cócegas, brigávamos, ríamos, brincávamos", contou uma, "mas tudo o que você precisava dizer era 'Pare!' e ele rolava e parava"), até que Lamar levava as meninas para a casa delas. Mas era, principalmente, Anita. Eles se encontravam quase todas as noites, embora ela tivesse declarado a um repórter que dois meses era muito cedo para dizer se havia algo realmente "sério" nisso.

Na visão de Alan Fortas, havia uma atmosfera saudável, determinada interna ou externamente, quase irreal, em grande parte atribuível à presença da senhora Presley. "A coisa nunca saía dos eixos em Graceland", escreveu ele. "As pessoas respeitavam Graceland como a casa dos Presley. E a linguagem nunca baixava [muito] o nível por lá, também... Se alguém dissesse 'Que Deus o amaldiçoe', ele ficava louco de raiva... 'Use qualquer palavra, mas não use o nome do Senhor em vão!'" Mostrava a foto da turma do Ensino Médio na parede, e apontava a todos, na presença de George, dizendo: "Olha quem está ali em cima". E sempre diziam: "Quem é este, Elvis? Não dá para ver direito". Ele respondia: "É o George Klein. Um dos poucos caras que foi legal comigo na escola", o que deixava George encabulado e orgulhoso.

Vernon nunca tinha sido tão feliz – todo mundo o consultava para tomar decisões, ele tinha muito o que fazer. Elvis o consultava sobre assuntos financeiros, ele estava tão orgulhoso quanto um dos pavões no gramado. Gladys, por outro lado, transmitia um claro senso de resignação, um ar difuso de tristeza; ela não parecia capaz de se acalmar em sua nova casa. "Ela nunca foi a lugar nenhum depois que se mudaram para lá", revelou sua irmã Lillian. "Ela costumava ir ao supermercado, mas parou de ir ao supermercado. Nunca ficou satisfeita depois de se mudar pra lá... Acho que a casa era muito grande, e ela não gostou. É claro que ela nunca falou isso a Elvis." Naquele verão, o primo dela, Frank Richards, fez uma visita acompanhado da esposa, Leona. Gladys confessou a ela: "Sou a mulher mais triste do mundo", e Alan não se esqueceu da imagem de Gladys "sentada à janela da cozinha, sonhando acordada, ou olhando para as galinhas no quintal". De vez em quando, ela tomava uma cerveja ou duas com Cliff. "Nunca fizemos isso em Audubon, mas em Graceland ficávamos sentados conversando na cozinha, à tarde, duas ou três vezes por semana no máximo, e Elvis entrava, balançava a cabeça e dizia: 'Minha nossa, vocês vão pro inferno bebendo cerveja desse jeito'. Estou falando sério! Ela dizia: 'Filho, Cliff e eu vamos tomar uma cervejinha, quer você goste ou não'. E ele dava meia-volta, balançava a cabeça e saía sem falar mais nada." Ela avisou Lamar: tudo bem se Elvis se irritasse com ele ou qualquer um deles, de vez em quando. "'Quando Elvis fica bravo com você', explicou ela, 'não se esqueça, é da boca para fora'. Essa era uma de suas expressões. Ela o conhecia melhor do que ninguém. Ela sabia o que Elvis ia fazer antes de ele fazer. Ela morria de medo que algo acontecesse com ele. Costumava dizer: 'Espero ir para a sepultura antes do que ele. Porque eu nunca suportaria vê-lo morto antes de mim'."

No final do verão, Freddy Bienstock apareceu para recapitular o material para a próxima sessão em Hollywood, em setembro. "Era a segunda vez que eu ia a Memphis, com a meta ostensiva de tocar músicas para Elvis. Disseram-me que ele só ia levantar às três da tarde, e fazia muito calor, então entrei na piscina e uns patos também entraram, um deles me bicou na orelha, o que me fez sair da piscina rapidamente... Tinha tudo que é tipo de animal ao redor, e ele havia mandado construir colunas em volta da piscina. Depois me contou que teve a ideia de construir essas colunas ao ver o filme *Núpcias de escândalo*. Seja como for, ele me mostrou a casa – tinha muito orgulho de Graceland, sem ostentar nem nada – e à noite todos nós saímos para jantar. Eu não tinha comido muito, então eu estava realmente ansioso por um jantar fantástico. Estávamos rodando em duas limusines, e ele disse a Lamar, sem dúvida um endomorfo, para ligar ao restaurante do telefone do carro (raríssimos naquela época) e reservar uma sala de jantar privada para ele. Então pensei que seria realmente um jantar adorável. Ele disse: 'Podemos fazer os pedidos agora, então quando chegarmos lá a comida estará pronta e não teremos de esperar'. O primeiro pedido foi hambúrguer e refrigerante de laranja. Depois, sabe, sanduíche de presunto e queijo e Pepsi-Cola. Em seguida, sanduíche de bacon e copo de leite, e assim por diante. Chegou a minha vez. Eu não quis ser diferente e pedi outro sanduíche de queijo e refrigerante de laranja. Na hora de pagar, a conta fechou em catorze ou quinze dólares, e Elvis tirou uma nota de vinte e disse imponente: 'Fique com o troco'."

A SITUAÇÃO NA ESTAÇÃO FERROVIÁRIA em que Elvis embarcaria para a Costa Oeste, na noite de 27 de agosto, às 23h, beirou o caos. O Coronel tinha montado uma "turnê-turbilhão" pelo Noroeste do Pacífico (cinco cidades em quatro dias) antes da sessão de gravação de 5 a 7 de setembro que Steve Sholes enfim o havia convencido a deixar Elvis fazer. Mais uma vez, George, Lamar e Cliff seriam seus companheiros de viagem, e todos foram à estação com Elvis e os pais dele. Os tios dele, Travis e Lorraine, chegaram em seu próprio carro. O centro das atenções, porém, foi Anita. "Anita é a minha preferida... Comigo ela está no topo", disse Elvis à pequena multidão de fãs e repórteres que se reuniram para vê-lo partir. Então abraçou a mãe dele várias vezes, relatou o jornal fielmente, e ela o lembrou: 'Seja bondoso, meu filho', quando ele embarcou no trem. 'Cuide-se, rapaz', disse o senhor Presley... Elvis beijou Anita duas vezes para os fotógrafos (e cerca de cinco vezes para si mesmo) antes de subir a bordo. Quando o trem se afastou, Anita irrompeu em lágrimas e a senhora Presley colocou o braço em volta dela. De braços dados, os Presley e Anita foram saindo da estação, até o local onde estava o Cadillac, seguidos pelo tio Travis, de olhos úmidos."

E foram embora. Na quinta-feira prévia, Anita tinha ganhado o concurso Mid-South Hollywood Star Hunt, e estava viajando a Nova Orleans para participar da competição das finalistas, que prometia à vencedora uma pequena participação como atriz num filme. Ele estava de dedos cruzados para dar tudo certo, Elvis contou a ela, mas a verdade é que Elvis estava ansioso para voltar ao trabalho. O promotor da turnê, Lee Gordon, o mesmo empresário extravagante nascido em Detroit que havia agendado as datas no Canadá e no Centro-Oeste na primavera anterior, agora tentava convencer o Coronel Parker – por enquanto, sem sucesso – a concordar com uma turnê australiana. Jerry Leiber e Mike Stoller, os compositores, estavam prontos para a sessão de Hollywood. A pedido de Elvis, uma pessoa veio de avião para as gravações: Millie Kirkham, a soprano acostumada a gravar em Nashville com os Jordanaires, e cujos vocais de apoio Elvis tinha admirado recentemente num lançamento de Jimmy "C" Newman. Nos últimos tempos, não recebia notícias da Junta de Recrutamento Militar, embora os jornais publicassem boatos todos os dias, e talvez aquilo funcionasse, talvez o Coronel conseguisse resolver o assunto – por que é que o governo abriria mão de todos aqueles milhões de dólares em impostos?

A turnê transcorreu de acordo com os planos. Houve tumultos em quase todas as cidades, mas, em geral, a segurança era boa, e ele gostava de incitar a plateia, dançando de forma sugestiva, deitando e se contorcendo no palco, às vezes com o boneco da mascote da RCA, o cãozinho Nipper. "Um homem robusto e afeminado, de cabelos compridos, mais tarde identificado como membro da comitiva de Presley, parecia quase em transe quando estalava os dedos, balançava o corpo e gritava sem parar: 'Sim, cara, sim, cara, sim, sim, sim, sim'", informou o *Tacoma News Tribune*. "Eu me deixo levar quando estou cantando", disse Elvis numa coletiva de imprensa. "Talvez seja reflexo de meu treinamento inicial, cantando hinos gospel. Quando o show termina, estou exausto." Sua primeira paixão tinham sido "as velhas canções gospel do povo negro", declarou ele numa coletiva de imprensa em Vancouver. "Conheço praticamente todas as músicas gospel que já foram escritas", alardeou com orgulho.

Encerrava todos os shows com "Hound Dog", que ele começou a chamar de "Hino Nacional Elvis Presley". Enquanto isso, o Coronel, que não perdia uma oportunidade, vendia quase o mesmo número de bótons de "Eu odeio Elvis" quanto de "Eu amo Elvis". Em Vancouver, um pequeno contingente da Polícia Montada canadense não conseguiu conter a multidão de quase vinte e cinco mil pessoas no Empire Stadium, e pela primeira vez o Coronel protestou de modo incisivo em relação ao baixo número de policiais, montados ou não, e se viu obrigado a intervir de forma ativa.

"O Coronel foi lá e arrancou Elvis do palco", contou George Klein, "e o apresentador avisou: 'Voltem a seus lugares, ou não podemos continuar com o show'. Enquanto isso, o Coronel recomendou a Elvis: 'Não provoque essa multidão. Esse pessoal é louco'. Bem, mandar o Elvis não fazer algo é o jeito mais certo de o convencer a fazer, então ele volta ao palco e a primeira coisa que ele faz é dizer: 'Beeeem...' E lá vem um tsunami de cinquenta mil pessoas! Então o Coronel acode novamente (foi a primeira vez que vi o Coronel Parker aparecer no palco), muito bravo, e sobe ao palco porque estava protegendo sua propriedade. E falou: 'OK, se comportem direito e não estraguem o palco. Caso contrário, o senhor Presley vai parar o show'. E diz a Elvis: 'Por favor, Elvis, não cante uma hora. Esta noite faça só trinta minutos'. Então Elvis tocou uns quarenta e cinco ou cinquenta minutos, e quando saímos do palco a última coisa que vimos foi o palco sendo revirado... Partituras voando, e a turba agarrava tripés, instrumentos, baquetas, tudo o que conseguia. Uma noite muito assustadora."

"Uma gangue se mudou para nossa cidade", declarou o *Vancouver Province*. Nada além de "sexo subvencionado", desdenhou a crítica de música do jornal, a doutora Ida Halpern. A performance "nem sequer teve a qualidade de uma autêntica obscenidade: apenas uma exploração artificial e insalubre do entusiasmo corporal e mental dos jovens". Por sua vez, Anita comunicou Elvis que tinha vencido o concurso de talentos em Nova Orleans. Empolgada, contou que se encontraria com ele em Hollywood na semana seguinte, e ele pareceu muito feliz e disse a ela para não ficar nervosa e que estava realmente ansioso para ser o cicerone dela.

A sessão transcorreu de forma satisfatória. O senhor Sholes tinha acabado de ser promovido a chefe de a&r do pop – ainda não tinha sido anunciado, mas ele e o senhor Bullock estavam comemorando. Isso não impediu o Coronel de dar seus pitacos em cada oportunidade que surgia. O principal objetivo da sessão era gravar um álbum de Natal, e Elvis queria entrar no clima certo. Por isso o senhor Sholes providenciou uma árvore no estúdio e se certificou de que houvesse presentes embrulhados ao pé da árvore. Elvis tinha gravado a canção "Treat Me Nice" para o filme, mas não gostou do resultado. Por isso fez uma nova versão, e também gravou "Don't", a balada que Jerry e Mike haviam escrito para ele em junho, além de uma bela versão de "My Wish Came True", de Ivory Joe Hunter, em que os Jordanaires, a pedido dele, imitaram as harmonias dos Statesmen – em particular, o hábito de Jake Hess de pronunciar as sílabas de forma nítida. Freddy tentou inserir uma canção que já havia tentado sugerir sem sucesso em janeiro – pensou que Elvis nunca se lembraria –, mas ele não avançou mais de oito compassos e Elvis falou: "Já ouvi essa música antes, e não gosto mais dela agora do que antes".

Gravaram uma série de clássicos natalinos, incluindo uma recriação de "White Christmas", para a qual alguns anos antes os Drifters tinham feito um arranjo, e a tradicional "Blue Christmas", de Ernest Tubb. Com "Blue Christmas", Elvis queria o som que Millie Kirkham tinha criado em "Gone", de Ferlin Husky, e a fez cantar em *obbligato* soprano ao longo de todo o caminho. "Foi horrível", disse Kirkham, grávida de seis meses na época. "E meio cômico. Não devia ser assim, mas quanto mais tempo passa, mais engraçado fica. Mas Elvis gostou. Ele era um astro, só que muito divertido. Sempre muito educado com todos, e comigo, até demais. Quando entrei, exclamou: 'Arranjem uma cadeira para esta senhora!'. Eu era a única mulher, é claro, mas se um dos caras dissesse algo de mau gosto, ele dizia: 'Esperem um minuto, pessoal, temos uma senhora no recinto', e eles nunca se ofendiam. A gente dizia que eles riam fácil." No final da sessão, ficaram sem material, e Jerry e Mike voltaram à sala de mixagem, onde criaram "Santa Claus Is Back in Town", maravilhoso blues de duplo sentido que Elvis executou em grande estilo.

Scotty, D.J. e Bill controlavam o relógio com crescente apreensão à medida que a sessão de três dias chegava a termo. Tinham recebido uma promessa: a oportunidade de gravar faixas instrumentais no tempo de Elvis quando a sessão terminasse. Na verdade, a ideia tinha sido aventada havia quase um ano, mas dessa vez tinham um compromisso firme em relação ao tempo de estúdio, e tinham trabalhado algumas músicas, e Elvis até comentou em tocar piano em uma ou duas. Quando chegou a hora, porém, Elvis estava cansado, ou simplesmente indisposto, e Tom Diskin entrou no estúdio e falou: "Fim de papo". Scotty e Bill protestaram que tinham um acordo, mas Diskin informou que o Coronel tinha dito que podiam fazer aquilo outro dia. Avisou a todos para guardar seus instrumentos, sem se comover com os protestos e a raiva deles. Bill ficou resmungando consigo mesmo e jogou o baixo elétrico no estojo, sempre com a esperança de serem defendidos por Elvis, coisa que não aconteceu. Na verdade, ele não disse uma palavra, e, como muitas outras vezes, parecia se desvencilhar da situação sem sequer mostrar que entendia o que estava acontecendo.

Scotty e Bill voltaram ao hotel, mas o ressentimento não arrefeceu. Ao contrário, tornou-se cada vez mais forte. Até que, por fim, mais tarde, escreveram uma carta de demissão que cada um deles assinaria antes de ser enviada. Esperavam mais de Elvis, esperavam compartilhar de seu sucesso, e lá estavam eles em plena turnê, ainda ganhando apenas duzentos dólares por semana, tendo de arcar com suas próprias despesas. Estavam endividados, precisavam de ajuda financeira, queriam apenas um pouco de maldito respeito. Com as restrições formais de uma carta, mal foram capazes de tocar em seus sentimentos de longa data: o fato de que tinham recebido só um aumento em dois anos; o número reduzido de shows, a ponto de terem tocado apenas em quatorze datas ao longo do ano; a maneira como o Coronel os tinha impedido de fazer quaisquer promoções de produtos e, na visão deles, simplesmente "os espremeram por uns trocados"; a maneira pela qual tinham sido privados de todo e qualquer acesso a Elvis – Bill sentia que era quase como se não tivessem mais permissão para falar com ele.

Quando abordaram D.J. com a carta, ele se recusou a assinar. O baterista sentia que estava sendo tratado de forma justa, explicou; tinha entrado como empregado assalariado, sempre recebeu direitinho, não tinha motivo para se queixar. "Bill ficou emputecido, mas expliquei minhas razões, e eles disseram: 'OK, não se preocupe com isso'." Então enviaram a carta para Elvis no Beverly Wilshire Hotel.

Elvis leu a carta, balançou a cabeça, disse "Ah, que droga" e a mostrou para os outros. Obviamente, não podia acreditar que Scotty e Bill fariam algo assim com ele, que o humilhariam assim, na frente de todo mundo. A primeira sensação foi de "começo do fim": primeiro Dewey, depois eles. A palavra "lealdade" nada significava para eles? Depois veio a indignação. Se ao menos tivessem vindo falar com ele, disse à turma e a quem quisesse ouvir, eles poderiam ter tentado resolver. Agora nunca os aceitaria de volta. Vai ver, tinham sido contratados por outra pessoa, Ricky Nelson ou Gene Vincent ou algum outro. Era a decepção em pessoa. Anita, que havia chegado de Memphis naquela noite, tentou consolá-lo. O Coronel e Diskin tiraram o time de campo – o garoto ia solucionar o caso sozinho, disse o Coronel, enquanto Steve Sholes verbalizou, várias vezes, a esperança de que a separação fosse permanente. Na visão de Sholes, Elvis poderia ter, num piscar de olhos, uma banda melhor, com músicos melhores, mais brilhantes, que aprendessem mais rápido.

Os últimos dias em Hollywood foram agridoces. Elvis levou a namorada aos pontos turísticos e, antes de partir, deu a ela um anel para simbolizar seus sentimentos. Comprou-o na joalheria do Beverly Wilshire, e funcionários do hotel, "de olhos esbugalhados", o descreveram como "caríssimo", com dezoito safiras agrinaldando um diamante. Apenas um "anel de amizade", disse Anita, mostrando-o, orgulhosamente, aos repórteres, mas no íntimo ela pensava diferente.

A notícia da saída de Scotty e Bill chegou a Memphis junto com Elvis, em 11 de setembro. Ligou para Scotty no dia seguinte e ofereceu um aumento de cinquenta dólares por semana, mas Scotty disse que precisaria de dez mil além do aumento, nem que fosse "pela bondade do coração [de Elvis]", apenas para ele se livrar das dívidas. Elvis disse que pensaria no assunto, mas nesse meio-tempo Bob Johnson farejou a história e entrevistou Scotty e Bill. O artigo saiu no dia seguinte. Os dois instrumentistas expressaram a sua decepção e descreviam o desacordo, em termos tristonhos, mas explícitos. O cerne da questão, disse Scotty, era que "[Elvis] nos prometeu que quanto mais ele ganhasse, mais ganharíamos. Mas não funcionou assim".

A reação de Elvis não foi surpreendente: sentiu-se ainda mais traído e divulgou uma nota ao jornal para acompanhar uma entrevista na qual contou seu lado da história.

O teor do comunicado de Elvis era o seguinte: "Scotty, Bill, espero que vocês tenham boa sorte. Vou dar boas referências de vocês. Se tivessem me procurado, teríamos resolvido as coisas. Sempre cuidei de vocês. Mas foram aos jornais e tentaram me fazer parecer um mau sujeito, em vez de me procurar para resolvermos as coisas. Tudo o que posso desejar a vocês é 'boa sorte'". Sobre as promessas, Elvis explicou: "A minha memória é boa e não me lembro de ter dito nada [parecido com isso] a eles". Para o repórter do *Press-Scimitar*, Bill Burk, Elvis falou de "certas pessoas próximas a ele que tentaram persuadi-lo a abandonar seu grupo musical nos últimos dois anos". Ele não quis dar o nome dessas pessoas, mas disse ter respondido que não os abandonaria, porque eram bons músicos, e por razões sentimentais. "Começamos juntos", disse ele, "e eu não queria cortar ninguém de nada... Enquanto eu estivesse ganhando um centavo, esses rapazes tinham emprego garantido comigo."

O pedido de demissão deles, Elvis contou a Burk, veio em um momento crucial. "Ele vai cantar na Feira de Tupelo (que ele chamou de 'minha volta ao lar') em 27 de setembro. E acabou de receber as datas da próxima turnê, que será em outubro... Elvis disse que vai começar imediatamente a testar um novo guitarrista e um novo baixista ao longo das duas semanas que antecedem a Feira de Tupelo. 'Pode demorar um pouco', disse ele, 'mas não é impossível encontrar substitutos'."

"Nós dois somos muito teimosos", disse Scotty à imprensa. "Acho que ele pode ser teimoso por mais tempo porque tem mais dinheiro."

CHEGOU A TUPELO com Anita e os pais dele, junto com Cliff, George, Lamar, Alan e outro amigo chamado Louis Harris. Como no ano anterior, a emoção aflorava na cidade com a expectativa de sua vinda. Mas dessa vez era diferente: envolvia a sua generosa doação para um centro juvenil. O jornal local publicou um editorial intimando a comunidade: "Vamos dar a Elvis boas-vindas muito calorosas". Elvis tinha sido "o melhor embaixador que qualquer cidade poderia ter", declarou o *Tupelo Daily Journal*, e "precisa sentir-se apreciado, pelo menos em uma comunidade dos Estados Unidos da América, por ser ele mesmo". O jornal estava recheado de histórias dos tumultos em Little Rock sobre a integração escolar, e havia até uma reportagem com uma linha do tempo de Memphis, mostrando alunos brancos da Humes High School, ainda segregada, zombando de alunos negros a caminho de Manassas, nas proximidades. E em Tupelo, o jornal noticiou na primeira página, o desfile de modas anual do 4-H Club aconteceria em frente à arquibancada, "o desfile da juventude negra vai começar às 10h da manhã na seção dos negros da feira".

O senhor Savery, gerente da feira, os convidou para jantar, e Jack Cristil da WELO conseguiu uma entrevista dupla com Anita e Elvis. Tinham planos de casamento? Essa foi uma das perguntas que os repórteres gritaram para ele na coletiva, sob a lona, antes da apresentação. "Ainda não encontrei a garota", disse ele, olhando direto para Anita, com um olhar destinado só para ela. Após uma lentidão nas vendas antecipadas, a arquibancada lotou; a banda – com Hank "Sugarfoot" Garland, de Nashville, na guitarra, e Chuck Wiginton, amigo de D.J., de

Dallas, no baixo – parecia tensa. O Coronel fez questão de mandar colocar um grande banner anunciando o lançamento do filme *O prisioneiro do rock*; e Elvis fez a multidão, e ele próprio, entrar no frenesi habitual. Mas, de algum modo, não era a mesma coisa. Não soou bem, contou a D.J. depois. Garland era um guitarrista incrível, mas você notava a diferença em "Don't Be Cruel". Garland sabia tocar, mas não fez a introdução como Scotty fazia.

Um sentimento de melancolia se apoderou dele, como se, de alguma forma, tudo estivesse chegando ao fim. Estava muito decepcionado com Scotty e Bill – não entendia por que tinham feito aquilo com ele. E, embora as coisas tivessem voltado ao normal com Dewey na semana anterior, ele não tinha certeza de que voltariam a ser os mesmos de novo. Passou na Sun, mas lá as coisas também tinham mudado. Marion, após uma briga feia com Sam, saiu e se alistou na Força Aérea. O Serviço Militar pairava como uma nuvem escura sobre sua cabeça. Todos os dias havia artigos no jornal sobre isso, e os repórteres queriam saber o que ele ia fazer.

Uma semana após o show de volta ao lar em Tupelo, decidiu recontratá-los. Scotty e Bill cumpriram um desolado compromisso de duas semanas na Feira Estadual de Dallas e depois formalizaram o acordo, com todo mundo engolindo um pouco do orgulho e os Blue Moon Boys retornando em uma base diária. Sem ressentimentos, disse Scotty. O tempo inteiro era só uma questão financeira. Mas, para Elvis, era uma sensação difícil de definir. Um dia escutou "Jailhouse Rock" no rádio, declarou "Elvis Presley e sua banda de um homem só" e balançou a cabeça, tristonho. Parecia que tudo se precipitava, e ele não sabia como segurar.

Retrato
(Alfred Wertheimer)

ANDANDO NUM SONHO

Outubro de 1957 a março de 1958

"Leia só isto!", exclamou um repórter, mostrando um artigo de revista a Elvis. "O rock'n'roll soa artificial e falsificado", declarava Frank Sinatra no texto. "É cantado, tocado e escrito basicamente por cretinos que ficam repetindo letras quase imbecis, lascivas e literalmente sujas (...) consegue ser a música emblemática de todo e qualquer delinquente com costeletas na face da terra. (...) É a forma de expressão mais brutal, feia, desesperada e terrível que já tive a infelicidade de ouvir."

Qual era a resposta de Elvis Presley a isso? Elvis estava em pé diante de uma sala repleta de repórteres. Faltava uma hora para seu show em 28 de outubro no Pan Pacific Auditorium, que marcaria sua estreia em Hollywood. "Admiro ele", disse Elvis. "Tem o direito de falar o que ele quiser. É um grande sucesso e excelente ator, mas acho que não deveria ter dito isso. Está enganado em relação a isso. É uma tendência, exatamente como aconteceu com ele, quando começou anos atrás. O rock é o melhor tipo de música", acrescentou Elvis travesso, surpreendendo os repórteres. "É muito notável... Principalmente, porque é a única coisa que sei fazer..."

"É tudo o que você tem a dizer?"

"Você não pode criticar o sucesso", declarou Elvis e continuou a responder perguntas sobre sua renda, suas costeletas, sua situação no recrutamento militar e os planos de casamento, antes de subir ao palco de blazer dourado e calça social, às 20h15.

Estava determinado a impressionar sua plateia cheia de celebridades, e foi isso que ele fez. Os ingressos esgotaram (mais de nove mil). Por insistência do Coronel, até Hal Wallis foi obrigado a comprar ingresso. Elvis fez um show impecável, "requebrou, sacudiu, balançou" e fechou a apresentação de cinquenta minutos rolando no chão com Nipper, cena assim descrita pelo tradicional crítico Jack O'Brian, do *New York Journal-American*: "indecente demais para entrar em detalhes".

O público enlouqueceu, mas as opiniões dos jornais foram mais vagas. "Elvis Presley: limpe o seu show – ou vá para a cadeia", lia-se numa das manchetes. O'Brian caracterizou a música como "uma terrível adaptação popular dos mais sombrios rituais de fertilidade da África". Dick Williams, editor de entretenimento do *Los Angeles Mirror-News*, observou: "Se alguém ainda tinha dúvidas de que o show de Elvis não é basicamente música, mas um espetáculo sexual, teve a prova disso ontem à noite". A performance dele, escreveu Williams, se assemelhava a "um daqueles estridentes e desinibidos comícios que os nazistas costumavam promover para Hitler", e muitos pais que tinham assistido com seus filhos, incluindo os atores Alan Ladd e Walter Slezak, expressaram igual indignação para as autoridades e os jornais. O resultado? A Polícia de Costumes entrou em contato com o Coronel. Elvis teria de cortar um pouco das danças e no geral amenizar o tom do show. Indagaram ao Coronel: Qual foi a reação de Elvis? "Essa não é a primeira vez", respondeu o Coronel. "Sabe, já fizeram isso outras vezes antes." Elvis reclamou de não poder dançar? "Não reclamou, não... Só comentou: 'Bem, se eu não dançar esta noite, talvez eu possa matar o banho'." "O Coronel Parker falou isso?", indagou Elvis incrédulo. "Impossível!", frisou o cantor, profundamente chateado. "Eu tomo banho todas as noites, dançando ou só cantando."

Quando a polícia veio com câmeras para filmar a segunda noite, o show foi atenuado, e a única pessoa a protestar [pela censura] foi Yul Brynner, "cujo coração sangrava", escreveu Jack O'Brian, "como se aquilo fosse uma invasão da privacidade". O'Brian classificou a postura de Brynner de "ridícula". Elvis, por sua vez, não se manifestou.

Mesmo assim, estava bem consigo mesmo. Tinha feito o que sabia fazer de melhor numa cidade onde estava apenas começando a se sentir à vontade – e tinha causado tanta agitação quanto em Memphis ou Saskatchewan. O single de "Jailhouse Rock" estava em primeiro lugar, o filme tinha acabado de ter sua estreia mundial em Memphis, na mesma sala de cinema que Elvis frequentava quando adolescente e, na semana seguinte, estrearia nos cinemas do país inteiro. O Coronel estimou que, pelo acordo feito com a MGM, Elvis provavelmente ganharia mais de dois milhões de dólares com o filme. Um repórter perguntou o que ele faria se a sua popularidade declinasse. "Você não pode ficar no topo para sempre. Mesmo se eu parasse de cantar amanhã, eu não me arrependeria de nada. Eu me diverti muito enquanto eu estava lá."

Naquela noite, teve festa na suíte dele, e todos apareceram. Sammy, Nick, Vince Edwards, Venetia, Carol Channing, Tommy Sands, um monte de garotas bonitas, até mesmo Ricky Nelson, de dezessete anos, apareceu, surfando na onda de seu primeiro grande sucesso na Imperial Records. Elvis sabia que Ricky era amigo de Scotty e de Bill, mas ele e Ricky nunca tinham conversado, e Ricky estava num canto quando Elvis cruzou no meio do povo, ergueu-o no ar e disse: "Adorei o seu disco novo". Também adorava o seriado *As Aventuras de Ozzie e Harriet*, que mostrava a família de Ricky, e perguntou se David, irmão de Ricky, tinha vindo aquela noite. Quando a editora da *Photoplay*, Marcia Borie, contou a Elvis que Ricky estava prestes a sair em turnê pela primeira vez e poderia receber uns conselhos, Elvis puxou Ricky de lado e passou umas informações. "Você nunca saberá o quanto esta noite significou para mim", Nelson disse a Borie no final da noite. "Imagine, Elvis Presley, fã de nosso seriado! Ele me contou episódios que nem eu lembrava mais. Sabia o texto de cor e salteado. E me deu ótimas dicas sobre coisas a fazer em minha turnê... Eu nem posso acreditar." Os convidados puderam se entreter com as imitações de Cliff, Nick e Sammy Davis Jr., e a companhia de Elvis nessa noite foi Anne Neyland.

Uma semana depois, embarcou para o Havaí. Os três shows agendados para o arquipélago foram os derradeiros de uma turnê fragmentada de seis dias (São Francisco, Oakland, Hollywood e Havaí) que parecia ter sido agendada de última hora e prolongada ainda mais pela viagem náutica, que durou quatro dias. Claro, o Coronel, os Jordanaires e a banda foram todos de avião, mas Elvis cumpriu à risca a promessa que tinha feito à mãe dele, qual seja, a de não voar a menos que fosse absolutamente necessário. Houve uma surpresinha nas docas: Billy Murphy apareceu de malas prontas quando o navio estava prestes a zarpar. Elvis o havia convidado um tempo antes, mas não falaram mais no assunto, e agora um princípio de confusão surgiu até que alguém enfim comprasse uma passagem para ele. Afora isso, o cruzeiro foi monótono, repleto de turistas típicos e aposentados e uma notável ausência de moças atraentes. Cliff, que ainda aspirava ser um "descolado" de Hollywood, seguiu Billy até o ponto em que Murphy finalmente disse: "Cliff, você é divertido, interessante, mas é noventa por cento de exageros e dez por cento de mentiras". Isso deixou Cliff meio de orelhas murchas e deu pano para manga para os demais. Quando enfim chegaram, Elvis apreciou sua primeira vista do Havaí. O velho amigo do Coronel, Lee Gordon, ainda nutria a esperança de levar Elvis à Austrália e promoveu os shows com sua extravagância habitual. Na última noite, Elvis foi à praia de shorts para dar autógrafos.

Voltaram a Hollywood em 17 de novembro, sem nenhum compromisso oficial. O Coronel não queria que ele fizesse gravações – a RCA já tinha um estoque mais do que suficiente – e o novo contrato para o filme na Twentieth Century Fox tinha fracassado, pois Hal Wallis não liberou Elvis de sua obrigação contratual de primeiro fazer outro filme com a Paramount. Não havia nenhuma turnê planejada, e ele não tinha motivo especial para voltar para casa, então voltou a Las Vegas, onde tinha passado algumas semanas em outubro saindo com as *showgirls* e conferindo todos os shows da cidade. Nessa visita, conheceu uma cantora de vinte e um anos, Kitty Dolan, com quem formalmente "namorou", como havia namorado Dottie e June antes, bem como a stripper Tempest Storm, a quem ele anunciou, num momento propício: "Estou subindo pelas paredes de tão excitado. Vou levar você pra cama correndo".

Foi uma época estranhamente perturbada. Não seria dispensado do serviço militar, sua carreira parecia estar num limbo temporário, até mesmo a turnê – à exceção de sua presença no Pan Pacific – tinha transcorrido sem brilho especial. Aconteceram os tumultos de sempre, os desafios habituais de levar a multidão ao frenesi, de provocar os fãs até o auge da empolgação – mas nada de novo. Era tudo o que ele já tinha feito antes, apenas desempenhar um papel. Pela primeira vez em muito tempo, não tinha mais certeza do que iria acontecer. A única surpresa ocorreu, talvez, em São Francisco. Um segurança veio aos bastidores avisar que um rabino lá fora insistia para falar com Elvis. George escrutinou o bilhete rabiscado e percebeu, espantado: era o rabino Fruchter, seu velho rabino do Templo Beth El Emeth, mas não tinha ideia de como o rabino Fruchter sabia que ele, George, estava lá. E qual seria a conexão com Elvis? "Elvis disse: 'Ah, nós morávamos no térreo da casa dele, na Alabama Street, ele era muito legal comigo, me emprestava dinheiro e, às vezes, me pedia para acender as luzes para ele no sábado'. Então fui lá e trouxe o rabino, Elvis deu um abraço nele e apertou sua mão. Na coletiva, apresentou o rabino Fruchter, e todos os repórteres olharam para o rabino, e simplesmente não conseguiam entender!"

Uma turminha de Tupelo compareceu na mesma apresentação, e Elvis também lembrou deles, durante uma viagem de trem com George, um tempo depois. "Estávamos cruzando uma cidadezinha da zona rural, e ele dizia: 'Droga, isso me lembra de Tupelo'. E emendou: 'Lembra de quando estávamos em São Francisco, George, e aqueles caras vieram falar conosco e só queriam falar de Tupelo? Só diziam: "Elvis, lembra de Tupelo?". E tudo o que eu pensava era: "Dane-se Tupelo. Quero me esquecer de

Tupelo'". Ele não estava desprezando Tupelo. Só queria dizer que estava feliz em sair. Tupelo era uma cidadezinha onde realmente não havia muito o que fazer. Memphis era onde tudo tinha acontecido para ele."

DE VOLTA A MEMPHIS, a mesma atmosfera desagradável continuou prevalecendo. Em meio à celebração pública, um inquietante sentimento de mal-estar espiritual o dominava, que ele compartilhava, às vezes, com os amigos. Ou então externava, de modo quase involuntário, em declarações públicas. Após o culto de Páscoa na Primeira Assembleia, por exemplo, da qual ele tinha participado orgulhosamente com Yvonne Lime, ele procurou o reverendo Hamill. "Falou: 'Pastor, sou o jovem mais triste que o senhor conhece. Tenho mais dinheiro do que posso gastar. Tenho milhares de fãs lá fora, e muitos se autointitulam meus amigos, mas sou triste. Não estou fazendo muitas das coisas que o senhor me ensinou, e estou fazendo coisas que o senhor me ensinou a não fazer." Para a revista *Photoplay*, ele anunciou, em um estado que a revista descreveu como desalento, que poderia ser encarado com mais exatidão como de quase desespero: "Nunca esperei ser alguém importante. Talvez eu não seja agora, mas seja lá o que eu for, seja lá o que eu venha a ser, será o que Deus escolheu para mim. Algumas pessoas que eu conheço não conseguem descobrir como Elvis Presley aconteceu. Não os culpo por imaginarem isso. Às vezes eu mesmo fico imaginando... Mas não importa o que eu faça, eu não me esqueço de Deus. Sinto que ele está vigiando cada movimento que eu faço. E, de certa forma, isso é bom para mim. Nunca me sinto à vontade tomando bebidas fortes e nunca me sentirei bem fumando um cigarro. Simplesmente não acho essas coisas certas para mim... Só quero que as pessoas saibam que o meu modo de vida é fazer o que eu acho que Deus quer que eu faça. Eu queria que entendessem isso".

Uma noite visitou a Lansky's por volta de 21h ou 22h, "e fizemos um grande banquete em homenagem a ele", disse Guy Lansky. "Fui até a delicatéssen para servir *corned beef* (carne bovina na salmoura, fervida em vinagre em fogo baixo) e salame, fizemos um belo prato para Elvis, mas ele só quis salada de batata. Pegou uma porção de salada de batata e disse: 'Isso é tudo que vou comer'. Ofereci: 'Que tal um sanduíche de *corned beef*, Elvis?'. E ele disse: 'Não, senhor Lansky, estou servido. Dê o resto ao Lamar. Ele é meu reciclador'. E deu uma boa risada, mas Lamar não gostou muito. Ainda havia uns clientes na loja, e Elvis disse: 'Dê-lhes tudo o que quiserem'. Quer dizer, até um certo limite. Falei: 'Você que manda, Elvis. O que eles quiserem'. Os clientes não podiam acreditar (e, é claro, na época a maioria da clientela da Lansky's era composta de negros), mas para sua comitiva ele não comprava nada, nunca comprava nada para eles. Isso eu não conseguia entender."

Em 6 de dezembro, voltou a participar do WDIA Goodwill Revue. Sua presença não causou a mesma comoção do ano anterior, mas Elvis tirou uma foto ao lado de Little Junior Parker (criador de "Mystery Train") e Bobby "Blue" Bland. E o jornal publicou uma declaração de Elvis, dizendo que a música dos dois era "verdadeira... e vinha direto do coração". Imbatível, disse ele, assistindo dos bastidores, sorrindo e balançando com a música. "O público gritava no ritmo da música", relatou o jornal. "Amigo", sorriu Elvis, "o que você acha disso?"

Foi um Natal estranhamente desconexo. Montaram a árvore de Natal e Elvis doou uma soma considerável para instituições de caridade locais, ao United Fund e ao March of Dimes. O álbum de Natal atingiu o topo das paradas, mesmo sendo alvo de críticas ácidas (de Irving Berlin, entre outros) por ter "profanado as tradições do espírito natalino". Após a conclusão da nova produção de Hal Wallis – *King Creole,* cujo roteiro baseava-se no romance *Uma prece para Danny Fisher,* de Harold Robbins –, o Coronel o informou de que mais dois filmes já estavam alinhavados. O primeiro dos projetos externos era um filme ainda sem nome, para a Twentieth Century Fox, e o outro, uma biografia de Hank Williams para a MGM. Os dois filmes, se Elvis se desse ao trabalho de acompanhar a mídia, envolviam enormes somas de dinheiro – mas Elvis duvidava que um dia fossem realizados.

Uns dez dias antes do Natal, começou a receber sérias indicações do Exército, da Marinha e da Aeronáutica sobre o que poderiam fazer por ele. Sugeriram vários tipos de acordos – a Marinha propôs uma "companhia Elvis Presley" que poderia receber um treinamento especial, e a Aeronáutica ofereceu um acordo em que ele simplesmente visitaria as juntas de recrutamento país afora –, mas quando ele e o Coronel trataram do assunto, percebeu que, mais uma vez, o Coronel tinha razão. Isso só serviria para inflamar a opinião pública e criar uma violenta reação antagônica caso ele não entrasse e recebesse o mesmo tratamento que qualquer outro cidadão.

Assim, em 19 de dezembro, recebeu informalmente a notícia de Milton Bowers, presidente da Junta de Recrutamento desde 1943 e ex-presidente do Conselho Escolar de Memphis, de que seu aviso de convocação estava pronto e ele poderia simplesmente passar na Junta e pegá-lo. Bowers não queria postá-lo no correio, explicou, com receio de que a notícia vazasse por alguém que visse a carta endereçada num envelope oficial do Serviço de Seleção.

No dia seguinte, Elvis passou no estúdio da Sun, logo após pegar seu aviso, e anunciou alegremente: "Ei, vou entrar no exército". Porém, com George e Cliff e os outros caras, ele foi um pouco mais revelador. "Estávamos em Graceland", disse George, "e eu entrei. A primeira coisa que ele fez foi me mostrar a notificação. Perguntei: 'O que é isto?'. Ele disse: 'Leia'. Abri e dizia: 'Saudações'. Falei: 'Sério, Elvis?'. Ele disse: 'Sim, fui convocado'. Parecia devastado... cabisbaixo, deprimido. Falei: 'Droga, o que vamos fazer?'. E ele: 'Não sei. O Coronel diz que podemos pedir um adiamento para filmar *Balada sangrenta* (*King Creole*), mas falou que mais cedo ou mais tarde eu vou ter de fazer o serviço militar'. Comentei: 'Bem, pelo menos não estamos em guerra'. Tentamos animá-lo um pouco, eu, Cliff, Arthur e Gene. Cliff disse: 'Espera aí um minuto, Elvis, eles nunca vão te levar. Você é muito famoso! É o maior nome do show biz. Não vão deixar que te levem, os fãs não vão deixar. Elvis, analisa' – e Cliff raciocina rápido: 'Elvis, você rende ao governo

10 milhões de dólares por ano em impostos, e sabe que não estamos em guerra...' E então meio que tirou aquilo da cabeça de Elvis, mas a última coisa que o cantor falou quando entrou no maldito ônibus para ir para o exército foi: 'Vai se ferrar, Cliff Gleaves!'."

James Page, repórter do *Press-Scimitar*, o alcançou bem depois da meia-noite, vindo de uma noitada na cidade. Havia dezenas de fãs no portão mantendo uma lamentosa vigília quando Elvis chegou acelerando em seu Continental. Declarou-se aliviado por ter a situação finalmente resolvida e expressou sentimentos sinceros de gratidão pelas coisas "que este país me deu. E agora estou pronto para retribuir um pouco. É a única maneira adulta de encarar isso".

> "Gostaria de entrar nos Serviços Especiais?"
> "Quero ir para onde eu consiga fazer o melhor trabalho."
> "E quanto aos seus contratos de cinema?"
> "Não sei... não tenho ideia."
> "Pode nos mostrar seu Aviso de Convocação?"
> Elvis sorriu carinhosamente:
> "Cara, não sei o que fiz com ele."
> Começou a busca.
> "Talvez na cozinha", alguém sugeriu. Não estava.
> "A última vez que o vi, estava bem ali", disse Elvis e apontou um lugar na parte frontal do corredor.
> Nem sinal. Até que, por fim:
> "Aqui está o envelope, o aviso deve estar no quarto dos meus pais."
> Uma coisa era certa: Elvis estava convocado.
> "Vou fazer o que eu precisar fazer... como qualquer jovem americano."

Partiu para Nashville naquela mesma noite a fim de entregar seu presente de Natal ao Coronel. Era um carrinho esportivo vermelho

Isetta, e ele o carregou num caminhão alugado, que ele mesmo dirigiu, com Lamar e Cliff seguindo no Lincoln. Chegaram à casa do Coronel, em Madison, cedinho na manhã seguinte, mas já havia um batalhão de repórteres e fotógrafos esperando. Ele e o Coronel posaram para fotos no carro. "É aconchegante", observou Parker. "É só uma pequena forma de mostrar meus sentimentos pelo senhor", registrou Elvis. "Não é um doce esse menino?", o Coronel perguntou retoricamente aos jornalistas, com os olhos "rasos d'água". "Poderia apenas ter enviado algo pelo correio." Além disso, Elvis respondeu a perguntas sobre o serviço militar (quem sabe ele não podia se engajar ao fim do serviço obrigatório?). Até mesmo experimentou, extremamente constrangido, várias gandolas do exército. Baixou o olhar para a sarja verde-oliva e declarou, tristonho: "Acho que em breve vou estar usando isto para valer". Fossem quais fossem os sentimentos privados que tinha, guardou para si mesmo ou reservou para a reunião particular que ele e o Coronel fizeram, como de costume, a portas fechadas.

Gordon Stoker abordou o Coronel para coletar os quatro mil dólares (bônus de Natal para os Jordanaires), e Elvis perguntou se ele iria ao Opry naquela noite. "E me disse: 'Se eu tivesse uma roupa adequada, eu iria com vocês. Bem, liguei para a Mallernee's, na Sixth (eu conhecia o dono da loja) e disse a eles: 'Vou levar o Elvis Presley aí para escolher um traje para ele vestir no Grand Ole Opry hoje à noite, mas se algum dos vendedores ou alguém da loja colocar a boca no trombone, vamos ter tumulto, então não digam a ninguém que ele está indo'. De qualquer forma, surpreendentemente, ele escolheu smoking, camisa de smoking, gravata de smoking, até mesmo sapatos de smoking. Fiquei chocado. Pensei que ele compraria um terno ou um blazer. Mas foi assim que ele foi ao Opry aquela noite."

Sua situação de convocado realmente o incomodava, Stoker sentia. Elvis não conseguia entender por que o Coronel não tinha resolvido melhor as coisas, mas não tocou muito no assunto. No Opry naquela noite ele apenas andou pelo palco, acenou e visitou velhos amigos nos bastidores. "Como estão indo as coisas?", quis saber T. Tommy Cutrer, que o havia promovido em Shreveport e agora estava anunciando o Opry. "Ele disse: 'É solitário, T'. Falei: 'Como pode falar isso, com milhares de fãs...' Ele disse: 'Bem, não posso ir comer um hambúrguer, não posso ir numa lancheria, não posso patinar nem fazer compras' – e ele adorava fazer compras. A essa altura tingia o cabelo e usava maquiagem, o que me pareceu estranho. O único astro do Opry que se maquiava naquela época era Ferlin Husky, e só antes de subir ao palco. Então falei: 'Meu, por que você usa isso?'. Ele disse: 'Bem, é isso que o cinema quer'. Mas ele nunca mudou nada, sempre foi o mesmo."

Várias fotos registraram a presença de Elvis no evento, com velhos amigos e estrelas atuais do Opry. Ao lado do Coronel, posou com o comediante Duke of Paducah, o cantor country Faron Young e o empresário Hubert Long. Em outras fotos, aparece sozinho com a empolgadíssima Brenda Lee (que aos treze anos não aparentava mais do que dez), Johnny Cash, Ray Price, Hawkshaw Hawkins, os Wilburn Brothers e até Hank Snow, que parecia não guardar rancor contra seu antigo protegido, embora sua relação com seu antigo sócio continuasse estremecida. Jimmie Rodgers Snow também veio para dar um oi, junto com a noiva de quinze anos, "e Elvis me perguntou o que eu estava fazendo. Eu disse: 'Nada de especial, por quê?'. E ele disse: 'Por que não vem a Memphis no dia 1º, vamos nos divertir um pouco'. Falei: 'Ótimo'." Então foi trocar de roupa. Vestiu a roupa que tinha usado na viagem e, de acordo com Gordon Stoker, jogou o smoking novinho num barril cheio de cordas de palco antes de partir na viagem de 370 quilômetros de volta a Memphis.

Na manhã de segunda-feira, a Junta de Recrutamento recebeu uma carta do chefe do estúdio da Paramount, Y. Frank Freeman, solicitando um adiamento de sessenta dias para Elvis, com base em dificuldades financeiras: o estúdio já tinha gasto entre US$ 300 mil e US$ 350 mil nos custos de pré-produção para *Balada sangrenta* (*King Creole*, cujo título original era *Sing, You Sinners*) e esse valor, ou mais, seria perdido caso Elvis Presley não tivesse permissão para filmá-lo. Isso parecia muito lógico, declarou o presidente da Junta de Recrutamento, Milton Bowers, a junta analisaria com bons olhos esse pedido, mas o pedido deveria partir do próprio convocado. Na terça-feira, 24 de dezembro, Elvis escreveu à Junta de Recrutamento, explicando que, no que dizia respeito a ele, estava pronto para servir ao Exército imediatamente, mas solicitava o adiamento para que a Paramount "não perdesse tanto dinheiro, com tudo o que investiram até agora". Concluiu desejando aos três membros da junta um Feliz Natal. Três dias depois, o pedido foi deferido. O Coronel classificou isso de "muita gentileza" e acrescentou: "Não sei de nada que possa impedir sua convocação quando o adiamento terminar. E acho que Elvis nem pensaria em fazer outro pedido, porque sei como ele se sente pessoalmente em relação a isso". E Elvis declarou: "Estou feliz pelo estúdio, por terem sido compreensivos e me deixarem fazer este filme. Acho que será o melhor que já fiz".

Jimmie Rodgers Snow chegou na tarde do dia 31 de dezembro, e Lamar o pegou no aeroporto. Snow estava passando por uma crise espiritual ultimamente, provocada por uma dependência crescente de remédios e álcool, mas ele e Elvis retomaram a amizade de onde tinham parado, um ano e meio antes. "Quando cheguei, alguém na porta recebia sua assinatura para uma entrega especial. Ele simplesmente atirou o pacote no sofá, abrindo-o só bem mais tarde, quando explicou: 'Ah, sim, meu disco de ouro'.

"Ele me apresentou a todos os seus amigos, e nos divertíamos a noite toda e dormíamos o dia todo. Quando descíamos, às duas ou três da tarde, a mãe dele sempre estava lá, sentada na cozinha bebendo uma cerveja. Ele dava um beijo nela, e nós íamos jogar sinuca ou cantar ao piano, combinar o que íamos fazer naquela noite, que era ir ao cinema para ver o filme dele, *O prisioneiro do rock,* com um monte de garotas ou andar de patins, coisas assim. Quando fomos ao cinema, ele alugou a sala inteira, sentou-se ao meu lado e ficou perguntando: 'O que você achou de mim naquela cena? Como é que eu me saí? Desafinei nessa nota? Estendi por muito tempo?'. Era exatamente o mesmo. Adorava a minha imitação de Winston Churchill. Eu colocava um charuto na boca e falava como Churchill – ele queria que eu fizesse isso para todos, e adorava sempre. Às vezes, estávamos rodando de carro pela rua à noite e, de repente, ele freava, abria a porta do carro, pulava para fora, fazia uma careta para os veículos atrás dele, voltava para o carro e acelerava, rindo.

"Às vezes, ficava sério e sentava àquele piano branco, e entoávamos canções gospel. E, claro, eu tinha sido cristão em 1950, 51, não fiquei muito tempo nisso, mas justo nessa época eu estava sendo atraído por Deus para virar pastor, me casar e desistir da minha carreira. Então ficávamos sérios, o que eu realmente não queria porque eu estava em conflito na época, mas comentávamos sobre religião e ele expressava seus sentimentos, e depois virávamos a chave e falávamos sobre coisas divertidas."

Cliff e Lamar brigaram naquela semana durante um jogo de badminton, e Lamar provocou Cliff a ponto de Cliff dar uma raquetada na cabeça dele. O senhor Presley ficou irritado, e a senhora Presley ficou tão chateada que Elvis teve de mandar os dois embora. Ele se desculpou enquanto a dupla fazia as malas, tentando resolver o que era deles e o que era dele ("Ah, fique com isso", dizia Elvis sobre cada item), e falou que tinha certeza de que, assim que a poeira baixasse, poderia contratá-los de volta. Só que a mãe dele estava tão nervosa com tudo o que estava acontecendo que não podia ter esse tipo de alvoroço em casa. "Ela simplesmente não conseguia aceitar [a ideia de] ele ir embora", contou a irmã dela, Lillian. Vernon mostrava-se reticente sobre o assunto, mas o humor de Gladys andava cada vez mais sombrio, e o olhar dela era um poço de tristeza.

Elvis pediu a George para acompanhá-lo mais uma vez à Califórnia, mas George tinha começado em um novo emprego de DJ na WHUY em Millington, então não pôde ir. Mostrou a Jimmy Snow o roteiro de *Balada sangrenta*, "e perguntou se eu estaria interessado em ir à Califórnia com ele e talvez ganhar um papel no filme. E foi no quarto lá em cima, quando eu estava lendo o roteiro, que tomei minha decisão. No dia seguinte, contei a ele. Falei que realmente agradecia a oportunidade. Era algo que eu sempre quis fazer em toda a minha vida. 'Mas', expliquei, 'por estranho que pareça, acho que vou voltar, sair desse ramo e virar pastor'. O que Elvis achou maravilhoso, me encheu de elogios e me desejou muita sorte, e qualquer coisa que ele pudesse fazer, era só avisá-lo. E foi isso que eu fiz".

Em 8 de janeiro, ele comemorou seu vigésimo terceiro aniversário com uma festa em casa e perguntou a Alan Fortas se queria acompanhar Gene e ele até a Califórnia. "Eu estava trabalhando com meu pai no negócio de ferro-velho, e Elvis me perguntou se eu poderia sair por um tempo. Eu disse: 'Sabe como é isso, Elvis. Se você trabalha para o seu pai, pode fazer o que quiser'. Ele disse: 'Bom, partimos para a Califórnia em dois dias'." No último minuto, chamou Cliff de volta, mas Lamar permaneceu de castigo por enquanto. Em 10 de janeiro, embarcaram Gene, Cliff e Alan, além do Coronel, o chefe de segurança Bitsy Mott, Freddy Bienstock e Tom Diskin. Encontraram imensas multidões em cada parada, alertados, Alan tinha certeza, por um vazamento intencional da organização do Coronel. "Essa foi a primeira vez que estive perto do Coronel, e pensei, 'Homem, esse cara é durão'. Ele era apenas... bem, ele não confiava em ninguém. Não gostava de ninguém. Pelo menos foi essa a impressão que eu tive. Ninguém sabia se ele estava falando sério ou brincando – é claro que ele estava cuidando de uma só pessoa: Elvis. Não queria que as pessoas se aproveitassem."

Chegaram à Califórnia em 13 de janeiro e foram direto ao estúdio. A gravação da trilha sonora estava agendada para começar na Radio Recorders, dois dias depois. Dessa vez não havia dúvida sobre o local de gravação. Hal Wallis enfim se convencera de que Elvis sabia o que estava fazendo, e Jerry Leiber e Mike Stoller, a pedido de Elvis, estavam no comando. Leiber e Stoller tinham sido contratados pela RCA no outono anterior como talvez os primeiros executivos independentes de a&r do ramo (recebiam salário da RCA e mantinham um relacionamento lucrativo com a Atlantic, produzindo o The Coasters, além de vários outros empreendimentos paralelos). Na RCA, Elvis era claramente a principal responsabilidade da dupla. Prometeram a eles carta branca, mas até então não era bem assim.

Jerry morava em Nova York e namorava Marty Page, a filha do ex-presidente do conselho da MGM, Nick Schenck. A melhor amiga de Marty havia se divorciado do famoso agente Charlie Feldman. "Charlie tinha ótimas conexões, como Moss Hart e Cole Porter, e simpatizou comigo. Queria nos lançar como compositores da Broadway. Achava o nosso trabalho meio infantil, mas que estávamos prontos para o grande momento, que era a Broadway e o cinema. Ele me disse: 'Sabe o que seria maravilhoso? Tenho um roteiro que daria um musical incrível. Chama-se *A Walk on the Wild Side* [o célebre romance de Nelson Algren], e seria ótimo para Elvis Presley. Consigo Elia Kazan para dirigir, posso chamar Budd Schulberg para escrever o roteiro, e vocês dois fariam a trilha. Seria perfeito. Ele é bonito, é inocente, e é uma vítima'.

"Levei a ideia aos Aberbach, que eram os mais próximos do Coronel Parker. Eles me observaram em completo silêncio por cerca de vinte minutos enquanto contava essa história e fazia a proposta. Enfim, Jean disse em seu sotaque vienense: 'Se alguma vez você tentar interferir com os negócios ou trabalhos artísticos de Elvis Presley, se pensar nessa direção novamente, nunca mais vai trabalhar para nós'.

"Para ser franco, não demorou muito para que nós dois ficássemos entediados, porque sabíamos que não havia mais possibilidades. Seria mais do mesmo, um filme igual ao outro. Quer dizer, em geral, você tinha três baladas, uma canção médio-tempo, uma *up-tempo* e um break blues boogie. Era muito chato. Falei ao Stoller: 'Se eu tiver de compor outra música como "King Creole", eu corto minha maldita garganta – talvez a deles primeiro'. Conversamos... sabe, não queríamos perder dinheiro. Eu disse: 'Sabe de uma coisa? Que se dane'. Porque podíamos ter feito história, e aqueles idiotas só queriam ganhar uns trocos com a mesmice."

As sessões prosseguiram sem incidentes. Leiber e Stoller contribuíram com três músicas, além de uma quarta que não foi usada, e pela primeira vez instrumentistas experientes foram contratados para criar um som semiautêntico, ao gênero *dixieland*. Talvez as duas músicas mais interessantes fossem "Crawfish", dueto com a cantora de rhythm & blues

Kitty White, escrita pelos compositores Ben Weisman e Fred Wise como um grito de vendedor de rua, e "Trouble", de Leiber e Stoller, um blues ao estilo Muddy Waters, um pouco humorístico, mas executada por Elvis com ferocidade exuberante. Na visão de Jerry Leiber: "'Trouble' era da mesma estirpe que 'Black Denim Trousers'. Duas paródias, e ninguém vai levá-las a sério, exceto os Hell's Angels (o clube de motociclistas) e Elvis Presley. Imagino que sentíamos uma pontinha de desprezo. Sabe, quando o cara canta, Ba Boom Ba Boom Ba Boom, 'Se você procura encrenca', sabe, 'basta me procurar', tem um elemento cômico aí. Quero dizer, se fosse na voz do Memphis Slim ou do John Lee Hooker, soaria certo, mas na voz do Elvis não soava certo para nós. Mas mostrei tolerância. Justamente como Maxwell Davis mostrou-se tolerante comigo quando entrei pela primeira vez, um pirralho branquelo com um blues de doze compassos, e ele disse: 'Legal. Acho isso legal', mas poderia ter dito: 'Quanta besteira, você não sabe o que está fazendo'. Preferiu dizer: 'Legal'. O tipo de atitude tolerante com uma pitada de bom humor. Nos primórdios, foi daí que viemos. Soava cômico para nós, mas, por estranho que pareça, o mercado de grande consumo não achou isso. Era uma questão geracional e cultural, mas eles compraram."

Terminaram a sessão em dois dias. Na realidade, a trilha sonora funcionava independentemente do filme; o personagem que Elvis interpretou era cantor, isso era verdade, mas o foco da história era a pobreza, e se o protagonista tivesse permanecido boxeador, como no romance, isso não teria afetado o impacto dramático.

Elvis tinha lido o livro para compor o personagem. Estava determinado a dar o seu melhor, porque, disse ele a Alan Fortas, talvez fosse seu derradeiro esforço. Com a nova amiga, Kitty Dolan, passava as falas e comentava, preocupado, sobre as consequências de ficar dois anos ausente do cenário do show biz. O diretor, Michael Curtiz, emigrado húngaro de sessenta e nove anos, dirigia filmes desde 1919 e tinha realizado filmes notáveis como *Casablanca*, *Alma em suplício* (*Mildred Pierce*) e *Êxito fugaz* (*Young Man with a Horn*). No começo, Elvis ficou um pouco surpreso. Curtiz avisou: ele teria de aparar as costeletas e perder oito quilos para o papel, sem falar nos problemas para entender o sotaque de Curtiz. "Você tinha que andar na linha com Curtiz... Ele não tinha papas na língua", contou Jan Shepard, que interpretava a irmã de Elvis no filme. "Mas não importa o que Curtiz pedisse a Elvis, ele dizia: 'OK, o senhor que manda'. Curtiz primeiro achava que Elvis seria um moço muito convencido, mas quando começou a trabalhar com ele, declarou: 'É um menino adorável e vai ser um ator maravilhoso'.

"Conheci Elvis no consultório médico para o exame de praxe do seguro. Eu estava lá sentada, e ele entrou com o grupinho de Memphis, e então trabalhamos juntos por uma semana, porque as nossas cenas foram as primeiras a ser filmadas. Ele era muito jovem, despreocupado... Era como soltar um garoto numa loja de doces, ele era a diversão e o dinamismo em pessoa, nem um pouco contido. Tinha uma loja de cinco e dez centavos no set, e de manhã eu encontrava brincos e pulseirinhas, itens de cinco e dez centavos no meu camarim. Eu costumava chamá-lo de o último dos mãos-abertas!

"Ele estava superconcentrado, muito focado em interpretar Danny. Para um ator no começo de carreira, ele tinha um grande senso de *timing*, havia muita honestidade em sua interpretação. Era um ótimo ouvinte, e acabou se tornando aquele garoto, tornou-se Danny nas filmagens. Assim como em sua música, ele realmente se envolvia em sua interpretação, você olhava nos olhos dele e, uau, eles realmente nos convenciam."

Com Walter Matthau no papel do vilão, Dolores Hart outra vez como a mocinha ingênua, Carolyn Jones como a excêntrica mulher fatal e Dean Jagger como o pai fraco e ineficaz (presença garantida em filmes adolescentes, desde *Juventude transviada*), o elenco montado por Wallis tinha uma qualidade uniforme, e uniforme era o espírito de positividade no set. "Hesito em falar isto, a frase reluta em sair", contou Walter Matthau a um repórter da BBC, "mas ele é um ator instintivo. Isso pode soar como se eu estivesse desmerecendo o talento dele. Como se eu dissesse: 'Sabe, ele não passa de um asno que trabalha bem por instinto'. Não é isso, ele é muito perspicaz, também. Inteligentíssimo. Percebe as nuances do personagem e sabe interpretá-lo simplesmente sendo ele mesmo ao longo da história. Michael Curtiz o chamava de Elvy e me chamava de Valty. Ele dizia: "Elvy e Valty, venham cá. Valty, esta não é uma cena de Oscar. Não se esforce tanto. Você é um ator caro. Faça-me acreditar que você é um ator barato. Deixe Elvy atuar'. Mas Elvy não exagerava. Não era um punk. Era muito elegante, sereno... requintado e sofisticado."

Na percepção de Carolyn Jones, "ele fazia sempre um montão de perguntas. Meu Deus, como ele era jovem! Nunca pensei que alguém pudesse ser tão jovem! Estava sempre falando nos pais e na casa que tinha acabado de comprar para eles". Jones sugeriu que, para realmente aprender o ofício, ele deveria considerar fazer aulas de interpretação, e os caras pegaram uma das falas dela no filme – "Tire um dia de sua vida para me amar" – como uma espécie de comentário sardônico a ser aplicado em diversas situações, numa vasta gama de cenários sociais.

Contou para Jan que ficou boa parte do domingo só conversando com a mãe dele no telefone. Estava triste e ao mesmo tempo se divertia com a história que os amigos contavam: Dewey tinha sido demitido de seu novo programa de televisão da meia-noite às vésperas do embarque deles para a Califórnia. O programa antigo era campeão de audiência no período da tarde, mas teve de sair do ar para dar espaço ao *American Bandstand*, de Dick Clark, com difusão em rede. Na quarta noite do novo programa, Harry Fritzius, ousado jovem pintor abstrato, apareceu no ar com uma fantasia de gorila e acariciou, com malícia humana, o display de silhueta, em tamanho real, de Jayne Mansfield. "Ele causou um constrangimento para o nosso canal de TV e para mim, pessoalmente", justificou o gerente da estação, Bill Grumbles. Dewey continuou no ar com um programa aos sábados à noite e o seu lugar noturno na rádio, mas o seu parceiro Harry Fritzius foi colocado no olho da rua: "Talvez a melhor coisa que já me aconteceu", declarou Fritzius. "Estou com vinte e cinco anos, e é hora de eu me ajeitar na vida."

"O velho e louco Dewey", diziam todos, e Elvis parecia inclinado a concordar. Pensou em ligar para Dewey, mas sabia das complicações que isso poderia causar, e não queria mais problemas agora, quando tudo já parecia fora de controle. Mesmo assim, apesar de todas as suas preocupações, nunca se sentiu mais à vontade e relaxado num set. Um dia, avistou Pat Boone no estúdio da Paramount e o saudou sorrindo com uma versão improvisada de "April Love". No palco sonoro, cantava para o elenco e para a equipe, e até foi apresentado a Marlon Brando, de um modo não lá muito satisfatório. Ele estava na lanchonete com Jan Shepard. "Sophia Loren e Carlo Ponti estavam sentados à mesa ao lado, e lembro que Cornel Wilde se aproximou e pediu um autógrafo para a filha dele. Elvis disse: 'Cornel Wilde pediu meu autógrafo, acredita?'. Ficou maravilhado. Então falei: 'Elvis, sabe que Marlon Brando está sentado bem atrás de você?'. Elvis estava de costas para ele e quase começou a tremer, e eu disse: 'Ele está olhando para cá'. Ele ficou todo sem jeito, sabe: 'Não posso, ah, não posso, é Marlon Brando'... essas coisas. Então falei: 'Bem, quando nos levantarmos, basta empurrar a cadeira para trás e vai estar em cima dele'. Então, quando nos erguemos, ele esbarrou em Brando, e Brando levantou-se, é claro, e então os dois trocaram um aperto de mãos, e quando saímos ele disse: 'Ai, meu Deus, apertei a mão de Marlon Brando!'."

A data de 1º de fevereiro estava reservada para gravações da RCA. O dia de ingresso no Serviço Militar se aproximava rápido, e Steve Sholes estava ansioso para fazer uma última sessão de estúdio. Elvis tinha ensaiado duas músicas para essa data na sessão de trilha sonora de 23 de janeiro, mas insistiu que Leiber e Stoller, que tinham voltado a Nova York após a sessão inicial da semana anterior, estivessem lá. Obediente, o Coronel mandou Tom Diskin informar Sholes que a presença deles era necessária – Elvis já os considerava uma espécie de "amuleto da sorte". Sholes escreveu, enviou telegrama e tentou ligar, mas sem sucesso, porque Stoller não conseguiu localizar seu parceiro, que estava incomunicável na emergência de um hospital do Harlem com pneumonia. "Ninguém sabia onde eu estava, nem eu sabia onde estava por uns dias.

Quando minha cabeça voltou a funcionar, comecei a fazer ligações. Liguei para o Mike e saí do hospital, e ao chegar em casa me deparei com uma pilha de telegramas enfiados embaixo da porta, todos com o mesmo teor: 'Venha a Los Angeles imediatamente'.

"Liguei para os Aberbach, falei com o Julian pelo telefone. Ele disse: 'Você deve vir à Califórnia imediatamente. Presley está pronto para gravar, e não vai ao estúdio sem você'. Falei: 'Não sei se posso ir imediatamente, mas vou ver'. Então liguei para o meu médico, e ele me proibiu terminantemente de ir a qualquer lugar por duas semanas, e eu os comuniquei sobre isso, e foi aí que eles começaram a ficar muito desagradáveis. Finalmente, Parker pegou o telefone e disse: 'Rapaz, é melhor você vir logo, senão... A propósito, recebeu o meu contrato para os novos projetos?'. Respondi: 'Acho que passou batido. Abri uns oito telegramas, e eram todos iguais, então pensei que o resto não era diferente'. Ele disse: 'É melhor você abrir o resto'.

"Então eu os abri, e havia de fato outra correspondência do escritório do Coronel Parker, que dizia: 'Vide contrato anexo. Assine e mande de volta'. E olhei o papel com os dois lados em branco, mas com uma linha na parte inferior com espaço para a minha assinatura. E do lado direito havia uma linha para Tom Parker assinada por ele. Então peguei o telefone e disse: 'Deve haver um engano, Tom. Veio apenas uma folha em branco aqui com um lugar para o meu nome'. Ele disse: 'Não tem nada de errado, rapaz, basta assinar e devolver'. Eu disse: 'Não tem nada escrito no papel'. Ele disse: 'Não se preocupe, vamos preenchê-lo mais tarde'.

"Nunca mais trabalhamos com ele. Foi a gota d'água. E nunca mais nos falamos."

A sessão foi um desastre. Oito horas no estúdio para gravar duas faixas que mal podiam ser aproveitadas. Elvis estava perdido – era como se a magia tivesse ido embora e, pela primeira vez, o Coronel ficou envergonhado pelo seu garoto e pelo desperdício do tempo e dinheiro da RCA (e de Elvis e seu próprio). Duas semanas depois, Elvis queria voltar ao estúdio para reparar os danos, e houve um princípio de tratativas entre as partes para organizar outra sessão, mas para o Coronel isso envolvia reconhecer um grau de fracasso para Steve Sholes, e ele não estava preparado para fazer isso. Então, no final, Sholes teve de se contentar com o que tinha. Para o Coronel, toda essa experiência sublinhou um ponto fundamental: nunca deixe ninguém, muito menos um compositor, se atravessar em seu negócio. No futuro, ele frisou enfaticamente a seu cunhado, Bitsy Mott: "Mantenha essas pessoas longe de Elvis, observe com muito cuidado qualquer um que se aproximar dele, e, pelo amor de Deus, mantenha-os longe da suíte".

No finzinho de fevereiro, pouco antes de a maior parte do elenco e da equipe partirem para uma semana de filmagens em Nova Orleans, Dolores Hart deu uma festa surpresa de aniversário para Jan Shepard em sua casa. Elvis foi convidado, mas ninguém esperava que ele fosse aparecer, e Jan ficou surpresa ao ver a maioria dos colegas de elenco, junto com jovens atores contratados da Paramount, como Ty Hardin, e Pat Richards, assistente de Edith Head. "Mas fiquei chocada quando Elvis entrou com um tigre de pelúcia nos ombros. Foi batizado de 'Danny Boy', porque ele sempre cantava aquela música no set. E não foi só isso. Muitas crianças no bairro queriam fotos dele, e tínhamos uma piada, na qual eu ficava dizendo: 'Elvis, traga umas fotos para o meu aniversário'. Então o segundo presente dele para mim foi uma câmera de cinema, um refletor de luz e uns três rolos de filme. Ele falou: 'Vá em frente, tire suas fotos agora'. E eu tirei, embora eu nunca tivesse usado uma câmera de filme antes!

"Foi maravilhoso. Todo mundo foi cozinhar e ajudar na cozinha, e depois todos jantamos. Ty Hardin, que tinha estudado para ser engenheiro, fez um bolo que parecia um cinema, com marquise e tudo mais. Após o jantar, fomos à sala de estar, Elvis sentou-se ao piano, Ty trouxe o violão dele e começou a tocar, e depois Elvis pegou o violão, Dolores, o clarinete dela, e a mãe de Dolores estava vestida de Topsy e imitou um número de Topsy. Foi uma espécie de vale-tudo, sabe, um momento muito descontraído, e ele ficou até o final, o que foi realmente incrível, todo mundo o respeitava. Foi excelente."

Red West apareceu na semana seguinte para uma licença de duas semanas dos fuzileiros. Visitou os pais de Elvis em Graceland, e a senhora Presley ligou para Elvis, que convidou Red para pegar um voo no dia seguinte. "Quando me levantei para me despedir", escreveu Red em *Elvis: What Happened?*, "ela meio que me chamou de volta, e eu a ouvi dizer o que havia me dito centenas de vezes: 'Bob, cuide do meu filho'." Red chegou a Hollywood, "um caipira com corte à escovinha num uniforme da Marinha num set de filmagem da Paramount". Fazia mais de ano que não se reuniam com certa folga de tempo. Elvis perguntou se ele queria ir a Nova Orleans com a trupe dois dias depois.

A maioria da equipe foi de avião, mas Elvis e seus amigos viajaram de trem. Red, Cliff, Gene e Alan o acompanharam, junto com Carolyn, o marido dela, Aaron Spelling, e Nick Adams, que Red conheceu pela primeira vez e que divertiu a todos com suas imitações na longa viagem. Em Nova Orleans, o Coronel, que havia feito críticas veementes contra filmagens locais por questões de segurança, mais uma vez, não surpreendentemente, provou que tinha razão. "Hal Wallis amava locações", disse Alan Fortas, que agora encarava o Coronel com mais respeito do que no início. "Wallis disse: 'Eu tive Dean Martin e Jerry Lewis em seu auge. Tive essa e aquela estrela...' O Coronel rebateu: 'Não me importa quem você teve, Wallis, você nunca teve Elvis Presley'."

Cliff recebeu uma fala no filme ("A gente se vê semana que vem, baby", ele falava, em uniforme de marinheiro, a uma prostituta), e o pessoal se divertiu fazendo uma pegadinha com Alan, dizendo que ele seria o próximo a estrear no cinema. Obrigaram-no a ficar o dia inteiro circulando com maquiagem e um lenço de papel forrando o colarinho da camisa, convencido de que a cena dele chegaria a qualquer minuto. Nesse meio-tempo, Cliff conheceu um jovem, filho do dono de uma loja de roupas e, com sua lábia, conseguiu blazers para toda a gangue. De acordo com George, que se juntou ao grupo em Nova Orleans, "Cliff disse que trabalhávamos para Elvis, e seria muito chique se toda a turma de Elvis usasse blazers, como se fosse um uniforme. O moço disse:

'É mesmo?'. Cliff respondeu: 'Cara, me diz uma coisa, quanto sai cada blazer destes?'. E o jovem: 'Cinquenta dólares cada um'. Cliff explica: 'Somos em cinco trabalhando para o Elvis, fora o Elvis e o Coronel Parker. Precisamos de sete blazers, mas não vamos pagar por eles. Escute só o que vamos fazer. Você nos dá os blazers e pode anunciar que Elvis Presley e seus companheiros de viagem estão usando as roupas de sua loja'.

"Avisamos: 'Cliff, o Coronel Parker vai ter um ataque, Elvis nunca promoveu nenhum produto'. Cliff garantiu: 'Não se preocupe com isso'. No dia seguinte, todo mundo tinha um blazer novinho em folha, e o cara daria um até para o Coronel Parker. Então Cliff diz a ele: 'Lá está o Coronel Parker, vá lá e diga 'Coronel Parker, eu sou sicrano e gostaria de presenteá-lo com este blazer'. Bem, ele vai e oferece o blazer, e o Coronel logo percebe algo errado, vem e pergunta: 'Cliff, o que diabos você está fazendo? Sabe que o Elvis não promove nada. Nunca fez isso, e não pretendemos começar agora'. E Cliff disse: 'Espere aí, Coronel, olha só, Elvis queria que nós tivéssemos esses blazers azul-marinho, e Elvis queria um, então se ele fosse lá e comprasse um, Coronel, e comprasse um para todos nós, o cara iria dizer a mesma coisa de qualquer maneira, então era melhor pegá-los de graça'. O Coronel disse: 'Faz sentido', meio que balançou a cabeça e foi embora. Mas cada um ganhou o seu blazer azul-marinho."

Pegaram o trem de volta a Hollywood, e Hal Wallis deu uma festa de encerramento na lanchonete do estúdio. Ele não estava preocupado com o exército, disse Elvis ao colunista Vernon Scott, que estava presente. Nada poderia ser pior do que o carrossel em que estivera nos últimos dois anos, e trabalhar duro não era novidade para ele. Trabalhava desde os quatorze anos. "Sempre precisei trabalhar. Primeiro fui porteiro no Loew's State Theatre, em Memphis. Fui demitido por brigar no saguão... Trabalhei em fábricas, dirigi caminhão, cortei grama e até trabalhei na indústria bélica por um tempo. Vou fazer o que me mandarem, sem pedir favores especiais." Declarou que seria mais difícil para os pais dele do que para ele.

Para não perder o seu hábito de "lançar mão de todos os recursos" e contagiar todo mundo, o Coronel mandou fazer balões do filme *Balada sangrenta*, e ordenou a Trude Forsher, aos agentes da William Morris e a quem mais pudesse, que levassem os balões à lanchonete e os soltassem para o teto. Atencioso, Elvis posou para as fotos, mostrou o presente que recebeu – um acessório de cena, um bacamarte da época da Guerra Civil – e comeu uma fatia do bolo decorado com a imagem de um soldado do exército descascando batatas.

Então voltou a Memphis, faltando menos de duas semanas para seu ingresso formal nas Forças Armadas. Estava tão impaciente para voltar para casa que, mais uma vez, saiu do trem, dessa vez alugando uma frota de Cadillacs em Dallas. Foi interpelado por um repórter do *Commercial Appeal* ao chegar a Graceland, às 18h30 de 14 de março, sobre seu novo filme e o exército. Como os pais dele se sentiam em relação ao serviço militar? "Bem, a minha mãe odeia ver o filho dela ingressar no serviço", disse ele francamente, mas acrescentou: "Minha mãe não é diferente de milhões de outras mães que odeiam ver seus filhos irem embora". Quanto ao filme, ele tinha motivos para se orgulhar. "Foi um grande desafio para mim, porque o papel foi escrito para um ator mais experiente", disse ele. Sem falsa modéstia, considerou seu melhor desempenho até o momento, e se saiu bem no meio de um elenco verdadeiramente diferenciado. Mas o repórter quis saber: e a popularidade dele? Achava que diminuiria enquanto estivesse no exército? "Esse é o xis da questão", respondeu Elvis melancólico. "Eu bem que gostaria de saber."

ESTAVA TÃO IMPACIENTE PARA VOLTAR PARA CASA QUE, MAIS UMA VEZ, SAIU DO TREM, DESSA VEZ ALUGANDO UMA FROTA DE CADILLACS EM DALLAS.

Nos degraus de Graceland, 14 de agosto de 1958
(James Reid)

"PRECIOUS MEMORIES"
Março a setembro de 1958

UM CORRE-CORRE. Assim podem ser descritos os dez dias que antecederam a entrada no serviço militar. Na segunda-feira, encontrou-se com Dewey na Poplar Tunes. De acordo com Bob Johnson, os mal-entendidos ficaram para trás. Elvis comprou "Return to Me", de Dean Martin, "Looking Back", de Nat King Cole, "Too Soon to Know", de Pat Boone, "Sweet Little Darling", de Jo Stafford, "I Can't Stop Loving You", de Don Gibson, e "Maybe", dos Chantels. Foi cortar o cabelo na Jim's Barber Shop, o segundo corte em menos de um mês, e declarou que havia gostado tanto do novo estilo de corte que queria deixá-lo ainda mais curto antes da incorporação na tropa.

Na quarta-feira, foi olhar carros com Anita, que agora era normalmente descrita na imprensa nacional como uma "estrela em ascensão de Hollywood" e uma "companhia frequente", mas os jornais também relatavam que ele gostava de desfilar com várias mulheres, "nada menos do que doze beldades", de acordo com uma estatística. "Eu traçava todas", contou ele a um amigo, anos mais tarde, em uma bravata sexual que não era bem seu estilo e talvez fosse inexata. Para os repórteres, comentou apenas: "Eu seria louco se me casasse agora. Eu gosto de passar o rodo".

Seja lá qual fosse sua companhia noturna, todas as noites ele ia com a turma ao cinema, à pista de patinação depois que esta fechava e de volta a Graceland após esgotar todas as outras fontes de diversão, no que parecia uma tentativa quase desesperada de curtir cada último elemento da vida civil, um esforço vão de afastar o momento inevitável escondendo-se na multidão.

Ao longo da semana, escreveu Bob Johnson, Elvis se despediu de cada um de seus amigos de comitiva, prestes a ficar sem seu séquito pela primeira vez em mais de dois anos. Ele os tinha "alimentado, vestido, remunerado em troca de tarefas simples, mas o principal trabalho deles era apenas fazer companhia a Elvis num mundo extraordinário em que os novos amigos não conseguiriam entender a realidade que ele conhecia". Despediu-se de Scotty e de Bill: "Foi apenas 'Até mais, a gente se vê quando eu sair'", contou Scotty, que não detectou muito nervosismo. "Éramos como duas mulas largadas no pasto." Durante o fim de semana, ele deu a Anita um Ford 1956. Ela sentiu que ele estava com receio do exército, "porque era algo desconhecido, ele não sabia o que esperar, mas era algo que precisava fazer, Elvis poderia ter se livrado, mas não quis nem ouvir falar disso". Contou a Anita que precisava fazer o que era esperado dele e garantiu a Gladys que iria ficar bem. "Eu consigo fazer isso", disse ele. "Eu consigo." Com Barbara Pittman, que o conhecia desde a infância, Elvis se abriu mais. "Ele estava muito chateado. Não parava de dizer: 'Por que eu, quando posso ficar aqui e ganhar muito mais dinheiro? Meus impostos seriam mais importantes do que me colocar no serviço militar'. E chorava. Estava magoado. Não conseguia entender por que tinha de ir." Judy Spreckels, que se descrevia "como uma irmã" ("As moças vêm e vão", disse ela, "mas as irmãs ficam para sempre"), veio da Costa Oeste para oferecer apoio.

Varou a última noite de liberdade acordado com seus amigos. Ele, Anita e alguns dos rapazes foram ao drive-in para ver Tommy Sands em *Cantando levo a vida* (*Sing, Boy, Sing*), a história da ascensão e queda de um astro do rock'n'roll contada em termos um pouco mais cáusticos do que em qualquer filme de Elvis. Sands, de apenas vinte anos, trabalhava na indústria fonográfica desde os quatorze. Conseguiu o papel, originalmente escrito para Elvis, por intervenção do Coronel Parker, de quem era protegido. "Estacionamos o Cadillac no drive-in", contou George Klein, "e Nick Adams começou a imitar todos os adjuvantes de Elvis no filme – interpretou a mim, Gene, Cliff e Arthur, tudo misturado. Estava friozinho, e todos queríamos ficar acordados com ele até o último minuto, sabe, e manter sua mente ocupada para que ele não precisasse pensar em partir no dia seguinte. Acho que Elvis valorizou isso, e nos divertimos bastante com Tommy Sands, mas principalmente com as imitações de Nick Adams." Depois, foram ao rinque de patinação pela oitava noite consecutiva, e quando enfim chegou a hora, "ele entrou e saiu do veículo três vezes", contaram os proprietários ao escritor Vince Staten. "Ele não queria ir."

Não comeu nem dormiu até o amanhecer. "Da noite pro dia", disse ele, "tudo se foi. Foi como um sonho."

COMPARECEU à Junta de Recrutamento no M&M Building na 198 South Main às 6h35 da manhã seguinte e estacionou ao sul do Malco Theatre. Acompanhado de vários carros repletos de amigos e parentes, foi recebido por mais de vinte fotógrafos e repórteres, incluindo representantes da imprensa britânica. Garoava e ele chegou meia hora antes do horário. Trajava calça azul-escura, uma chamativa jaqueta cinza e branca, camisa listrada, meias rosadas com detalhes em preto, e portava um estojo de barbear feito com pele de porco. Gladys parecia prestes a chorar, e Vernon agarrava a mão dela com firmeza. Lamar fez todo mundo rir, como sempre. Fingiu que ia se alistar também, mas, com 130 kg, a probabilidade de ser aceito era baixíssima. Anita parecia conformada enquanto Judy permanecia na retaguarda e o Coronel fiscalizava a distância os procedimentos, para certificar-se de que tudo ia transcorrer sem problemas. Entre os recrutas, Elvis reencontrou um velho amigo de Lauderdale Courts, Farley Guy, que disse aos repórteres que ele continuava "o mesmo Elvis de antigamente". "Se eu pareço nervoso", disse Elvis, "é porque estou." E acrescentou, estava ansioso para entrar no exército "como uma ótima experiência. O exército pode me dar qualquer missão. Milhões de outros jovens foram convocados, e não quero ser diferente de ninguém". Às 7h14, os treze recrutas deixaram a Junta de Recrutamento num ônibus verde-oliva do exército. Rumaram ao Hospital Kennedy Veterans, a vários quilômetros de distância, onde passariam por uma bateria de exames e procedimentos burocráticos. O ônibus foi seguido por um exército de jornalistas, amigos, fãs e parentes, mas antes disso Anita obteve uma permissão especial do sargento de recrutamento, Walter Alden, para visitar Elvis na estação de ingresso naquela tarde, para uma despedida especial.

No hospital, Elvis passou por exame médico e pesagem. Foi declarado apto, tudo sob o escrutínio de lápis e bloquinhos, microfones e câmeras dos repórteres. A *Life* da semana seguinte estampou a foto de um homem branco bem nutrido, ainda mostrando evidências de gordura de bebê, em pé na balança, de cueca, um olho de cada lado do extensor da medição de altura. O olhar dele está distraído, na boca um misto de muxoxo e sorriso, e você pode imaginar que ele está momentaneamente absorto em pensamentos ou paralisado de medo. Para o repórter da *Life*, Elvis apenas declarou: "Só os céus sabem o quanto eu quero corresponder às expectativas". Em conversas com outros fotógrafos e jornalistas, "Elvis lembrou que, antes de se tornar famoso, chegou a penhorar seu antigo violãozinho por três dólares, 'umas cinco ou seis vezes'. Além disso, recordou que em 1952 vendeu um litro de sangue ao Baptist Hospital por dez dólares. Elvis disse que a família dele sempre foi feliz e é feliz hoje, mas que o dinheiro traz muita dor de cabeça...".

Para o almoço, o exército forneceu uma marmita com sanduíche de presunto, sanduíche de rosbife, fatia de torta de maçã, maçã e um frasco de leite, que Elvis engoliu, explicando que não tinha comido desde a noite anterior. "Meu amigo, eu estava faminto", ele disse. Então se deitou num sofá da sala de recreação e tirou uma soneca por meia hora.

Amigos e parentes continuavam a aparecer, e um telegrama do governador Frank Clement chegou. Lia-se: "Você mostrou que primeiro é um cidadão americano, um voluntário do Tennessee, e um jovem disposto a servir seu país quando for chamado".

Lá fora, o Coronel distribuía mais balões do filme *Balada sangrenta*, enquanto a multidão crescia cada vez mais, e os Presley ficavam cada vez mais comovidos. Os oficiais do exército estavam nervosos por não alcançarem a cota de vinte recrutas (incluindo voluntários), necessária para requisitar um ônibus e sair de Memphis naquele dia. Enfim, um convocado chamado Donald Rex Mansfield, recém-chegado no ônibus de Dresden, Tennessee, que só estava programado para incorporar no dia seguinte, teve o seu processamento agilizado, e o soldado Elvis Presley, número de série 53 310 761, embarcou no ônibus para a jornada de 240 quilômetros ao Fort Chaffee. Deu um abraço rápido na mãe, a essa altura praticamente inconsolável, e no pai, que tinha começado a chorar. "Adeus, baby", disse ele a Anita com o ônibus prestes a partir. "Adeus, meu dengoso Cadillac", disse ele à sua comprida limusine preta estacionada. Os outros recrutas riram nervosamente. Isso, relatou Rex Mansfield, quebrou o gelo. Depois disso, ele era, ao menos nominalmente, "um dos rapazes".

Uma caravana de carros com jornalistas e fãs seguiu o ônibus do exército até a saída de Memphis. Quando ele fez sua parada habitual defronte ao rio Mississippi, no restaurante Coffee Cup, em West Memphis, uma multidão de duzentas pessoas já os aguardava, e o motorista do ônibus teve de trazer sanduíches e bebidas. Em Fort Chaffee, o oficial de comunicação social, o capitão Arlie Metheny, natural do Arkansas, veterano de vinte anos na caserna, esperava a chegada desde janeiro, mas nada em sua experiência prévia (nem mesmo seu período de oficial de comunicação social durante a crise de integração em Little Rock) poderia tê-lo preparado inteiramente para o tumulto que irrompeu quando o ônibus enfim chegou às 23h15 daquela noite. Mais de uma centena de fãs civis, quarenta ou cinquenta jornalistas e outros duzentos parentes de militares cercaram o pobre recruta, com o Coronel liderando o comitê de saudações. Os jornalistas seguiram Elvis até uma sala de recepção, onde ele posou fazendo a cama várias vezes para as câmeras, mas quando um fotógrafo se escondeu no quartel para tirar uma foto do soldado Presley adormecido, isso foi demais até mesmo para a tolerância do exército, e o capitão Metheny mandou expulsar o tal fotógrafo. Ao longo de tudo, Elvis mostrou uma paciência extraordinária, apresentando um rosto animado e alegre, fazendo gracinhas e autocríticas, satisfazendo a todos os pedidos sem reclamar, só recusando-se a dar autógrafos enquanto estivesse "engajado".

Estimou que não tinha dormido mais do que três horas e, bem antes do toque de alvorada, às 5h30 da manhã seguinte, já estava em pé, vestindo-se, fazendo a barba, enquanto os outros começavam a despertar. O Coronel e vinte fotógrafos se juntaram a ele para o café da manhã às 6h ("Foi bom, mas eu estava com tanta fome que comeria qualquer coisa nessa manhã", teria declarado ele). Em seguida, passaria por testes de aptidão, que tiveram a duração de cinco horas, uma palestra pós-almoço de duas horas sobre direitos e privilégios dos soldados, uma breve entrevista de classificação e um adiantamento do soldo no valor de sete dólares. "O você vai fazer com todo esse dinheiro?", gritaram os repórteres. "Abrir uma empresa de empréstimos", respondeu Elvis com bom humor. E, finalmente, a ida ao barbeiro do quartel para fazer o corte militar. Cinquenta e cinco repórteres e fotógrafos esperavam para registrar aquele momento histórico. "Adeus, cabelo", disse Elvis, segurando um pouco do cabelo na mão e assoprando os fios para os fotógrafos. Mas embaralhou tanto as ideias que se esqueceu de pagar o barbeiro e teve de voltar, envergonhado, para quitar a despesa de sessenta e cinco centavos. Avistou uma cabine telefônica e foi ligar para a mãe. Quando os repórteres foram atrás dele, o Coronel Parker bloqueou o caminho. "Acho que um rapaz tem o direito de falar sozinho com sua mãe", disse o Coronel.

Na quarta-feira, ele recebeu seu uniforme, e o Coronel, fazendo palhaçada para as câmeras, tentou fazê-lo acrescentar uma gravata caubói ao uniforme. "Não, senhor. Se eu vestir uma gravata caubói aqui, eu é que vou ser punido, não o senhor", respondeu Elvis, quando o Coronel declarou aos fotógrafos: "Gostaria que vocês parassem de tirar fotos de vocês mesmos". Naquela tarde, houve um anúncio (surpreendente apenas porque veio mais cedo do que o esperado) de que Elvis Presley seria designado à Segunda Divisão Blindada – a famosa corporação "Hell on Wheels" (Inferno sobre Rodas) do general George Patton – em Fort Hood, nos arredores de Killeen, Texas, para treinamento básico e instrução avançada sobre os tanques de combate. Até agora Elvis tinha sido um bom soldado, anunciou o general Ralph R. Mace: "Pelo menos na minha opinião, ele está se comportando de uma maneira maravilhosa". E Hy Gardner escreveu uma coluna sob a forma de uma carta aos soldados colegas de Elvis, proclamando-o um mérito nacional:

> Onde mais um zé-ninguém ganha fama tão rápido, e em que outra nação no mundo alguém tão rico e famoso serviria ao lado de outros recrutas sem tentar usar influência para comprar a sua saída? Na minha cartilha, é isso que a democracia americana tem de melhor – o abençoado modo de vida para cuja proteção vocês e Elvis e foram chamados a contribuir com dezoito a vinte e quatro meses de suas jovens vidas... Espero que concordem com o que sinto.

Seis dos treze recrutas originais de Memphis foram designados a Fort Hood, incluindo Rex Mansfield e William Norvell, a quem Elvis imediatamente apelidou de "Nervoso" Norvell. Após ser perseguido por mais de trezentos e vinte quilômetros por um comboio de fãs apaixonados ("Odiaria ver alguém se machucar", Elvis disse apreensivo. "Talvez se eu acenar..."), o ônibus Greyhound fretado contornou as paradas habituais em Dallas e Waxahachie, onde centenas de pessoas já se reuniam, parando enfim para almoçar em Hillsboro, Texas, às 13h30. O capitão J. F. Dowling designou dois de seus homens mais corpulentos para ladearem Elvis: "Acho que estabelecemos um novo recorde. Vinte e cinco minutos sem alguém reconhecê-lo". Quando enfim isso aconteceu, houve um princípio de tumulto, e levou mais uns vinte e cinco minutos para conseguirem sair do restaurante. "Elvis levou tudo numa boa", disse o capitão Dowling. "Alguns dos recrutas pediram refeições que excederam o subsídio do vale-refeição, mas Elvis disse que pagaria a diferença. E antes de nós o colocarmos no ônibus, ele comprou cigarros e doces para distribuir entre os colegas. Quando saímos de Hillsboro, as moças estavam brigando para ver quem iria ficar com a cadeira em que Elvis tinha sentado."

Em Fort Hood, tudo estava mais sob controle, desde o início. A oficial de comunicação social, a tenente-coronel Marjorie Schulten, já havia decidido, antes de o ônibus chegar, adotar uma abordagem diferente daquela aplicada em Fort Chaffee. "Ele deveria chegar no dia 28 [de março] por volta das quatro da tarde", contou ela ao escritor Alan Levy. "A partir das onze da manhã, o pessoal da mídia começou a aparecer aqui. Nunca vi tanta gente... Quando avistei um editor de Fort Worth, famoso por nunca deixar sua cadeira giratória, soube que era um evento." Pouco depois, o Coronel Parker veio para oferecer, Levy observou, "seus serviços, conselhos e apoio moral. A tenente-coronel Schulten virou-se para o 'Coronel' Parker e, escolhendo as palavras, modulando a voz como quem fala com alguém de patente mais alta – especialmente alguém que fazia questão de ostentar o 'posto' –, disparou: 'Coronel Parker, a Segunda Divisão Blindada não conseguirá treinar este rapaz no ritmo em que esses pedidos da mídia estão chegando. O senhor tem um investimento colossal, então talvez não vá gostar do que estou prestes a fazer aqui e agora'. Parker elaborara planos minuciosos durante a pré-arregimentação. Mas nunca pensou na hipótese de uma oficial mulher. A rendição foi inevitável. Com a voz mansinha, limitou-se a dizer: 'Bem, coronel, você é a chefe'".

Ela estava prestes a tomar uma medida drástica: declarar Elvis Presley inacessível a jornalistas e fotógrafos após seu primeiro dia em Fort Hood. "Conforme prometido, vocês têm carta branca", disse ela, "mas só por um dia. Só hoje. Depois, mais nada!" E foi essa a política que ela implementou.

Os primeiros dias foram dificílimos para um Elvis Presley muito isolado e com muitas saudades de casa. Os outros apenas assistiam, alguns pegavam no pé dele ("Rapaz, não está balançando direito", alguém podia brincar quando ele passava correndo, ou "Saudades dos ursinhos de pelúcia, Elvis?" era outra gracinha comum). Em essência, porém, a batalha de Elvis era a sua própria, particular e desesperada, para encontrar seu equilíbrio e ser aceito como um cara normal. Aos poucos, foi sendo aceito, e aos poucos, se soltou mais. O instrutor dos recrutas, o sargento Bill Norwood, tornou-se amigo dele e permitia que Elvis fizesse telefonemas de sua casa. Ele testemunhou em primeira mão a saudade e as lágrimas e se preocupou com o que aconteceria se os outros o vissem assim. "Quando entrar na minha casa", disse ele a Elvis, "pode desabafar. Faça o que quiser e não se preocupe com nada. Mas quando sair porta afora, volte a ser Elvis Presley. Um ator. Um soldado. Então, por Deus, quero que você interprete um papel! Não deixe ninguém saber como você se sente por dentro."

Recebeu medalha de atirador de carabina, atirador de elite com pistola e foi nomeado líder de pelotão adjunto, como Rex e "Nervoso" Norvell, cada qual em seu pelotão. Aos poucos, contou ele, foi sendo aceito. "Não pedi nada, e não me deram nada. Só fiz a mesma coisa que todos fizeram. E fiz isso muito bem." Só não sabia em quem confiar.

O Coronel veio visitá-lo uma ou duas vezes para coletar a assinatura dele em documentos e atualizá-lo sobre as vendas e a estratégia. Era reconfortante ouvir notícias de sua carreira, embora pouco se importasse com fatos e números, mas quando um empresário de Waco, chamado Eddie Fadal, que ele havia conhecido durante a turnê de cinco dias no Texas em janeiro de 1956, veio vê-lo após duas semanas de treinamento básico, foi como se tivesse reencontrado um amigo de longa data.

Fadal, com trinta e poucos anos, casado e pai de dois filhos, era um daqueles não tão raros indivíduos que respondiam mais do que instantaneamente ao charme de Elvis. De fato, ele tinha pedido demissão de seu emprego como DJ de Dallas após o convite de Elvis para atuar "como lacaio geral", nas palavras de Fadal, naquela breve turnê de 1956, e tinha colaborado com ele por mais uns dias quando Elvis retornou com Nick Adams para uma apresentação no Heart O' Texas Coliseum Waco, mais tarde naquele ano. "Pensei: provavelmente não vai se lembrar de mim, mas vou até a base conferir. Enfrentei muita burocracia no portão, e fui à sala do sargento-de-dia, e ele não foi um primor de gentileza comigo, mas enfim foi chamar Elvis. E, com certeza, ele se lembrou de mim. Eu o convidei para nos visitar em casa quando estivesse de folga. Disse que lhe daríamos um lar longe de casa, privacidade, comida caseira e todas essas coisas. Ele afirmou: 'Claro, vou aparecer lá. Não posso nas próximas duas semanas, mas vou lá'. Pensei comigo mesmo: sei, aposto que sim. Mas, dito e feito. Em duas semanas o telefone tocou..."

Enquanto isso, Anita veio ao Texas a convite do sargento Norwood e sua esposa, que disponibilizou a casa deles na área militar. Quando ela chegou, Elvis foi designado para o serviço de guarda por 24 horas, mas o sargento Norwood sugeriu que, de acordo com os regulamentos do exército, ele poderia solicitar dispensa se encontrasse um substituto de igual patente. Elvis procurou Rex Mansfield e ofereceu-lhe vinte dólares para tomar o seu lugar. "Falei logo que ficaria feliz em tirar a guarda por ele, mas não aceitaria dinheiro, de jeito nenhum", escreveu Rex, que em seu livro registra, com reprovação, que as pessoas disputavam a atenção de Elvis. "Disse a ele que eu faria isso por qualquer outro soldado cuja namorada estivesse esperando para vê-lo... Este foi o verdadeiro começo da nossa amizade."

Elvis levou Anita com ele a Waco para visitar Eddie Fadal. "Ele me ligou do trevo, na confluência de todas as rodovias que entram em Waco, e tive dificuldade em encontrá-lo porque ele não estava onde eu pensei. Mas seguiu meu carro até minha casa, e dali em diante era todo fim de semana." Nervoso Norvell o acompanhou uma ou duas vezes com a esposa, que veio ao Texas para fazer companhia a Anita. Mas, em geral, era só Elvis, Anita e a família Fadal. Cantavam, tocavam discos, e Elvis ligava para casa pelo menos uma vez por dia. "Ele dizia: 'Mamãe', e imagino que ela dizia 'Filho'. E desfiava suas mágoas. Soluçava, chorava e lamentava. Achava que sua carreira tinha acabado. Ele me disse muitas vezes: 'Está tudo acabado, Eddie. Vão ter me esquecido quando eu voltar'. Falei: 'Elvis, não acabou. Está só começando. Você nunca vai ser esquecido'. E ele: 'Está tudo acabado. É isto'. E acreditava nisso piamente."

No final do treinamento básico, Anita soube que faria gravações em Nova York no começo de junho, e uma noite, ao piano, Elvis a incentivou a cantar "I Can't Help It (If I'm Still in Love with You)", de Hank Williams, e o novo hit de Connie Francis, "Who's Sorry Now?", enquanto ele entoava principalmente canções gospel. Alguém acionou um gravador, e você pode ouvir Eddie dizendo a Anita: "Mal posso esperar até seu primeiro disco sair". E Elvis comenta: "É melhor que seja um disco bom. Quem me dera eu pudesse escolher as músicas". Afirma que escolheria uma música como "Happy, Happy Birthday, Baby", que toda a família pudesse cantar. Ou algo como "Cold Cold Heart", que transmitisse uma certa mágoa. "Tenho medo que lhe deem algo moderno demais, pop demais, sabe?" "Vai morrer rápido?" "Não..." "Vai ser uma onda e depois desaparecer?" "Não, estou falando é que vão dar a ela uma música tipo Julie London, esse é o meu medo. Tinham que dar a ela algo ao estilo de Connie Francis. Algo... visceral." Anita modestamente consente com todas as sugestões, e repetem "Happy, Happy Birthday", do The Tune Weavers. Elvis canta com o disco e arremata o recital improvisado tocando piano e cantando uma bela versão de "Just a Closer Walk with Thee", enquanto uma das filhinhas dos Fadal chora ao fundo. Eddie não tinha dúvida de que Elvis iria se casar com Anita algum dia. Eles ficavam tão à vontade juntos, e ele se sentia em casa na companhia dela e na casa dos Fadal. "Mais tarde, a mãe dele me disse que os Fadal tinham lhe proporcionado uma casa longe de casa."

A licença estava programada para começar às 11h da manhã de sábado, 31 de maio, mas no último minuto foi transferida para as 6h da manhã, e Anita e o Coronel estavam esperando no portão da base. Em Dallas o grupo se separou pegando aviões para Memphis e Nashville. Em Memphis, Elvis deixou "Nervoso" Norvell na Lamar Avenue e, em seguida, levou Rex a Graceland, onde centenas de fãs os esperavam no portão. Elvis não parou o carro, escreveu Rex, porque estava cansado e ansioso para rever os pais, mas prometeu sair mais tarde para dar autógrafos. "O tratamento que recebi de Elvis em nossa chegada... foi realmente incrível para mim. Após os abraços e beijos habituais na mãe e no pai e as calorosas boas-vindas aos seus velhos amigos, ele dedicou toda a atenção dele para mim." Mostrou a mansão a Rex, que a procurou descrever em suas memórias: "Mas meras palavras têm suas limitações e é melhor ver para crer... Mesmo em filmes, nunca tinha visto uma casa com interior tão bonito e luxuoso quanto a Graceland Mansion...

"Elvis então me surpreendeu ainda mais indo, pessoalmente, me levar até onde meus pais estavam [a casa do cunhado de Rex, em Memphis]. Saímos pelo portão dos fundos da casa e atravessamos o descampado numa de suas muitas limusines (um Cadillac preto). Dois de seus melhores amigos foram conosco, Lamar Fike e Red West, que estava nos fuzileiros naquela época, mas tinha conseguido uma licença para fazer companhia a Elvis durante a licença dele (...). Na despedida (...) Elvis me pediu para passar uns poucos [os últimos] dias da licença de duas semanas com ele em Graceland e poderíamos viajar de volta a Fort Hood juntos. Prontamente aceitei a oferta dele."

Teve a sensação de ser transportado de volta ao mundo ao qual realmente pertencia – mas não passava de uma visão tentadora: sabia que tudo estava destinado a desaparecer. Tudo parecia exatamente igual, como nos velhos tempos, todos reunidos em Graceland, amigos, família, os fãs nos portões. Que tal é o serviço militar, primo? Quis saber Junior com aquele escárnio ligeiramente malévolo. Tenham cuidado, meninos, recomendava a mãe dele, quando todos saíam para patinar ou ir ao parque de diversões do Fairgrounds, agora que o verão se aproxima. Participou de reuniões de negócios com o Coronel, que falava com ele o tempo todo sobre assuntos tediosos e decisões necessárias.

E quanto a Anita passar tanto tempo com ele no Texas? Foi a pergunta dos repórteres locais. "Bem, sei que os jornais nos noivaram, casaram e tudo mais, mas só aparenta ser assim." Gostava da comida do exército? "Comi coisas no exército que nunca tinha comido antes, e comi coisas que nem sabia o que era, mas depois de um dia de treinamento árduo, você come uma cascavel." E os horários do exército? "Estou acostumado. Não durmo mais nem menos do que eu costumava dormir, só em horas diferentes. Aqui nesse período de licença, não consigo ficar acordado após a meia-noite, e antes eu passava a noite toda acordado." Escreveu muitas cartas para casa? "Nunca escrevi uma carta em minha vida." Por que está usando o uniforme o tempo todo em que está de licença? "Simples. Me dá uma ponta de orgulho." E sua impressão geral do exército? "É da natureza humana reclamar, mas estou indo em frente e fazendo o melhor trabalho que posso. Uma coisa: o exército ensina os meninos a pensar como homens."

Foi com os pais a uma exibição especial de *Balada sangrenta*, cortou o cabelo no Jim's e comprou um novo Lincoln Continental conversível vermelho. Em Nashville, na semana seguinte, estava marcada uma sessão de gravação, que o Coronel enfim tinha concedido em face aos apelos quase histéricos de Steve Sholes. Por dois anos, Elvis ficaria longe, e Sholes tinha apenas quatro canções prontas para lançar. Ele, só ele, seria considerado o único culpado se a coisa toda de repente desmoronasse. O Coronel praticamente o fez rastejar – é evidente por sua correspondência que Sholes teve de se conter para não expressar seus verdadeiros sentimentos –, mas, ironicamente, por mais frustrante que a última sessão tivesse sido, dessa vez tudo funcionou. Em dez horas, ao longo de uma só noite, gravaram cinco faixas quase perfeitas.

Pela primeira vez, Scotty e Bill não estavam no estúdio com ele, e D.J. foi relegado a coadjuvante, mas a falta deles não foi sentida. Os melhores músicos de estúdio de Nashville os substituíram, e a sessão pulsou com uma energia e um humor musical como havia tempos não acontecia. Com Hank Garland na guitarra, Bob Moore no baixo, Floyd Cramer no piano, Buddy Harman na bateria e Chet Atkins, que saiu da cabine para contribuir na guitarra rítmica. Além disso, os Jordanaires trouxeram o novo baixo-profundo, Ray Walker, e cada vez que era sua parte, "[Elvis] tentava me confundir de todas as maneiras que podia. Mexia os lábios e não dizia nada, e depois cantava a parte dele. Não facilitou a minha vida!". Tom Diskin, falando em nome do Coronel, expressou sua preocupação de que os instrumentos estavam soando muito alto e poderiam abafar a voz de Elvis, mas Sholes o tranquilizou, tudo seria ajustado na mixagem.

Quando Rex voltou a Graceland, a gangue inteira estava reunida, incluindo Nick Adams, que tinha vindo de Hollywood, e Rex sentiu uma frieza no ar. "Senti a desconfiança e o ressentimento deles", escreveu ele. "Mais tarde, eu mesmo me flagrei com esses mesmos ressentimentos... Era uma sensação de ciúmes, como se Elvis não prestasse tanta atenção em mim e sim ao novo amigo. De qualquer forma, era melhor esse pessoal me aceitar porque eu planejava ficar por um tempo." Anita também já havia retornado ("Naturalmente, nos sentimos péssimos quando tive de ir a Nova York para minha sessão de gravação bem na época de sua licença no quartel, mas sabíamos que não tinha outro jeito"), e foi relatado que ela passou as últimas horas sozinha com ele, "sem amigos ou pais por perto".

No sábado de manhã, quando saiu de casa rumo à base a bordo do novo Lincoln vermelho, sentia um misto de empolgação e tristeza: empolgação porque tinha sido muito fácil voltar à vida antiga, e tristeza pelo mesmíssimo motivo, porque não suportava ter de abandoná-la de novo. O Coronel fazia um estudo dos regulamentos do exército e, de volta ao Fort Hood, Elvis confabulou com o sargento Norwood, que o informou: uma vez concluído o treinamento básico, em geral os soldados recebem permissão para viver fora das dependências da base, caso ele tivesse dependentes morando nas proximidades. Em poucos dias, Vernon e Gladys, que eram realmente dependentes legais de Elvis, fizeram as malas e partiram a bordo do Fleetwood branco, com a mãe de Vernon, Minnie, enquanto Lamar ia na frente com o Lincoln Mark II. Em 21 de junho, estavam instalados logo na saída de Fort Hood numa casa pré-fabricada de três quartos. Mas logo viram que o local seria meio apertado para cinco adultos e alugaram uma casa no centro de Killeen, pertencente ao juiz Chester Crawford, que planejava tirar férias e viajar durante dois meses, a partir de 1º de julho.

Elvis levou os pais para conhecer os Fadal no primeiro fim de semana após a chegada deles e, novamente, para o churrasco de 4 de julho, na semana seguinte. Gladys simpatizou instantaneamente com a esposa de Eddie, Lanelle. "Ela e minha esposa iam ao supermercado comprar as coisas de que Elvis gostava. E então ela colocava o avental, ia para a cozinha e começava a preparar a refeição. Ela era alegre, se sentia em casa, e foi divertido." A essa altura, Eddie tinha criado um ambiente para o novo console de estéreo hi-fi, decorando o ambiente em rosa e preto para deixar Elvis mais confortável quando viesse passar os fins de semana com eles. Durante a semana, Eddie visitava os Presley enquanto Elvis cumpria as obrigações no quartel. "Gladys ficava sentada na cadeira de balanço, de robe, pés descalços, mais caseira impossível. Elvis adorava tortas de creme de banana, uma das especialidades de um restaurante local, o Toddle House. Eu levava algumas dessas tortas terça ou quarta-feira, com as mais novas revistas e um lote de discos de 45 rpm. Um amigo meu, Leonard Nixon, tinha uma loja de discos, e a cada novo 45 que saía, ele me ligava e dizia: 'Elvis vai gostar de ouvir este, eu sei'. Ele me passava os últimos lançamentos de Connie Francis, Fats Domino e Sam Cooke, artistas admirados por Elvis. Chegávamos uma hora antes de Elvis, e então começava o agito. Tinham de começar a fazer o jantar, e os fãs se reuniam na porta, sabe, era um alvoroço, porque sabiam a hora que ele costumava chegar em casa."

De novo, foram bons tempos para a família Presley, mas Gladys não ficou muito ansiosa para ir à Alemanha quando a companhia militar de Elvis foi designada para uma missão no exterior ("Simplesmente não consigo me ver lá, num país estrangeiro", contou ela a Lamar. "Não tenho nada lá, nem estou tentando encontrar nada"). A maior preocupação de Vernon era o impacto que tudo isso poderia ter na carreira de seu filho. Quanto ao próprio Elvis, passava a semana envolvido no básico avançado, que consistia em treinamento para se tornar um operador de tanques de combate – Elvis ficou em terceiro lugar em artilharia de tanques. Nos desfiles, às vezes, tocava caixa na banda marcial. Mas vivia mesmo nos fins de semana. Às vezes, Anita vinha visitá-lo, mas principalmente ele, Lamar e Rex ("Rexadus", como ele o apelidou) e outros caras iam a Dallas ou ao Fort Worth, onde havia uma escola de aeromoças, ou apenas visitavam a casa dos Fadal em Waco, onde comiam, brincavam e jogavam futebol americano. "Sempre havia uma fila de carros", disse Eddie orgulhosamente. "Toda vez que minha esposa avistava aquela caravana, dizia: 'Ah, vou ter de alimentar doze ou quinze pessoas'. Mas só Elvis ficava para dormir."

Gladys tratava sempre com a mesma cortesia o fluxo de visitantes que chegava a Killeen, seja para negócios oficiais, negócios sociais ou negócio nenhum. O Coronel veio várias vezes e se reunia a portas fechadas com Elvis e Vernon. "Entrava na sala de estar", contou Eddie, "conversava com quem estava lá, eu, Gladys e Lamar principalmente, mas falavam de negócios a sós. Nunca sabíamos do que tratavam, mas às vezes Elvis saía indignado e, depois que o Coronel saía, ele xingava de raiva, mas outras vezes era amigável e vinha com um bom sentimento e um sorriso no rosto. Houve momentos em que discordaram, mas [não tinha] nada a ver com os esforços artísticos de Elvis. O Coronel não se envolvia nisso, mas cuidava de todos os negócios, e acho que era assim mesmo que deveria ser."

Numa jogada publicitária, um DJ chamado Rocky Frisco apareceu após percorrer 800 quilômetros desde Tulsa. Ao chegar a Killeen, descobriu que Elvis estava fora em manobras de campo, mas Gladys o convidou para visitá-los todos os dias, e "fui acolhido como membro da família". Vic Morrow, o ator que encarnou o líder da gangue em *Balada sangrenta*, fez uma visita, e Vince Edwards e Billy Murphy passaram por Killeen a caminho de Dallas, mas não sabiam o endereço de Elvis. Foram perguntar num posto de combustíveis quando Lamar ("nós o apelidamos de Velho Rabo de Elefante") notou que as placas do carro eram de Hollywood e os levou até a casa. Elvis estava no quartel, contou Gladys. Ela insistiu que ficassem para jantar, e Vernon os instalou num pequeno trailer de latão, nos fundos da casa. Elvis finalmente chegou em casa, e foi um reencontro feliz. Quando todos foram dormir, Vince e Billy foram para o trailer, mas não conseguiram dormir. Ficaram apavorados e debandaram por volta da uma da manhã. Vince explicou: "Não importava o que Elvis fosse pensar, os malditos animais silvestres começaram a fazer tanto barulho que fomos obrigados a procurar um hotel de beira de estrada". Foram embora sem se despedir.

Os fãs apareciam à porta da casa, os vizinhos reclamavam da movimentação, algumas meninas montaram um estande ao lado da rodovia, no trajeto de Elvis para casa, com uma placa dizendo: "Por favor, Elvis, pare aqui", e um dia Elvis parou. Eddie Fadal levava as presidentes dos fã-clubes ao ponto de ônibus em Temple, e a senhora Presley sempre mostrou cordialidade. Ao longo do verão, porém, cada vez mais, apresentou indisposição, a cor da pele não estava boa e tinha vômitos frequentes. Ligou ao médico da família em Memphis, doutor Charles Clarke. "Ela falou: 'Doutor Clarke, amanhã é quarta-feira'. Eu disse: 'Sim, senhora'. Ela disse: 'O senhor não vai sair na quarta-feira? Bem, quero que o senhor voe até aqui para me ver, porque estou doente'. Respondi: 'Senhora Presley...' e tentei achar uma desculpa. Falei: 'Não estou licenciado para exercer a profissão no Texas'. Ela disse: 'Não está? Bem, vou ter de arranjar alguém para me levar até aí. Preciso pegar umas verduras da horta e trazer para o Elvis, de qualquer maneira'. Era assim que ela falava. Era uma pessoa muito doce. Lembro-me de que um tempo antes ela teve uma série de problemas estomacais, e eu a coloquei no que chamamos de 'dieta suave'. Ela voltou um tempo depois e disse: 'Doutor, fiz exatamente o que o senhor mandou. Não coloquei nada no estômago. Fui muito cuidadosa... Só melancia e Pepsi-Cola'. Era isso que ela chamava de dieta suave!"

Elvis embarcou os pais no trem para Memphis em Temple, no dia 8 de agosto, sexta-feira. No sábado, Gladys baixou no hospital. O doutor Clarke não tinha certeza de qual exatamente era o problema dela. "Era um problema de fígado, mas ela não tinha icterícia, pelo que me lembro. Não era uma hepatite típica. Liguei para todos os especialistas, e tentamos diagnosticar. Parece que sofria de um tipo de fenômeno de coagulação que envolvia o fígado e os órgãos internos."

Na segunda-feira, ainda estava inseguro sobre o diagnóstico, mas sabia que era sério. Telefonou para Elvis, que havia acabado de começar nova etapa de seis semanas na unidade de treinamento básico e a princípio não conseguiu uma licença. Elvis ligava praticamente de hora em hora para saber notícias da mãe, e "no fim me disse: 'Se eu não conseguir uma licença até amanhã de manhã, vou para aí amanhã à tarde de qualquer maneira'. Aconselhei: 'Escute, Elvis, não vá ausentar-se sem autorização. Todos os jovens do mundo estão de olho em você. Você é um modelo. Não faça isso'. Emendei: 'Me dê o nome do seu comandante, e se precisar eu dou um jeito. Conheço o presidente do Comitê de Assuntos Militares. Vou ligar para ele'. Então Elvis me deu o nome do comandante, e eu liguei para ele. O comandante falou: 'Bem, doutor, se fosse outro soldado nós liberávamos, mas se liberarmos o Elvis, vão dizer que estamos dando privilégios especiais a ele'. Respondi simplesmente: 'Olhe, comandante, aqui no hospital tenho que falar com a imprensa do mundo inteiro todos os dias. Se ele for liberado e alegarem que o senhor lhe concedeu privilégios especiais, vou apoiar a decisão do senhor'. E acrescentei: 'Mas, comandante, se ele não for liberado, vou falar com a imprensa e queimar seu filme. Passei cinco anos e meio no exército. Fui chefe da cirurgia cardíaca no hospital Walter Reed na

Segunda Guerra Mundial, e eu sabia como lidar com comandantes. Em poucas horas, Elvis estava aqui. O comandante sentiu o drama".

Elvis e Lamar voaram de Dallas na noite de terça-feira, 12 de agosto, e Elvis foi direto ao hospital. "Ai, meu filho", exclamou Gladys, que já havia expressado preocupação com seu voo para vir vê-la. Elvis passou cerca de uma hora no quarto do hospital e a encontrou um pouco melhor do que o esperado. A condição de Gladys ainda era grave, afirmou o doutor Clarke, mas a visita do filho fez muito bem a ela. Deixou o pai no hospital, onde Vernon estava acampado em uma cama dobrável ao lado do leito de Gladys. Estacionou o Cadillac cor-de-rosa numa vaga que podia ser avistada da janela. "Entrei uma manhã", contou o doutor Clarke, "e ela disse: 'Olhe aquele Cad rosado lá fora no estacionamento. Gosto muito dele, porque Elvis me deu'. A coisa de que ela mais tinha orgulho na vida era ter trabalhado como auxiliar de enfermagem no Hospital St. Joseph's."

Na manhã seguinte, Elvis voltou cedinho e passou várias horas com ela. No fim da tarde, voltou com os amigos, que ficaram na sala de espera enquanto ele visitava a mãe. Mais animada, ela falou muito sobre uma ampla gama de assuntos. Elvis ficou até quase meia-noite e prometeu que voltaria cedo na manhã seguinte para levar algumas das flores para casa.

Às três e meia da madrugada, o telefone tocou em Graceland. "Eu já sabia o que era antes de atender ao telefone", disse Elvis. Vernon tinha sido despertado com a esposa "arquejando para respirar", conforme ele descreveu. Levantou a cabeça dela, chamou um médico, mas antes que o médico pudesse chegar lá, ela já havia morrido. Elvis chegou em poucos minutos e se ajoelhou com o pai ao lado da cama. Quando Lamar trouxe a mãe de Vernon, Minnie, ao hospital poucos minutos depois, "saímos do elevador, e já escutei Elvis e Vernon chorando. Nunca tinha ouvido nada parecido antes na minha vida... Parecia um grito. Enveredei pelo corredor, Elvis me viu, abraçou-se em mim e disse: 'Satnin' se foi'".

Esperaram no hospital até o carro funerário chegar. Elvis estava inconsolável, tocando o corpo várias vezes, até que os funcionários do hospital pediram para ele parar. Do hospital, Elvis ligou ao sargento

Norwood na base, e para Anita Wood, que estava em Nova York para aparecer no *The Andy Williams Show*. Eram 5h30 da manhã, e a mãe dela atendeu ao telefone. Elvis mal conseguia falar, disse Anita. Ela prometeu que viajaria logo após o programa naquela noite.

Quando os repórteres chegaram a Graceland no meio da manhã, encontraram Elvis e o pai sentados nos degraus da frente, totalmente desolados. Abraçados, soluçavam compulsivamente, alheios à presença de qualquer outra pessoa. Elvis usava camisa branca de babados com as mangas enroladas, calça continental cáqui e sapatos brancos de camurça, sem cadarços. A morte da mãe, disse ele aos repórteres sem constrangimento ou vergonha, tinha partido seu coração. "Lágrimas escorriam em seu rosto", escreveu o repórter do *Press-Scimitar*. "Chorou a entrevista inteira. 'A nossa vida girava em torno dela', lamentou ele. 'Ela sempre morou em meu coração'." Olhando para a entrada da casa, ele disse: "Quando a mamãe não estava se sentindo bem, costumávamos andar com ela no caminho da entrada até ela se sentir melhor. Agora acabou".

Centenas de fãs se reuniram do lado de fora dos portões e ficaram de vigília quando transferiram o corpo para a casa no início da tarde. Elvis anunciou que o funeral seria em Graceland, da maneira tradicional, porque sua mãe sempre amou seus fãs, e ele queria que tivessem a chance de vê-la. Porém, o Coronel vetou a ideia, alegando questões de segurança, e o acesso a Graceland foi limitado a amigos e familiares. O corpo, no caixão de 400 quilos forrado de aço e cobre, foi colocado no meio da sala de música. Gladys estava com um vestido azul-bebê que a irmã Lillian nunca tinha visto ela usar, e Elvis não conteve as lágrimas mais uma vez, ao lembrar da simplicidade de sua mãe, sua impermeabilidade às lisonjas da riqueza e da fama. "Minha mãe amava as coisas bonitas, mas não as usava", declarou ele com emoção amarga.

Nick Adams pegou um avião da Costa Oeste, Cliff Gleaves veio da Flórida, e o pai de Vernon, Jessie, veio de ônibus de Louisville. Quando o doutor Clarke chegou ("Eles insistiram que eu fosse lá para ficar com eles na casa"), deparou-se com um cenário perturbador. "A expressão de dor era profunda. Ele e o pai ficavam indo até a porta da frente e voltando, abraçados, e me lembro do pai dele falando: 'Elvis, olhe as galinhas. Mamãe nunca mais vai alimentá-las de novo'. 'Não, papai, mamãe nunca mais vai alimentá-las.' Um tipo deprimente de luto."

Ao longo do dia, houve um crescendo de lágrimas e emoções. Parentes de Elvis, de acordo com uma fonte, estavam caindo de bêbados na cozinha. Na visão do doutor Clarke, o Coronel fez o possível para transformar aquilo num espetáculo. Quando Alan Fortas entrou, "Elvis parecia atordoado. Falava em voz baixa e tensa. 'Minha baby se foi, Alan, ela se foi!' Eu disse: 'Eu sei, Elvis. Sinto muito. Era uma boa senhora'. Então me levou para ver o corpo. Às vezes, ele se erguia para receber visitantes, ou então ficava lá, sentado ao lado do caixão, como se fossem o anfitrião e a anfitriã de sua festinha particular. Era de causar dó." Junior pegou Eddie Fadal no aeroporto, e Elvis o levou até o caixão. "Olhe só para a mamãe", ele disse. "Olhe para as mãos dela! Ai, meu Deus, essas mãos se esforçaram para me criar." Não conseguia parar de tocá-la, contou Lillian, a irmã de Gladys. Ele a abraçava e beijava e se agitava para lá e para cá, sussurrando palavras carinhosas, implorando para ela voltar. "Não conseguiam fazer com que Elvis parasse, até que ficaram com receio por ele, sabe, e acharam por bem cobrir o caixão com vidro." Vieram telegramas de Dean Martin, Marlon Brando, Ricky Nelson, Sammy Davis Jr., Tennessee Ernie Ford e o atual governador do Tennessee, Frank Clement, além de Buford Ellington, que seria o próximo governador.

À noite, Sam e Dewey Phillips chegaram à casa. A fase de Dewey não era boa. Tinha sido demitido da WHBQ no mês anterior, e o comportamento dele, sob a influência de bebidas, remédios e excentricidade congênita, andava cada vez mais errático, mas ele e Sam ficaram a noite toda e fizeram o possível para confortar Elvis, que não saía do lado da mãe. "Depois de um tempo", disse Sam, "eu o convenci a ir à cozinha, nos sentamos, e só fiquei escutando. Ele sabia que eu não ia tentar consolá-lo com frases prontas e artificiais, só para ele se sentir melhor... Elvis ficava falando sobre o corpo e como ele não queria entregá-lo a mais ninguém. Por fim, afastei Elvis do caixão e fomos nos sentar à beira da piscina. Nunca vou me esquecer das folhas secas à beira da piscina. Consegui convencê-lo de que deveria deixar a mãe dele ir. Eu o conhecia o suficiente para saber como abordá-lo."

Por fim, Anita chegou às 2h30 da madrugada de sexta-feira. Todo mundo estava acampado na cozinha e na sala de estar. Nick chegou com um corte no supercílio, resultado de uma cena de luta com Frank Lovejoy. Improvisou uma cama ao lado da de Elvis para lhe fazer companhia durante a noite. George, Alan, Lamar e outros da turma estavam de prontidão para ficar quanto fosse preciso. Anita encontrou Elvis e Vernon sentados nos degraus da entrada de Graceland. Ele deu um abraço nela, os dois choraram, e ele disse: "Entre, Little. Quero que você veja a mamãe". Ela realmente não queria, porque nunca tinha visto um cadáver antes, mas Elvis disse: "Venha, Little, mamãe te amava. Quero que a veja, ela está tão linda". Ele a conduziu à sala de música, "e um vidro permitia ver o corpo em toda a sua extensão, e ele me levou lá e começou a falar sobre como ela estava bonita, então tocou no tampo da mesa onde os pés dela estavam e falou: 'Olhe só estes pezinhos, Little, olhe só estes pezinhos. Ela é tão preciosa'".

O Coronel dispersou a maioria das pessoas que ainda não tinham ido embora, e o doutor Clarke administrou um sedativo a Elvis. A Memphis Funeral Home foi buscar o corpo às nove da manhã, enquanto Elvis ainda dormia.

O funeral seria às 15h30, com culto exequial celebrado pelo reverendo Hamill. No momento em que o culto começou, cerca de três mil pessoas tinham passado em fila pelo corpo, e sessenta e cinco policiais controlavam a multidão lá fora. A capela, que tinha trezentos assentos, ficou lotada com quatrocentos enlutados. Chet Atkins compareceu, mas Bill e Scotty não. Elvis usava terno marrom-escuro e gravata e teve de ser amparado desde a limusine. Antes de o culto começar, Dixie, casada e mãe agora, chegou com a tia dela para prestar suas homenagens e ficou na pequena alcova reservada para a família. "Quando entrei na nave,

Elvis e seu pai estavam lá sentados, e ele simplesmente pulou da cadeira e agarrou meu braço antes de eu entrar pela porta. Foi como se dissesse: 'Olha, pai, a Dixie está aqui'. Como se eu fosse salvar o mundo. E nos abraçamos e confortamos um ao outro por um minuto (havia vinte ou trinta pessoas sentadas lá, e estava quase na hora de o culto começar), mas foi uma coisa muito emotiva para nós dois, e para o pai dele, e Elvis disse: 'Vem a Graceland esta noite? Eu apenas preciso falar com você'. Respondi: 'Bem, vou tentar'. Ele estava muito abalado. Partiu-me o coração vê-lo daquele jeito." Quando os Blackwood Brothers, atrás do altar, cantaram "Precious Memories", Vernon exclamou: "Tudo o que nos resta agora são lembranças", com Elvis soluçando, "Ah, meu pai, não, não...". Os Blackwood Brothers eram o quarteto favorito de Gladys Presley, e Elvis providenciou para que eles viessem de avião desde a Carolina do Sul. Toda vez que terminavam uma música, contou o baixo--profundo do quarteto, J. D. Sumner, "ele enviava um bilhete para cantarmos outra. O combinado era cantarmos três ou quatro músicas, mas acabamos cantando uma dúzia. Eu nunca tinha visto um homem mostrar tanto sofrimento ou dor como Elvis ao perder a mãe dele".

O sermão do reverendo Hamill versou sobre um tema adequado à ocasião. "Hoje em dia, as mulheres podem ter sucesso na maioria dos campos", disse ele, "mas o trabalho mais importante de todos é ser uma boa esposa e uma boa mãe. A senhora Presley era uma dessas mulheres. Seria uma tolice dizer a este pai e a este filho: 'Não se preocupem, não se aflijam, não fiquem tristes'. Claro que vão sentir a falta dela. Mas posso citar as palavras de uma epístola de Paulo: 'Não vos entristeçais como os demais que não têm esperança'."

Várias vezes durante o culto Elvis quase desmaiou. "Sentei-me atrás dele durante a cerimônia", disse Anita, "e ele simplesmente gritava." Quando o culto terminou e os enlutados saíram, ele, Vernon, James Blackwood e o amigo dele, capitão Woodward, da polícia de Memphis, ficaram sozinhos ao lado do esquife. "Aproximou-se do caixão", disse James, "beijou a mãe dele e falou: 'Mamãe, eu desistiria de cada centavo que tenho e voltaria a escavar valas, só para ter você de volta'. Ele chorava e soluçava histericamente. Veio e me deu um abraço, apoiou a cabeça no meu ombro e disse: 'James, sei que você sabe o que estamos passando. Talvez você não saiba, mas eu estava na plateia no funeral de R.W. e Bill no Ellis Auditorium depois do acidente de avião. Então você sabe o que estou sentindo'. Respondi: 'Sim, eu sei', mas até então eu não sabia que ele estivera presente lá."

No cemitério, a cena não foi menos dramática nem menos caótica. As ruas estavam abarrotadas de espectadores quando o féretro deixou a cidade pela Bellevue, enveredando pela Highway 51 até chegar ao Forest Hill Cemetery, a cerca de cinco quilômetros de Graceland. O local da sepultura estava lotado com mais de quinhentas pessoas. "Alguns dos presentes", escreveu Charles Portis no *Commercial Appeal* do dia seguinte, "pareciam honestamente enlutados, mas a maioria ficou virando o pescoço e tagarelando." O senhor Presley tentava confortar Elvis, mas, sempre que o fazia, ele mesmo se dissolvia num paroxismo de luto. "Ela se foi, ela não vai voltar", repetia Vernon, inconsolável. O próprio Elvis conseguiu se recompor até que, no final, explodiu em lágrimas incontroláveis e, com o serviço fúnebre concluído, inclinou-se sobre o caixão, gritando: "Adeus, querida, adeus. Amo você demais. Sabe que a minha vida toda eu só vivi por você". Quatro amigos o arrastaram até a limusine. "Ah, meu Deus", declarou ele, "tudo o que eu tenho se foi."

Em Graceland, o cenário era de caos. Amigos e parentes perambulavam em impotente consternação, Elvis estava inconsolável e o Coronel assumira seu posto de comando na cozinha, quando Dixie chegou ao anoitecer. Ela não tinha intenção de se intrometer na dor dele. "Eu não queria vê-lo naquela noite, pois ele já estava cercado de gente. Eu estava de shorts e tinha bobes nos cabelos, e ia dizer a ele que voltaria para vê-lo na noite seguinte. Parei no portão, e nenhum dos Presley estava lá embaixo... Parecia a Grand Central Station, todas aquelas moças tentavam entrar, e fiquei ali um tempinho assistindo à comoção. Fui até o guarda (era alguém que eu não conhecia) e disse: 'Pode ligar para a casa e dizer ao Elvis que estou aqui e que vou voltar amanhã à noite para visitá-lo, se ele concordar?'. Então o cara diz: 'OK, vou dizer a ele', mas eu tinha certeza de que ele não iria dar a mensagem.

"Então voltei para o meu carro, mas ele não pegava. Enquanto eu estava lá, um dos primos de Elvis veio e perguntou: 'Você não é a Dixie?'. Falei: 'Sim'. Ele disse: 'Elvis está esperando por você'. Eu disse: 'Não, eu não quero vê-lo esta noite. Estou com bobes no cabelo, e minha roupa não é adequada. Eu estava planejando visitá-lo amanhã à noite'. Ele disse: 'Não. É melhor você subir. Ele já perguntou se você estava aqui no portão'. Pegou minhas chaves e me levou até a casa, e Elvis saiu pela porta da frente e me abraçou. Entramos na casa, e a única pessoa que vimos foi a avó dele. Eu disse: 'Onde estão todos? Pensei que havia muita gente com você'. Porque, não é exagero, acho que havia pelo menos vinte ou trinta carros na frente. Ele disse: 'Pois é, mas eu pedi para que me deixassem'. E não vi nem ouvi uma alma o tempo todo em que ficamos lá, exceto a empregada na cozinha, e ele entrou e pediu a ela para trazer uma limonada, e fomos à ala onde o piano estava, conversamos, ele cantou 'I'm Walking Behind You on Your Wedding Day', e sentamos lá e choramos.

"Conversamos sobre a mãe dele e relembramos a época em que eu a conheci e todas as coisas engraçadas e tolas que fizemos. E ele expressou como era especial estar com alguém que conhecia de longa data, alguém que o amava e o aceitava pelo que ele era antes da fama. Ele disse: 'Fico me perguntando quantos dos meus amigos que estão aqui agora estariam aqui se isso tivesse acontecido há cinco anos. Não muitos, porque todos estão querendo algo de mim'. E me contou sobre um dos caras que fazia vocal de apoio e que havia acabado de dar o coração dele a Deus. O moço estava no mundo do entretenimento havia um tempão, andava confuso e disse a Elvis que estava pensando em se afastar da vida que estava levando, e Elvis disse: 'Eu gostaria de poder fazer isso'. Foi tão triste. Eu disse: 'Por que você não faz? Já fez o que queria fazer. Já esteve lá, então vamos parar no topo e voltar'. Ele disse:

'É tarde demais para isso. É muita gente. Muita gente depende de mim. Estou muito comprometido, muito envolvido para sair'.

"Foi a última vez que o vi. Bem, não a última vez, porque voltei na noite seguinte, mais bem-vestida, só que na noite seguinte a casa estava cheia de gente. Sabe, foi do jeito que sempre será. O estilo de vida dele. A vida dele. Aquilo só reforçou o que eu pensava. Nós dois percebemos isso. Era assim que ele vivia e não havia saída. Não poderia voltar ao meu estilo de vida, nem eu poderia entrar no dele."

Estava de luto quase constante, escreveram os jornais. "Chorava o dia todo", disse George, "e nós o acalmávamos, e no dia seguinte começava tudo de novo." No sábado, ele voltou à Memphis Funeral Home, dessa vez para o funeral do pai de Red West. Red, que ainda estava no Corpo de Fuzileiros Navais e aquartelado em Norfolk, Virgínia, solicitou uma licença de emergência assim que soube da morte de Gladys. Foi negada, mas então ele ficou sabendo, na mesma manhã, que o pai dele estava doente. Estava a caminho de casa quando soube da morte do pai. Foi obrigado a não comparecer ao funeral de Gladys porque teve de providenciar os detalhes do funeral do pai, no dia seguinte, e ficou espantado quando Elvis apareceu no velório. "Ele tinha passado por uma provação no dia anterior... Achei que não ia aparecer. Mas pouco antes de o culto começar, Elvis surgiu na porta. Estava com Alan Fortas, Gene Smith e Lamar Fike. Todos muito respeitosamente vestidos. Elvis quase teve de vir apoiado até mim... Aproximou-se e meio que caiu nos meus braços. 'Minha mamãe esteve aqui ontem onde seu pai está, Red', Elvis me disse. Não conseguiu falar muito mais do que isso."

Naquela tarde, foram ao cemitério para visitar o túmulo da mãe de Elvis, coisa que não teria passado pela cabeça de nenhum de seus amigos, mas ninguém conseguiu demover Elvis da ideia. "À beira do colapso emocional", informou o *Press-Scimitar*, "Elvis teve febre de 39 °C, informou o médico dele. 'Fui até lá, o examinei e prescrevi remédios para resfriado. Liguei de novo no domingo e ele estava se sentindo melhor e comendo um pouco, então não passei lá'."

A licença dele foi ampliada por cinco dias, e seus amigos tentaram animá-lo. Comprou uma van nova, e toda a turma passeava com ele pela paisagem rural – foram ao cinema e ao Rainbow Rollerdrome –, mas não era a mesma coisa. Até a Patrulha Rodoviária do Tennessee entrou em ação, oferecendo passeios de helicóptero matinais sobre Memphis e o ensinando a operar os controles. Toda a Memphis, o mundo inteiro, de fato, compartilhou seu luto. Mais de cem mil cartas, cartões e telegramas chegaram à sede do Coronel em Madison. Nada disso fez diferença. Um dia ele encontrou um velho colega de escola e vizinho de Lauderdale Courts, George Blancet, andando de carro pela Bellevue. "Ele baixou o vidro, os olhos inchados, e chamou meu nome. Falei que lamentava o falecimento da mãe dele. Elvis murmurou: 'Não sei como vou conseguir superar isso'. Algo assim. Uma declaração de desespero."

No fim de semana, o dentista dele, Lester Hofman, veio com a esposa, Sterling, prestar seus sentimentos. "Foi a primeira vez que estivemos lá. Eu estava quebrando a cabeça sobre o que fazer. Mandar flores? Eu realmente não sabia. Até que recebi uma ligação: 'Doutor Hofman, pode fazer uma visita a Graceland? Elvis gostaria de vê-lo'. Chegamos lá e a sala estava cheia de amigos dele. Olhamos em volta e não vimos nenhum rosto conhecido. Sentei-me ao lado de um jovem, e ele falou: 'Vieram aqui para ver quem?'. Respondi: 'Viemos ver Elvis'. Ele disse: 'Bem, não vão conseguir. Ele ainda não saiu do quarto'. Eu disse: 'É um direito dele. Vai depender dele se quer nos ver ou não'. Fomos conversar com Vernon, e ele disse: "Só um minuto, vou chamar Elvis'. Cinco minutos depois, Elvis entrou, fez um gesto e a sala se esvaziou. Dissemos a ele o quanto sentíamos, e ele disse para Sterling: 'Senhora Hofman, não sei se este é o momento certo, mas os jornais falaram que a minha casa era tão risível' – foi essa a palavra que ele usou. E continuou: 'Fizeram minha casa parecer tão risível, eu adoraria ter sua opinião'. A minha esposa respondeu: 'Elvis, eu realmente não vim aqui para conhecer a casa. Viemos aqui para estar com você'. Ele disse: 'Mas eu quero a sua opinião'. Ele nos mostrou a casa inteira, portentosa demais para o meu gosto, mas muito atraente, tudo combinava – havia uma escultura moderna sobre a cornija da lareira, e eu tinha a mesma escultura em meu escritório, chamava-se 'Ritmo'. Seja como for, quando voltamos à sala de estar, ele perguntou: 'O que a senhora acha?'. E Sterling disse: 'Se você me der as chaves, eu troco. E não vou mudar nada!'. E Sterling indagou: 'Um dia você já imaginou que poderia ter tudo isso? É tão bonito'. Ele respondeu: 'Senhora Hofman, nunca pensei que eu sairia da Humes High'.

Voltou a Fort Hood no domingo. Deixou instruções para que nada fosse tocado, nada deveria ser mexido no quarto da mãe dele, tudo deveria ser mantido exatamente como estava. Lia-se no túmulo de Gladys uma singela inscrição: "Ela era o sol de nosso lar".

As últimas semanas em Fort Hood passaram como uma névoa. Vernon, a avó de Elvis, Minnie, Lamar, Junior e Gene estavam morando na casa em Killeen, e Red se juntou a eles quando saiu dos Fuzileiros Navais na primeira semana de setembro. Era, na descrição de Red, uma atmosfera de "casa aberta" em que todos tentavam quase desesperadamente animar Elvis. Às vezes, varavam a noite acordados: "A turma inteira sentava com um violão e cantava até ficarmos roucos". As coisas nunca mais foram as mesmas, escreveu Rex Mansfield em suas memórias sobre os dias do exército. "Todos nós sofremos (a companhia inteira) com Elvis, com a grande perda de Elvis... e essa tristeza permaneceu conosco ao longo do restante do treinamento."

O Coronel veio algumas vezes para se reunir com Elvis sobre os planos de embarque e os futuros lançamentos da RCA. Anita, que volta e meia afastava boatos de casamento iminente ("Dias celestiais, nem imagino"), o visitava com frequência, entre uma data e outra de shows e programas de televisão. A avó de Elvis, ela observou, esforçava-se ao máximo para preencher a falta de Gladys. Preparava todos os seus pratos favoritos: chucrute, feijão-fradinho, tomate fatiado com molho de carne, bacon bem fritinho, quase torrado. Tudo o que ele gostava, ela cozinhava para ele, e ainda existia uma extraordinária sensação de proximidade entre Elvis, o pai e a avó, mas agora era uma proximidade ligada ao sofrimento. Às vezes, ele e Anita falavam sobre ela o visitar na Alemanha, mas eram pensamentos mais no âmbito da fantasia do que da realidade.

De vez em quando, iam ao drive-in em Waco com Eddie Fadal, e Elvis e Eddie marcaram presença num *revue* de r&b em Fort Worth ("Não me lembro quem eram todos eles, mas estacionamos na porta do palco, e todos vieram nos cumprimentar") e quase causaram um tumulto num show de Johnny Horton em Temple. "Foi no auditório no centro de Temple", contou Jerry Kennedy, nativo de Shreveport, adolescente na época, e guitarrista na banda de Horton. "Eu estava sentado ali perto daquelas portas grandes, no fundo do auditório, onde um caminhão pode entrar de ré. Parou um carro, uma turma saiu junto com Elvis de uniforme e me perguntaram: 'Ei, podemos entrar pela porta dos fundos?'. Respondi: 'Imagino que sim. Sendo você'. Então desci e abri a porta, ele entrou e subimos ao palco. Johnny tocou quatro ou cinco músicas, e então disse: 'Quero dar uma calorosa recepção a alguém que está me visitando nos bastidores'. Fez um comentário sobre a mãe de Elvis, e assim por diante, e me lembro, fiquei lá pensando comigo mesmo: 'Não faça isso. Ah, meu Deus, não faça isso'. Mas ele fez, anunciando: 'Eu gostaria que ele subisse aqui para receber o carinho de vocês. Elvis...'. E o povo se ergueu e correu ao palco. Não vi mais nada, sei que peguei minha guitarra e fugi!"

No último fim de semana aquartelado em Fort Hood, Elvis recebeu uma visita: Kitty Dolan, a jovem cantora que ele havia conhecido em Las Vegas no outono anterior. Ela chegou e se deparou com a sala repleta de moças. "Eu era uma moça entre muitas", estampou a manchete da *TV and Movie Screen*. No entanto, Kitty gostou muito da sinceridade delas, e o desejo genuíno de tentar aliviar a dor de Elvis. Uma fã contou que tinha visitado Graceland e Gladys lhe mostrara a casa, com orgulho, e também o Cadillac cor-de-rosa, presente do filho. "Que outro rapaz ama tanto os pais?", Gladys indagou a ela – contou a menina –, fazendo as lágrimas brotarem nos olhos de Elvis. Após o jantar, fizeram uma rodinha para entoar canções, terminando com uma sessão gospel. "Às duas da manhã, nos despedimos", disse Kitty à colunista May Mann. "Quando me beijou, indaguei com um risinho: 'O que é isso entre você e Anita Wood? Tenho lido todas as histórias'. Elvis sorriu e disse: 'Ela tem um bom agente de imprensa'. E então me beijou de novo."

Uma foto da noite anterior em Killeen mostra Elvis com Vernon, Lamar, Eddie, Junior e Red, junto com duas ou três presidentes de fã-clube. Elvis está com um braço em volta de Eddie e o outro em volta do pai. Ostenta as medalhas de boa pontaria e atirador de elite, está cercado por amigos, mas parece sozinho e absorto, o olhar perdido, lábios virados para baixo, como se estivesse prestes a chorar. Depois da foto, perguntou a Eddie se poderia fazer uma oração em grupo. Em seguida, sob a garoa, todos o acompanharam até o trem que transportaria a tropa. "Embarcou na mesma noite", disse Eddie. "Fui com Elvis e Anita em seu novo Lincoln Continental, com Elvis ao volante. Então Anita e eu fomos à casa deles e ficamos lá sentados com Vernon por um tempo. Estávamos tristes e preocupados, sabe, ele nunca tinha ido ao exterior antes. Como seria tratado? Com ressentimento ou carinho? Como ele ia se comportar?"

A VIAGEM DE TREM a Nova York transcorreu sem complicações. Estava num dos quatro trens especialmente destacados para transportar 1.360 soldados para o Brooklyn Army Terminal, de onde embarcariam para a Alemanha render as tropas da Terceira Divisão Blindada. E, ironicamente, a rota incluía Memphis, e a mídia avisou. Quando o trem parou, uma multidão de fãs esperava, juntamente com George Klein, Alan Fortas e vários outros amigos de Elvis. O trem demorou uma hora para reabastecer, "e essa morena linda veio falar comigo", disse Klein. "Não sei se ela concorreu a Ole Miss na época, mas era uma típica garota do Ole Miss, e ela disse que se chamava Janie Wilbanks e perguntou se eu poderia apresentá-la. Eu a apresentei e, duas semanas depois, recebi uma ligação da Alemanha dizendo: 'Quem diabos era aquela garota? Como ela era bonita! Diga a ela para me enviar umas fotos e escrever para mim'. Foi quando tive os primeiros indícios de que talvez a relação de Elvis com Anita não fosse tão séria assim."

Um soldado do pelotão emprestou a Elvis o livro *Poems That Touch the Heart*, de A. L. Alexander ("maestro e criador do programa de rádio GOOD WILL COURT"). Ele deu uma folheada na obra e leu vários poemas, incluindo "Mother" ("Mais uma vez vejo seu rosto bondoso e sorridente"), "Friendship" e "One of Us Two" ("O dia vai raiar, e um de nós tentará/ Em vão ouvir uma voz emudecida"), mas um deles o comoveu de verdade. Chamava-se "Should You Go First", e seu olhar fitou aqueles versos por um tempo, até praticamente o saber na ponta da língua: "Ouço a tua voz, vejo o teu sorriso/ Embora cego eu possa tatear/ A lembrança de sua mão amiga/ Que com esperança vai me apoiar...".

A maior parte do tempo, contudo, ele não gostava de ficar sozinho com seus pensamentos, e a turma queria ouvir sobre Hollywood, estrelas de cinema e filmes. Por várias vezes, o trem teve sua partida atrasada ao parar nas cidades, e em algum ponto em Delaware ou Nova Jersey, um atrevido soldado, Charlie Hodge, que fez de tudo para se aproximar de Elvis em Fort Hood sem nunca ter uma chance, apareceu no vagão em que Elvis, Rex e Nervoso Norvell viajavam. Charlie cantou com os Foggy River Boys no *Ozark Jubilee*, o programa televisivo de Red Foley, e inclusive foi apresentado a Elvis nos bastidores do Ellis Auditorium, em 1955. Desinibido, mencionou suas conexões mútuas no show biz, e em pouco tempo falavam sobre temas variados, como Wanda Jackson, o comediante country Uncle Cyp e a paixão que eles compartilhavam pelos quartetos vocais. Charlie estava "determinado e destinado a conhecer Elvis", observou Rex, mas era "realmente um dos caras mais engraçados que você já viu; o tipo de pessoa que logo desperta a nossa simpatia, e com Elvis não foi diferente". Passaram o resto da viagem contando histórias e só se separaram quando o trem enfim entrou no Brooklyn Army

Terminal, na esquina da Fifty-eighth com a First Avenue, pouco depois das nove da manhã. Lá, Elvis Presley, a figura pública, voltou ao centro das atenções.

Foi uma cena digna de um P. T. Barnum, de um Cecil B. DeMille ou do Coronel em seu mais extravagante estilo. Um exército de 125 jornalistas esperava impacientemente, toda a cúpula da RCA, o pai de Elvis, a avó dele, Anita, Red e Lamar, os Aberbach e Freddy Bienstock, além do Coronel com sua comitiva completa. Elvis sairia em breve, explicou o porta-voz do exército Irving Moss, mas enquanto isso era preciso seguir o protocolo: nos primeiros dez ou quinze minutos, os fotógrafos ainda seriam autorizados a tirar fotos; depois, haveria uma coletiva de imprensa adequada; em seguida, o noticiário e as câmeras de TV teriam sua chance; então o soldado de primeira classe Presley posaria na prancha de embarque do navio para os fotógrafos, com oito amigos selecionados aleatoriamente do trem; por fim, um pequeno grupo de jornalistas seria autorizado a subir a bordo. Ele vai estar carregando uma mochila? Alguém perguntou. Não, disse Moss, a mochila dele já tinha sido carregada a bordo, mas quando essa resposta não satisfez a imprensa, o porta-voz do exército propôs que uma mochila pudesse ser emprestada. "Quero dizer mais uma coisa, senhoras e senhores. Desde a fundação deste terminal, [durante] a Primeira Guerra Mundial e depois na Segunda Guerra Mundial e até agora, milhões de soldados embarcaram aqui, entre eles, milhares de celebridades nos vários campos das artes, ciências, esportes e no ramo do entretenimento. Não tem sido, nem é, a política do exército permitir que uma dessas pessoas faça uma coletiva de imprensa. Mas neste caso específico..." "O que é que estamos esperando?", questionou um repórter quando ficou claro que Elvis Presley tinha chegado. "Tudo bem, traga-o para fora." "Vamos, pelo amor de Deus", os fotógrafos começaram a gritar, "desesperados, acotovelando-se para ter uma visão clara de Presley."

Súbito, Elvis emergiu de trás do fundo azul, onde conversava com o Coronel, parou um instante para os fotógrafos, sorriu de maneira afável para as câmeras, deu autógrafos, beijou uma cadete chamada Mary Davies, que o exército havia trazido para a ocasião, fez o seu melhor para atender cada pedido gritado e enfim sentou-se à mesa com o oficial de comunicação social Moss diante de um aglomerado de microfones. Portava uma impecável maleta de couro de bezerro e segurava o livro de poemas que lera no trem. Indagaram: como foi a viagem de trem? Por que tinha recebido aquelas medalhas? O que significava o "A" no nome do meio dele? "A-ron", explicou ele, alongando o "a". Sim, o pai, Lamar e a avó iriam acompanhá-lo à Alemanha. Venderia Graceland? "Não, senhor, porque era a casa da minha mãe." O pessoal da companhia tem sido ótimo. "Se tivesse sido como todos pensaram... Pensaram que eu não teria de trabalhar, que eu receberia tratamento especial, e isso, e aquilo, mas quando olharam em volta e me viram na brigada da cozinha, fazendo serviço de sentinela e tudo mais, que nem os outros, bem, pensaram, ele é um de nós, então..."

E, para variar, críticas à carreira dele. O que achava das acusações de que sua música contribuía para a delinquência juvenil? "Não vejo assim. Se tem algo que tento fazer, é ter uma vida limpa e direita, não dar nenhum tipo de mau exemplo." "Elvis..." "Vou dizer uma coisa, desculpe, senhor, tem gente que vai gostar de você e tem gente que não vai gostar de você, seja qual for o seu ramo ou o que você faz. Você não consegue agradar todo mundo." E sobre o grande sucesso dele? Era sorte ou talento? "Bem, senhor, tive muita sorte. Surgi num momento da indústria musical em que não havia uma tendência. As pessoas procuravam algo diferente, e tive sorte. Apareci na hora certa." E sentia falta do show business? "Sinto muita falta da minha carreira de cantor. E, ao mesmo tempo... o exército também é uma boa experiência." Mas claro que ele não sentia falta das fãs agarrando suas roupas, invadindo sua vida privada, ameaçando sua segurança? Afirmou que sim, até disso ele sentia falta. "Porque é isso o que mais amo... Como falei, é entreter as pessoas. Eu realmente sinto falta."

E casamento? Acha que tem uma idade ideal para se casar? "Bem, quando você está crescendo, muitas vezes acha que está apaixonado e mais tarde descobre que estava errado. Na verdade, você não as amava, só pensava que amava. E comigo não é diferente. Várias vezes, quando eu estava crescendo, quase me casei, e minha mãe e meu pai falavam comigo e me diziam: 'É melhor esperar e descobrir se é bem isso o que você quer', e estou feliz por ter esperado." Quando foi a última vez que pensou que estava apaixonado? "Ah, muitas vezes, senhora, não sei bem, imagino que o mais próximo que já cheguei de me casar foi pouco antes de eu começar a cantar. Na verdade, o meu primeiro disco salvou meu pescoço." A risada foi geral, e então alguém pergunta se ele gostaria de dizer algo sobre sua mãe.

"Sim, senhor, eu gostaria. Ah, a minha mãe... suponho que pelo fato de eu ser filho único éramos mais próximos do que... quero dizer, todo mundo ama sua mãe, mas eu era filho único, e minha mãe sempre esteve comigo em toda a minha vida. E não perdi apenas uma mãe, perdi uma amiga, uma companheira, alguém com quem conversar. Eu poderia acordá-la a qualquer hora da noite se algo estivesse me preocupando ou me incomodando, e ela se levantava e tentava me ajudar. Eu ficava muito zangado com ela quando eu era adolescente. É uma coisa natural. O jovem quer sair ou fazer algo, e a mãe dele não deixa, aí ele pensa: 'Qual é o seu problema?'. E então, anos depois, você descobre, você sabe que ela estava certa. Que ela só estava fazendo aquilo para te proteger e impedir que você se metesse em confusão ou se machucasse. Estou muito feliz que ela tenha sido rigorosa comigo, muito feliz que isso tenha funcionado."

A coletiva se estendeu por quase uma hora e, quando acabou, ele posou para mais fotos e deu mais autógrafos enquanto o oficial de comunicação social tentava afastá-lo da multidão. O povo ficaria indignado se fosse ignorado, Elvis disse num aparte ao oficial de comunicação social do exército. "Vamos", disse o Coronel, estimulando os executivos da RCA a tomar a frente. "Todos nós exigimos muito dele, vamos sair na foto. O menino está muito triste." Depois, mais fotografias seriam tiradas no cais, atividades seriam encenadas para as câmeras do noticiário. "Acho que não estou falando só por mim", disse um dos oito "camaradas" do exército escolhidos aleatoriamente para a tarefa. "Foi muita sorte nossa ter Elvis ao nosso lado, aprendemos muito sobre as pessoas em geral... Ele se dedica tanto para todas as pessoas ao seu redor que é impossível não melhorar um pouco por influência positiva. Em muitos aspectos, ele é um cara solitário, e tem um pouco de receio sobre o que o amanhã reserva para ele e seus entes queridos."

Marchou até a prancha de embarque com uma mochila emprestada no ombro enquanto a banda do exército, sob a batuta do subtenente John R. Charlesworth, executava "Tutti Frutti". Fez isso não uma vez, mas oito vezes para as câmeras de televisão e jornais, com dois mil parentes de soldados que estavam lá para suas próprias despedidas, acenando e gritando na deixa. A bordo, foi levado à biblioteca do navio para uma reunião com o Coronel, Steve Sholes, Bill Bullock e outros membros da comitiva da indústria fonográfica. Gravou uma breve mensagem de Natal para os fãs, que, junto com uma versão editada da coletiva de imprensa, intitulada "Elvis a bordo!", ajudaria a mantê-lo em contato com seu público. Conferenciou ansiosamente com o Coronel, Freddy e os Aberbach, e prometeu que faria o seu melhor. "Estava conformado", disse Anne Fulchino, chefe de publicidade da RCA, que raramente o tinha visto desde o lançamento daquela primeira campanha publicitária nacional para um jovem de olhos brilhantes, no início de 1956. "Estava preocupado com a interrupção da carreira, preocupado que seus discos parassem de vender. Falei que não havia razão para isso, mas sei que ele estava preocupado." Pegou um dos cartões-postais fornecidos pelo Coronel para presentear os fãs e colegas de caserna. "Que Deus a abençoe", escreveu no cartão antes de entregar a ela. Parecia preso numa arapuca, pensou ela, o olhar frenético percorrendo o ambiente. Por que não vem junto? A súbita pergunta foi dirigida a Red, que estava lá parado com Lamar. Red poderia ir de avião com Vernon, a avó e Lamar. "Papai vai providenciar as passagens", disse ele. Eles iam se divertir muito por lá.

Depois houve uma breve entrevista na biblioteca. Pela primeira vez naquele dia, ele aparentava cansaço, até mesmo abatimento, diante do público. Não tinha comido nada desde cedo, explicou, mas agora estava sem fome. Está pensando em quê? Alguém pergunta quando a hora da partida se aproxima. "Vou ser honesto com você", começa ele, e faz uma pausa. "Estou ansioso para conhecer a Alemanha, ansioso para ver o país e conhecer gente nova, mas também estou ansioso para voltar, porque foi aqui que comecei. Aqui estão todos os meus amigos, os meus negócios e assim por diante..." Gostaria de enviar uma mensagem especial aos seus fãs? "Sim. Quero dizer que estou viajando, vou ficar longe por um tempo, fora de suas vistas, mas espero que não fora de suas mentes. E vou estar ansioso pela hora em que eu puder voltar e fazer o que eu gosto, que é entreter as pessoas." "Bem, obrigado, Elvis", conclui o entrevistador, quinze minutos antes da partida. "Sei que você quer falar com o Coronel Parker, seu amigo íntimo e empresário. Tudo o que podemos fazer é lhe desejar uma viagem maravilhosa e a melhor sorte do mundo. Volte para casa em breve."

A banda tocou "All Shook Up", "Hound Dog" e "Don't Be Cruel" enquanto o navio zarpava. Elvis ficou no convés distribuindo fotos e cartões-postais para seus companheiros militares e jogando beijos para o cais, mas uma hora parou "para girar o ombro, estalar os dedos e desenferrujar os joelhos. As fãs gritaram", relatou o *New York Herald-Tribune*. "O Coronel Parker sorriu radiante. O enviado do Departamento de Defesa de Washington que tinha supervisionado a operação enxugou a testa e suspirou." E Elvis acenou. E acenou de novo para as câmeras. E outra vez, e mais outra.

Quer adquirir o volume 2 desta biografia? Escaneie o QR code abaixo com seu celular:

BIBLIOGRAFIA

REFERÊNCIAS

Cotten, Lee. *All Shook Up*: Elvis Day-by-Day, 1954–1977. Ann Arbor, MI: Pierian Press, 1985.

_____. *Shake, Rattle & Roll*: The Golden Age of American Rock'n'Roll. Vol. 1, 1952–1955. Ann Arbor, MI: Pierian Press, 1989.

Dellar, Fred; Thompson, Roy; Green, Douglas B. *The Illustrated Encyclopedia of Country Music*. New York: Harmony Books, 1977.

Elvis: Like Any Other Soldier. Reimpressão do 2nd Army Division Yearbook de 1958. Port Townsend, WA: Osborne Productions, 1988.

FBI. *Files for Elvis A. Presley*. Lançado com apoio do Freedom of Information Act.

Federal Writers' Project of the Works Progress Administration. *Mississippi*: The WPA Guide to the Magnolia State. Ed. Golden anniversary. Jackson: University Press of Mississippi, 1988.

_____. *The WPA Guide to Tennessee*. Knoxville: University of Tennessee Press, 1986.

Gart, Galen (comp. e ed.). *First Pressings*: Rock History as Chronicled in *Billboard Magazine*. Vol. 1, 1948–1950. Milford, NH: Big Nickel Publications, 1986.

_____. *First Pressings*: Rock History as Chronicled in Billboard Magazine. Vol. 2, 1951–1952. Milford, NH: Big Nickel Publications, 1986.

_____. *The History of Rhythm & Blues*. Vols. 1–7, 1951–1957. Milford, NH: Big Nickel Publications, 1991–1993.

_____. *The History of Rhythm & Blues*. Special 1950 Volume. Milford, NH: Big Nickel Publications, 1993.

Gentry, Linnell. *A History and Encyclopedia of Country, Western, and Gospel Music*. Nashville: Linnell Gentry, 1961.

Hardy, Phil; Laing, Dave. *Encyclopedia of Rock, 1955–1975*. London: Aquarius Books, 1977.

The 1953 Senior Herald. *Humes High School Yearbook*. Reimpressão. Port Townsend, WA: Osborne Enterprises, 1988.

Report of Guardian Ad Litem in re the Estate of Elvis A. Presley, Deceased, in the Probate Court of Shelby County, Tennessee. Number A655.

Stambler, Irwin. *Encyclopedia of Pop, Rock and Soul*. New York: St. Martin's Press, 1977.

Stambler, Irwin; Landon, Grelun. *Encyclopedia of Folk, Country and Western Music*. New York: St. Martin's Press, 1969.

Whisler, John A. *Elvis Presley*: Reference Guide and Discography. Metuchen, NJ: Scarecrow Press, 1981.

Worth, Fred L.; Steve D. Tamerius. *All About Elvis*. New York: Bantam Books, 1981.

_____. *Elvis*: His Life from A to Z. Chicago: Contemporary Books, 1988.

Discografias, guias de canções e discos

Blackburn, Richard. *Rockabilly*: A Comprehensive Discography of Reissues. [S.l.]: Richard Blackburn, 1975.

Cotten, Lee; DeWitt, Howard. *Jailhouse Rock*: The Bootleg Records of Elvis Presley, 1970–1983. Ann Arbor, MI: Pierian Press, 1983.

The Elvis Presley Album of Juke Box Favorites, No. 1. New York: Hill and Range Songs, 1956.

Escott, Colin; Hawkins, Martin. *Sun Records*: The Discography. Vollersode, West Germany: Bear Family, 1987.

_____. *Elvis Presley*: The Illustrated Discography. London: Omnibus Press, 1981.

Jancik, Wayne. *Billboard Book of One-Hit Wonders*. New York: Watson-Guptill, 1990.

Jorgensen, Ernst; Rasmussen, Erik; Mikkelsen, Johnny. *Elvis Recording Sessions*. Stenlose, Denmark: JEE Productions, 1984.

Jorgensen, Ernst; Rasmussen, Erik; Semon, Roger. *Sessionography and Discography for Elvis*: The King of Rock'n'Roll: The Complete 50's Masters (RCA 07863-66050-2), 1992.

Kingsbury, Paul (ed.). *Country on Compact Disc*: The Essential Guide to the Music. New York: Grove Press, 1993.

Pavlow, Big Al. *The R & B Book*: A Disc-History of Rhythm & Blues. Providence: Music House Publishing, 1983.

Tunzi, Joseph A. *Elvis Sessions*: The Recorded Music of Elvis Aron Presley, 1953–1977. Chicago: JAT Productions, 1993.

Weisman, Ben. *Elvis Presley*: The Hollywood Years. Secaucus, NJ: Warner Brothers Publications, 1992.

Whitburn, Joel. *Pop Memories*, 1890–1954: The History of American Popular Music. Menomonee Falls, WI: Record Research, 1986.

_____. *Top Country Singles*, 1944–1988. Menomonee Falls, WI: Record Research, 1989.

_____. *Top Pop Records*, 1955–1972. Menomonee Falls, WI: Record Research, 1973.

_____. *Top R & B Singles*, 1942–1988. Menomonee Falls, WI: Record Research, 1988.

Livros de interesse geral

Alexander, A. L. (ed.). *Poems that Touch the Heart*. Garden City, NY: Doubleday, 1941.

Amburn, Ellis. *Dark Star*: The Roy Orbison Story. New York: Lyle Stuart, 1990.

Arnold, Eddy. *It's a Long Way from Chester County*. Old Tappan, NJ: Hewitt House, 1969.

Atkins, Chet; Neely, Bill. *Country Gentleman*. Chicago: Henry Regnery, 1974.

Atkins, John (ed.). *The Carter Family*. London: Old Time Music, 1973.

Bane, Michael. *White Boy Singin' the Blues*: The Black Roots of White Rock. New York: Penguin Books, 1982.

Bane, Michael; Moore, Mary Ellen. *Tampa*: Yesterday, Today and Tomorrow. Tampa: Misher and King Publishing, 1981.

Banks, Ann (ed.). *First-Person America*. New York: Vintage Books, 1981.

Barthel, Norma. *Ernest Tubb Discography (1936–1969)*. Roland, OK: Ernest Tubb Fan Club Enterprises, 1969.

Bashe, Philip. *Teenage Idol, Travelin' Man*: The Complete Biography of Rick Nelson. New York: Hyperion, 1992.

Benson, Bernard. *The Minstrel*. New York: G. P. Putnam's Sons, 1977.

Berry, Chuck. *Chuck Berry*: The Autobiography. New York: Harmony Books, 1987.

Biles, Roger. *Memphis in the Great Depression*. Knoxville: University of Tennessee Press, 1986.

Black, Jim. *Elvis on the Road to Stardom*. London: W. H. Allen, 1988.

Blaine, Hal; Goggin, David. *Hal Blaine and the Wrecking Crew*. Emeryville, CA: Mix Books, 1990.

Blumhofer, Edith L. *Restoring the Faith*: The Assemblies of God, Pentecostalism, and American Culture. Urbana: University of Illinois Press, 1993.

Booth, Stanley. *Rhythm Oil*: A Journey Through the Music of the American South. London: Jonathan Cape, 1991.

Bowles, Jerry. *A Thousand Sundays*: The Story of *The Ed Sullivan Show*. New York: G. P. Putnam's Sons, 1980.

Branch, Taylor. *Parting the Waters*: America in the King Years. New York: Simon and Schuster, 1988.

Braudy, Leo. *The Frenzy of Renown*: Fame and Its History. New York: Oxford University Press, 1986.

Buckle, Phillip. *All Elvis*: An Unofficial Biography of the "King of Discs". London: Daily Mirror, 1962.

Burk, Bill E. *Early Elvis*: The Humes Years. Memphis: Red Oak Press, 1990.

_____. *Early Elvis*: The Tupelo Years. Memphis: Propwash Publishing, 1994.

_____. *Elvis*: A 30-Year Chronicle. Tempe, AZ: Osborne Enterprises, 1985.

_____. *Elvis Memories*: Press Between the Pages. Memphis: Propwash Publishing, 1993.

_____. *Elvis Through My Eyes*. Memphis: Burk Enterprises, 1987.

Cain, Robert. *Whole Lotta Shakin' Goin' On*: Jerry Lee Lewis. New York: Dial Press, 1981.

Cantor, Louis. *Wheelin' on Beale*. New York: Pharos Books, 1992.

Capers, Gerald M., Jr. *The Biography of a River Town*: Memphis, Its Heroic Age. 1966. Reimpressão. Memphis: Burke's Book Store.

Carr, Roy; Farren, Mick. *Elvis Presley*: The Illustrated Record. New York: Harmony Books, 1982.

Cash, Johnny. *The Man in Black*. New York: Warner Books, 1975.

Cash, June Carter. *From the Heart*. New York: Prentice Hall Press, 1987.

Cash, W. J. *The Mind of the South*. 1941. Reimpressão. New York: Vintage Books.

Chapple, Steve; Garofalo, Reebee. *Rock'n'Roll Is Here to Pay*. Chicago: Nelson-Hall, 1977.

Choron, Sandra; Oskam, Bob. *Elvis!* The Last Word. New York: Citadel Press, 1991.

Cocke, Marian J. *I. Called Him Babe*: Elvis Presley's Nurse Remembers. Memphis: Memphis State University Press, 1979.

Cohn, David. *Where I Was Born and Raised*. Notre Dame, IN: University of Notre Dame Press, 1967.

Cohn, Nik. *Rock from the Beginning*. New York: Pocket Books, 1970.

Conaway, James. *Memphis Afternoons*. Boston: Houghton Mifflin, 1993.

Country Music Foundation. *Country*: The Music and the Musicians. New York: Abbeville Press, 1988.

Country Music Magazine (ed.). *The Illustrated History of Country Music*. Garden City, NY: Doubleday, 1979.

Crumbaker, Marge; Tucker, Gabe. *Up and Down with Elvis Presley*. New York: G. P. Putnam's Sons, 1981.

Dalton, David. *James Dean*: The Mutant King. New York: Dell, 1974.

Dalton, David; Kaye, Lenny. *Rock 100*. New York: Grosset and Dunlap, 1977.

Daniel, Pete. *Standing at the Crossroads*. New York: Hill and Wang, 1986.

Davis, Jr., Sammy; Boyar, Jane; Boyar, Burt. *Hollywood in a Suitcase*. New York: William Morrow, 1980.

_____. *Why Me?* The Sammy Davis, Jr., Story. New York: Farrar, Straus and Giroux, 1989.

DeCosta-Willis, Miriam; Mitchell Delk, Fannie. *Homespun Images*: An Anthology of Black Memphis Writers and Artists. Memphis: LeMoyne Owen College, 1989.

Delmore, Alton. *Truth Is Stranger than Publicity*. Editado por Charles K. Wolfe. Nashville: Country Music Foundation Press, 1977.

DeWitt, Howard A. *Elvis — The Sun Years*: The Story of Elvis Presley in the Fifties. Ann Arbor, MI: Popular Culture, Ink., 1993.

Dollard, John. *Caste and Class in a Southern Town*. 3. ed. New York: Doubleday Anchor, 1957.

Dundy, Elaine. *Elvis and Gladys*. New York: Macmillan, 1985.

_____. *Ferriday, Louisiana*. New York: Donald Fine, 1991.

Dunne, Philip. *Take Two*: A Life in Music and Politics. New York: McGraw-Hill, 1980.

Elvis Presley. Preparado pelos editores da *TV Radio Mirror Magazine*. New York: Bartholomew House, 1956.

Elvis Presley Heights, Mississippi: Lee County, 1921–1984. Compilado por membros do Elvis Presley Heights Garden Club. Tupelo, MS, 1984.

Escott, Colin; Hawkins, Martin. *Good Rockin' Tonight*: Sun Records and the Birth of Rock'n'Roll. New York: St. Martin's Press, 1991.

Escott, Colin; Martin Hawkins; Davis, Hank. *The Sun Country Years*: Country Music in Memphis, 1950–1959. Vollersode, West Germany: Bear Family Records, 1987.

Escott, Colin; Merritt, George; MacEwen, William. *Hank Williams*: The Biography. Boston: Little, Brown and Company, 1994.

Falkenburg, Claudia; Solt, Andrew (ed.). *A Really Big Show*: A Visual History of *The Ed Sullivan Show*. Texto de John Leonard. New York: Viking Studio Books, 1992.

Farren, Mick (ed.). *Elvis in His Own Words*. London: Omnibus Press, 1977.

Finnis, Rob; Dunham, Bob. *Gene Vincent and the Blue Caps*. London: Rob Finnis and Bob Dunham, [s.d.].

Flippo, Chet. *Graceland*: The Living Legacy of Elvis Presley. San Francisco: Collins Publishers San Francisco, 1993.

Fortas, Alan. *Elvis*: From Memphis to Hollywood. Ann Arbor, MI: Popular Culture, Ink., 1992.

Fowler, Gene; Crawford, Bill. *Border Radio*. Austin: Texas Monthly Press, 1987.

Fowles, Jib. *Star Struck*: Celebrity Performers and the American Public. Washington, D.C.: Smithsonian Institution Press, 1992.

Frady, Marshall. *Southerners*: A Journalist's Odyssey. New York: New American Library, 1980.

Gabree, John. *The World of Rock*. Greenwich, CT: Fawcett, 1968.

Gaillard, Frye. *Watermelon Wine*: The Spirit of Country Music. New York: St. Martin's Press, 1978.

Garbutt, Bob. *Rockabilly Queens*: The Careers and Recordings of Wanda Jackson, Janis Martin, Brenda Lee. Toronto: Robert Garbutt Productions, 1979.

Gart, Galen; Ames, Roy C. *Duke/Peacock Records*: An Illustrated History with Discography. Milford, NH: Big Nickel Publications, 1990.

Gelatt, Roland. *The Fabulous Phonograph, 1877–1977*. New York: Collier Books, 1977.

Geller, Larry; Spector, Joel; Romanowski, Patricia. *If I Can Dream*: Elvis' Own Story. New York: Simon and Schuster, 1989.

Gibson, Robert; Shaw, Sid. *Elvis*: A King Forever. London: Elvisly Yours, 1987.

Gillett, Charlie. *The Sound of the City*: The Rise of Rock and Roll. Ed. rev. London: Souvenir Press, 1983.

Goldman, Albert. *Elvis*. New York: McGraw-Hill, 1981.

_____. *Elvis*: The Last 24 Hours. New York: St. Martin's Paperbacks, 1991.

Goldrosen, John; Beecher, John. *Remembering Buddy*: The Definitive Biography of Buddy Holly. New York: Penguin Books, 1986.

Green, Douglas B. *Country Roots*: The Origins of Country Music. New York: Hawthorne Books, 1976.

Greenwood, Earl; Tracy, Kathleen. *The Boy Who Would Be King*. New York: Dutton, 1990.

Gregory, James (ed.). *The Elvis Presley Story*. New York: Hillman Periodicals, 1960.

Gregory, Neal; Gregory, Janice. *When Elvis Died*. Washington, D.C.: Communications Press, 1980.

Grissim, John. *Country Music*: White Man's Blues. New York: Paperback Library, 1970.

Gruber, J. Richard (org.). *Memphis*: 1948–1958. Memphis: Memphis Brooks Museum of Art, 1986.

Guterman, Jimmy. *Rockin' My Life Away*: Listening to Jerry Lee Lewis. Nashville: Rutledge Hill Press, 1991.

Hagarty, Britt. *The Day the World Turned Blue*: A Biography of Gene Vincent. Vancouver: Talon-books, 1983.

Haining, Peter (ed.). *Elvis in Private*. New York: St. Martin's Press, 1987.

Halberstam, David. *The Fifties*. New York: Villard Books, 1993.

Haley, John W.; Von Hoelle, John. *Sound and Glory*. Wilmington, DE: Dyne-American Publishing, 1990.

Hammontree, Patsy Guy. *Elvis Presley*: A Bio-Bibliography. Westport, CT: Greenwood Press, 1985.

Hand, Albert. *Meet Elvis*. An Elvis Monthly Special. Manchester, 1962.

Harbinson, W. A. *The Illustrated Elvis*. New York: Grosset and Dunlap, 1976.

Harbinson, W. A.; Wheeler, Kay. *Growing Up with the Memphis Flash*. Amsterdam: Tutti Frutti Productions, 1994.

Hawkins, Martin; Escott, Colin (comp.). *The Sun Records Rocking Years*. London: Charly Records, 1986.

Hemphill, Paul. *The Nashville Sound*: Bright Lights and Country Music. New York: Simon and Schuster, 1970.

Hill, Wanda June. *We Remember, Elvis*. Palos Verdes, CA: Morgin Press, 1978.

Historic Black Memphians. *Memphis*. Memphis Pink Palace Museum Foundation, [s.d.].

Hodge, Charlie; Goodman, Charles. *Me 'n Elvis*. Memphis: Castle Books, 1988.

Holmes, Richard. *Footsteps*: Adventures of a Romantic Biographer. New York: Viking, 1985.

Hopkins, Jerry. *Elvis*. New York: Simon and Schuster, 1971.

_____. *Elvis*: The Final Years. New York: St. Martin's Press, 1980.

_____. *The Rock Story*. New York: Signet Books, 1970.

Horstman, Dorothy. *Sing Your Heart Out, Country Boy*. Ed. rev. Nashville: Country Music Foundation Press, 1986.

Hurst, Jack. *Nashville's Grand Ole Opry*. New York: Abrams, 1975.

The Impersonal Life. Marina del Rey, CA: DeVorss, 1988.

Jenkins, Mary. *Elvis*: The Way I Knew Him. Memphis: Riverpark Publishers, 1984.

Jenkinson, Philip; Warner, Alan. *Celluloid Rock*. New York: Warner Books, 1976.

Johnson, Robert. *Elvis Presley Speaks!* New York: Rave Publishing, 1956.

Jones, Ira; Burk, Bill E. *Soldier Boy Elvis*. Memphis: Propwash Publishing, 1992.

Juanico, June. *Elvis* – In the Twilight of Memory. [S.l.], 1997.

Kienzle, Rich. *Great Guitarists*: The Most Influential Players in Blues, Country Music, Jazz and Rock. New York: Facts on File, 1985.

Killen, Buddy; Carter, Tom. *By the Seat of My Pants*. New York: Simon and Schuster, 1993.

Kirby, Edward. *From Africa to Beale Street*. Memphis: Music Management, 1983.

Lacker, Marty; Lacker, Patsy; Smith, Leslie S. *Elvis*: Portrait of a Friend. New York: Bantam, 1980.

Laing, Dave. *Buddy Holly*. London: Studio Vista, 1971.

Langbroek, Hans. *The Hillbilly Cat*. Publicação própria, [s.d.].

Latham, Caroline; Sakol, Jeannie. *"E" Is for Elvis*: An A to Z Illustrated Guide to the King of Rock and Roll. New York: New American Library, 1990.

Lemann, Nicholas. *Out of the Forties*. New York: Simon and Schuster, 1983.

_____. *The Promised Land*. New York: Alfred A. Knopf, 1991.

Levine, Lawrence W. *Black Culture and Black Consciousness*: Afro--American Folk Thought from Slavery to Freedom. New York: Oxford University Press, 1977.

Levy, Alan. *Operation Elvis*. New York: Henry Holt, 1960.

Lewis, Myra; Silver, Murray. *Great Balls of Fire*: The Uncensored Story of Jerry Lee Lewis. New York: Quill, 1982.

Lichter, Paul. *The Boy Who Dared to Rock*: The Definitive Elvis. New York: Doubleday Dolphin, 1978.

Lornell, Kip. *"Happy in the Service of the Lord"*: Afro-American Gospel Quartets in Memphis. Urbana: University of Illinois Press, 1988.

Loyd, Harold. *Elvis Presley's Graceland Gates*. Franklin, TN: Jimmy Velvet Publications, 1987.

Lydon, Michael. *Rock Folk*: Portraits from the Rock'n'Roll Pantheon. New York: Dial, 1971.

Lytle, Clyde Francis (ed.). *Leaves of Gold*: An Anthology of Prayers, Memorable Phrases, Inspirational Verse and Prose. [S.l., s.d.].

Malone, Bill C. *Country Music, USA*: A Fifty-Year History. Austin: American Folklore Society, University of Texas Press, 1968.

_____. *Southern Music*: American Music. Lexington: University Press of Kentucky, 1979.

Malone, Bill C.; McCulloh, Judith. *Stars of Country Music*: Uncle Dave Macon to Johnny Rodriguez. Urbana: University of Illinois Press, 1975.

Mann, May. *Elvis and the Colonel*. New York: Drake Publishers, 1975.

Mansfield, Rex; Mansfield, Elizabeth. *Elvis the Soldier*. Bamberg, West Germany: Collectors Service GmbH, 1983.

Marcus, Greil. *Dead Elvis*. New York: Doubleday, 1991.

_____. *Mystery Train*. 3. ed. rev. New York: Dutton, 1990.

Marsh, Dave. *Elvis*. New York: Times Books, 1982.

Martin, Linda; Segrave, Kerry. *Anti-Rock*: The Opposition to Rock'n'Roll. Hamden, CT: Shoe String Press; Archon Books, 1988.

Matthew-Walker, Robert. *Elvis Presley*: A Study in Music. London: Omnibus Press, 1983.

McIlwaine, Shields. *Memphis Down in Dixie*. New York: E. P. Dutton, 1948.

McKee, Margaret; Chisenhall, Fred. *Beale Black & Blue*: Life and Music on Black America's Main Street. Baton Rouge: Louisiana State University Press, 1981.

McLafferty, Gerry. *Elvis Presley in Hollywood*: Celluloid Sell-Out. London: Robert Hale, 1989.

McNutt, Randy. *We Wanna Boogie*. Hamilton, OH: HHP Books, 1988.

Michael Ochs Archives. *Elvis in Hollywood*. Texto de Steve Pond. New York: New American Library, 1990.

Miller, Jim (ed.). *The Rolling Stone Illustrated History of Rock & Roll*. New York: Random House; Rolling Stone Press, 1976.

Miller, William D. *Memphis During the Progressive Era*: 1900–1917. Memphis: Memphis State University Press, 1957.

_____. *Mr. Crump of Memphis*. Baton Rouge: Louisiana State University Press, 1964.

Morris, Willie. *North Toward Home*. Boston: Houghton Mifflin, 1967.

Morthland, John. *The Best of Country Music*. Garden City, NY: Doubleday Dolphin, 1984.

Muir, Eddie (ed.). *Wild Cat*: A Tribute to Gene Vincent. Brighton, UK: publicação própria, 1977.

Murray, Albert. *South to a Very Old Place*. New York: McGraw-Hill, 1971.

Nash, Alanna. *Behind Closed Doors*: Talking with the Legends of Country Music. New York: Alfred A. Knopf, 1988.

Palmer, Robert. *Baby, That Was Rock & Roll*: The Legendary Leiber & Stoller. New York: Harcourt Brace Jovanovich, 1978.

_____. *Deep Blues*. New York: Viking, 1981.

_____. *Jerry Lee Lewis Rocks!* New York: G. P. Putnam's Sons, 1981.

_____. *A Tale of Two Cities*: Memphis Rock and New Orleans Roll. ISAM Monographs: Number 12. Brooklyn: Institute for Studies in American Music, 1979.

Palmer, Tony. *All You Need Is Love*: The Story of Popular Music. New York: Viking Press; Grossman Publishers, 1976.

Parker, Ed. *Inside Elvis*. Orange, CA: Rampart House, 1978

Parker, John. *Five for Hollywood*. New York: Lyle Stuart, 1991.

Passman, Arnold. *The Deejays*. New York: Macmillan, 1971.

Pearl, Minnie; Dew, Joan. *Minnie Pearl*: An Autobiography. New York: Simon and Schuster, 1980.

Peary, Danny (ed.). *Close Ups*: The Movie Star Book. New York: Workman, 1978.

Percy, William Alexander. *Lanterns on the Levee*: Recollections of a Planter's Son. Baton Rouge: Louisiana State University Press, 1973.

Perkins, Carl; Rendleman, Ron. *Disciple in Blue Suede Shoes*. Grand Rapids, MI: Zondervan Publishing House, 1978.

Pleasants, Henry. *The Great American Popular Singers*. New York: Simon and Schuster, 1974.

Poe, Randy. *Music Publishing*: A Songwriter's Guide. Cincinnati: Writer's Digest Books, 1990.

Porterfield, Nolan. *The Life and Times of America's Blue Yodeler*: Jimmie Rodgers. Urbana: University of Illinois Press, 1979.

Presley, Dee; Stanley, Billy; Stanley, Rick; Stanley, David; Torgoff, Martin. *Elvis, We Love You Tender*. New York: Delacorte Press, 1980.

Presley, Priscilla Beaulieu; Harmon, Sandra. *Elvis and Me*. New York: G. P. Putnam's Sons, 1985.

Presley, Vester. *A Presley Speaks*. Memphis: Wimmer Brothers Books, 1978.

Presley, Vester; Rooks, Nancy. *The Presley Family Cookbook*. Memphis: Wimmer Brothers Books, 1980.

Quain, Kevin (ed.). *The Elvis Reader*: Texts and Sources on the King of Rock'n'Roll. New York: St. Martin's Press, 1992.

Raines, Howell. *My Soul Is Rested*. New York: G. P. Putnam's Sons, 1977.

Reagon, Bernice Johnson (ed.). *We'll Understand It Better By and By*. Washington, D.C.: Smithsonian Institution Press, 1992.

Rheingold, Todd. *Dispelling the Myth*: An Analysis of American Attitudes and Prejudices. New York: Believe in a Dream Publications, 1993.

Rijff, Ger. *Faces and Stages*: An Elvis Presley Time-Frame. Amsterdam: Tutti Frutti Productions, 1986.

_____. *Long Lonely Highway*. Amsterdam: Tutti Frutti Productions, 1985.

_____. *Memphis Lonesome*. Amsterdam: Tutti Frutti Productions, 1988.

_____. *The Voice of Rock'n'Roll*: Elvis in the Times of Ultimate Cool. Rotterdam: It's Elvis Time, 1993.

Rijff, Ger J.; Van Gestel, Jan. *Elvis*: The Cool King. Amsterdam: Tutti Frutti Productions, 1989.

Rijff, Ger J.; Van Gestel, Jan. *Fire in the Sun*. Amsterdam: Tutti Frutti Productions, 1991.

_____. *Florida Close-Up*. Amsterdam: Tutti Frutti Productions, 1987.

Roark, Eldon. *Memphis Bragabouts*. New York: McGraw-Hill; Whittlesey House, 1945.

Rodriguez, Elena. *Dennis Hopper*: A Madness to His Method. New York: St. Martin's Press, 1988.

Rosenberg, Neil V. *Bluegrass*: A History. Urbana: University of Illinois Press, 1985.

Rovin, Jeff. *The World According to Elvis*: Quotes from the King. New York: HarperCollins; Harper Paperbacks, 1992.

Russell, Tony. *Blacks Whites and Blues*. London: Studio Vista, 1970.

Russell, Wayne. *Foot Soldiers and Kings*. Brandon, Manitoba: Wayne Russell, [s.d.].

_____. *Foot Soldiers and Kings*. Vol. 2. Brandon, Manitoba: Wayne Russell, [s.d.].

Sanjek, Russell. *American Popular Music and Its Business*: The First Four Hundred Years. Vol. 3, From 1900 to 1984. New York: Oxford University Press, 1988.

_____. *From Print to Plastic*: Publishing and Promoting America's Popular Music (1900–1980). ISAM Monographs: Number 20. Brooklyn: Institute for Studies in American Music, 1983.

Sawyer, Charles. *The Arrival of B. B. King*. Garden City, NY: Doubleday, 1980.

Schlappi, Elizabeth. *Roy Acuff*: The Smoky Mountain Boy. Gretna, LA: Pelican Publishing, 1978.

Schroer, Andreas. *Private Presley*: The Missing Years—Elvis in Germany. New York: William Morrow, 1993.

Selvin, Joel. *Ricky Nelson*: Idol for a Generation. Chicago: Contemporary Books, 1990.

Shaw, Arnold. *The Rockin' 50s*. New York: Hawthorne Books, 1974.

Shelton, Robert; Goldblatt, Burt. *The Country Music Story*: A Picture History of Country and Western Music. New York: Bobbs-Merrill, 1966.

Siegel, Don. *A Siegel Film*: an Autobiography. London: Faber and Faber, 1993.

Sigafoos, Robert A. *Cotton Row to Beale Street*. Memphis: Memphis State University Press, 1979.

Smith, Wes. *The Pied Pipers of Rock'n'Roll*: Radio Deejays of the 50s and 60s. Marietta, GA: Longstreet Press, 1989.

Snow, Hank; Ownbey, Jack; Burris, Bob. *The Hank Snow Story*. Champaign: University of Illinois Press, 1994.

Snow, Jimmy; Hefley, Jim; Hefley, Marti. *I Cannot Go Back*. Plainfield, NJ: Logos International, 1977.

Stanley, Billy; Erikson, George. *Elvis, My Brother*. New York: St. Martin's Press, 1989.

Stanley, David. *Life with Elvis*. Old Tappan, NJ: Fleming H. Revell, 1986.

Stanley, Rick; Haynes, Michael K. *The Touch of Two Kings*: Growinpa tat Graceland. [S.l.]: T2K Publishers, 1986.

Staten, Vince. *The Real Elvis*: Good Old Boy. Dayton: Media Ventures, 1978.

Stearn, Jess; Geller, Larry. *The Truth About Elvis*. New York: Jove Publications, 1980.

Stern, Jane; Stern, Michael. *Elvis World*. New York: Alfred A. Knopf, 1987.

Storm, Tempest; Boyd, Bill. *The Lady Is a Vamp*. Atlanta: Peachtree Publishers, 1987.

Sumner, J. D.; Terrell, Bob. *Elvis*: His Love for Gospel Music and J. D. Sumner. [S.l.]: The Gospel Quartet Music Company and Bob Terrell, 1991.

Swaggart, Jimmy. *The Campmeeting Hour*: The Radio Miracle of the 20th Century. Baton Rouge: Jimmy Swaggart Evangelistic Association, 1976.

Swaggart, Jimmy; Lamb, Robert Paul. *To Cross a River*. Plainfield, NJ: Logos International, 1977.

Swenson, John. *Bill Haley*: The Daddy of Rock and Roll. New York: Stein and Day, 1982.

Terrell, Bob. *The Music Men*: The Story of Professional Gospel Quartet Singing. Asheville, NC: Bob Terrell Publisher, 1990.

Tharpe, Jac L. (ed.). *Elvis*: Images and Fancies. Jackson: University Press of Mississippi, 1979.

Thompson, Charles C. II; Cole, James P. *The Death of Elvis*: What Really Happened. New York: Delacorte Press, 1991.

Thompson, Sam. *Elvis on Tour*: The Last Year. Memphis: Still Brook Publishing, 1992.

Tobler, John; Grundy, Stuart. *The Record Producers*. New York: St. Martin's Press, 1982.

Toll, Robert. *Blacking Up*: The Minstrel Show in Nineteenth-Century America. New York: Oxford University Press, 1974.

Torgoff, Martin (ed.). *The Complete Elvis*. New York: G. P. Putnam's Sons, 1982.

Tosches, Nick. *Country*: The Biggest Music in America. New York: Stein and Day, 1977.

_____. *Dino*. New York: Doubleday, 1992.

_____. *Hellfire*: The Jerry Lee Lewis Story. New York: Dell, 1982.

_____. *Unsung Heroes of Rock'n'Roll*. Ed. rev. New York: Harmony Books, 1991.

Townsend, Charles R. *San Antonio Rose*: The Life and Music of Bob Wills. Urbana: University of Illinois Press, 1976.

Tribute: The Life of Dr. William Herbert Brewster. 2. ed. Memphis: Brewster House of Sermon Songs, [s.d.].

Tucker, David. *Lieutenant Lee of Beale Street*. Nashville: Vanderbilt University Press, 1971.

_____. *Memphis Since Crump*: Bossism, Blacks, and Civic Reformers, 1948–1968. Knoxville: University of Tennessee Press, 1980.

Turner, Steve. *Hungry for Heaven*: Rock and Roll and the Search for Redemption. London: W. H. Allen, 1988.

Van Doren, Mamie; Aveilhe, Art. *Playing the Field*: My Story. New York: G. P. Putnam's Sons, 1987.

Vellenga, Dirk; Farren, Mick. *Elvis and the Colonel*. New York: Delacorte Press, 1988.

Vernon, Paul. *The Sun Legend*. London: Paul Vernon, 1969.

Vince, Alan. *I Remember Gene Vincent*. Liverpool: Vintage Rock'n'Roll Appreciation Society, 1977.

Wade-Gayles, Gloria. *Pushed Back to Strength*. Boston: Beacon Press, 1993.

Wallis, Hal; Higham, Charles. *Starmaker*: The Autobiography of Hal Wallis. New York: Macmillan, 1980.

Ward, Ed; Stokes, Geoffrey; Tucker, Ken. *Rock of Ages*: The Rolling Stone History of Rock & Roll. New York: Summit Books, 1986.

Weinberg, Max; Santelli, Robert. *The Big Beat*: Conversations with Rock's Great Drummers. New York: Billboard Books, 1991.

Wertheimer, Alfred; Martinelli, Gregory. *Elvis '56*: In the Beginning. New York: Collier Books, 1979.

West, Red; West, Sonny; Hebler, Dave; Dunleavy, Steve. *Elvis*: What Happened? New York: Ballantine Books, 1977.

Westmoreland, Kathy; Quinn, William G. *Elvis and Kathy*. Glendale, CA: Glendale House Publishing, 1987.

White, Charles. *The Life and Times of Little Richard*: The Quasar of Rock. New York: Harmony Books, 1984.

Wiegert, Sue. *Elvis*: For the Good Times. Los Angeles: The Blue Hawaiians for Elvis, 1978.

Wiegert, Sue, com contribuições de amigos e fãs de Elvis. *Elvis*: Precious Memories. Los Angeles: Century City Printing, 1987.

_____. *Elvis*: Precious Memories. Vol. 2. Los Angeles: Century City Printing, 1989.

Williams, William Carlos. *In the American Grain*. New York: New Directions Press, 1956.

Winters, Shelley. *Shelley II*. New York: Simon and Schuster, 1989.

Wood, Lana. *Natalie*: A Memoir by Her Sister. New York: G. P. Putnam's Sons, 1984.

Woodward, C. Vann. *The Burden of Southern History*. Ed. rev. Baton Rouge: Louisiana State University Press, 1968.

_____. *Thinking Back*: The Perils of Writing History. Baton Rouge: Louisiana State University Press, 1986.

Wren, Christopher S. *Winners Got Scars Too*: The Life of Johnny Cash. New York: A Country Music; Ballantine Book, 1971.

Wynette, Tammy; Dew, Joan. *Stand By Your Man*: An Autobiography. New York: Simon and Schuster, 1979.

Yancy, Becky; Linedecker, Cliff. *My Life with Elvis*. New York: St. Martin's Press, 1977.

Yogananda, Paramahansa. *Autobiography of a Yogi*. Los Angeles: Self-Realization Fellowship, 1974.

Zmijewsky, Steven; Zmijewsky, Boris. *Elvis*: The Films and Career of Elvis Presley. New York: Citadel Press, 1991.

RECORTES, COLEÇÕES, LIVROS ILUSTRADOS E *MEMORABILIA*

Burk, Bill E. *Elvis*: Rare Images of a Legend. Memphis: Propwash Publishing, 1990.

Clark, Alan. *Buddy Holly and the Crickets*. West Covina, CA: Alan Clark Productions, 1979.

_____. *Elvis Presley Memories*. West Covina, CA: Leap Frog Productions, 1982.

_____. *The Elvis Presley Photo Album*. West Covina, CA: Alan Clark Productions, 1981.

_____. *Gene Vincent*: The Screaming End. West Covina, CA: Alan Clark Productions, 1980.

_____. *Legends of Sun Records*. West Covina, CA: Alan Clark Productions. Vários volumes, 1986–presente.

Clark, Alan. *Rock-a-billy and Country Legends*. West Covina, CA: Alan Clark Productions, [s.d.].

_____. *Rock and Roll in the Movies*. West Covina, CA: Alan Clark Productions. Vários volumes.

_____. *Rock and Roll Legends*. West Covina, CA: Alan Clark Productions. Vários volumes.

_____. *Rock and Roll Memories*. West Covina, CA: Alan Clark Productions. Vários volumes.

Cortez, Diego (ed.). *Private Elvis*. Stuttgart: FEY Verlags GmbH, 1978.

Curtin, Jim. *Unseen Elvis*: Candids of the King. Boston: Little, Brown and Company, 1992.

DeNight, Bill; Fox, Sharon; Rijff, Ger. *Elvis Album*. Lincolnwood, IL: Beekman House, 1991.

Esposito, Joe. *Elvis*: A Legendary Performance. Buena Park, CA: West Coast Publishing, 1990.

Fox, Sharon R. (ed.). *Elvis, His Real Life in the 60s*: My Personal Scrapbook. Chicago: Sharon Fox, 1989.

Hannaford, Jim. *Elvis*: Golden Ride on the Mystery Train. Vols. 1 e 2. Alva, OK: Jim Hannaford, 1986.

Kricun, Morrie E.; Kricun, Virginia M. *Elvis*: 1956 Reflections. Wayne, PA: Morgin Press, 1991 e 1992.

Lamb, Charles. *The Country Music World of Charlie Lamb*. Nashville: Infac Publications, 1986.

Life: 1946–1955. New York: Little, Brown and Company; New York Graphic Society, 1984.

Loper, Karen. *The Elvis Clippings*. Houston: The Elvis Clippings, [s.d.].

Michael Ochs Rock Archives. Garden City, NY: Doubleday, 1984.

Now Dig This. *The King Forever*. Wallsend, Tyne and Wear, UK: Now Dig This, 1992.

O'Neal, Hank. *A Vision Shared*: A Classic Portrait of America and Its People. New York: St. Martin's Press, 1976.

Parish, James Robert. *Solid Gold Memories*: The Elvis Presley Scrapbook. New York: Ballantine Books, 1975.

Rijff, Ger; Madsen, Poul. *Elvis Presley*: Echoes of the Past. Voorschoten, Holland: Blue Suede Shoes Productions, 1976.

Tucker, Gabe; Williams, Elmer. *Pictures of Elvis Presley*. Houston: Williams and Tucker Photographs, 1981.

Tunzi, Joseph A. *Elvis '69*: The Return. Chicago: JAT Productions, 1991.

_____. *Elvis '73*: Hawaiian Spirit. Chicago: JAT Productions, 1992.

PERIÓDICOS

Eu não poderia nem sequer começar a listar todos os periódicos, antigos e recentes, que consultei. Apenas para a mais breve das referências, constatei que *Now Dig This, Goldmine, DISCoveries, New Kommotion, Kicks, Country Music* e *Picking Up the Tempo* foram particularmente úteis (e, muitas vezes, inestimáveis) ao longo dos anos. Além disso, consultei amplamente as seguintes publicações sobre Elvis: *Elvis: The Man and His Music*; *Elvis: The Record*; *Elvis World*; *Because of Elvis*; *Elvis International Forum*; e *Graceland Express*. O relatório especial de 1992, "Elvis Presley: An Oral Biography", com entrevistas realizadas por Peter Cronin, Scott Isler e Mark Rowland, ofereceu um retrato perspicaz. Por fim, *History of Rock*, de Orbis, vols. 3 e 5, publicado em 1981 e 1982, tem boas fotos e dados interessantes sobre o início da carreira, a vida e a época de Elvis Presley.

BREVE NOTA DISCOGRÁFICA

Em essência, o trabalho de indicar os melhores discos de Elvis Presley já foi realizado, graças aos esforços de Ernst Jorgensen e Roger Semon para a RCA/BMG/Sony Legacy. E embora nem todos os álbuns listados aqui estejam atualmente disponíveis, vale a pena garimpá-los – e se você não conseguir encontrá-los exatamente nesse formato, lembre-se: sempre há uma versão alternativa.

De fato, o *The Complete 50's Masters* (RCA 66050) sozinho já poderia servir como a trilha sonora para este livro. Inclui tudo, desde o primeiro acetato até a última sessão de 1958, com Elvis já de uniforme militar. Tem até como bônus a coletiva de imprensa do cantor, no pré-embarque, o show dele em Las Vegas (1956) e uma série de performances improvisadas (1955), tanto ao vivo quanto em estúdio.

O melhor do gospel na voz de Elvis pode ser encontrado em *Amazing Grace: His Greatest Sacred Performances* (RCA 66421), que inclui alguns dos mais fervorosos louvores do cantor de Memphis em um CD duplo. *Peace in the Valley: The Complete Gospel Recordings* (RCA 67991) acrescenta um terceiro álbum para esgotar o tema.

Claro que nenhuma coleção respeitável de gravações/CD/digital poderia ficar sem *Sunrise* (RCA 67675), uma compilação que traz todos os títulos da Sun, a maioria dos *takes* alternativos e as conversas de estúdio, os dois acetatos originais (todas as quatro faixas) que Elvis gravou às próprias custas em 1953 e no início de 1954, todos os experimentos e todos os obstinados fracassos, além de seis faixas raras do Hayride e dois números de r&b extras, gravados numa estação de rádio em Lubbock. Mas se isso apenas aguçar seu apetite pelo que há realmente disponível, você deve comprar o suntuoso *Elvis Presley: A Boy From Tupelo*, de Ernst Jorgensen, que inclui tudo, não só as gravações completas, mas fotografias e memórias de praticamente todas as datas que ele tocou em 1954 e 1955, no megalivro de 527 páginas que acompanha (ou talvez seja o contrário) esse conjunto de três CDs. Se você não conseguir obter a edição original da Follow That Dream, procure uma versão da Sony/Legacy no futuro próximo, mas tenha em mente: o original é inestimável e, seja qual for o preço, não há coisa melhor.

Elvis Presley (RCA 82876-66058) é o primeiro álbum clássico, produzido no auge da fama e aumentado aqui por meia dúzia de faixas bônus, todas gravadas nas mesmas sessões iniciais de 1956 a partir das quais o álbum foi concebido. E então, é claro, há *The Complete Million Dollar Quartet* (Sony/BMG 82876 88035), no qual Elvis, Carl Perkins e Jerry Lee Lewis (o trio virou quarteto porque Johnny Cash apareceu para tirar umas fotos) se juntam mais ou menos por acaso no que Sam Phillips descreveu como "uma boa *jam session* à moda antiga". Cantaram gospel (principalmente), country, blues e rock'n'roll – e apesar de todo o choque produzido pela revelação dessa *jam session* (que se tornou uma anedota comentada por mais de trinta anos antes de enfim ver oficialmente a luz do dia), seria um erro pensar nela como apocalíptica (algo muito encantador), mas sim como a melhor pista que jamais teremos sobre o espírito livre e simples, o espírito revolucionário, de toda a era da Sun.

Se quiser dar um passo à frente, *From Nashville to Memphis: The Essential 60's Masters* (RCA 66160), outra caixa de cinco CDs, inclui algumas das mais bonitas performances de Elvis, embora não chegue nem perto da consistência do box dos anos 1950.

Por outro lado, *Elvis Is Back* (RCA 67737) representa uma das mais amplas explosões de criatividade da carreira do artista. Foi originalmente lançado em 1960 como um álbum de doze faixas irrepreensivelmente exploratório, concebido a partir de suas primeiras sessões pós-exército, com seis faixas adicionais dessas sessões (incluindo "It's Now or Never" e "Are You Lonesome Tonight?"), dispersas entre três de seus singles mais vendidos. Aqui todas as dezoito faixas estão reunidas no que poderia ser considerado o mais ambicioso empreendimento artístico de Elvis pós-Sun.

Eu digo "poderia ser" porque, bom, seria muito difícil uma sessão superar o escopo criativo da música que ele gravou em 1969 nos estúdios da American em Memphis, sob a direção rigorosa de Chips Moman. Esse auge está disponível em todas as suas apaixonadas nuances em *Suspicious Minds* (RCA 67677), um conjunto de dois CDs que inclui não só as *masters*, mas também uma generosa variedade de *outtakes*. E, claro, você não gostaria de ficar sem *Elvis/NBC-TV Special* (RCA 61021) e *Tiger Man* (RCA 67611), que representam, respectivamente, a trilha sonora do especial de televisão de 1968 que marcou seu retorno aos palcos e o segundo show "*sit-down*" completo (que corresponde à seção "Elvis Unplugged" da performance que encapsulou toda a espontaneidade e todos os riscos que estavam no âmago do show). Outras versões desse mesmo material incluem *Memories* (RCA 67612), conjunto de dois CDs que traz o especial em si e uma seleção diferente de performances informais. E, é claro, existem várias versões em DVD, incluindo *Elvis '68 Comeback Special Deluxe Edition* (BMG 82876-60924), um conjunto de três DVDs.

E não é só isso. Há discos de sessões de gravações, *takes* alternativos, performances ao vivo, as canções dos filmes – e até o abrangente *The Complete Elvis Masters* (RCA/Sony Legacy), com trinta CDs, som exemplar e um livro de 240 páginas.

Mas, para escolher entre essas e muitas outras opções, deixo o(a) leitor(a) por conta de seus próprios meios. Lembre-se: todo esse processo é destinado exclusivamente a ser um guia consultivo, fornecendo a você o que espero sejam dicas úteis para suas próprias explorações. A outra sugestão que tenho (e talvez suscite explorações quase infinitas) tem a ver com a música que inspirou Elvis: fontes tão variadas como Roy Hamilton, Hank Snow, Arthur Crudup, Martha Carson, Eddy Arnold, Ray Charles, Bing Crosby, Little Junior Parker, Ink Spots, Statesmen, Blackwood Brothers e Sister Rosetta Tharpe. Existem dois álbuns com versões originais de algumas das músicas mais conhecidas de Elvis (*The King's Record Collection*, vols. 1 e 2 [Hip-O 40082 e 40083]), que certamente são um bom começo. Mas, se você se emociona com a música de Elvis, vale a pena fazer mais do que um passeio agradável pelos caminhos frequentemente divergentes da grande música vernácula americana. É uma riqueza que há de inspirar a música produzida no futuro.

AGRADECIMENTOS

Ao escrever um livro ao longo de um período tão extenso (que começa bem antes de seu início formal), incorremos em dívidas que nunca podemos pagar. Literalmente centenas de pessoas me ajudaram em minhas pesquisas e entrevistas, e sou grato a cada uma delas. As pessoas a seguir são apenas algumas das que me auxiliaram ao longo de semanas, meses e anos:

Sra. Lee Roy Abernathy, Curtis Lee Alderson, J. W. Alexander, Hoss Allen, Terry Allen, Chet Atkins, James Ausborn, Mae Axton, Buddy e Kay Bain, Eva Mills Baker e Sarah Baker Bailey, Jimmy Bank, Jonnie Barnett, Dick Baxter, Bob Beckham, Fred e Harriette Beeson, Bill Bentley, Bettye Berger, Freddy Bienstock, Steve Binder, Evelyn Black, Johnny Black, James Blackwood, George Blancet, Arthur Bloom, Arlene Piper Blum, Barbara Bobo, Barbara Boldt, Dave Booth, Stanley Booth, Joella Bostick, Ernest Bowen, Horace Boyer, Will Bratton e Sharyn Felder, Avis Brown, Jim Ed Brown, Monty e Marsha Brown, Tony Brown, James Burton, Sheila Caan, Trevor Cajiao, Louis Cantor, Jerry Carrigan, Martha Carson, Johnny Cash, Anne Cassidy, Marshall Chess, Gene Chrisman, Galen Christy, Dr. Charles L. Clarke, Quinton Claunch, Rose Clayton, Jack Clement, Jackie Lee Cochran, Jim Cole, Biff Collie, L. C. Cooke, Al Cooley, Daniel Cooper, X. Cosse, Country Music Foundation, Floyd Cramer, Jack Cristil, Peter Cronin, Mike Crowley, T. Tommy Cutrer, Bill Dahl, Pete Daniel, Sherry Daniel, Fred Danzig, Fred Davis, Hank Davis, Richard Davis, Joan Deary, Bill Denny, Jesse Lee Denson, Jimmy Denson, Howard DeWitt, Jim e Mary Lindsay Dickinson, Duff Dorrough, Carole Drexler, Vince Edwards, Leroy Elmore, Sam Esgro, David Evans, Eddie Fadal, Charles Farrar, Charlie Feathers, Robert Ferguson, Lamar Fike, D.J. Fontana,

Buzzy Forbess, Trude Forsher, Alan Fortas, Lillian Fortenberry, Fred Foster, Sharon Fox, Ted Fox, Andy Franklin, Ann Freer, Donnie Fritts, Anne Fulchino, Lowell Fulson, Ray Funk, Marty Garbus, Honeymoon Garner, Galen Gart, Gregg Geller, Larry Geller, Gary Giddins, Homer Gilliland, Cliff Gleaves, Glen Glenn, Billy Goldenberg, Stuart Goldman, John Goldrosen, Kay Gove, Betty Grant, Sid Graves, Tom Graves, Alan Greenberg, Bob Groom, Jimmy Guterman, Joe Haertel, Rick Hall, Jim Hannaford, Terry Hansen, Glenn D. Hardin, Gary Hardy, Sandy Harmon, Dottie Harmony, Phyllis Harper, Homer Ray Harris, Randy Haspel, Dot Hawkins, Martin Hawkins, Rick Hawks, Joseph Hazen, Skip Henderson, Curley Herndon, Lamar Herrin, Jake Hess, Leonard Hirshan, Charlie Hodge, Lester e Sterling Hofman, Bones Howe, Eliot Hubbard, Tom Hulett, Maylon Humphries, Nick Hunter, Bill Ivey, Mark James, Roland Janes, Jim Jaworowicz, Jimmy Johnson, Sandi Kallenberg, Hal Kanter, Jerry Kennedy, Stan Kesler, Merle Kilgore, Buddy Killen, Paul Kingsbury, Millie Kirkham, Pete Kuykendall, Sleepy LaBeef, Charlie Lamb, Guy Lansky, Dickey Lee, Mike Leech, Ed Leek, Lance LeGault, Jerry Leiber, Barbara Leigh, Ed Leimbacher, David Leonard, Stan Lewis, Horace Logan, Mary Logan, Larrie Londin, Lorene Lortie, Bill Lowery, Archie Mackey, Kenneth Mann, Brad McCuen, Judy McCulloh, Charlie McGovern, Gerry McLafferty, Andy McLenon, John e Pat McMurray, Scott McQuaid, Sandi Miller, Bill Mitchell, Bill Monroe, Sputnik Monroe, Bob Moore, Bobbie Moore, Steve Morley, John Morthland, Joe Moscheo, Alanna Nash, David Naylor, Jimmy "C" Newman, Thorne Nogar, John Novarese, Herbie O'Mell, Jim O'Neal, Sean O'Neal, Michael Ochs, Bob Oermann, Jay Orr, Terry Pace, Frank Page, Coronel Tom Parker, Ed Parker, Pat Parry, Judy Peiser, Carl Perkins, Millie Perkins, Tom Perryman, Brian Petersen, Pallas Pidgeon, Bob Pinson, Barbara e Willie Pittman, Randy Poe, Gail Pollock, Doc Pomus, Steve Popovich, Bill Porter, John Andrew Prime, Mark Pucci, Ronnie Pugh, Norbert Putnam, Pat Rainer, Charles Raiteri, Jerry Reed, Eleanor Richman, JillEllyn Riley, Fran

Roberts, Don Robertson, Jeffrey Rodgers, Steve Rosen, Neil Rosenberg, John Rumble, Wayne Russell, Ben Sandmel, Johnny Saulovich, Jerry Scheff, Tony Scherman, Tom Schultheiss, Joel Selvin, Jan Shepard, Barbara Sims, John e Shelby Singleton, o Reverendo e a Sra. Frank Smith, Myrna Smith, Ronald Smith, Hank Snow, o Reverendo Jimmy Snow, Jessica St. John, Kevin Stein, Jim Stewart, Alan Stoker, Gordon Stoker, Mike Stoller, Dave Stone, Billy Strange, Peter Stromberg, Marty Stuart, J. D. Sumner, Billy Swan, Russ Tamblyn, Corinne Tate, Bob Terrell, Rufus e Carla Thomas, Linda Thompson, Sam Thompson, Roland Tindall, Nick Tosches, Ruth Trussell, Ernest Tubb, Justin Tubb, Gabe Tucker, Cindy Underwood, Billy Walker, Slim Wallace, Jan Walner, Dick Waterman, Monte Weiner, Ben Weisman, Alfred Wertheimer, Kathy Westmoreland, Jerry Wexler, Jonny Whiteside, Tex Whitson, Jane Wilbanks, Willie Wileman, Jimmy Wiles, Charles Wolfe, Gloria Wolper, Terry Wood, Eve Yohalem, Chip Young, Jimmy Young, Reggie Young e a Sra. W. A. Zuber.

Bill Millar generosamente forneceu fitas, recortes, perspectivas e informações, assim como Ger Rijff, Karen Loper, Poul Madsen, Stephen Stathis, Rich Kienzle e Diana Magrann. Incansável, Robert Gordon descobriu tudo que é tipo de informações e tradições arcanas de Memphis (e me levou ao Riverside Park, o local da barraca de refrescos do Rocky's Lakeside); estou ansioso para ler a visão de Robert sobre parte desse mesmo material em seu livro *It Came from Memphis*. Outros amáveis anfitriões e guias de Memphis foram Bill Burk, Shelley Ritter, David e Angela Less, Jackson Baker, Ronny Trout, e a gangue de South Memphis a quem Ronnie Smith me apresentou. Não tenho palavras para agradecer a todos os meus guias e patrocinadores pessoais em Nashville, mas Mary Jarvis e David Briggs, em especial, fizeram de tudo para me atender e me puseram na direção certa em minhas viagens. Com Elaine Dundy, que conheci pela primeira vez quando comecei a trabalhar no livro, foi um caso de amizade à primeira vista. Ela me apresentou a todos os seus amigos em Tupelo (que ela havia conhecido ao escrever seu próprio livro, *Elvis and Gladys*). Quem ela não pôde me apresentar pessoalmente, o historiador e genealogista local Roy Turner, que ajudou Elaine em suas pesquisas e é o residente de Tupelo especialista em Marilyn Monroe, o fez. Em Shreveport, Alton e Margaret Warwick e Tillman Franks desempenharam basicamente a mesma função, fazendo tudo o que estava ao seu alcance para me fornecerem todo o material sobre o Hayride que eu pude absorver, além de terem me apresentado alegremente a muitas de suas principais figuras.

Sou profundamente grato a John Bakke, presidente do Departamento de Artes de Teatro e Comunicação, por ter me disponibilizado não só os recursos da Coleção do Vale do Mississippi na Universidade Estadual de Memphis, como também as fitas do programa anual de serviço memorial, que foi copatrocinado pelo reitor Richard Ranta, da Faculdade de Comunicação e Belas-Artes, todo mês de agosto, ao longo de dez anos após a morte de Elvis. Andrew Solt e Malcolm Leo me ajudaram incomensuravelmente ao me dar acesso a recursos, contatos e arquivos (sem mencionar conhecimentos, pontos de vista e boa vontade) que desenvolveram inicialmente ao produzir *This Is Elvis* e em seus trabalhos posteriores, em conjunto ou individualmente, ao longo dos anos.

Dixie Locke e June Juanico foram mais do que generosas em compartilhar memórias pessoais e inspiradores pontos de vista. Jerry Schilling, George Klein e Joe Esposito concederam livremente seu tempo, suas reflexões e solicitude. Chick Crumpacker e Grelun Landon foram meus guias e amigos leais, levando-me por vários caminhos obscuros e prazerosos, geralmente em forma de reminiscências, embora, no caso de Chick, isso tenha acontecido de forma semicorpórea também, quando revisitamos o velho edifício da RCA, o estúdio e os arredores, em companhia de Ernst Jorgensen.

Scotty Moore pacientemente concedeu entrevista após entrevista (ao longo de mais de quinze anos) e, por fim, me deixou ouvir seus discos de Josh White, exclamando "Ui, isso dói!" o suficiente para apontar quais trechos do passado apresentavam possíveis pontos dolorosos. A falecida Marion Keisker também foi a melhor das amigas, sempre me manteve a par das últimas notícias de Memphis, além de compartilhar rapidamente suas opiniões sobre tudo, desde teatro e cinema (do qual ela era uma participante ativa) até o feminismo (idem) ou a Pirâmide de Memphis. Sou eternamente grato a Sam e Knox Phillips, bem como a toda a família Phillips, por sua inabalável amizade e dedicação em ajudar este projeto em todos os sentidos, até o último e infinitesimal detalhe. Sam, Marion e Scotty se reuniram num momento da história e, embora suas recordações às vezes diferissem acentuadamente, o seu compromisso em fazer um relato honesto, seja de um ângulo lisonjeiro ou nem tanto, e a sua percepção sobre a importância e a independência de seus próprios papéis na história permaneceram inquebrantáveis.

Mais uma vez, Kit Rachlis forneceu sugestões e conselhos editoriais utilíssimos (quase irritantes de tão pertinentes), e Alexandra Guralnick pacientemente leu, transcreveu, debateu e imaginou os detalhes da história a cada passo do caminho. Colin Escott leu o manuscrito a bem da precisão e forneceu recortes, informações e conselhos úteis, enquanto Ernst Jorgensen, cocompilador de *Elvis Complete 50's* e *Essential 60's Masters*, duas caixas definitivas de cinco CDs da RCA, provou ser ainda mais obsessivo do que eu para verificar fatos obscuros, entornar os caldos teóricos e recusar-se a permitir que um cenário de sonho ficasse no caminho do real. Meus agradecimentos ao editor antigo e ao atual, Jim Landis e Michael Pietsch; a Dick McDonough; a Debbie Jacobs por sua preparação textual incansável, solidária e rigorosa, sem perder o bom humor; e, mais uma vez, a Susan Marsh, não só por sua parceria de quinze anos em design, mas por toda a sua ajuda, incentivo, perspectivas e paixão obstinadamente profissional pelo trabalho.

Obrigado a todos vocês, e a todos aqueles que não foram citados, de quem recebi incentivo, apoio e inspiração, sem mencionar o encorajamento (e o entusiasmo) para começar o volume II!

PERMISSÕES

O autor agradece a permissão para incluir o seguinte material protegido por direitos autorais:

Excerto de *America*. Copyright © 1956 de *America*. Usado com a permissão de *America*.

Excerto de *Billboard*. Copyright © 1955 de *Billboard*. Usado com a permissão de *Billboard*.

Excerto de "A Hound Dog to the Manor Born", de Stanley Booth, Jr. Copyright © 1968 de Stanley Booth, Jr. Usado com a permissão do autor.

Excerto de *Charlotte Observer*. Copyright © 1956 de *Charlotte Observer*. Usado com a permissão de *Charlotte Observer*.

Excerto de uma entrevista de Steve Sholes concedida a Tandy Rice. Usado com a permissão da Country Music Foundation Collection.

Excerto de "Inside Paradise", de Hal Kanter. Copyright © 1957 de Hal Kanter. Usado com a permissão do autor.

Excerto de *The Orlando Sentinel*. Copyright © 1955 de *The Orlando Sentinel*. Usado com a permissão de *The Orlando Sentinel*.

Excerto de *Waco News-Tribune*. Copyright © 1956 de Waco News-Tribune. Usado com a permissão de *Waco News-Tribune*.